LE PRINCE VICTOR NAPOLÉON

Laetitia de Witt

Le prince
Victor Napoléon

Fayard

ISBN : 978-2-213-63127-1

Avant-propos

Le 17 juin 1955 à 18 heures, le contre-torpilleur *l'Albatros* s'apprête à quitter le port de Nice à destination d'Ajaccio. À son bord, sous deux drapeaux tricolores, les cercueils renfermant les corps du prince Victor Napoléon et de son épouse Clémentine, née princesse de Belgique. Les photographies en noir et blanc de l'époque restituent l'événement avec force. Les quais du port sont envahis par la foule. Jean Médecin, l'emblématique député-maire de la ville, le préfet des Alpes-Maritimes, un représentant du général Kœnig, alors ministre de la Défense nationale, ainsi que de nombreuses personnalités civiles et militaires assistent à la cérémonie qui précède le départ. Le spectacle est majestueux. Sur le terre-plein central, au centre du service d'ordre rangé en carré, on observe un détachement du 22ᵉ bataillon des chasseurs alpins et un autre de la Légion étrangère. Au bord du quai se trouvent les drapeaux des Anciens Combattants belges et de la Société royale de bienfaisance belge. Les enfants du couple impérial, le prince Louis et la princesse Marie-Clotilde, font face aux autorités au centre du carré d'honneur, devant les cercueils recouverts par deux catafalques. De magnifiques couronnes de fleurs, hommage des édiles de Nice et des Corses de la ville, entourent les cercueils. L'absoute prononcée par l'archevêque de Nice, puis la bénédiction renforcent l'aspect solennel de la cérémonie. Le faste accordé par la France au retour du corps de l'héritier de

Napoléon Ier et de Napoléon III tranche avec l'absence
actuelle de commémoration officielle du bicentenaire de
l'Empire et de ses victoires.

L'arrivée des corps à Ajaccio et leur acheminement jusqu'à la chapelle Impériale donnent de nouveau lieu à une
imposante cérémonie en présence d'une foule encore plus
nombreuse. Il est 10 heures lorsque l'*Albatros* accoste
devant le monument aux morts de la ville. Les cercueils
sont alors descendus sur le quai et installés sur deux catafalques, tandis que les détachements de la marine, de
l'aviation et de la gendarmerie rendent les honneurs militaires. Le drapeau du Comité central bonapartiste, cravaté
de noir, s'incline au passage des corps avant qu'ils ne
soient bénis par Mgr Casta, vicaire général et aumônier
de la chapelle Impériale. À la fin de cette courte cérémonie, la procession s'organise pour se diriger vers la chapelle. Les détachements de la marine, de l'aviation et de
la gendarmerie ouvrent le défilé. Ils sont suivis par le drapeau du Comité central bonapartiste, dont chaque
membre porte une gerbe de fleurs, et par le clergé de la
ville. Le char funèbre contenant les deux cercueils occupe
le cœur du cortège. Le prince et la princesse Napoléon
marchent à sa suite, entourés de quelques proches. Derrière eux se trouvent le préfet de la Corse, le maire de la
ville, le commandant de la place d'armes d'Ajaccio,
l'évêque d'Ajaccio et de nombreuses autres personnalités
de l'île. Le cortège ainsi constitué traverse la ville tout
doucement, au rythme des marches funèbres. Sur l'ensemble du parcours – place Foch, avenue du Premier-
Consul, cours Napoléon, rue Fesch –, les commerçants
ont fermé leur porte en signe de deuil. Une fois encore,
la ville d'Ajaccio manifeste son attachement à la famille
Bonaparte, dont le nom reste intimement lié à la Corse.
Le cortège arrive à 11 heures devant la chapelle Impériale.
Seule la famille et les autorités assistent à la messe solen-

nelle de requiem avant que les corps reçoivent la dernière bénédiction dans la crypte. Il aura fallu attendre presque trente ans après la mort du prince Victor pour qu'il puisse reposer sur cette terre à laquelle le rattache son nom. Le prince Victor n'a pas connu la Corse. Là-bas, pourtant, on savait qui il était ; on avait même espéré l'avènement de celui qui aurait régné sous le nom de Napoléon V. Prince Victor, Napoléon V, mais qui est-il ? Le prince Victor est tout simplement l'héritier politique du prince impérial, le fils unique de Napoléon III. En juin 1879, le prince impérial, parti combattre les Zoulous, fut tué. Dans l'ordre de succession, le nouveau chef de la maison impériale devait être le prince Napoléon, seul cousin germain de Napoléon III (voir généalogie, p. 14-15). Or le prince impérial laissait des dispositions testamentaires contraires à la législation impériale, par lesquelles il nommait comme successeur politique le prince Victor, fils aîné du prince Napoléon, et non son père. Cette décision du fils de Napoléon III bouleversa la vie du prince Victor. Elle déclencha une rupture irrémédiable entre lui et son père, et le propulsa à la tête du parti bonapartiste alors qu'il n'avait pas dix-huit ans. Il allait occuper cette place pendant près de cinquante ans, jusqu'à sa mort en 1926.

Le prince Victor est pourtant resté méconnu aussi bien de ses contemporains que des générations suivantes. Un tel oubli amène à s'interroger sur la cause qu'il représentait. Il apparaît que le parti bonapartiste sous la Troisième République ne cesse de péricliter. Dès lors, on en vient à se demander si le manque de popularité du prince Victor provient du déclin du parti bonapartiste ; ou, au contraire, si ce n'est pas la position en retrait du prince qui est à l'origine de l'agonie de la cause bonapartiste. Pour tenter de répondre à cette question, il faut savoir qui se dissimulait derrière l'héritier impérial. Partir à la rencontre de celui qui fut à la fois acteur central du parti bonapartiste

9

et témoin privilégié d'une époque de transition s'étendant de la chute du Second Empire à l'aube des Années folles et englobant les grandes crises de la Troisième République.

L'enquête commence par les Archives nationales. Le fonds Napoléon regroupe plus de quatre-vingts cartons de la correspondance du prince Victor. Exilé en Belgique, il entretient des relations régulières avec la France. À l'issue du dépouillement, deux constats s'imposent. Le premier concerne l'aspect officiel de cette correspondance : on sent bien que seules les pièces jugées susceptibles d'être transmises à la postérité subsistent et qu'un premier tri a dû être fait par le prince Victor. Puis, après sa mort, la princesse Clémentine, qu'on pourrait qualifier de « gardienne du temple », a certainement écarté ou brûlé les lettres qui risqueraient de discréditer son époux. De ce premier constat découle le second : l'essentiel de cette correspondance se rapporte aux affaires du parti bonapartiste. Pourtant, on n'y trouve aucune pièce proprement politique, ni notes de la main du prince, ni procès-verbaux de réunions électorales... On en vient à se demander si la faiblesse des papiers politiques du prince Victor ne traduit pas, avant tout, sa position discrète au sein du parti bonapartiste, due en partie à son éloignement géographique. Mais les manques ne sont pas que politiques, ils sont également flagrants en matière de lettres familiales et conjugales. Les quelques lettres du prince Victor à son père se trouvent dans les papiers du prince Napoléon et se résument essentiellement à leurs échanges épistolaires lors de leur rupture ; aucune lettre à sa mère, à ses frère et sœur, non plus qu'à son épouse. En fait, cet ensemble de documents ne donne qu'une vision partielle du personnage. Il fallait trouver autre chose pour le mieux cerner.

Or, dans mes recherches, j'ai eu la chance de découvrir les papiers de Louis Thouvenel. Fils du ministre des

Affaires étrangères de Napoléon III, il était membre du service d'honneur du prince Victor. À ce titre, il s'occupait aussi bien des affaires privées du prince que de certains dossiers politiques. Sa correspondance avec le prince Victor mais aussi avec son secrétaire, Amédée Edmond-Blanc, et sa sœur, la princesse Laetitia, permet de pénétrer dans le cercle intime de l'héritier impérial. D'autres documents, provenant de descendants de proches du prince Victor ou d'érudits, m'ont été aimablement prêtés et d'une aide précieuse. Tel est le cas des papiers de la comtesse Ghislaine de Caraman-Chimay : la correspondance de cette amie intime du prince Victor, bien introduite à la cour de Belgique, est à la fois personnelle et politique. On y trouve le programme du prince Victor, l'écrit le plus complet rédigé par le prétendant impérial et qui exprime sa pensée politique, parvenue à maturité. À la lecture de ces différents documents, on peut se faire une idée du mode de vie d'un héritier d'ancienne famille régnante, condamné à l'exil. On découvre ainsi la spécificité de cette existence à part, dans laquelle se côtoient les obligations d'ordre politique et celles liées au train de maison d'usage dans le cas d'un prétendant au trône.

Le principal intérêt de la vie du prince Victor réside dans la longévité de son règne politique. Il est déjà à la tête du parti bonapartiste à l'époque de la crise boulangiste ; on l'y trouve encore lors de l'affaire Dreyfus et de la Première Guerre mondiale. Mais si le récit du prince Victor apporte des éclaircissements sur le parti bonapartiste sous la Troisième République, le but de ce livre n'est pas le parti bonapartiste en lui-même. Le bonapartisme après Sedan a déjà fait l'objet de trois études importantes qui permettent d'avoir une vue d'ensemble de cette mouvance[1]. Alors que, pour ce qui est de son chef, le vide bibliographique demeure total. À part une petite biographie de type hagiographique qui fut rédigée de son vivant dans un but de propagande[2], aucune étude d'ensemble n'existe sur le prince Victor. Dans les ouvrages de synthèse, on ne lui réserve qu'une petite place à l'arrière-plan des événements. En personnage secondaire n'ayant pas régné, il n'a guère déchaîné les passions et demeure un mystère. Quatre-vingts ans ont passé depuis la mort de Victor Napoléon et il mérite plus que quelques citations dans une histoire générale ou quelques lignes dans des ouvrages de généalogie. Pendant une quarantaine d'années, il a été, on l'a dit, l'acteur central du parti bonapartiste sous la Troisième République. La durée de son règne politique n'est cependant pas proportionnelle à son efficacité. En effet, le parti bonapartiste, placé sous la direction du prince, entre dans une longue phase de déclin, dont il ne se relèvera jamais. Le prétendant aura-t-il été le fossoyeur du bonapartisme en tant que force politique ? Cette question renvoie à son rôle public, mais elle ne permet pas d'aborder l'homme privé ; or il est indispensable de pénétrer dans l'intimité du prince Victor en exil afin de percevoir comment son incapacité à agir sur le présent l'a amené à vivre dans un monde consacré au passé, qui avait comme particularité d'être habité par le mythe napoléonien. Soucieux de maintenir une présence de la famille des Napoléon dans le cœur des Français, le prince décide d'apporter son soutien à l'essor de la légende impériale, notamment par la constitution d'une collection napoléonienne hors du commun, collection qui a également le mérite de faire apparaître à quel point il était pénétré de sa race, fier de ses ancêtres. N'oublions pas que le prince Victor fut un Napoléon avant tout.

CHAPITRE PREMIER

Naître Napoléonide

Napoléon Victor Jérôme Frédéric : les prénoms sous lesquels le prince Victor est inscrit sur les registres de la famille impériale quelques jours après sa naissance[1] ne permettent aucune confusion quant à sa filiation. Depuis la proclamation du Premier Empire, en 1804, l'habitude a été gardée dans la famille Bonaparte de donner le prénom du fondateur de la dynastie à chaque héritier mâle. Cette tradition vise à souligner que la famille doit tout au premier empereur, sans pour autant que les Bonaparte viennent de nulle part. Les origines les plus fantaisistes ont été données à la famille. Chateaubriand s'amuse à rappeler comment la duchesse d'Abrantès reliait Napoléon à la dynastie Comnène, alors que d'autres démontraient que l'Empereur descendait en ligne directe du Masque de fer et de la fille du gouverneur des îles de Lévins, dites îles Sainte-Marguerite au XVIIIe siècle. Napoléon lui-même souriait de ces généalogies flatteuses. L'auteur des *Mémoires d'outre-tombe* finit par admettre qu'« il [Napoléon] était, selon l'ancienne expression, fils de famille[2] ». En fait, si Napoléon feignait un certain détachement à l'égard de ses origines nobles, il en tirait cependant une certaine vanité pour se défendre d'être un parvenu. L'origine italienne de la famille est prouvée. On repère des Buonaparte ou Bonaparte dès le début du XIIe siècle à Trévise et Padoue, mais la branche dont est issue la famille de Napoléon provient plutôt de Sarzana, petite ville de la république de

GÉNÉALOGIE IMPÉRIALE

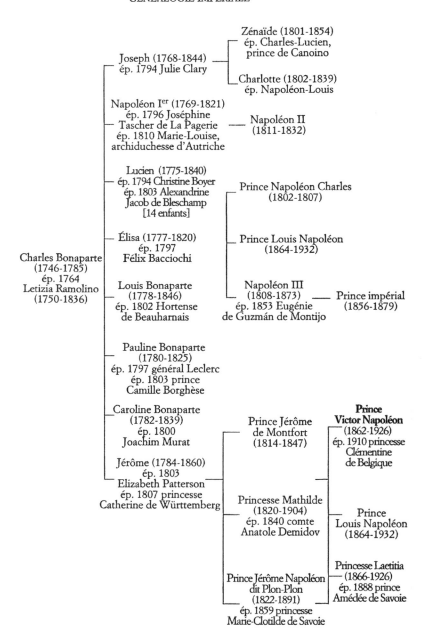

Joseph (1768-1844)
ép. 1794 Julie Clary

Zénaïde (1801-1854)
ép. Charles-Lucien,
prince de Canoino

Charlotte (1802-1839)
ép. Napoléon-Louis

Napoléon Ier (1769-1821)
ép. 1796 Joséphine
Tascher de La Pagerie
ép. 1810 Marie-Louise,
archiduchesse d'Autriche

Napoléon II
(1811-1832)

Lucien (1775-1840)
ép. 1794 Christine Boyer
ép. 1803 Alexandrine
Jacob de Bleschamp
[14 enfants]

Prince Napoléon Charles
(1802-1807)

Charles Bonaparte
(1746-1785)
ép. 1764
Letizia Ramolino
(1750-1836)

Élisa (1777-1820)
ép. 1797
Félix Bacciochi

Prince Louis Napoléon
(1864-1932)

Louis Bonaparte
(1778-1846)
ép. 1802 Hortense
de Beauharnais

Napoléon III
(1808-1873)
ép. 1853 Eugénie
de Guzmán de Montijo

Prince impérial
(1856-1879)

Pauline Bonaparte
(1780-1825)
ép. 1797 général Leclerc
ép. 1803 prince
Camille Borghèse

Caroline Bonaparte
(1782-1839)
ép. 1800
Joachim Murat

Prince Jérôme
de Montfort
(1814-1847)

Prince
Victor Napoléon
(1862-1926)
ép. 1910 princesse
Clémentine
de Belgique

Jérôme (1784-1860)
ép. 1803
Elizabeth Patterson
ép. 1807 princesse
Catherine de Württemberg

Princesse Mathilde
(1820-1904)
ép. 1840 comte
Anatole Demidov

Prince
Louis Napoléon
(1864-1932)

Prince Jérôme Napoléon
dit Plon-Plon
(1822-1891)
ép. 1859 princesse
Marie-Clotilde de Savoie

Princesse Laetitia
(1866-1926)
ép. 1888 prince
Amédée de Savoie

GÉNÉALOGIE IMPÉRIALE

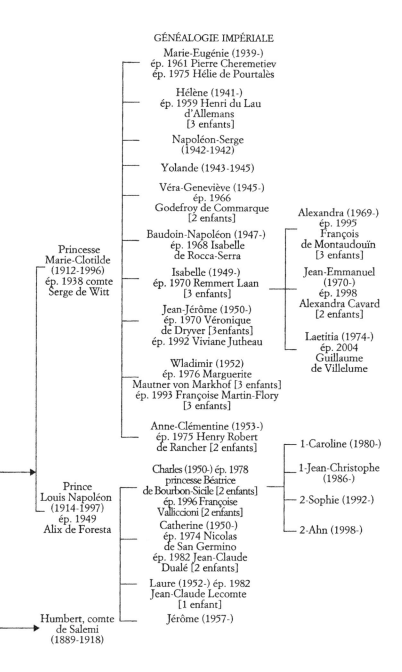

Marie-Eugénie (1939-)
ép. 1961 Pierre Cheremetiev
ép. 1975 Hélie de Pourtalès

Hélène (1941-)
ép. 1959 Henri du Lau
d'Allemans
[3 enfants]

Napoléon-Serge
(1942-1942)

Yolande (1943-1945)

Véra-Geneviève (1945-)
ép. 1966
Godefroy de Commarque
[2 enfants]

Baudoin-Napoléon (1947-)
ép. 1968 Isabelle
de Rocca-Serra

Isabelle (1949-)
ép. 1970 Remmert Laan
[3 enfants]

Jean-Jérôme (1950-)
ép. 1970 Véronique
de Dryver [3 enfants]
ép. 1992 Viviane Jutheau

Wladimir (1952)
ép. 1976 Marguerite
Mautner von Markhof [3 enfants]
ép. 1993 Françoise Martin-Flory
[3 enfants]

Anne-Clémentine (1953-)
ép. 1975 Henry Robert
de Rancher [2 enfants]

Alexandra (1969-)
ép. 1995
François
de Montaudouïn
[3 enfants]

Jean-Emmanuel
(1970-)
ép. 1998
Alexandra Cavard
[2 enfants]

Laetitia (1974-)
ép. 2004
Guillaume
de Villelume

Princesse
Marie-Clotilde
(1912-1996)
ép. 1938 comte
Serge de Witt

Prince
Louis Napoléon
(1914-1997)
ép. 1949
Alix de Foresta

Humbert, comte
de Salemi
(1889-1918)

Charles (1950-) ép. 1978
princesse Béatrice
de Bourbon-Sicile [2 enfants]
ép. 1996 Françoise
Valliccioni [2 enfants]

Catherine (1950-)
ép. 1974 Nicolas
de San Germino
ép. 1982 Jean-Claude
Dualé [2 enfants]

Laure (1952-) ép. 1982
Jean-Claude Lecomte
[1 enfant]

Jérôme (1957-)

1-Caroline (1980-)

1-Jean-Christophe
(1986-)

2-Sophie (1992-)

2-Ahn (1998-)

Gênes à la limite de la Toscane. On retrouve plusieurs générations d'hommes de lettres et de loi (magistrats, notaires...) jusqu'au début du XVIᵉ siècle, où l'un d'entre eux quitte Sarzana pour s'établir en Corse. Dans l'île, dix générations se succédèrent jusqu'à Napoléon. Par leurs alliances et leur participation aux luttes politiques, les Buonaparte furent vite intégrés aux clans de l'île. Attachés à la Corse, ils étaient actifs mais assez pauvres. Né en 1746, Charles, le père de Napoléon, devint avocat après des études de droit à Corte. À dix-huit ans, il épousa la jeune et belle Letizia Ramolino, fille d'un Corse qui servait la république de Gênes ; elle lui donna douze enfants, dont huit survécurent. Le père de Letizia mourut jeune ; sa mère se remaria alors avec un capitaine de la marine génoise avec lequel elle eut un fils, Joseph Fesch, le futur cardinal.

Charles Bonaparte avait combattu pour l'indépendance de la Corse, finalement devenue française un an avant la naissance de Napoléon. D'ailleurs, Jacques Bainville précise que « Charles Bonaparte ne fit valoir sa naissance qu'après l'annexion, lorsque la noblesse devint un moyen d'obtenir des faveurs[3] ». Devenu procureur du roi, il obtint des bourses d'études pour ses enfants. Sa mort, en 1785, entraîna le retour à la gêne financière pour Letizia et ses enfants. Seule l'ascension fulgurante de Napoléon assura à l'ensemble de la famille une existence aisée.

Napoléon fut l'unique source des bienfaits de toute sa famille. D'ailleurs, en ce domaine, l'Empereur resta très corse, son loyalisme familial ne le quitta jamais. Il garda cet esprit de clan qui le poussa à élever ses parents à des situations qui dépassaient leurs capacités. Ainsi, une fois l'Empire proclamé, cette couvée de Bonaparte, querelleuse, égoïste, belle, fougueuse, se trouva soudain placée dans la situation de première famille de France[4]. Rarement entourage familial joua-t-il un rôle aussi grand dans la vie d'un chef d'État. Dès le début de l'Empire, Napoléon institua une dynastie de princes français dans la lignée desquels la couronne était héréditaire. Joseph, l'aîné, reçut le royaume de Naples puis celui d'Espagne. Louis, qui avait épousé la fille de Joséphine, Hortense de Beauharnais, devint roi de Hollande. Jérôme, après avoir provoqué la colère de Napoléon par son mariage avec l'Américaine Elizabeth Patterson, de laquelle il avait eu un fils, accepta de faire annuler son mariage pour épouser en 1807 la fille du roi de Wurtemberg, et devint quelques jours plus tard souverain de la Westphalie. Seul Lucien, pour avoir tenu tête à son auguste frère, ne reçut aucun royaume ; il sera même exclu de la famille impériale. Napoléon s'occupa également de ses sœurs. Élisa, épouse d'un obscur officier corse, Félix Bacciochi, que Napoléon fit entrer au Sénat, devint princesse de Lucques et Piombino, puis grande-duchesse de Toscane. Pauline, connue pour sa grande beauté, épousa d'abord le général Leclerc, tué au combat, puis le richissime prince Borghèse. Enfin, Caroline, mariée à Murat, reçut les couronnes de grande-duchesse de Berg puis de reine de Naples. L'Empereur entendait qu'ils ne fussent que ses auxiliaires ; mais, à mesure que se développaient les conséquences de la politique impériale sur leurs États, les uns et les autres basculèrent du côté de leur peuple. Dès 1810, Napoléon regrettait les trônes qu'il avait distribués. La naissance du roi de Rome, le 20 mars 1811, modifia sa vision de l'Empire et il souhaita reprendre au profit de son fils les territoires qu'il avait donnés ; Louis fut le premier à perdre son royaume de Hollande. En fait, l'histoire des rapports de Napoléon avec sa famille, véritable saga à laquelle Frédéric Masson consacra plusieurs volumes, se résume à une suite de brouilles et de réconciliations. La chute de l'Empire entraîna la ruine de l'édifice impérial et ainsi celle de la famille de l'Empereur.

En fuite après la défaite, les frères et sœurs de Napoléon perdirent gloire, titres et argent. C'est avec gratitude qu'ils acceptèrent l'hospitalité du pape, Pie VII, ou qu'ils trouvèrent refuge dans quelques autres villes italiennes[5]. Une partie du clan se regroupa autour de Madame Mère, qui en 1818 acheta le palais Rinucci à Rome, et de l'oncle Fesch, bien introduit au Vatican. Pauline s'installa dans la villa cédée par son mari, le prince Borghèse, qui s'était séparé d'elle. Louis, demeuré en Italie pendant les Cent-Jours, résida quelque temps à Rome, avant de partir pour la Toscane. La chute de l'Empire ne l'affecta pas, sa préoccupation principale restant sa mauvaise santé. Lucien installé également à Rome, vivait dans un grand luxe – au-dessus de ses moyens –, entouré de sa nombreuse descendance. La femme de Joseph, Julie, se trouvait aussi dans la Ville éternelle avec ses deux filles, Zénaïde et Charlotte, qu'elle cherchait à marier. Alors que Joseph, ex-roi d'Espagne, s'était enfui de France après Waterloo et avait gagné l'Amérique. Il demeurait près de Philadelphie sous le nom de comte de Survilliers[6].

L'autre partie de la famille se retrouva à Trieste. Caroline s'y était installée sous le nom de comtesse de Lipona – anagramme de Napoli – alors que Murat avait trouvé la mort en 1815 en voulant tenter son propre « retour de l'île d'Elbe » dans l'espoir de recouvrer son ancien royaume de Naples. Élisa, elle aussi, s'était réfugiée à Trieste. Quant à Jérôme, ex-roi de Westphalie, il avait après la chute de l'Empire rejoint sa femme en Wurtemberg dans les États de son beau-père, où ils restèrent deux ans plus ou moins prisonniers. À partir de 1817, ils s'installèrent à Trieste, où en 1814, déjà, était né leur premier enfant, Jérôme Napoléon. Leur séjour à Trieste fut marqué par la naissance d'une fille, Mathilde, en 1820, puis d'un second garçon, Napoléon Joseph Charles Paul, dit Plon-Plon.

En définitive, la famille Bonaparte, conformément au vœu de Napoléon, fit souche en Italie et commença à se marier entre cousins. Zénaïde, fille cadette de Joseph, épousa Charles Lucien Bonaparte, alors que sa sœur Charlotte s'allia à l'aîné des fils survivants de Louis, Napoléon Louis. Mariages mais aussi décès amenèrent le clan à se resserrer. Napoléon mourut à Sainte-Hélène en 1821, précédé et suivi par ses sœurs. Élisa était morte en 1820 d'une « fièvre nerveuse ». En 1825, ce fut au tour de Pauline Borghèse de s'éteindre. Chose plus inquiétante, les pertes se mirent à toucher aussi la génération suivante. En 1832, le fils unique de Napoléon, le duc de Reichstadt, mourut à Vienne à l'âge de vingt et un ans et, quelques mois plus tôt, Napoléon-Louis avait succombé à une épidémie de rougeole alors qu'il s'était engagé aux côtés des carbonari. Dès lors Joseph, qui était de retour en Europe, devenait chef de famille. Comme il n'avait que deux filles, après lui venait son frère Louis. Mais, Joseph, à soixante ans passés, était encore moins ambitieux que dans sa jeunesse et Louis, de plus en plus en proie au délire de persécution, ne possédait pas la moindre aspiration impériale. C'est donc Louis Napoléon, le second fils de Louis, qui prit la place de prétendant au trône. Il était suivi de son oncle Jérôme, et Jérôme de ses deux fils, Jérôme Napoléon et Plon-Plon. Il faut rappeler que Lucien et ses fils étaient exclus de la succession.

Louis Napoléon Bonaparte, qui se sentait investi d'une mission particulière, se positionna en prétendant à l'Empire. Il se dévoua à la cause bonapartiste et établit des contacts avec diverses organisations bonapartistes clandestines. Il ne restait plus qu'à le marier et, si possible, dans le clan napoléonide, comme l'avait conseillé l'Empereur. C'est ainsi que, en 1836, Louis Napoléon fut fiancé à Mathilde, la fille de Jérôme. La première tentative de soulèvement qu'il entreprit quelques mois plus tard, à Strasbourg, rompit l'engagement. En effet, les frères de l'Empereur, furieux, se désolidarisèrent de ce prétendant auquel ils n'accordèrent plus aucun crédit. Quatre ans plus tard, ils furent encore plus agacés par la seconde tentative de Louis Napoléon à Boulogne, qui eut comme conséquence de ruiner toute démarche auprès de Louis-Philippe pour un éventuel retour des Bonaparte en France. Pendant ce temps, les disparitions continuaient dans la famille : après Madame Mère, décédée en 1836, et Caroline en 1839, Lucien mourut en 1840, et c'est de sa prison de Ham que Louis Napoléon apprit la mort de son oncle Joseph en 1844, puis celle de son père en 1846 et celle du fils aîné de Jérôme en 1847. Ainsi, lorsque la révolution éclata à Paris en 1848, le clan des « vrais » Bonaparte se limitait à Louis Napoléon, Jérôme – le seul survivant des frères et sœurs de l'Empereur –, et son fils, Plon-Plon.

À la suite des journées révolutionnaires de février, la famille du roi Jérôme hésita à lier son sort à celui, encore incertain, de Louis Napoléon. Toutefois, après l'élection de son neveu à la présidence de la République le 10 décembre 1848, Jérôme se réconcilia avec son neveu et accepta la fonction de gouverneur des Invalides avant d'être nommé, sous le Second Empire, maréchal de France. L'arrivée au pouvoir de Louis Napoléon Bonaparte s'accompagna également du retour d'une partie de la famille italienne. En fait, le neveu héritait, même s'il s'était considérablement réduit, du clan qui en d'autres temps avait bien embarrassé le fondateur de la dynastie. En 1852, lors du rétablissement de l'Empire, une distinction fut établie entre la famille impériale et la famille civile de l'empereur. La famille impériale se résumait à Napoléon III et Eugénie, au roi Jérôme et ses enfants (Plon-Plon et Mathilde). La famille civile rassemblait les descendants de Lucien, la fille d'Élisa (la princesse Napoléone Bacciochi) et quelques cousins Murat[7]. Jérôme, Plon-Plon et Mathilde avaient rang d'altesse impériale, les autres

20

simplement de prince. D'ailleurs, sous le Second Empire, les actes civils concernant les princes et les princesses dynastes ne comportaient plus que les prénoms précédés du prédicat d'altesse impériale, et pas le nom patronymique de Bonaparte, sans pour autant que celui-ci fût abandonné [8].

Le soir du 14 janvier 1858, quand Orsini, le romantique patriote italien, lança ses bombes contre la voiture de Napoléon III, le problème italien surgit. Orsini fut condamné à mort mais l'empereur, intimement lié à l'Italie, promit de la libérer. Aussi, quelques mois plus tard, lorsque le comte de Cavour, chef du gouvernement piémontais depuis 1852, parvint à obtenir de Napoléon III un engagement qui assurait au Piémont l'aide militaire de la France, il ne put qu'accepter le désir de l'empereur de cimenter le rapprochement par une alliance matrimoniale unissant les Napoléonides à la vieille maison de Savoie. Le roi Victor-Emmanuel était veuf, mais Napoléon III n'avait pas d'épouse à lui offrir. C'est ainsi que Plon-Plon, unique membre de la famille impériale en position de se marier, fut choisi pour épouser la fille de Victor-Emmanuel, roi de Sardaigne.

CHAPITRE 2

L'alliance italienne

En 1859, la situation de l'Italie était complexe. Après l'échec des campagnes de 1848-1849, la péninsule italienne se retrouvait dans la même situation qu'en 1815, divisée en neuf États. L'Autriche exerçait son influence en Lombardie et en Vénétie ; elle entretenait aussi des garnisons à Parme, à Modène et dans la Romagne pontificale. À Florence, le grand-duc Léopold – un Habsbourg – avait obtenu le rappel des troupes autrichiennes mais pas encore le rétablissement de la Constitution. Quant au royaume des Deux-Siciles, il était indépendant de l'Autriche, mais son souverain, Ferdinand II, était connu pour son comportement tyrannique. Finalement, les seuls à résister à l'Autriche étaient le pape et le royaume de Piémont-Sardaigne, dont le souverain, Victor-Emmanuel II, avait pourtant épousé l'archiduchesse Adélaïde d'Autriche. Lorsque Victor-Emmanuel était monté sur le trône en 1849, après la défaite et l'abdication de son père, il avait refusé d'abroger la Constitution et le drapeau tricolore pour revenir au bleu d'avant 1848. Son gouvernement n'était pas libéral pour autant. Les députés étaient élus au suffrage censitaire et les sénateurs nommés par le roi. En fait, il s'agissait d'une monarchie constitutionnelle, dominée par Cavour, véritable maître de la politique piémontaise.

Après 1849, l'Italie saisit qu'elle ne pourrait secouer le joug autrichien sans soutien extérieur. Cavour, conscient de cette situation, choisit de moderniser le pays en attendant une situation diplomatique plus favorable. Ses efforts se concentrèrent sur l'économie et la réorganisation de l'armée, avec le ministre de la Guerre, le général La Marmora. Dans le même temps, Cavour chercha un appui face à l'Autriche : en avril 1855, il envoya des troupes sardes en Crimée. Leur participation à Sébastopol permit à Cavour de siéger en mars 1856 au congrès de Paris, chargé de clore la guerre de Crimée. C'était l'occasion rêvée de dénoncer comme une menace pour le Piémont la présence de garnisons autrichiennes dans les États voisins. Il ne restait plus qu'à obtenir de Napoléon III un engagement concret. Deux ans plus tard, le 14 janvier 1858, Felice Orsini lançait trois bombes contre la voiture de l'empereur. Se doutait-il que son geste constituerait l'élément déclencheur du processus d'unification de la péninsule italienne ? Depuis sa prison, il écrivit deux fois à l'empereur pour le supplier de donner l'indépendance à sa patrie. En rendant ces lettres publiques en France et en Italie, Napoléon III témoignait de son intérêt pour la cause italienne[1]. Au fond, quelle était la position de Napoléon III envers l'Italie ?

L'empereur s'y intéressait pour plusieurs raisons. Tout d'abord, il était attaché sentimentalement à ce pays, une terre d'accueil pour la famille Bonaparte, où sa mère et lui séjournaient tous les hivers. En outre, en 1831, il avait participé avec son frère à un soulèvement de carbonari en Romagne. Sur le plan politique, depuis son avènement Napoléon III souhaitait la révision des traités de 1815, afin de sortir la France de son isolement diplomatique. Il rêvait d'une reconstruction de l'Europe où la France recouvrerait le premier rôle au milieu de peuples qu'elle aurait aidés à se libérer. On retrouve ici le principe des nationalités, auquel Napoléon III tenait tant[2]. Il faut cependant préciser qu'en aucun cas l'empereur ne pensait à une Italie unifiée ; il imaginait plutôt une confédération d'États libérés de l'influence autrichienne et tournés vers la France. Les dispositions de Napoléon III étaient une chance inespérée pour Cavour. En juillet 1858, Napoléon III l'invitait à le rejoindre, dans le plus grand secret, à Plombières, dans les Vosges, où il prenait les eaux. Le 21 juillet, ils eurent un tête-à-tête de sept heures. En fait, le but de Cavour était d'obtenir une alliance offensive de la France contre l'Autriche. Ils allèrent plus loin en parlant d'une réorganisation éventuelle de la péninsule italienne. Napoléon III finit par garantir au Piémont le concours de l'armée française contre l'Autriche, à la condition que celle-ci fût l'agresseur ; la France fournirait 200 000 hommes et le Piémont 100 000. Politiquement, l'empereur prévoyait jusque dans le détail la réorganisation de la péninsule. L'Italie libérée ne comprendrait plus que quatre États : un royaume de Haute-Italie qui réunirait le Piémont, la Lombardie-Vénétie, les duchés de Parme et Modène, plus éventuellement la Romagne pontificale ; un royaume d'Italie centrale rassemblant la Toscane, les Marches et l'Ombrie romaine ; les États du pape, réduits à Rome et au Latium ; et le royaume des Deux-Siciles. Cette Italie nouvelle formerait une confédération dont la présidence reviendrait au pape[3]. En échange de son intervention, la France recevrait la Savoie et le comté de Nice, même si Cavour émit des réserves sur ce dernier point. Enfin, pour renforcer les liens entre les deux pays, le prince Napoléon épouserait Clotilde, la fille de Victor-Emmanuel. Napoléon III entendait-il mettre dans la corbeille de mariage des époux la couronne d'un royaume d'Italie centrale qui restait à créer ? C'est probable, puisqu'il songea aussi à chasser les Bourbons de Naples en remplaçant Ferdinand II par le prince Lucien Murat. Toujours est-il que, pour l'heure, Napoléon III considérait le mariage de Plon-Plon et de

Clotilde comme l'un des points importants du projet qui permettrait, entre autres, d'intégrer la famille Bonaparte aux dynasties européennes. De son côté, avant le départ de Cavour, Victor-Emmanuel avait ordonné à son ministre de n'accepter le mariage que si l'empereur en faisait « une condition sine qua non de l'alliance[4] ». Napoléon III était trop habile diplomate pour poser abruptement une telle condition[5] ; même s'il tenait beaucoup à cette union, il comprenait qu'elle fût repoussée, en raison du jeune âge de la princesse, qui n'avait que quinze ans. Or, six mois à peine après l'entrevue de Plombières, le mariage était célébré. Pourquoi une telle précipitation ?

Reparti de Plombières, le ministre italien avait compris qu'il devait profiter des bonnes dispositions de Napoléon III avant qu'il ne changeât d'avis. C'est pourquoi il voulut hâter l'union entre les deux pays, entre autres par le mariage de la fille du roi avec le cousin de Napoléon III. Encore fallait-il convaincre Victor-Emmanuel de la nécessité de cette alliance. Homme habile, il sut trouver les arguments : « L'Empereur n'a pas fait du mariage de la Princesse Clotilde une condition sine qua non de l'alliance, mais il a fort clairement manifesté qu'il tient ce mariage fort à cœur. Si le mariage ne se fait pas, si Votre Majesté refuse sans motifs plausibles la demande de l'Empereur, qu'arrivera-t-il ? L'alliance sera-t-elle rompue ? [...] S'il y a une qualité qui distingue l'Empereur, c'est la constance dans ses amitiés et ses antipathies. Il n'oublie jamais un service, comme il ne pardonne jamais une injure. Or, le refus auquel il s'est exposé serait une injure sanglante. [...] Ce refus aurait un autre inconvénient : il mettrait dans les conseils de l'Empereur un ennemi implacable, le Prince Jérôme Napoléon – plus corse encore que son cousin – nous jurerait une haine mortelle. [...] Il ne faut pas se le dissimuler, en acceptant l'alliance proposée, Votre Majesté et sa nation se lient d'une manière indissoluble à l'Empire et à la France[6]. »

Le ministre réussit à infléchir Victor-Emmanuel, désormais prêt à sacrifier sa fille pour le salut de son pays. Il fit tout de même savoir à Napoléon III qu'il n'acceptait le mariage que si Clotilde y consentait spontanément. C'est dans ce contexte que, le 16 janvier 1859, le prince Napoléon s'embarqua à Marseille sur le vaisseau la *Reine-Hortense* pour gagner Gênes, où il était attendu par Cavour, le général Cialdini et le prince de La Tour d'Auvergne – représentant de la France au Piémont –, chargés de l'escorter jusqu'à Turin. Les instructions de Napoléon au prince son cousin se rapportaient à trois points : « 1° le mariage, 2° la politique générale à conseiller au roi de Sardaigne et le moyen de lui procurer de l'argent discret, 3° le traité à faire avec les instructions et la ligne de conduite en cas de guerre au mois de mai[7] ». Dans sa mission, le prince Napoléon était accompagné d'une importante suite militaire composée, entre autres, du général Niel, qui serait élevé à la dignité de maréchal quelques mois plus tard. À travers la correspondance du prince Napoléon avec Napoléon III, il apparaît que Plon-Plon était avant tout envoyé en Italie pour arrêter en termes définitifs le traité avec le Piémont et non pour précipiter le mariage. Pourtant, au début du mois de janvier, la presse française parlait déjà de fiançailles entre le prince Napoléon et la princesse Clotilde[8]. Le 12 janvier, la reine Victoria écrivait à l'empereur : « Vous m'annoncez le mariage du prince Napoléon avec la princesse Clotilde de Savoie, agréez, je vous prie, Sire, toutes nos félicitations[9]. »

À Turin, le prince Napoléon reçut un accueil chaleureux : « L'accueil que j'ai reçu était fort bon et sympathique de la part de la population. Le comte de Cavour est parfait, sage et énergique. Le roi a été un peu indécis pour le mariage, le premier jour, il n'était pas satisfait de la publicité qui avait été donnée à ce projet avant que j'aie vu la fille [10]. » De son côté, la cour piémontaise se montrait hostile à ce qu'elle considérait comme une mésalliance [11]. Pour montrer sa désapprobation, une partie de l'aristocratie bouda le bal donné par Cavour en l'honneur du prince Napoléon [12]. En revanche, le peuple approuvait un mariage qui devait concrétiser le rapprochement avec un allié puissant, dont il attendait beaucoup. La rencontre entre Plon-Plon et Clotilde se déroula le 17 janvier ; aucun accord officiel n'était encore signé entre les deux pays. Le jour même, Plon-Plon envoyait une dépêche à l'empereur pour lui donner ses impressions : « Nous avons fait un grand pas, j'ai vu la princesse, sans être belle, elle est fort agréable et gentille ; elle me plaît beaucoup, j'ai lieu d'espérer, d'après ce que j'ai appris d'une bonne *[illisible]*, qu'elle est contente de ma présence mais elle n'est pas pressée [13]. »

Pourtant, l'affaire fut réglée en quelques jours et cela en dépit des réticences de la princesse et de son entourage. Dès le lendemain, Plon-Plon exposait son plan d'action à l'empereur : « Aujourd'hui même, le prince de La Tour d'Auvergne doit discuter le contrat de mariage avec le comte de Cavour. Ils tomberont d'accord et après-demain j'espère que le général Niel pourra faire la demande officielle de la main de la princesse Clotilde au Roi. [...] J'espère que le 21 ou samedi, le Roi fera connaître l'heureux événement à ses Chambres. Alors, j'aborderai la question de l'époque et les détails de la célébration matérielle et les arrangements pour mon retour et le voyage de la princesse. [...] La princesse a adopté l'idée mais tout est loin d'être fini. [...] Je prévois cependant des difficultés demain quand on dira à la princesse qu'il faut signer le contrat et la promesse, *son entourage est hostile*. Elle ne dira pas non, mais elle voudra gagner du temps, dira qu'elle ne me connaît pas assez, qu'elle doit réfléchir. [...] Je dois toute la vérité à l'empereur : c'est très pro-

27

bable mais tous les obstacles ne sont pas levés [14]. » À travers ces quelques lignes, on perçoit la détermination du prince Napoléon, qui engagea parallèlement et avec la même vigueur la négociation matrimoniale et les négociations politiques. Mais pourquoi un tel empressement : le prince avait-il peur que, une fois l'alliance signée, le mariage lui échappât ? Marie-Anne et Alfio Pappalardo parlent, au sujet du mariage de Plon-Plon, de « hantise hallucinante où convergent toutes les ardeurs de sa nature impulsive [15] ». Depuis quelque temps, le prince Napoléon cherchait à se marier. Il était convaincu qu'il pourrait ainsi tenir avec plus de faste et de dignité son rôle dans l'État. En outre, il était loin d'être indifférent à une alliance avec l'une des plus vieilles dynasties d'Europe, alors que l'empereur, en la personne d'Eugénie, n'avait épousé qu'une Montijo. Enfin, Plon-Plon espérait sans doute trouver un exutoire à ses ambitions dans un royaume d'Italie centrale qui restait à créer. Ces différents éléments le poussèrent à accélérer le rapprochement entre les deux pays. Dès lors, les discussions sur le mariage se confondaient avec les préparatifs de guerre.

Pendant les négociations, le prince Napoléon alterna les rapports relatifs au mariage avec ceux « sur la position militaire des Autrichiens aux frontières du Piémont [16] ». Le 24 janvier, l'affaire semblait réglée ; le commandant Ferri-Pisani, aide de camp du prince, partit pour Paris avec le traité d'alliance, la convention militaire et la convention financière. Napoléon III apposa sa signature sur les documents le 26. Au retour de Ferri-Pisani à Turin, le 29 janvier, Victor-Emmanuel signa à son tour le traité. Il établissait une alliance défensive entre la France et le Piémont, sur la base des accords de Plombières, et prévoyait, en termes assez vagues, la constitution d'un royaume de Haute-Italie de onze millions d'habitants (art. 2), la cession de Nice et de la Savoie (art. 3), et le maintien de la souveraineté du pape. En revanche, aucune précision n'était donnée sur l'étendue des États et sur une éventuelle confédération. La date du 26 janvier est celle qui fut gardée comme date de signature. Pourtant, les originaux sont datés du 12 et du 16 décembre 1858, selon la volonté de l'empereur : « J'ai tenu à antidater les documents, afin de ne pas donner gain de cause à ceux qui répètent partout que ton mariage est un marché et qu'il n'a pu s'obtenir qu'à la condition d'un traité [17]. » Napoléon III subissait les pressions de son entourage, choqué de la concomitance de la signature de l'alliance et de la célébration du mariage, comme si l'un était gage de l'autre [18]. En fait, la question du mariage demeurait le point le plus délicat, tout le monde y voyant l'aboutissement des négociations entre la France et le Piémont. Trois jours avant la signature du traité, Napoléon III écrivit à Plon-Plon pour approuver les termes du traité, mais aussi pour lui faire part de ses réserves quant aux délais prévus pour le mariage : « J'ai reçu le programme, je l'approuve, mais tout le monde est frappé des inconvénients d'un mariage si précipité. Il faut au moins gagner huit jours, afin qu'on ait le temps de faire des préparatifs convenables. Une telle précipitation donnerait lieu à une foule de commentaires. [...] L'esprit public veut mêler le mariage à la guerre. [...] Je tiens surtout à savoir si le Piémont est obligé de faire la guerre cette année [19]. » Napoléon III engageait-il un de ces mouvements de recul dont il était coutumier ? En fait, il craignait de porter la responsabilité de la guerre et insistait sur le fait que la France ne pouvait intervenir que si le Piémont était attaqué. L'empereur éprouvait tout simplement la nécessité de mettre l'opinion publique de son côté, aussi bien à l'intérieur qu'à l'extérieur. Néanmoins, en dépit des conseils de son auguste cousin, le prince Napoléon poursuivit son projet initial.

Le mariage fut fixé au 30 janvier ; le délai souhaité par Napoléon III n'était pas respecté. L'empereur en tint grief

à son cousin qui, une fois de plus, se sentit incompris :
« Ce matin, je suis tout triste de ce que vous semblez,
Sire, être contrarié de la rapidité de mon mariage, moi qui
croyais que vous en seriez enchanté, qui considérais cela
comme une victoire pour bien dégager le mariage de la
question politique [...]. Voyez comme on peut se tromper
avec les meilleures intentions ! *Je suis chagrin et vraiment
affligé !* [...] J'espère qu'il ne restera aucune trace de cette
contrariété dans l'esprit de l'empereur et *de l'impératrice
surtout* et que ma femme n'en sera pas rendue responsable[20]. » Bien entendu, l'empereur n'en tint pas rigueur
à la jeune princesse et félicita son cousin deux jours après :
« Tout le monde se plaît à vanter le charme et l'esprit de
ta future compagne, cela me rend très heureux et j'espère
que cette union fera ton bonheur et aura sur ton avenir
une heureuse influence[21]. » Dans la même lettre, il rappe-
lait toutefois à son cousin : « Quant à la question en elle-
même, il faut redoubler de soins pour que l'Europe nous
donne raison. [...] La difficulté principale est toujours la
même et je la formule en quelques mots : si le Piémont a
l'air de chercher à l'Autriche une mauvaise querelle, si de
mon côté j'ai l'air d'approuver sa conduite dans mon désir
de la guerre, l'opinion publique en France comme en
Europe m'abandonne et je risque d'avoir toute l'Europe
sur les bras. » Compte tenu de ce contexte belliqueux, le
mariage se déroula dans la plus stricte intimité et fut tenu
secret jusqu'au dernier moment.

Le contrat de mariage fut signé le 28 janvier et la cérémonie eut lieu le 30. L'archevêque de Verceil, assisté de
trois évêques, donna la bénédiction nuptiale dans la cathédrale de Turin. Selon certains témoignages, le prince
Napoléon « n'était pas concentré et n'a pas entendu l'archevêque lui demander son consentement, il dut être rap-
pelé à l'ordre par le prêtre. [...] Après, au moment de
mettre l'alliance au doigt de Clotilde, il eut une attitude

peu religieuse remarquée par Victor-Emmanuel [22] ». Au contraire, la princesse Clotilde « prononça à haute et intelligible voix le oui sacramentel [23] ». Le témoignage du chanoine Gazelli, aumônier à la cour de Victor-Emmanuel, également présent à la cérémonie, confirme la différence d'attitude des époux : « Jamais je n'ai vu de semblable contraste. Elle, enveloppée de voiles blancs, absorbée dans une profonde prière, ayant l'attitude de la victime qui s'offre au sacrifice. Lui, debout, les mains derrière le dos à la Napoléon, l'air distrait et stupéfait de se retrouver dans une église, observant pour tuer le temps les divers monuments [24] ».

Le soir même, les époux quittaient Turin pour Gênes, où la municipalité donna un grand bal en leur honneur. Le lendemain, ils s'embarquèrent sur le vaisseau la *Reine-Hortense* afin de gagner Marseille. Le général Fleury, aide de camp de l'empereur, fut envoyé aux côtés du maréchal de Castellane pour recevoir le prince Napoléon et sa jeune épouse. Dans ses souvenirs, il note : « L'accueil fait à Marseille aux nouveaux époux fut convenable, mais sans exaltation [25]. » En fait, le mariage était perçu comme le gage d'une alliance dont les Français redoutaient les conséquences. La réaction à Paris fut encore plus froide, la menace de la guerre y étant ressentie plus vivement.

À leur arrivée à Paris, Plon-Plon et son épouse s'installèrent aux côtés du roi Jérôme au Palais-Royal, demeure qui abritait déjà la branche cadette – les Orléans – sous la monarchie. Ferdinand Bac relate une anecdote relative à l'installation de la jeune princesse : « En arrivant au Palais-Royal, Clotilde voulut aller prier dans la chapelle, mais elle n'était pas en ordre. Une chambre a dû être aménagée à l'impromptu [...]. Heureusement, elle avait pris avec elle une bouteille d'eau bénite de Turin. L'histoire veut qu'elle en ait aspergé la chambre avant sa nuit nuptiale avec Plon-Plon [26]. » Les frères Goncourt font également allusion à cette histoire, qui leur aurait été racontée par l'abbé Dusseaux, chapelain au Palais-Royal. La princesse aurait fait demander au chapelain deux carafes d'eau bénite et en aurait posé une sur un meuble dans sa chambre pour le lendemain. Pendant la nuit, Plon-Plon, ayant soif, but l'eau, qui eut un « effet miraculeux, il a été purgé mieux qu'avec des médicaments[27] ».

Dès l'arrivée de la princesse Clotilde, l'empereur lui constitua une maison. Celle-ci se composait de Mme Édouard Thayer, de la baronne de La Roncière-Le Noury, de Mmes Bertrand et de Clermont-Tonnerre. Napoléon III permit également qu'elle conserve à son service des personnes de son ancien entourage : Antoinette, sa femme de chambre de Turin, Giuliano et Carrier, qui étaient à son service depuis son enfance. La princesse Clotilde s'adapta rapidement à sa nouvelle vie, et les Italiens qui étaient arrivés avec elle ne restèrent que quelques mois à son service. L'empereur et l'impératrice réservèrent un très bon accueil à la jeune princesse. Ils souhaitaient qu'elle se sentît le mieux possible dans sa nouvelle famille et son nouveau pays. De son côté, elle s'appliqua à apprendre son rôle d'épouse et de princesse française : « Je tâche aussi de parler, ce n'est pas encore une perfection, mais j'espère que cela viendra. Vous vous excusez dans votre chère lettre de me sermonner ; je vous assure que vos sermons sont bien doux. Continuez-les donc, je ferai mon possible pour les mettre à profit [...]. Je fais mon possible pour être bien bonne et bien sage et voilà[28]. » Quant à Plon-Plon, devenu gendre du roi de Sardaigne, il décida de démissionner du ministère de l'Algérie et des Colonies pour se consacrer pleinement à la question italienne.

N'oublions pas que le mariage de Plon-Plon et Clotilde scellait avant tout l'alliance militaire entre le Piémont-Sardaigne et la France ; aussi Victor-Emmanuel et Cavour comptaient-ils sur le prince Napoléon pour défendre leur cause auprès du gouvernement français afin d'obtenir une intervention rapide de la France. Tandis que, à Turin, Cavour multipliait les démarches provocatrices envers l'Autriche, Plon-Plon prônait la patience nécessaire aux ultimes préparatifs diplomatiques qui visaient à s'assurer la neutralité de l'Angleterre et de la Russie. En mars, Napoléon III hésitait encore à se lancer dans une guerre contre l'Autriche. Il proposait comme alternative de régler la question italienne par un congrès international. Découragé par le revirement de l'empereur, Cavour envisagea de démissionner. Il s'abstint sur les conseils du prince Napoléon, son nouvel allié, qui lui écrivit : « Restez avant tout ministre. Quitter serait déserter. » En définitive, ce fut François-Joseph qui prit la responsabilité de déclencher la guerre par un ultimatum sommant le Piémont-Sardaigne de désarmer. Face au refus de Turin, l'Autriche attaqua le 27 avril 1859 et provoqua l'entrée de la France dans le conflit. Le processus d'unification de l'Italie était en marche.

Ainsi, par son mariage avec la princesse Clotilde, Plon-Plon se trouvait partie prenante dans la question italienne ; position qui répondait à ses idéaux de défense des peuples opprimés. Toutefois, ce mariage politique supposait aussi qu'il liât son sort à une épouse à laquelle tout l'opposait.

CHAPITRE 3

Plon-Plon, prince rebelle

Né à Trieste en 1822, où ses parents avaient trouvé refuge en 1819, Plon-Plon était à peine âgé d'un an lorsque Jérôme et sa famille obtinrent l'autorisation de quitter Trieste pour Rome. À leur arrivée, ils s'installèrent dans un palais mis à leur disposition par Madame Mère. Ils rejoignaient ainsi le clan Bonaparte qui, à Rome, vivait à part. Ils boudaient les différentes festivités qui, l'hiver, mêlaient l'aristocratie romaine aux riches étrangers établis dans la cité des papes. Loin des frivolités, leur vie s'organisait autour de Madame Mère, alors âgée de soixante-quinze ans et qui ne quittait plus le deuil depuis la mort de Napoléon. Habillé d'une simple robe de mérinos, elle portait une coiffe de taffetas noir. En fait, chez elle tout était sombre, silencieux et tourné vers le passé. Son seul réconfort, elle le puisait dans sa fidélité au souvenir de l'Empereur. Chaque objet mais aussi chacune de ses paroles avaient trait à Napoléon et à l'Empire. Elle se faisait lire tout ce qui paraissait sur Napoléon. Ses journées étaient ponctuées par la visite des siens : Jérôme et sa famille n'échappait pas à ce rituel, occasion de ressasser les événements prodigieux que venaient de vivre la famille impériale. Plon-Plon écoutait patiemment l'évocation de ce passé glorieux. Ce culte de la mémoire de l'Empereur était également omniprésent chez Jérôme et Catherine, qui s'entouraient volontiers des anciens acteurs de l'épopée impériale, comme le duc de Rovigo, ancien ministre de la Police sous l'Empire. Ainsi, Plon-Plon évoluait dans un monde à part, hanté par le souvenir du grand homme. De là provenait son culte pour le passé familial, fascination qu'il conserva sa vie durant et qu'il transmit à ses enfants.

La famille du roi Jérôme aurait pu espérer regagner la France avec la révolution de 1830, mais les répercussions qu'elle eut en Italie éloignèrent toute perspective de retour. En fait, depuis quelques années, des groupes révolutionnaires – tels les *carbonari* – s'étaient organisés dans les États pontificaux. Pour eux, la papauté incarnait l'ennemi de la liberté et du progrès. Entre 1815 et 1830, trois papes s'étaient succédé. Le dernier, Pie VIII, élu en 1829, mourut de vieillesse un an plus tard [1]. L'interrègne précédant l'élection de son successeur, Grégoire XVI, permit aux révolutionnaires de se manifester. Comme leur mouvement suivait la révolution de Juillet, ils espéraient le soutien de la France de Louis-Philippe. Louis Napoléon, futur Napoléon III, a probablement pris part à ce mouvement aux côtés de son frère [2]. Aussi, en décembre 1830, lorsque les conspirations révolutionnaires échouèrent, non seulement Louis Napoléon mais avec lui toute la famille Bonaparte furent obligés de quitter les États romains pour aller se réfugier en Toscane.

Dès son jeune âge, Plon-Plon se montra vif, intelligent mais difficile à canaliser. Son éducation fut confiée à Enrico Mayer [3] : le jeune garçon étudiait toute la journée avec son percepteur avant de passer la soirée en famille. Plon-Plon apprenait vite et présentait des prédispositions pour les langues : en plus de l'italien et du français, il parlait couramment l'anglais et l'allemand. En août 1835, la mauvaise santé de la reine Catherine obligea la famille du roi Jérôme à déménager sur les bords du lac Léman, près de Lausanne. Le climat suisse n'eut aucun effet sur la santé de Catherine, qui s'éteignit dans la nuit du 29 au

30 novembre 1835. Après la mort de sa femme, Jérôme se retira près de Florence, où, ne percevant plus les pensions de son épouse, il dut restreindre son train de vie. Il se sépara alors de ses enfants : Jérôme et Mathilde furent envoyés chez leur oncle Guillaume, roi de Wurtemberg, et Plon-Plon, âgé de treize ans, partit à Arenenberg chez la reine Hortense. Son cousin Louis Napoléon, de quatorze ans son aîné, prit le relais de son instruction. Ces quelques mois passés côte à côte soudèrent les deux cousins ; un lien particulier s'ensuivit, qui ne se rompit jamais, malgré les incartades de Plon-Plon. En 1836, Plon-Plon assista à la préparation du premier geste politique de son cousin qui s'était décidé à tenter un coup de force à Strasbourg. Après l'échec de cette tentative jugée ridicule par la famille, les Bonaparte se détachèrent de la reine Hortense et de son fils. Plon-Plon rejoignit son frère chez son oncle, en Wurtemberg, qui le fit entrer à l'école militaire de Ludwigsburg. Le jeune prince eut du mal à s'adapter ; son caractère l'empêchait de cacher son patriotisme et son culte pour Napoléon. Il termina néanmoins dans les premiers et entra dans l'armée comme officier d'état-major. Deux ans plus tard, il se fit rappeler auprès de son père, en Italie. Ensemble, ils multiplièrent les démarches auprès du gouvernement français pour obtenir le droit de revenir en France[4]. Grâce à l'appui de la princesse Mathilde, le roi Jérôme obtint finalement de Louis-Philippe son retour à Paris, en 1847.

Au même moment, en mai 1847, le frère aîné de Plon-Plon, Napoléon Jérôme, devenu colonel dans l'armée wurtembergeoise, mourut d'une maladie de la moelle épinière ; cette disparition affecta beaucoup le clan Bonaparte[5]. Louis Napoléon, qui s'était évadé depuis peu du fort de Ham en Picardie, où il avait été emprisonné à la suite d'une seconde tentative de prise du pouvoir, cette fois-ci à Boulogne, en 1840, se montra particulièrement touché : « Je te demande pardon d'avoir été si long à te dire combien j'ai été peiné de la mort de ton frère. Quoique je m'y attendisse depuis longtemps, j'en ai éprouvé un véritable chagrin, car je ne considère de véritables Français de notre famille que ton père et ses enfants et moi. » Pour Plon-Plon, la mort de son frère aîné eut une tout autre signification : « Avec cette figuration impropre du droit d'aînesse, il croit fermement que dorénavant ce qu'il pense et ce qu'il dit est vrai[6]. » Afin de marquer sa nouvelle position d'aîné, il reprit le prénom de son frère.

Entre-temps, la princesse Mathilde avait obtenu de Louis-Philippe l'autorisation pour son frère de traverser la France afin de se rendre en Angleterre, où il rejoignit Louis Napoléon, qui s'était réfugié à Londres après son évasion. Plon-Plon en profita pour séjourner un mois à Paris, où sa ressemblance avec Napoléon Ier lui assura un certain succès. Il est vrai qu'elle était flagrante ; nombreux sont les contemporains à avoir été frappés par le masque césarien du fils de Jérôme. C'était pour lui un motif de fierté et il chercha sans cesse à l'accentuer. Lors de ce séjour parisien et sous le nom de prince de Montfort, Plon-Plon noua de nombreux contacts avec les réseaux bonapartistes, ce qui lui permit, au lendemain de la révolution de 1848, d'être élu député à la Constituante par le département de la Corse. À vingt-six ans, il était le plus jeune député. L'année suivante, lors des premières élections de la Deuxième République, la Sarthe l'envoya à l'Assemblée législative, où il siégea à l'extrême gauche des républicains, ce qui lui valut le surnom de « prince de la Montagne ».

Émile Ollivier, auquel Napoléon III fera appel pour entraîner le Second Empire sur la voie libérale, rencontra le prince Napoléon pour la première fois en 1848. D'emblée, il fut frappé par la dualité du prince : « le sourire séducteur ou sarcastique [...] le bel œil noir, perçant, parfois doux, parfois rempli de feu[7] ». Il était doué d'une réelle intelligence, d'un jugement pénétrant, d'une éloquence enflammée et d'une forme de culture qui attirait autour de lui écrivains et artistes. Mais il manquait « d'une culture régulière et d'une instruction approfondie[8] ». George Sand, avec laquelle Plon-Plon était très lié, confirme cette impression : « Sa capacité est immense. J'ignore s'il a beaucoup travaillé et s'il est ce que l'on appelle foncièrement instruit [...]. Mais je sais qu'à propos de tout et sur tous les sujets il montre une pénétration profonde, une netteté d'intuition remarquable. Il a le don de la parole, l'abondance, l'esprit et la simplicité, un grand talent d'exposition et de grandes facilités de persuasion. Son esprit est habile, son caractère ne l'est pas[9]. » Les différents témoignages se recoupent, que ce soit Émile de Girardin – « L'esprit est résolu, le caractère ne l'est pas » – ou encore le duc de Morny – « Il a de l'esprit mais il manque de bon sens[10]. »

Les dons du prince Napoléon étaient multiples, mais gâtés par des défauts de caractère qui contribuèrent à son isolement politique. C'était un impulsif, incapable de se dominer. Ses emportements pouvaient être terribles quand il se sentait froissé dans ses principes, ou blessé dans son amour-propre. Son énergie et son intelligence étaient avant tout mises au service du dénigrement, le rendant plus propre à détruire qu'à construire : « Le dénigrement de tout ce qu'il ne faisait pas lui-même était une des habitudes constantes de son esprit[11]. » Ce caractère excessif s'aggravait de manières brusques, d'un penchant pour la contradiction et d'une franchise outrancière qui se doublait d'un dédain manifeste d'autrui. La première impression qu'il laissait était souvent mauvaise. La reine Victoria, qui le croisa lors d'une visite des Invalides, fut frappée par son manque de civilité : « Il se montra très désagréable, en désaccord avec tout le monde et se comportant de façon très impolie [12]. » En réalité, le prince Napoléon était un excentrique ne connaissant ni règles ni freins dans ses désirs ; il se croyait tout permis. Émile Ollivier explique ce comportement par « un manque d'esprit public et de sentiment du devoir dus à son éducation première. Il n'avait été soumis à aucune discipline morale par un père trop faible et plus tard il ne s'était pas soucié de s'en créer une. Il ne s'était ménagé aucune protection contre l'entraînement de ses passions ou de ses caprices [...]. Les deux articles de son décalogue intime étaient : cela m'amuse ! Cela m'ennuie [13] ! »

« Politiquement il était ultra-démocratique [14]. » Pour Bernard Ménager, il incarnait la mouvance du bonapartisme « bleu », défenseur de la tradition révolutionnaire, anticlérical et gallican, favorable aux nationalités opprimées [15]. Démocrate convaincu, il se voulait libéral et libre-penseur, d'où son attirance pour les idées avancées. Sous le Second Empire, son goût du dénigrement et son manque de persévérance l'empêchèrent de percer. Il abandonna son commandement en Crimée pendant le siège de Sébastopol. Ses adversaires l'accusèrent aussitôt de lâcheté et il devint fort impopulaire dans l'armée. En 1858, bien que l'empereur eût créé pour lui un ministère de l'Algérie et des Colonies, il n'y resta que quelques mois. En 1859, son comportement lors des négociations d'alliance avec l'Italie déplut à Napoléon III, qui reconnaissait qu'il lui manquait deux qualités maîtresses, la résolution et la ténacité : « C'est un homme plein d'esprit mais qui annonce qu'il part au Congo et s'arrête à Charenton [16]. » Aussi, après 1860, l'empereur renonça-t-il à lui confier des missions importantes, ce dont Plon-Plon ne cessa de se plaindre : « Depuis la mort de mon père, je me suis convaincu que je n'ai pas à espérer d'avenir politique en France, ma position semble certes très agréable, mais elle ne me satisfait pas, parce que je ne fais rien de ce que mon nom m'impose [...] qu'en un mot, je ne peux rien faire pour acquérir de la gloire et un nom personnel dans l'histoire. [...] J'ai besoin de sortir du milieu où je suis [17]. » La reine Sophie des Pays-Bas, cousine et amie de Plon-Plon, tenta à diverses reprises de lui faire comprendre la nécessité de changer son attitude à l'égard de l'empereur : « Tâchez d'entrer au gouvernement, l'empereur n'y serait pas opposé, j'en suis sûre, il vous aime. Vous n'avez pas un mauvais caractère comme vous le dites, mais vous êtes impérieux, intolérant. Développez au grand jour votre vaste et si forte intelligence ! Que le monde vous connaisse, comme nous, vos amis. Vous êtes un singulier mélange d'un esprit céleste et d'une matière imparfaite et réfractaire. Devenez plus doux, plus tolérant, cher Napoléon [18]. » Souffrant de ne pas avoir de fonctions officielles, il devint de plus en plus critique à l'égard du régime. En 1865, il fut officiellement désavoué par l'empereur. Même sa sœur, la princesse Mathilde, avait fini par être exaspérée par son républicanisme ardent et fustigeait en public l'incompétence et l'incapacité de son frère en tant qu'homme d'État [19].

Ses amis en venaient à conclure que les défauts du prince Napoléon étaient publics et ses qualités intimes. Or, pour le cousin de l'empereur, appelé à occuper des postes officiels et susceptible de seconder le souverain dans son gouvernement, le contraire eût mieux valu. Un point était particulièrement sensible à ses yeux : la question dynastique. Jusqu'à la naissance du prince impérial, il était seul dynaste après son père, place qui devait lui assurer, selon lui, tous les honneurs. Relégué au second rang après la naissance du prince impérial, il en contracta une profonde amertume et conçut un vif ressentiment à l'encontre de l'impératrice et du prince impérial. À l'époque, Joseph Primoli, cousin des Bonaparte par sa mère, avait souri de la situation : « Au moment de la délivrance de l'Impératrice, le prince Napoléon attendait dans la chambre voisine avec les grands dignitaires de la couronne, quand on vint annoncer qu'un prince était né, ses traits se décomposèrent [...]. Il resta trois heures avant de se décider à signer l'acte de naissance de celui qui prenait sa place d'héritier présomptif[20]. » En réalité, son orgueil souffrait de la situation secondaire qu'il avait dans la famille impériale et dans la conduite des affaires de la France. Il aurait voulu partager le pouvoir et aurait aimé qu'aucun acte ne fût valable sans sa signature ; il se sentait écarté de ce qu'il considérait sa place.

Sur le plan familial, bien qu'officiellement marié à la princesse Clotilde, il ne cachait pas ses nombreuses liaisons. Ce mariage qui aurait pu renforcer son prestige, dans la mesure où il consolidait les liens entre les Napoléon et les dynasties européennes, déclenchait d'autant plus de critiques sur sa conduite privée, jugée scandaleuse. Son anticléricalisme virulent lui valait d'être qualifié d'athée, bien qu'il fût simplement spiritualiste, gallican et admirateur du Concordat de Napoléon Ier. Par sa conduite, considérée comme désinvolte, le prince Napoléon s'était aliéné l'opinion publique. Maupas y voit un « manque de respect pour ce qui doit être respecté et [un] besoin de retentissement qui se traduit par des manifestions provocantes et révolutionnaires[21] ». En fait, il faut aussi prendre en considération une sensibilité exacerbée qui outrait ses réactions et accentuait ses emportements. Ce tempérament difficile eut de grandes répercussions sur la vie de Victor.

CHAPITRE 4

« Sainte Clotilde »

Clotilde de Savoie était la fille de Victor-Emmanuel II, roi de Sardaigne puis d'Italie à partir de 1861, et de Marie-Adélaïde, archiduchesse d'Autriche [1]. Née le 2 mars 1843, la princesse Clotilde était l'aînée de deux frères et d'une sœur. Elle perdit sa mère à l'âge de douze ans et, malgré son jeune âge, prit très à cœur son rôle d'aînée, s'estimant responsable de ses frères et sœur, ce qui la poussa à faire très tôt preuve d'une grande maturité. Dès l'adolescence, elle montra un caractère ferme et réfléchi, peu sensible aux distractions et aux divertissements [2]. La religion prit une place prépondérante dans sa vie, réglée par une grande discipline.

Clotilde n'avait que quinze ans lorsque Napoléon III et Cavour se rencontrèrent à Plombières, en juillet 1858, et projetèrent son union avec le prince Napoléon. Sa réaction sur ce projet crucial pour elle nous livre quelques indices sur son caractère et son comportement. Dans un premier temps, la princesse Clotilde manifesta de la répugnance. Tout l'opposait au prince Napoléon : il était de dix-neuf ans son aîné et rien ne semblait les rapprocher ; elle était aussi dévote que lui était anticlérical, elle était douce et lui brutal. Pourtant, elle donna librement son consentement. Quelles furent ses raisons ?

Cavour s'était adressé directement à la princesse, lui exposant que la délivrance de l'Italie dépendait d'elle. Son sens du devoir lui fit prendre très à cœur l'avenir de sa patrie, d'autant plus qu'elle était désireuse de satisfaire les attentes de son père. Toutefois, ces deux points suffisaient-ils pour emporter sa décision finale ? Clotilde n'avait-elle pas aussi des arrière-pensées religieuses ? Vingt-cinq ans après la mort de la princesse Clotilde, en 1936, l'archevêque de Turin introduisait sa cause de béatification au niveau diocésain. En 1942, Rome assumait la cause et l'annonçait dans la revue officielle du Saint-Siège, les *Acta apostolicæ sedis*. La procédure de béatification entamée en sa faveur n'a toujours pas abouti aujourd'hui. Néanmoins, dans l'étude faite lors de l'introduction de sa cause en béatification, il est donné comme raison fondamentale à son mariage le désir d'aider en matière religieuse un homme qu'elle croyait être incroyant, anticlérical[3]. La princesse se serait laissé guider par Dieu dans son choix. D'ailleurs, elle ne prit de réelle décision qu'à la suite d'une retraite d'une semaine, en septembre 1858. Quelques jours auparavant, elle avait pris soin d'envoyer une lettre à Cavour pour lui indiquer que sa décision n'était pas encore arrêtée : « J'ai déjà beaucoup pensé. Mais c'est une chose très sérieuse que celle de mon mariage avec le prince Napoléon et qui est surtout tout à fait contraire à mes idées. Je sais aussi, mon cher comte, qu'il pourrait peut-être être avantageux à l'avenir d'une nation comme la nôtre et surtout au roi, mon père[4]. » Le ton employé par la princesse confirme sa grande maturité. À son retour, elle était déterminée à accepter ce mariage, malgré sa connaissance des idées et du genre de vie de son futur époux : « Si le Seigneur voulait se servir de moi pour faire du bien en matière religieuse à ces personnes [c'est-à-dire à la famille Bonaparte], pourquoi devrais-je dire non : c'est ainsi que je dis oui à mon père, sans avoir souffert aucune violence, sans faire aucun sacrifice[5]. » Sa position ne devait plus varier. À quelques jours de son mariage, elle fit part en ces termes

43

de sa détermination à sa gouvernante : « Je vais donc me marier dimanche prochain avec le Prince Napoléon, cousin de l'Empereur des Français. Cela vous étonnera peut-être, sachant quelles idées j'ai, mais j'y ai beaucoup pensé. J'ai prié et toujours la même chose a été portée en avant. C'est le Seigneur qui l'a voulu, voilà ce qu'il y a à dire. Je vous assure qu'à part le chagrin de quitter ma famille et mon pays, je suis très heureuse. [...] Le prince est très bon et je suis sûre, autant que je puisse l'être, que tout ira parfaitement bien [6]. » C'est donc autant par sentiment religieux que par atavisme royal que la princesse accepta ce mariage. Ainsi, à l'âge de seize ans, Clotilde de Savoie devenait princesse Napoléon et quittait sa patrie pour s'installer à Paris.

L'arrivée d'une jeune princesse à la cour des Tuileries était guettée par l'entourage de l'empereur et de l'impératrice. Les premières impressions de la princesse Julie Bonaparte, marquise di Roccagiovine, sont mitigées : « Cette princesse est bien enfant, pas très jolie mais peut le devenir. Son teint est remarquablement beau, ses cheveux châtains clairs [7]. » En fait, la princesse Clotilde n'était physiquement pas très attrayante. Les photographies de l'époque la montrent sous l'aspect d'une adolescente en robe sombre, mince mais peu élancée, au visage joufflu et un peu naïf. Ses cheveux tirés lui donnaient un air sévère, renforcé par l'inélégance de ses vêtements. Son austérité était toutefois atténuée par sa jeunesse et par la pureté de son teint qui mettait en valeur des traits réguliers. Son front bombé et son expression concentrée étaient les signes d'un caractère affirmé. D'ailleurs, la princesse Mathilde ne tarda pas à lui trouver un air buté qui, d'après elle, était la preuve d'une absence évidente d'intelligence [8]. L'autre trait de caractère condamné par Mathilde était son manque total de coquetterie ; les robes ordinaires, les bandeaux plats et ses épaules tombantes ne cesseront d'agacer la princesse des arts. Il est vrai que Clotilde attachait un soin particulier à être habillée sobrement : « La princesse portait de pauvres toilettes sombres et mettait un vieux chapeau de paille noir[9]. » Ne la considérant pas comme jolie, on lui trouvait la dignité d'une princesse de grande race. Le peu d'intérêt qu'elle manifestait pour sa mise s'accentua avec le temps, comme en témoigne cette réponse faite à sa dame d'honneur : « J'ai cent mille francs à dépenser par an pour ma toilette. C'est beaucoup trop pour moi. Vous me ferez plaisir, madame, en diminuant le budget de la vanité pour augmenter d'autant celui de la charité[10]. » Cette simplicité fut estimée excessive.

La princesse Clotilde était avant tout une femme de devoir. Maxime Du Camp, dont elle avait su se faire apprécier, disait d'elle : « Elle n'était pas jolie, mais elle était douce, absolument vertueuse et dévouée à son mari[11]. » Une fois mariée, elle supporta les devoirs de représentation. Pour ne pas déplaire à son époux, elle participait aux cérémonies officielles ainsi qu'aux fêtes et aux réceptions de la Cour, dont la frivolité pourtant l'écœurait. S'il le fallait, elle assistait aussi aux chasses à courre aux côtés de l'impératrice et ne manquait jamais le « dîner du lundi » qui réunissait chaque semaine, aux Tuileries, les membres de la famille de l'empereur. Ces dîners étaient souvent animés par les incartades du prince Napoléon, qui ne cessait de se heurter à l'impératrice. Clotilde se gardait bien d'intervenir. En fait, au fond d'elle-même, seule la conviction que Dieu l'avait créée et mise au monde pour qu'elle lui ramenât l'âme de son époux lui importait. En 1860, lors de la mort du roi Jérôme, elle se sentit investie d'une responsabilité particulière. À l'annonce du déclin de son beau-père, elle se précipita auprès de lui afin de l'accompagner dans la mort. Le roi Jérôme mourut en juin 1860 dans son château de Villegenis, près de Meudon. Clotilde écrivit aussitôt à son ancienne gouvernante : « Il est mort ayant reçu les sacrements [...]. Après, il a revu son curé de campagne, qui lui a donné l'absolution *in articulo mortis* et il a reçu l'extrême onction vingt-quatre heures avant d'expirer, du cardinal archevêque[12]. » Cette action l'avait comblée de joie, elle avait eu l'impression d'accomplir sa mission. Julie Bonaparte fait allusion « à sa conduite admirable en cette circonstance[13] ». De son côté, la princesse Mathilde était exaspérée par les effusions de joie de sa belle-sœur : « [elle] était insupportable à mon père, il ne pouvait pas la souffrir. L'a-t-elle assez persécuté en mourant ! Je la vois toujours, après l'extrême onction donnée à mon pauvre vieux père qui déjà n'y était plus, je la vois prenant la sœur, vous savez, comme dans le jeu que font les petites filles, en tournant de joie... moi, d'abord, je ne comprend pas ces religions-là[14] ».

La princesse Clotilde était connue pour sa grande piété. La fréquentation quotidienne des offices faisait partie de sa discipline, même lorsqu'elle accompagnait son mari en voyage. Elle allait chaque matin de très bonne heure entendre la messe dans la chapelle voisine : « Je vais à la sainte messe tous les matins dans ma petite chapelle et le dimanche, quand je peux, à la grand'messe et aux offices de la journée à ma chère paroisse de Saint-Roch[15]. » Au Palais-Royal, on montre encore le petit oratoire qu'elle s'était fait aménager, afin d'aller s'y recueillir dans le courant de la journée. Le reste de son emploi du temps était occupé par différentes œuvres de charité, dont des visites aux pauvres et aux orphelinats. Comme elle se levait tôt pour assister aux offices du matin, il était fréquent qu'elle s'assoupît lors de soirées mondaines ou théâtrales[16]. Dans ses Mémoires, Julie Bonaparte raconte que plusieurs fois elle surprit Clotilde en train de somnoler au cours de réceptions[17]. La dévotion de Clotilde lui valut d'être surnommée « l'Ange du Palais-Royal ». Mme Baroche n'hésite pas à mettre en garde le prince Napoléon : « Le ciel a envoyé près de vous un de ses anges, Prince, ne méconnaissez pas votre bonheur[18]. » Quant à Julie, elle confirme qu'« Eugénie prend Clotilde pour un ange[19] ». Il est vrai que l'impératrice, qui avait des rapports houleux avec le prince Napoléon, appréciait la jeune princesse. Après un séjour à Compiègne, Clotilde remarquait : « L'impératrice est toujours si bonne, si pleine de soins pour moi, si gentille, tâchant de me faire plaisir en chaque rencontre[20] ! » Après la chute de l'Empire, Clotilde échangea une correspondance régulière avec l'impératrice, exilée en Angleterre.

Chose plus surprenante, la princesse Clotilde avait su également se faire apprécier des proches de son époux, tels Renan ou même George Sand, qui n'hésita pas à écrire au prince Napoléon : « Je n'ai pas été mettre mon nom sur le registre de la princesse, mais j'ai dans le cœur quelque chose de mieux pour elle : c'est que je l'aime. Vous le lui direz, Monseigneur, et vous le savez : sa simplicité de manières et le charme de sa personne m'ont gagnée. C'est l'image de la candeur[21]. » Tous reconnaissaient ses grandes qualités de cœur et son bon sens. À sa mort, en 1911, Émile Ollivier souhaita lui rendre ce dernier hommage, publié par *Le Figaro* : « Toujours et partout, je l'ai trouvée la même, d'une dignité simple, d'une égalité d'humeur inaltérable [...]. Un peu détachée, comme une âme qui est ailleurs, elle avait sur les choses réelles des lueurs profondes [...]. J'ai été frappé de l'acuité, de la solidité de son bon sens. Son jugement, composé de droiture et de finesse, était d'une sûreté infaillible. Cette droiture venait d'une conscience très religieuse et cette finesse était l'héritage de sa race royale. » En effet, elle alliait à un esprit juste une grande bonté et un courage à toute épreuve, par exemple lors des événements de

1870, durant lesquels elle manifesta un patriotisme digne d'éloges. Après son départ de Paris, la princesse écrivit ces quelques lignes sur un feuillet : « Ma vie sera désormais une immolation la plus complète. Immolation du cœur, du corps, des affections, de tout pour vôtre amour, Ô mon Jésus [22]. »

Après la chute du Second Empire, en septembre 1870, le prince Napoléon, sa femme et leurs trois enfants s'installèrent à Prangins, propriété du prince située en Suisse sur les bords du lac Léman. Ils y restèrent jusqu'en 1875, date à laquelle Plon-Plon retourna en France avec ses fils, laissant sur place Clotilde et Laetitia. Cette situation résultait d'un accord secret passé entre les deux époux [23] : la princesse s'était peu à peu éloignée de son mari pour se consacrer à ses œuvres de charité. Le fossé entre les deux époux ne cessait de se creuser. Le 14 mai 1872, Clotilde franchit une étape supplémentaire en faisant profession dans le tiers ordre de Saint-Dominique, sous le nom de sœur Marie-Catherine du Sacré-Cœur. Aussi, en 1875, au moment où le prince Napoléon allait repartir pour Paris, elle lui annonça qu'elle ne pouvait plus vivre avec lui et qu'elle envisageait une séparation. Pour être confortée dans son choix, la princesse voulut soumettre sa décision au pape, Pie IX. Elle lui écrivit le 9 janvier 1875, par l'intermédiaire du père Blanchi, procureur dominicain, pour lui exposer son affaire.

L'origine de sa demande était d'ordre politique. La princesse était convaincue que, depuis la mort de Napoléon III, son mari, soutenu par les bonapartistes « rouges », visait la présidence de la République en France. Ayant rompu avec le prince impérial, il insistait pour avoir son épouse à ses côtés à Paris afin de rassurer la tendance conservatrice. Même Sophie des Pays-Bas jugeait la présence de Clotilde indispensable : « Si elle quitte votre toit, ce serait une catastrophe qu'il faut prévenir dans votre

intérêt. Ne vous y trompez pas : Clotilde est inattaquable[24]. » Malgré les supplications de Plon-Plon, la princesse Clotilde résista à son époux et refusa de
l'accompagner. Sophie tenta d'intervenir auprès de Clotilde : « J'ai écrit à Clotilde. Je la prie de venir à Paris,
de faire cesser par sa présence des bruits calomnieux.
M'écoutera-t-elle[25] ? » Rien n'y fit, la princesse avait
arrêté sa décision : « Mes principes, mes convictions quant
à ce que j'ai de plus sacré au monde m'empêchent d'accéder à ce que l'on me demande[26]. » Elle se souciait tout de
même des conséquences que pouvait avoir cette séparation : « Mes fils me seront peut-être enlevés, mais que
faire ? [...] Du reste, je ne serais certainement pas libre de
les mettre dans la pension que je voudrais. Je risque
même, étant à Paris, de les voir mis Dieu sait où et de
couvrir encore ceci de ma présence[27]. » Voilà pourquoi
elle demandait au pape de la guider dans sa démarche :
« Je voudrais savoir ce que vous pensez de ma conduite
et de ma séparation probable par rapport à mon mari et
à mes fils. » Le pape lui répondit que la seule raison qui
pouvait la pousser à aller à Paris serait celle de la persévérance de ses fils dans la foi : « Ce fait lui-même, de disposer des fils à volonté, serait une protestation continuelle
et éloquente contre la conduite du mari ; donc, si cela
pouvait être obtenu de manière formelle, garantie et certaine, que la princesse accepte d'aller à Paris, sinon qu'elle
n'accepte pas[28]. »

La princesse Clotilde, qui savait que son mari ne lui
confierait pas l'éducation de leurs fils, décida de laisser
partir son mari avec ses deux fils. Elle resta avec sa fille
Laetitia à Prangins jusqu'en 1875, date à laquelle elles
s'installèrent dans le château de Moncalieri. Située près
de Turin et dominant le Pô, cette ancienne résidence d'été
de la maison de Savoie servait alors à héberger les familiers et les employés de la Cour à la retraite. Peu de temps

avant sa mort, Victor-Emmanuel attribua le château de Moncalieri comme résidence à Clotilde qui en informa aussitôt son confesseur, le père Cormier : « Je suis à Moncalieri, à trois quarts d'heure de Turin [...]. Cette décision fut prise à la suite d'un arrangement nécessité par une situation qui ne pouvait plus continuer. Ne pouvant aller à Paris pour diverses raisons, ne pouvant non plus garder la campagne près de Nyon, j'ai dû m'entendre avec Papa, qui consentit, peu de temps avant sa mort, à ce que je vinsse chez lui [...]. Je ne pouvais plus faire autrement d'après les conditions qui m'étaient faites [...]. Une totale divergence de principes et de convictions est toujours la cause des difficultés depuis quelques années surtout[29]. » La séparation entre le prince et la princesse Napoléon fut réglée définitivement par un arrangement signé entre eux à Prangins, le 24 janvier 1878 : « Sur le refus persistant depuis 1875 de S.A.I. Madame la princesse Marie-Clotilde de réintégrer le domicile du prince son mari et de vivre auprès de lui uniquement pour les divergences politiques qui existent entre eux, le prince consent à ce que la princesse demeure dans une ville et un domicile désignés par le roi Humbert, son frère[30]. » Par cet accord le frère de Clotilde, le roi Humbert Ier, renouvelait l'arrangement et lui assignait officiellement Moncalieri comme lieu de résidence.

Une fois installée à Moncalieri, la princesse Clotilde se retira complètement du monde. Ses journées furent entièrement consacrées à l'exercice de sa piété : offices, visites aux malades, aides aux pauvres, secours aux femmes en couches... Elle menait une vie quasi monacale qui lui valut le surnom de « sainte de Moncalieri ». Son costume devint de plus en plus sobre : « Je ne suis plus du monde, je suis toute de Jésus et à Jésus [...]. Je ne porte plus d'autres couleurs que le blanc, le noir, le violet, le lilas ou le gris. Et, depuis trois mois, je suis seule que de noir[31]. » Sa seule distraction était la visite annuelle de ses deux fils, qui passaient leurs vacances d'été aux côtés de leur mère. Après leur séparation, le prince et la princesse Napoléon restèrent en bons termes. En 1891, lors de la mort du prince Napoléon, Clotilde se précipita à son chevet pour réaliser ce qu'elle s'était toujours promis : ramener l'âme de son mari à Dieu. Elle y parvint. Quatre jours avant sa mort, Plon-Plon prononçait son abjuration entre les mains de Mgr Mermillod, évêque de Lausanne et de Genève, tout juste élevé au cardinalat.

Ainsi la vie de la princesse Clotilde fut-elle guidée par Dieu. Lors de sa mort, en 1911, le gouvernement italien prescrivit des obsèques solennelles. Dans la province de Turin, la princesse était devenue populaire et s'était attiré l'admiration de chacun par sa grande dévotion. Pour honorer sa mémoire, la ville de Moncalieri décida d'édifier une statue à l'effigie de sa « sainte [32] ». Toutefois, la princesse Clotilde ne se consacra entièrement à la religion qu'une fois retirée en Italie, à partir de 1875. Pendant les premières années de son mariage, elle prit très à cœur son rôle d'épouse et surtout celui de mère.

CHAPITRE 5

Une enfance princière

La princesse Clotilde avait à peine seize ans lors de son mariage. Sur le plan physique, elle n'était encore qu'une enfant, il fallut attendre quelques temps avant qu'elle ne connût les joies de la maternité, pour lesquelles elle se sentait pourtant prête. Peu de temps après son mariage, elle confiait déjà à Stéphanie Tascher de La Pagerie : « Je ne désire qu'un petit berceau chez moi[1]. » Son vœu se réalise au cours de l'hiver de 1862 ; l'heureux événement est attendu pour la fin du mois de juillet. La grossesse de la princesse Clotilde se déroule sans problème particulier, même si, de temps à autre, elle se plaint des vigoureux mouvements de l'enfant dans son ventre. Mathilde, observant la scène, ironise : « Je le crois bien, c'est un diable dans un bénitier[2]. » La grossesse de Clotilde rapproche les époux : elle se réjouit d'être mère et Plon-Plon espère impatiemment l'arrivée d'un héritier. Comme, en 1862, aucun cérémonial n'existe pour la naissance des enfants du cousin de l'empereur – celui-ci ne sera établi qu'en 1866, peu de temps avant la naissance de la princesse Lae- titia[3] –, le prince Napoléon entend tout organiser selon ses vues. Or beaucoup des usages du Second Empire sont copiés sur ceux du Premier Empire et la coutume voulait que l'empereur et l'impératrice assistassent à la naissance des princes de la famille impériale. L'accouchement de la princesse Clotilde est prévu pour la fin du mois de juillet, période à laquelle Napoléon III est en cure à Plombières.

L'impératrice émet tout de même le souhait d'assister à l'accouchement : « Le public remarquera l'attention de l'impératrice qui veut assister aux couches de Clotilde, et si vous manquez d'égards envers elle, on mettra les torts de votre côté[4]. » Eugénie n'est pourtant prévenue qu'après la naissance : « Le petit va très bien. Clotilde est accouchée d'un garçon ; je n'ai été prévenue que quand tout était fini. Je vais à Paris voir l'accouchée après déjeuner[5]. »

Le prince Victor naît le 18 juillet 1862, au Palais-Royal. L'accouchement n'a pas été trop difficile et les parents sont ravis : « On m'a dit ce matin, au Palais-Royal, que la princesse était à merveille et que le Prince Napoléon était enchanté[6]. » Pour ce dernier, la joie d'avoir un fils est immense ; il croit ainsi sa place améliorée dans la famille impériale et reçoit avec plaisir les félicitations de son cousin l'empereur, qui lui écrit le jour même : « J'approuve les noms que vous voulez donner à votre fils, mais je crois que la reine de Hollande étant protestante ne peut être marraine[7]. » Plon-Plon savoure les premiers moments de son rôle de père, qu'il n'hésite pas à faire partager à son amie George Sand : « Ma femme et mon petit enfant vont bien. [...] Je joue avec ce petit bonhomme et je l'aime de tout mon cœur. [...] Tout devient sérieux quand on a un enfant. Je pense déjà à son éducation, à en faire un homme, un citoyen[8]. » Derrière la joie de Plon-Plon, on perçoit une pointe d'orgueil.

Après la naissance, reste à régler la question du baptême. L'empereur le voulait solennel, en l'église Saint-Roch, en présence des grands corps de l'État ; il avait même chargé le cardinal Morlot de donner le sacrement[9]. À sa bonne habitude, Plon-Plon ne suit que son idée et se contente d'un simple ondoiement : « J'ai trouvé ma femme en bonne santé. J'ai pris des renseignements au sujet du baptême de l'enfant et il me semble que ce qu'il y a de mieux est de se borner à *l'ondoyer*, ce qui satisfait à toutes les exigences, évite les embarras, dépenses et ennuis d'une cérémonie. Plus tard, dans *des mois*, même *des années*, on pourra faire le baptême si vous le croyez utile, mais rien ne presse. Pour cette cérémonie, je voudrais avoir pour parrain le roi d'Italie et pour marraine la reine Sophie de Hollande. Je voudrais donc lui donner les noms de Victor-Jérôme-Napoléon-Frédéric, si c'est un garçon ; et Catherine-Sophie si c'est une fille. Je ne m'occuperai du baptême qu'après avoir pris les ordres de Votre Majesté. Je pense que l'ondoiement aura lieu vers les premiers jours d'août [10]. » Le choix des parrain et marraine de l'enfant peut surprendre, et explique la difficulté à organiser le baptême. Plon-Plon désigne en effet comme parrain le roi d'Italie, son grand-père, et pour marraine la reine Sophie des Pays-Bas, née princesse de Wurtemberg. Or le nonce du pape refuse d'une part Victor-Emmanuel, excommunié pour avoir annexé les Marches et l'Ombrie, et d'autre part Sophie, sous prétexte qu'elle est protestante. Ce choix d'un roi excommunié et d'une reine protestante n'est-il pas révélateur de l'esprit perturbateur du prince Napoléon ? Ne se doutait-il pas du refus de l'Église ?

La réaction de la reine Sophie lorsque Plon-Plon lui demanda d'être marraine montre qu'elle-même fut surprise et essaya de dissuader le prince de ce choix : « Je serais très *heureuse* d'être la marraine de votre enfant, si je n'étais pas *hérétique*. Ne faites pas à votre femme le chagrin de mettre son premier enfant sous l'emprise d'une damnée. Elle en souffrirait. De plus, cette place revient à l'impératrice, qui veut assister aux couches de Clotilde. N'ayant pas l'empereur comme parrain, vous devrez avoir l'impératrice comme marraine. On croirait que vous êtes brouillé avec le chef de la maison et dans une occasion aussi solennelle, l'effet en serait fâcheux [11]. » La reine Sophie insista jusqu'au dernier moment pour le faire changer d'avis. À la veille de l'accouchement, elle écrivait

54

encore : « Je vous prie, instamment, cher Napoléon, encore une fois, de demander à l'empereur et à l'impératrice d'être parrain et marraine de votre enfant. Croyez en ma vieille amitié, c'est la bonne politique. Au moment où la providence vous annonce un grand bonheur, la naissance de votre premier enfant, ne faites pas souche à part ; rattachez-vous au chef de votre dynastie. [...] Ayez deux parrains, comme le roi de Rome *[l'empereur d'Autriche et le roi Joseph]*, l'empereur Napoléon et le roi d'Italie. Deux marraines : l'impératrice et votre sœur. Mettez Sophie l'hérétique à la porte. Elle n'en n'aimera pas moins votre enfant [12]. » Le prince Napoléon s'obstina, ne cherchant pas le moindre prétexte pour se rapprocher de l'empereur et de l'impératrice. En définitive, la reine Sophie accepta d'être la marraine, mais « à une seule condition : c'est que votre femme m'écrive elle-même, ou dicte une lettre pour moi, dans laquelle elle m'exprime ce désir, afin que je puisse m'en servir ici. Il faudra que je l'annonce au Roi, et je préfère montrer une lettre de Clotilde [13] ».

En raison de ces choix, juste après la naissance de Victor, Plon-Plon s'adressa à Mgr Chigi, nonce pontifical à Paris, pour lui annoncer que dans un premier temps le jeune prince ne serait qu'ondoyé. Ainsi, conformément au souhait du prince Napoléon, la cérémonie se déroula quelques heures après la naissance, dans la chapelle du Palais-Royal [14]. L'abbé Dusseaux, aumônier au Palais-Royal, assisté d'un vicaire de Saint-Roch, se chargea de l'ondoiement. Le prince Victor porta les noms des parrain et marraine que son père avait choisis et que le pape avait refusés. Après cette cérémonie, une autre restait à faire : l'inscription sur les registres de la famille impériale. Le jeune prince fut inscrit à l'état civil le 5 août 1862 sous les noms de Napoléon Victor Jérôme Frédéric. Un an plus tard, l'affaire du baptême de Victor n'étant toujours pas réglée, Napoléon III revint à la charge auprès de son cousin : « Je suis heureux de savoir ton fils bien portant. Il faudra songer à son baptême[15]. » Or, comme le fait remarquer Ernest d'Hauterive, le baptême solennel du prince Victor n'eut jamais lieu. Dans cette affaire, quelle a été la position de la princesse Clotilde ? On ne la voit intervenir à aucun moment, alors qu'il s'agit d'une question religieuse. A-t-elle été consultée ? Pourquoi a-t-elle accepté Sophie comme marraine ? Autant de questions qui restent sans réponse par manque de documentation. Deux ans plus tard, la princesse Clotilde donne naissance à Meudon à son deuxième fils, Louis, le 16 juillet 1864[16]. Le troisième et dernier enfant de Clotilde et Plon-Plon, Laetitia, naît le 20 décembre 1866 au Palais-Royal.

Pour l'heure, Clotilde se consacre entièrement à Victor, dont elle cherche à s'occuper le plus possible. À la fin d'octobre 1862, elle s'absente pendant plusieurs jours avec son mari pour se rendre, en Italie, au mariage de sa sœur Maria Pia avec le roi Louis Ier de Portugal. C'est la première fois que Clotilde s'éloigne de son fils, la séparation lui est douloureuse : « Nous voilà revenus à Paris depuis dimanche soir. Je suis de nouveau en possession de mon bébé, ce qui me rend bien heureuse, ayant dû le laisser ici pendant tout le temps de mon voyage[17]. » La princesse Clotilde fait preuve d'un grand instinct maternel et se plaît à partager ses joies de mère avec ses amies : « Le petit est là, près de moi qui s'amuse dans son berceau et je vous envoie un baiser de sa part. [...] Il se porte à merveille, je m'en occupe le plus possible, il est si gentil. Il ne marche pas encore seul mais il s'accroche à tous les meubles et marche ainsi en se tenant. [...] Il est très grand, nous l'avons mesuré il y a peu de temps, il avait 82 cm. Il a cinq dents, la sixième est sur le point de percer[18]. »

En tant qu'aîné, Victor bénéficia d'une attention particulière de la part de sa mère. En octobre 1865, la princesse Clotilde avait décidé d'effectuer un séjour dans sa famille, en Italie, et avait souhaité amener Victor avec elle : « J'avais laissé Louis à Prangins et amené seulement Victor : il a été au Saint-Suaire, à Saint-Jean au salut où il a été d'une grande sagesse. J'étais heureuse de le mener là où j'avais été et à la place où, enfant, maman me conduisait [19]. » Est-ce au cours de ces années de jeunesse que se noua le lien privilégié qui unira toujours Victor à sa mère ? Sans doute, mais la similitude de tempérament y est aussi pour beaucoup. En outre, la princesse Clotilde consacrait beaucoup de temps à ses enfants. Attentive à leur évolution, elle se soucia même d'acquérir le savoir nécessaire pour assurer leur premier éveil. Ainsi, pour Victor, elle endossa le rôle de préceptrice : « Je fais la maîtresse d'école à Victor, je lui apprends son catéchisme et à lire, il sait toutes ses lettres majuscules [20]. »

Autant Clotilde était présente auprès de ses enfants, autant Plon-Plon était absent et distant. Pourtant, ce dernier estima rapidement que c'était son rôle de superviser les études de ses fils. Après s'être forgé de grands principes d'éducation – surtout théoriques –, il prit en charge leur formation. Sa volonté était de les voir bénéficier d'un enseignement diversifié et libéral. Le premier choix du prince consista à ne pas les séparer : Victor et son frère Louis reçurent un enseignement commun tout au long de leurs études. Victor était âgé de sept ans lorsqu'on le confia, avec son frère, à M. Develay. Les deux princes passaient leurs journées, en qualité d'externes, avec leur précepteur, qui éduquait aussi d'autres enfants [21]. Ils y restèrent deux ans, jusqu'en juin 1870. En fait, Plon-Plon tenait à ce que les deux princes fussent en compétition avec d'autres élèves, voulant éviter que leur position de « neveux » de l'empereur leur assurât un régime de faveur. On leur administra donc une éducation simple les mettant en contact avec des enfants appartenant aux diverses classes de la société. Le prince Napoléon attachait beaucoup d'importance à ce principe égalitaire. Il aimait à rappeler : « Sur les bancs des collèges, tous les écoliers sont égaux. Les meilleures places et les meilleurs points rompent seuls cette égalité [22]. »

Jusqu'à l'âge de huit ans, c'est-à-dire jusqu'à la chute de l'Empire en 1870, l'enfance du prince Victor se déroula entre le Palais-Royal et la propriété de Meudon, attribuée au prince Napoléon et à sa famille. Dans son entourage familial proche, son unique cousin était le jeune prince impérial. En sus du lien de famille qui les unissait, une réelle amitié naquit entre les deux cousins. Victor vouait à son camarade une admiration enfantine qui n'était pas simplement due à leur différence d'âge (six ans), mais aussi à la position d'hériter du trône de son aîné. « Loulou » portait déjà un uniforme et montait à cheval, ce qui impressionnait beaucoup Victor. Afin d'entretenir cette amitié, la princesse Clotilde amenait Victor chaque semaine aux Tuileries pour jouer avec le prince impérial. Comme signe de cette affection, Victor fut placé à la droite de Napoléon III lors de la première communion du prince impérial, le 8 mai 1868. Comme lors de sa naissance et de son baptême, la première communion du prince impérial donna lieu à une magnifique cérémonie, à la chapelle des Tuileries [23]. Victor n'avait que six ans, mais il garda un souvenir inoubliable de cette journée qu'il associait aux fastes de l'Empire.

Ainsi, les premières années de Victor s'écoulèrent alors que Napoléon III était au sommet de sa gloire. En tant que prince du sang, Victor bénéficiait du cérémonial accordé aux membres de la famille impériale. À sa naissance, ses parents disposaient d'un train princier en service d'honneur et en domestiques. Élevé dans la famille impériale, il reçut une éducation guindée, stricte. Ses moments de détente se résumaient à quelques heures passées à jouer sur les terrasses du Palais-Royal et, plus rarement, à une sortie avec sa mère au bois de Boulogne, où se rendaient souvent Napoléon III et l'impératrice Eugénie. Laissons au prince André Poniatowski le soin de planter le décor : « Les équipages montaient au trot les Champs-Élysées, l'avenue de l'Impératrice et, arrivés au lac, s'engageaient au pas dans une sorte de chaussée roulante où s'affrontaient toutes les manifestations d'élégance : grandes toilettes, équipages [...]. Autour du lac régnait une ambiance plus sobre, d'influence essentiellement britannique du moins pour le monde de la Cour et les étrangers de distinction, car les vieilles familles qui boudaient la Cour conservaient les équipages à la française tels qu'ils s'étaient reconstitués sous Charles X [...]. Bien entendu de telles affluences dans un lieu aussi public que le Bois ne pouvaient être réglementées [....]. Jamais il ne serait venu à l'idée de gens qui, quelque honorables qu'ils fussent, étaient des fournisseurs, de se retrouver aux heures de récréation sur le même plan que leurs clients[24]. » Parfois, il arrivait que Victor fût convié à partager les distractions des jeunes princes de la Cour : soirées au Cirque d'été, visite de l'Exposition universelle de 1867. D'ailleurs, c'est à cette occasion que Victor accompagna pour la première fois son père à un dîner chez la princesse Mathilde, donné en l'honneur du tsar, arrivé à Paris pour l'Exposition[25].

Le jeune Victor a été marqué par cette enfance sous l'Empire. Dans sa mémoire, il assimila cette période à un âge d'or. Victor est né prince et le restera toute sa vie, simple dans ses goûts mais accoutumé à un certain confort et à certains égards. La catastrophe de Sedan, le 2 septembre 1870, mit fin à cette douce vie. Victor n'avait que huit ans quand s'écroula l'édifice dont dépendait sa fortune.

CHAPITRE 6

L'Empire s'écroule

Sedan reste avant tout le symbole de la défaite militaire de la France impériale face aux Prussiens, mais aussi l'élément décisif qui fit tomber le régime impérial, pourtant au pouvoir depuis près de vingt ans. Cette chute, spectaculaire par sa soudaineté et sa rapidité, relègue la famille impériale au rang de proscrits. Du jour au lendemain, il faut fuir et organiser une nouvelle vie en exil. Les circonstances de la guerre de 1870 et son issue étant fort complexes, nous nous limiterons à un rapide rappel des faits. Ce n'est que poussés par l'opinion publique que Napoléon III et son ministre, Émile Ollivier, se résolurent à la guerre. Tous deux agissaient à l'encontre de leurs convictions profondes : le ministre pour conserver son pouvoir et l'Empire libéral, et Napoléon III, qui durant toute sa vie politique avait nourri un respect quasi mystique pour la volonté du peuple, afin de ne pas s'opposer à l'opinion. Le 19 juillet, la déclaration de guerre fut remise à la Prusse. Dès lors, le gouvernement et l'empereur espérèrent que la guerre leur offrirait la possibilité de se réconcilier avec les Français par une grande opération de prestige.

Napoléon III quitta Saint-Cloud avec le prince impérial le 28 juillet. Il choisit de contourner Paris pour éviter les cris de joie de la foule parisienne[1]. L'empereur avait raison de s'inquiéter : son état de santé était déplorable[2] – il souffrait de calculs rénaux depuis plusieurs années – et l'armée n'était ni bien préparée ni bien commandée[3]. Si la France restait convaincue de sa supériorité[4], c'est parce qu'elle était inconsciente des atouts évidents de la Prusse : supériorité numérique (450 000 Allemands face à 300 000 Français), bonne artillerie, ravitaillement et commandement efficaces. « Un mois suffit pour qu'à la fin d'une série de défaites et de manœuvres militaires avortées, l'empereur et son armée se trouvassent encerclés par l'ennemi, à Sedan, et dans l'obligation de capituler, le 2 septembre 1870[5]. » Les répercussions politiques de Sedan furent immédiates et fatales au régime impérial.

La rapidité avec laquelle l'annonce de la défaite de l'empereur entraîna la chute de l'Empire fut spectaculaire[6]. La nouvelle de Sedan atteignit Paris le 3 septembre dans l'après-midi ; elle produisit une impression d'accablement, de stupeur. L'impératrice Eugénie elle-même ne l'apprit qu'alors. Elle convoqua immédiatement un Conseil des ministres, chargé de décider comment l'annoncer[7]. Ils rédigèrent une proclamation qui faisait appel au patriotisme des Français, puis ils se séparèrent. Le Conseil avait délibéré deux heures et demie pour ne prendre aucune décision sur aucun point, entre autres sur le moyen de contenir la population après l'annonce de la défaite. On demeure surpris devant une pareille carence, qui donne la mesure de l'affaissement moral des dirigeants[8]. Eugénie se retira dans ses appartements ; il était 9 heures du soir. La population parisienne, en majorité hostile à l'Empire, apprit officiellement en début de matinée la catastrophe, dont le bruit s'était déjà répandu. La défaite de Sedan fut un choc pour les Parisiens, mais elle ne déclencha aucune émeute dans la capitale.

De leur côté, les députés se rendirent chez Eugène Schneider, président du Corps législatif, pour exiger sur-le-champ la convocation de la Chambre. La fameuse séance nocturne du 3 septembre allait s'ouvrir. Il fallait

61

agir rapidement. Or, dans les moments de crise, il n'est pas rare que les assemblées parlementaires se perdent dans des discours, nommant des commissions qui, à leur tour, tâtonnent. Ce soir-là, la séance fut levée sans qu'aucune décision n'eût été prise. Nathaniel Johnston, député de la Gironde, y vit la chute irrémédiable du régime[9] ; il tenta de lutter contre l'abattement et le laisser-aller général, mais rares furent ceux qui se rangèrent à ses côtés. Ernest Pinard, ancien procureur impérial et ministre de l'Intérieur de 1867 à 1868, fut l'un des seuls[10]. L'impératrice était encore régente, mais déjà plus personne ne pensait à elle.

Le 4 au matin, Eugénie attendit l'arrivée de ses ministres à 8 h 30 pour poursuivre le Conseil de la veille. Ils y envisagèrent la solution d'un Conseil de régence doté de pouvoirs dictatoriaux et présidé par l'impératrice, mais ils savaient déjà qu'il y avait peu de chances que ce projet passât devant la Chambre. Au même moment arrivait le député Buffet, accompagné de Daru ; ils étaient envoyés par la Chambre pour porter une proposition d'abdication. Eugénie insista sur le fait qu'elle avait reçu ses pouvoirs de l'empereur : « Je ne peux que les remettre à celui qui m'en avait confié légalement l'exercice. » En réalité, l'impératrice était prête à accéder aux exigences des députés, mais refusait de porter la responsabilité de l'abdication[11]. Elle voulait sauvegarder son honneur.

Les députés retournèrent à la Chambre, où la séance reprit dans l'après-midi. Jules Favre présenta alors sa motion de déchéance ; Thiers soumit une autre motion, où le mot « déchéance » était remplacé par celui de « vacance du trône ». Quant à Palikao, il proposa un Conseil de régence dont il assurerait la lieutenance générale. Tandis que les députés délibéraient, hésitaient, la foule se regroupait au fur et à mesure autour du Palais-Bourbon. Cette foule enfiévrée voulait des décisions immédiates : la

déchéance et la république. Elle s'impatientait des len-
teurs des députés qui avaient décidé de renvoyer les trois
motions proposées vers une commission. Finalement, la
foule força sans difficulté les grilles du Palais et envahit
la salle[12]. La majorité des députés quittèrent les lieux, le
président Schneider leva la séance. La foule se rendit à
l'Hôtel de Ville où les députés parisiens proclamaient la
république. Désormais, le gouvernement dit de la « Défense nationale » remplaçait l'Empire.

C'est ainsi que l'Empire s'éclipsa. Le Second Empire
avait vécu pendant dix-huit ans ; sa fin ne provoqua
aucune violence, aucune réaction. Personne ne le
défendit. La chute du régime fut beaucoup moins liée à
la force de ceux qui l'attaquèrent qu'à la mollesse et au
découragement de ceux qui étaient chargés de le
défendre. Le trône s'effondra de lui-même : l'empereur
était entre les mains de l'ennemi, le prince impérial en
fuite et l'impératrice contrainte de quitter rapidement
Paris pour l'exil. Ce qui est remarquable, c'est que, aussi
bien dans la famille impériale que parmi les membres du
gouvernement, personne ne songea à la résistance ni ne
prononça le nom du prince impérial. Comme lors de la
chute du Premier Empire, la volonté d'installer une nouvelle dynastie avait échoué. Mais, au-delà de la déconve-
nue héréditaire, la disparition du régime ne marquait-elle
pas avant tout l'échec de Napoléon III dans sa tentative
constitutionnelle ? Si la soudaineté de cet effondrement
laisse penser à un accident, n'était-il pas en fait tout simplement inévitable ? Le Second Empire semblait fragilisé
depuis les élections législatives de 1869, qui avaient
confirmé le déclin de sa popularité[13]. Dès lors, il ne
pouvait durer que par l'abandon de ses attributs autoritaires et personnels ; et c'est sur cette voie que l'empereur
et Émile Ollivier s'étaient engagés dans un premier temps.
Mais cette évolution était contraire à la nature du

bonapartisme. Un Empire parlementaire, où le souverain se contenterait de régner sans gouverner : ce projet était insupportable pour tout bonapartiste authentique. La guerre, souhaitée par les partisans d'un Empire autoritaire, démontrait l'impossibilité d'un Empire parlementaire. Le régime impérial était donc emporté par son incapacité à s'accommoder du parlementarisme. Cette inaptitude pèsera sur l'évolution de la cause bonapartiste sous la Troisième République, puisqu'elle entraînait un positionnement difficile entre autorité et liberté. Toujours est-il que, pour l'heure, l'Empire balayé, la famille impériale chassée, la cause napoléonienne se trouvait anéantie. Quelle fut la position du prince Napoléon et de sa famille lors de cet été de 1870 ? Et, pour eux, qu'impliquait la chute du régime impérial ?

Au début de l'été de 1870, au vu de la gravité de la scène politique française, la princesse Clotilde chercha à éloigner ses enfants de la menace parisienne et les envoya, accompagnés de leur gouvernante, la baronne de La Roncière-Le Noury, à Prangins, leur propriété suisse. Les enfants ne furent donc pas confrontés directement aux événements de 1870. Quant à leur mère, elle désirait rester à Paris, refusant de quitter la capitale tant que l'impératrice y demeurait. Elle souhaitait, par sa présence, prouver son soutien au régime impérial et sa volonté d'affronter le danger.

Le prince Napoléon, lui, était parti le 2 juillet 1870 en villégiature vers le cap Nord. Au cours de son voyage, informé de la tournure des événements et de la déclaration de guerre, il décida de rentrer à Paris. On pensa à confier à ce prince toujours avide de responsabilités, un corps d'expédition destiné à opérer, selon son plan, sur les côtes allemandes de la Baltique : « Nous avons parlé au Conseil de ce qui te regarde. Voici ce qui a été décidé. Le prince Napoléon commandera en chef les troupes alliées du Danemark [...]. D'ici là, tu pourras venir avec moi. Je compte partir mercredi ou jeudi [14]. » En effet, avant d'aller assumer ses futures responsabilités, le prince Napoléon était parti aux côtés de l'empereur. Voyant que Napoléon III était dans l'incapacité physique de commander l'armée, il lui conseilla de rentrer à Paris, dans l'espoir que sa présence dans la capitale calmerait les esprits [15]. Or la régente et son gouvernement refusèrent, de peur que le retour de l'empereur après les premières défaites fût considéré comme une désertion. Le 17 août, à Châlons, se tint un conseil de guerre chez l'empereur en présence de Mac-Mahon, Trochu et du prince Napoléon. Plon-Plon y exposa son plan : rapatrier l'empereur à Paris, où il exercerait le pouvoir, et ramener l'armée de Châlons vers la capitale pour la couvrir. Dans un premier temps, Napoléon III accepta ce plan ; son départ pour Saint-Cloud était prévu pour le soir même. L'empereur en informa l'impératrice qui, soutenue par le Conseil de régence, affirma que le retour de l'empereur à Paris était impossible, sous peine de déclencher une révolution. Napoléon III s'inclina et Trochu, tout juste nommé gouverneur de Paris, partit seul.

Le 12 août, se sentant impuissant face à la catastrophe, Napoléon III confia le commandement de l'armée à Bazaine. Dès lors, il ne se concentra que sur ce qu'il croyait être la seule issue : « Les affaires vont mal [...]. Une chance serait que l'Italie déclarât la guerre à la Prusse et entraînât l'Autriche. Personne n'est mieux indiqué que toi pour cette mission auprès de ton beau-père et de l'Italie. J'écris au roi, voilà ma lettre, pars tout de suite [16]. » Napoléon III envoyait le prince Napoléon auprès de son beau-père, à Florence, pour tenter de faire entrer en guerre l'Italie contre la Prusse. Plon-Plon quitta Châlons le 19 août. Sa mission consistait à convaincre qu'un corps d'armée italien pourrait facilement, avec l'autorisation de

65

l'Autriche, pénétrer en Allemagne et faire diversion sur Munich. Or la question de l'alliance avec l'Italie était complexe, en particulier à cause de Rome. Comme nous l'avons vu précédemment, Napoléon III avait soutenu le mouvement unitaire italien. Il avait accepté l'annexion de l'Italie centrale, puis du Sud, au royaume de Sardaigne. Lorsque Victor-Emmanuel fut proclamé roi d'Italie le 14 mars 1861, il ne manquait plus que Rome et Venise pour que l'unification italienne fût complète. Et cette question allait empoisonner les relations franco-italiennes pendant dix ans. En 1870, lorsque Napoléon III chercha l'alliance italienne, Victor-Emmanuel disposait d'un champ d'action limité. D'une part, il subissait les pressions italiennes sur Rome, qui l'empêchaient de conclure une alliance avec la France. D'autre part, la faiblesse de la position française l'engageait à ne pas intervenir.

Or l'alliance avec l'Italie était le dernier espoir pour la diplomatie française. Au début du mois d'août 1870, le prince Napoléon poussait déjà Napoléon III à reprendre les pourparlers avec l'Italie. Un attaché militaire italien, le comte Vimercati, se rendit auprès de l'empereur. Il lui soumit les clauses d'un accord par lequel l'Italie s'engageait à soutenir la France, mais en échange demandait Rome. Napoléon III refusa, malgré l'insistance du prince Napoléon à qui son beau-père télégraphiait : « Sans Rome, je ne puis rien faire. Je n'ose pas le dire à l'Empereur, mais ne lui laisse aucune illusion [17]. » Ainsi s'éloignait la dernière possibilité d'accord avec l'Italie. Quelques jours après, la France connaissait ses premiers revers. Le 19 août, lorsque Napoléon III décida d'envoyer Plon-Plon à Florence, il était prêt à céder sur la question romaine afin d'obtenir le soutien de Victor-Emmanuel.

Le prince Napoléon arriva à Florence le 21 août. La situation de la France s'étant encore dégradée, Victor-Emmanuel soutint qu'il était dans l'incapacité de lui

L'EMPIRE S'ÉCROULE

porter secours[18]. Témoin des succès allemands, le roi quitta Florence pour échapper aux sollicitations de son gendre. Le prince Napoléon poursuivit tout de même ses démarches auprès des ministres italiens ; il gardait espoir, écrivant même, le 22 août, à Trochu : « Mon opinion est que l'Italie pourrait donner cinquante mille hommes dans huit jours, cent mille dans quinze. Donnez-moi votre avis sur la direction à faire prendre aux Italiens, si je les obtiens[19]. » La progression allemande bloqua la mission du prince en Italie. Le 28 août, il télégraphiait une dernière fois : « Si notre armée avait un succès, cela pourrait changer[20]. » Sa mission prit fin le 2 septembre avec l'annonce de la capitulation de l'empereur à Sedan. Le prince voulut alors rejoindre Napoléon III dans sa captivité, ce que l'empereur refusa.

À Paris, l'Empire s'écroulait. À aucun moment Plon-Plon ne songea à quitter l'Italie pour secourir l'impératrice et le régime impérial. Il ne pouvait s'entendre avec l'impératrice, tant politiquement que personnellement. En outre, il l'estimait responsable de la chute du régime, par son refus du retour de l'empereur. Le 4 septembre, le prince Napoléon était encore en Italie, alors qu'à Paris une des premières mesures prises par le gouvernement de la Défense nationale fut d'interdire l'accès du territoire français à la famille impériale. Il quitta l'Italie directement pour la Suisse, où il rejoignit ses enfants, et bientôt sa femme, sans avoir revu ni la France ni l'empereur.

L'impératrice ne quitta Paris que le 4 septembre en fin d'après-midi, avec sa lectrice. Elle avait jusque-là refusé de fuir, craignant qu'on l'accusât de lâcheté, mais l'arrivée de la foule aux Tuileries lui faisait courir un péril mortel. Eugénie réussit à s'enfuir grâce à l'aide de l'ambassadeur d'Autriche, Metternich, et de l'ambassadeur d'Italie, Nigra. Pour quitter la capitale, elle se fia au docteur Evans, son dentiste américain, qui organisa son passage en Angle-

67

terre. Ce pays avait été choisi en raison de l'amitié qui liait la souveraine et la reine Victoria. L'impératrice quitta Paris le 5 septembre. En route, elle fut informée de la chute de l'Empire et de la nomination du général Trochu à la tête du gouvernement de la Défense nationale. Deux jours après son arrivée sur les côtes anglaises, elle apprenait que son fils était également en Angleterre, et ils furent réunis quelques jours plus tard. Il fallait maintenant chercher une résidence ; Eugénie se décida pour la propriété de Camden Place, à Chislehurst, dans le Kent. Napoléon III, libéré de Wilhelmshöhe, y rejoignit sa femme et son fils en mars 1871.

Ce n'est qu'au lendemain du départ de l'impératrice que la princesse Clotilde se décida à quitter Paris. Jusqu'au bout elle fit preuve d'un patriotisme et d'un courage dignes d'éloges. Dès le mois de juillet, son père lui avait envoyé à Paris un de ses aides de camp, Spinola, pour l'aider à regagner l'Italie. Elle refusa la proposition : «Je suis française», lui dit-elle[21]. Même avertie des progrès de l'émeute, elle ne voulait pas quitter la capitale tant que l'impératrice était aux Tuileries. Ce n'est que le 5 septembre, à cinq heures, après que le chevalier Nigra, ambassadeur d'Italie, lui eut annoncé le départ de la régente, qu'elle se décida à partir le lendemain. Elle quitta le Palais-Royal accompagnée du baron Brunet, officier d'ordonnance du prince Napoléon, en voiture découverte frappée des armes impériales. Elle traversa la capitale jusqu'à la gare de Lyon, d'où elle prit un train pour gagner la Suisse, où ses enfants l'attendaient. Elle ne voulait être escortée que par des Français, refusant même de garder à ses côtés le chevalier Nigra. Paris était encore en proie à l'agitation de la veille, mais aucune émeute ne se produisit ; bien au contraire, les manifestants de la veille se taisaient à son passage, et elle eut même droit aux honneurs de la Garde nationale[22].

L'Empire n'était plus. La famille impériale avait réussi à échapper aux émeutes ; restait à organiser un nouvel exil. La famille du prince Napoléon se réfugia à Prangins, en Suisse. Cette propriété qui existe toujours, se situe sur les bords du lac Léman, entre Genève et Lausanne. Peu de temps après son mariage, en 1860, le prince Napoléon avait acheté une partie du domaine de la Bergerie, qui avait appartenu à son oncle Joseph, sans acquérir le château ni les terres qui l'entouraient. Sur ce vaste terrain, descendant en pente douce jusqu'au lac, le prince Napoléon avait entrepris la construction d'un petit château, qui lui coûta fort cher. À la chute du Second Empire, il scinda la propriété en deux et vendit la partie bâtie[23], puis fit édifier une villa qui devint sa résidence principale. Cette villa est aujourd'hui encore la demeure de la famille impériale.

Le prince Napoléon et sa famille eurent à cœur de s'adapter à leur nouvelle vie. La princesse Clotilde reprit le programme qui était le sien en France : elle assistait à plusieurs offices religieux par jour et portait secours aux pauvres de la région[24]. Pour le prince Napoléon, la situation était plus complexe. La chute de l'empereur ne lui fournissait-elle pas une occasion de revenir sur la scène politique ? Il s'en persuada et s'activa en ce sens.

Dès octobre 1870, il se rendit à Londres pour rencontrer l'impératrice, avec laquelle il se fâcha. Embarrassé, il écrivait aussitôt à l'empereur pour se justifier : « Je suis à Londres pour mes affaires personnelles et pour voir si je pouvais être de quelques utilités à votre fils. [...] Ma première visite a été pour l'Impératrice qui m'a reçu froidement. Sa Majesté, alors que je l'ai provoquée en rien, s'est laissée aller envers moi à des violences incroyables[25]. » D'après Louis Girard, le prince Napoléon était allé demander à l'impératrice de se dessaisir de la régence pour l'exercer à sa place[26]. Il ne supportait pas de ne pou-

69

voir agir. C'est pourquoi, à l'automne de 1872, il écha-fauda un nouveau projet, une sorte de second « retour de l'île d'Elbe ». Il effectua deux visites, à l'été et à l'automne de 1872, à Chislehurst, pour discuter avec Napoléon III de ce plan de retour. Nous ne disposons pas de preuves irréfutables du projet, mais a priori il était prévu pour mars 1873 [27]. Le plan était simple : l'empereur devait quit-ter secrètement l'Angleterre pour rejoindre le prince Napoléon à Prangins, où un uniforme et un harnachement auraient été préalablement expédiés. De là, ils devaient pénétrer en France par la rive française du lac Léman, prendre la tête d'un régiment de cavalerie à Annecy puis marcher sur Lyon, que commandait le général Bourbaki, attaché à Napoléon III. Ensuite, on comptait sur les popu-lations rurales, restées pour la plupart bonapartistes, pour faciliter une marche sur Paris ; le but suprême étant Ver-sailles, afin de disperser l'Assemblée nationale. La réfé-rence au passé devait favoriser le succès de l'entreprise, d'où l'appellation de « second retour de l'île d'Elbe ». Ce plan élaboré essentiellement par le prince Napoléon, qui s'y réservait une bonne place, dut rapidement être aban-donné en raison de l'aggravation de l'état de santé de Napoléon III, totalement incapable de tenir sur un cheval. La mort de l'empereur, le 9 janvier 1873, mit fin aux pro-jets de restauration de l'Empire. Il faudrait attendre la majorité du prince impérial pour que des projets fussent de nouveau échafaudés.

N'ayant plus de perspectives politiques, le prince Napoléon décida de se consacrer à l'éducation de ses deux fils. À leur arrivée en Suisse, Plon-Plon estima qu'il était temps pour eux d'entrer en pension. Son désir était que ses fils fussent instruits dans leur patrie, la France. Aussi, en octobre 1872, le prince et la princesse Napoléon se déplacèrent-ils en France pour choisir un établisse-ment. Ils logèrent chez un ancien ministre de Napoléon III, Maurice Richard. Au cours de leur séjour, des gendarmes vinrent les chercher pour les reconduire à la frontière, sur ordre du ministre de l'Intérieur de Thiers, Victor Lefranc. Le prince fut scandalisé et attaqua le gouvernement avec l'aide d'Ernest Pinard, qu'il chargea de sa défense dans cette affaire [28]. Le 12 février 1873, l'ancien procureur plaidait qu'aucune loi n'interdisait le sol français au prince et demandait réparation pour le préjudice subi par son client. Finalement, le 17 février, le verdict tomba, ambigu : le tribunal, ne voulant pas perdre la face, enterra l'affaire en déclarant que le problème ne relevait pas de ses compétences [29]. Toujours est-il que le prince Napoléon dut se résoudre à scolariser ses fils en Suisse. Son choix s'arrêta sur l'institution Sillig, à Vevey. Le prince n'avait pas consulté la princesse Clotilde sur ce choix, estimant que l'éducation de ses fils ne concernait que lui ; or la princesse souhaitait que les jeunes princes fussent placés dans une institution religieuse, ce que son époux refusa catégoriquement. Victor et Louis passèrent deux ans dans la pension de Vevey, jusqu'en 1875, date de leur retour à Paris. Il semble qu'au début leur niveau ait été insuffisant, car ils ne rentraient qu'un week-end sur deux à Prangins : « Victor et Louis vont bien, ils sont toujours en pension à Vevey et je suis heureuse de pouvoir constater de vrais progrès. Ils viennent tous les samedis à la maison, depuis le commencement de l'année ; ils le doivent à leur bon travail. Mon mari a pensé que ce serait stimulant pour eux et cela réussit heureusement. Avant, ils ne venaient que tous les quinze jours [30]. » La princesse Clotilde avait cédé sur le choix de l'école de ses fils, mais elle avait obtenu tout de même de superviser leur instruction religieuse. Victor fit sa première communion à Vevey, l'année précédent leur retour en France. Le 1er novembre 1874, la princesse Clotilde en informait l'impératrice : « La première communion de Victor vient d'être fixée au

4 de ce mois, je tiens beaucoup à vous en faire part et à vous prier en même temps de l'annoncer en mon nom au prince impérial [...] la première communion aura lieu à Vevey, puisque c'est le curé catholique romain de Vevey qui instruit Victor[31]. » Pour marquer cet événement, le pape Pie IX envoya au jeune prince une médaille à l'effigie du pontife à l'avers et à celle de Joseph, patron de l'Église catholique, au revers.

Victor et Louis achevèrent leur année scolaire à Vevey, avant de rejoindre leur père, installé de nouveau à Paris depuis la fin de l'année 1874. En effet, après la chute de Thiers, le gouvernement français accepta que le prince Napoléon revînt y habiter. Victor et Louis étaient-ils heureux de rentrer à Paris, ou désiraient-ils rester auprès de leur mère ? Seule la reine Sophie semble s'en être souciée : « Donnez-moi des nouvelles de Prangins. Est-ce que vos garçons ont du regret de partir[32] ? » Pour Plon-Plon, la question ne se posait pas, tant il était primordial que ses fils fussent élevés en France.

CHAPITRE 7

Le retour à Paris

Plon-Plon quittait la Suisse seul, sa femme refusant de se réinstaller à Paris : « Je comprends, je l'avoue, qu'elle ne veuille pas aller à Paris, où la situation des Bonaparte me paraît actuellement déplacée [1]. » Dans un premier temps, le prince Napoléon s'installa avenue d'Antin (Franklin-Roosevelt) avant de trouver un logement pouvant accueillir ses fils, au 86 du boulevard Malesherbes. Victor et Louis le rejoignirent à la fin de l'été de 1875. Le refus de la princesse Clotilde de suivre son époux posait un problème quant à l'organisation de la vie quotidienne des garçons à Paris. Qui allait s'en occuper ? Le mode de vie que Plon-Plon avait l'habitude de mener – sorties, voyages – laissait peu de place à la vie familiale. Le prince Napoléon fit scolariser ses fils au lycée de Vanves, qu'il choisit pour son enseignement ouvert aux nouvelles idées. Ils étaient inscrits en tant qu'externes et habitaient chez un de leurs professeurs, M. Cuvillier, chargé de diriger leur travail après les cours [2]. Sur le plan scolaire, ils ne semblent pas avoir été de très bons élèves. Au début, Victor éprouva même quelques difficultés à s'adapter : « Les nouvelles que je reçois des enfants sont très bonnes ; ils se sont mis à mieux travailler, il leur a fallu un certain temps, surtout à Victor, pour se mettre en état de suivre les classes ordinaires. Le mode d'instruction n'étant pas le même en Suisse qu'en France ; maintenant cela va bien et tous deux font des progrès [3]. »

Victor et Louis ne voyaient leur père que le dimanche, où il venait les chercher pour la journée et en profitait souvent pour les mener à déjeuner chez la princesse Mathilde, soit à Paris, soit dans sa propriété proche de Paris, à Saint-Gratien[4]. C'est à cette époque-là que Victor et Louis firent leur entrée dans le monde, dînant désormais à la table de leur père, placés princièrement à sa droite et à sa gauche. Lors des vacances d'été, ils partageaient leur temps entre leur professeur et leur mère : « J'ai de bonnes nouvelles de Victor et Louis, je les attends dans les premiers jours de septembre. En ce moment, ils sont à Lion-sur-Mer [Calvados], aux bains de mer avec leur professeur[5]. » En définitive, le prince Napoléon s'occupait peu de ses enfants. En 1876, il émit le projet de partir pour un long voyage d'études en Chine et au Japon ; la reine Sophie chercha à l'en dissuader : « Quant à partir pour la Chine et le Japon, oubliez-vous donc vos chers garçons ? Jamais, ils n'ont eu plus besoin de leur père qu'à l'âge auquel ils sont arrivés. Mille circonstances peuvent rendre nécessaire votre présence et votre intervention. Enfin, si vous tombiez dans un climat d'hostilités, que deviendraient vos fils ? Vous savez mieux que moi qu'Elle n'est pas capable de les élever et vous n'avez pas un seul parent qui puisse prendre votre place[6] ! »

Après trois ans de scolarité au lycée de Vanves, Plon-Plon, qui n'avait d'autre ambition pour Victor que Saint-Cyr, estima qu'il était temps pour ses fils d'intégrer un lycée parisien capable de les préparer à l'école militaire. Pour cela, il n'hésita pas à demander conseil à son ami Victor Duruy, ancien ministre de l'Instruction publique de Napoléon III[7]. Le choix de ce personnage, dont le rôle fut primordial dans la démocratisation de l'école, est significatif.

Victor Duruy était issu d'une famille d'artisans ; il illustre un mode de promotion sociale qui sera suivi par

74

plusieurs générations d'élites sous la Troisième République. Entré à l'École normale, admis premier à l'agrégation d'histoire et de géographie, il fit d'abord carrière dans le secondaire, aux lycées Henri-IV et Saint-Louis. Par la suite, il dirigea la collection de manuels d'histoire chez Hachette, où il remplaça Ernest Lavisse. C'est avec sa thèse en histoire romaine qu'il se fit remarquer par l'empereur. Dès lors, son ascension fut rapide, Napoléon III ayant découvert que ses compétences dépassaient l'histoire pour s'étendre à l'institution scolaire et universitaire en général. Lors du remaniement ministériel de 1863, il le chargea de mener à bien la réforme de l'enseignement. Duruy, républicain modéré, avait voté « non » aux deux plébiscites de 1851 et de 1852 ; il finit néanmoins par se rallier à un régime qui assurait l'ordre et la souveraineté du peuple. La liberté et la laïcité étaient les deux principes moteurs de sa réforme. Il s'attacha d'abord à développer l'enseignement primaire, dans lequel il voyait le complément naturel du suffrage universel. Son ambition était de créer un grand service public à la charge de l'État. Il ne put mener son projet à bien, en raison de l'animosité du clergé qui considérait d'un mauvais œil la perte de son quasi-monopole sur l'enseignement, en particulier sur celui des jeunes filles, domaine alors réservé aux congrégations et aux cours privés. Duruy réussit tout de même à étendre la gratuité à 8 000 communes. Sa réforme concernait également le contenu : il introduisit l'histoire et la géographie en primaire et développa de nouvelles disciplines dans le secondaire, comme la philosophie, les langues vivantes, mais aussi la musique, le dessin et la gymnastique, jusqu'alors réservés à une élite. Il chercha encore à réformer l'Université. Jusqu'en 1868, il résista à l'offensive catholique grâce au soutien de Napoléon III, qui cependant fut obligé de sacrifier son ministre, en 1869, pour rassurer l'électorat catholique. À peine avait-il été congédié que le prince Napoléon lui apportait son soutien. Duruy ne sembla pas surpris : « Vous croyez que je trouverais extraordinaire de vous voir tendre la main à un ministre tombé. Eh bien non ! Vous n'êtes pas un Prince comme un autre ; j'oserai même avouer que j'avais la fatuité de penser que vous donneriez un regret à ma retraite[8]. » Il est vrai que les idées défendues par Victor Duruy, qualifié de libre-penseur, s'accordaient avec celles du prince Napoléon. L'instruction selon Duruy, voilà à quoi aspirait le prince Napoléon pour ses fils. Aussi, en mai 1878, il fit naturellement appel à ses compétences afin d'obtenir des conseils sur le choix d'un nouveau lycée et d'un nouveau professeur pour Victor et Louis.

L'ancien ministre répondit rapidement à la demande du prince : « J'ai mis en campagne trois personnes : le recteur de Paris, Mr Fabre, examinateur pour Saint-Cyr, et Mr Lavisse, mon ancien chef de cabinet. Nous avons examiné bien des noms et nous sommes arrêtés à celui de Mr Blanchet, professeur d'histoire et de géographie à Charlemagne où il fait les cours préparatoires à Cyr. Il est très intelligent, consciencieux et de belle humeur, ni clérical, ni communard et très probablement des nôtres[9]. » Là-dessus, Victor Duruy servit d'intermédiaire entre Blanchet et le prince pour régler les derniers détails : « Mr Blanchet y conduira-t-il mon fils ? Oui, d'ailleurs l'élève externe est toujours muni d'un cahier de correspondance qui pour chaque classe doit être signé et au besoin annoté par le professeur de la classe ; de sorte que, deux fois par jour, il y a correspondance entre le professeur et la famille ou son représentant. Aucune escapade n'est donc possible. A-t-il un logement convenable ? Oui, mais qui sera encore mieux en octobre car il compte changer d'appartement. Quelles sont les conditions ? 600 francs par mois pour un seul élève, 1 000 francs par mois pour les deux. C'est donc une augmentation de

100 francs par mois pour Paris au lieu de Vanves et pour un grand lycée au lieu d'un petit [10]. » Sur les conseils de Duruy, Plon-Plon confia ses fils à M. Blanchet. Aucun examen d'admission n'était exigé pour intégrer la classe préparatoire à Saint-Cyr du lycée Charlemagne. Cependant Victor Duruy conseilla au prince Napoléon de vérifier que Victor était bien capable de suivre les cours et, « si besoin est, consacrer les trois mois d'été à un entraînement scientifique sérieux. Votre Altesse Impériale voulant faire passer son fils par Saint-Cyr, il faut sacrifier tout à cet intérêt-là [11]. » En fait, lors de sa première entrevue avec Victor, Blanchet avait eu l'impression que le jeune prince n'avait pas été habitué à travailler : « Mr Blanchet ayant ajouté que le prince Victor est très intelligent mais d'une incroyable paresse, je retiens le premier point qui est capital et fais bon marché du second. Quand Votre fils verra un but précis marqué à ses efforts et qu'il comprendra que l'honneur de son nom exige qu'il y arrive, je suis sûr qu'il s'arrangera pour l'atteindre et si Votre Altesse le permet, j'irai quelques fois pousser à la roue. Mr Blanchet ajoute qu'il a beaucoup d'amour-propre ; c'est une condition excellente de succès [12]. »

Les remarques de Blanchet avaient fait craindre à Duruy que Victor n'eût pas un niveau suffisant, c'est pourquoi il proposait de le faire travailler pendant l'été. D'autre part, Victor Duruy s'aperçut que Plon-Plon, spécialement soucieux de la réussite de son fils, ne lui pardonnerait aucun échec. La princesse Mathilde redoutait également la réaction de son frère en cas d'insuccès et l'engageait à faire preuve de patience : « Voici une gentille lettre de Victor. Ne te décourage pas, je suis sûre qu'il arrivera [13]. » Compte tenu de l'état d'esprit du prince Napoléon, Victor Duruy, craignant qu'il en demandât trop à son fils, donna quelques indications sur l'emploi du temps à faire respecter à Victor, en insistant sur les temps libres : « Que le Prince me permette de revenir sur la discussion relative aux congés. Je supplie Votre Altesse de ne pas trop les diminuer : ils sont de nécessité absolue. Le jeune prince va être soumis à un entraînement intellectuel violent, il importe beaucoup à son âge que l'excitation nerveuse des jours de classe soit compensée par l'excitation *musculaire* des jours de congés. Il faut que le dimanche et dans l'après-midi du jeudi, il monte à cheval et fasse des armes. J'ai demandé à la princesse Mathilde de lui faire faire chaque dimanche une heure de dessin (le dessin a de l'importance à Saint-Cyr) et une heure de lecture intéressante et utile (c'est le meilleur moyen d'apprendre l'orthographe). La princesse me l'a promis et elle aime trop son neveu pour ne pas tenir parole. En un mot les congés sont indispensables mais il faut les organiser [14]. » Il est intéressant de noter que le programme proposé par Duruy au prince Napoléon reprend l'un des axes de sa réforme de l'enseignement secondaire, qui visait à intégrer de nouvelles disciplines comme le sport et le dessin.

Victor et Louis s'installèrent en septembre 1878 chez M. Blanchet, au 11 de la rue de la Cerisaie, à côté de la place de la Bastille. Victor y resta trois ans, jusqu'à son baccalauréat en novembre 1881. Sur le plan scolaire, Victor ne manifesta aucun don particulier, présentant même un certain retard, mais une fois entré à Charlemagne, stimulé par ses professeurs, il s'épanouit rapidement. Au cours de cette période, deux événements cruciaux se produisirent. Tout d'abord le décès du grand-père de Victor, le roi Victor-Emmanuel d'Italie, en janvier 1878. Le prince Napoléon étant alors en Italie pour les funérailles de son beau-père, ce fut à Victor et à Louis d'occuper le premier rang de la célébration religieuse en l'honneur de leur grand-père, à la Madeleine. Il s'agit de leur première apparition officielle : « Au service religieux célébré à

78

Paris, les jeunes princes occupaient le premier rang : le corps diplomatique au grand complet vient s'incliner devant eux à l'issue de la cérémonie : puis c'est le tour des hommes politiques de toute nuance, qui saluent eux aussi les neveux de l'Empereur [15]. »

Le second grand événement fut la mort du prince impérial, le 1er juin 1879. Victor perdait un ami cher, même si depuis 1870 les occasions de rencontre avaient été des plus rares. Mais surtout, par le codicille à son testament, le prince impérial confiait le flambeau bonapartiste à Victor et non à son père. Cette situation nouvelle poussa Victor sur le devant de la scène politique. Lors de la messe dite à la fin de juin, en l'église Saint-Augustin, à la mémoire du prince impérial, Victor accompagnait son père, mais personne ne le connaissait et donc ne le remarqua. Quelques jours après, pour l'enterrement officiel en Angleterre, la situation fut bien différente : la nouvelle de sa désignation par le prince impérial s'était répandue dans les milieux bonapartistes. Aussi tous les regards se tournaient-ils vers celui qui représentait, désormais, le futur de la cause bonapartiste. À peine âgé de dix-sept ans, Victor ne s'aperçut pas immédiatement des bouleversements suscités par ce codicille. Pour l'heure, sa préoccupation était de continuer et terminer ses études ; il reprit ses habitudes studieuses. La semaine, chez son professeur, était entièrement consacrée à l'étude ; seul le repos dominical s'écoulait en famille, le plus souvent auprès de la princesse Mathilde.

Victor devait passer son baccalauréat en novembre 1881. L'été précédant son examen, Victor Duruy se chargea lui-même de le faire réviser : « Je serai de retour à Villeneuve le 7 août pour recevoir le lendemain le prince Victor que nous ferons travailler de notre mieux. Le matin sera donné aux sciences qui sont la partie faible, l'après-midi à la solution de quelques problèmes indiqués par le répétiteur et à la partie littéraire de l'examen[16]. » Le 19 novembre, Victor obtint son baccalauréat ès sciences, ce dont le prince Napoléon informa aussitôt l'impératrice : « J'ai l'honneur de lui annoncer qu'il vient d'être reçu bachelier ès sciences ce matin même[17]. » Eugénie répondit simplement : « En réponse à votre lettre m'annonçant que le prince Victor a été reçu bachelier. Je ne puis que vous en féliciter. »

Ce baccalauréat permettait à Victor de présenter Saint-Cyr. Depuis son entrée à Charlemagne, seule l'idée de franchir les portes de l'école militaire l'avait motivé dans son travail. Or sa situation avait bien changé depuis trois ans. Désormais, il était héritier – avant ou après son père – de la tradition impériale. Aussi Plon-Plon s'opposa-t-il à son entrée à Saint-Cyr, sous prétexte de ne pas provoquer la tolérance de la République. Était-ce le seul argument ? Le prince Napoléon ne craignait-il pas de subir la concurrence de son fils ? Victor n'insista pas et s'inclina devant la volonté paternelle. Mais alors à quoi le destiner ? Plon-Plon avait toujours voulu que son fils reçût une instruction de bon niveau, mais démocratique. Écarté du pouvoir par les événements de 1870, il ne s'était pas soucié de préparer Victor à d'éventuelles fonctions politiques. En 1881, avait-il changé d'avis ? N'était-il pas encore temps de le former au rôle qui l'attendait peut-être ? Cependant était-il encore possible, en 1881, que les Français eussent recours aux Napoléon ? Un Troisième Empire était-il envisageable ? On avait abandonné la cause bonapartiste en 1870, qui semblait avoir disparu avec la chute du Second Empire. Pour bien comprendre quels sont les enjeux, en 1879, au moment de la mort du prince impérial, il faut revenir sur l'évolution du bonapartisme entre 1870 et 1879.

CHAPITRE 8

Les bonapartistes s'organisent

Les premières élections, après la chute du Second Empire (4 septembre), n'ont lieu que le 8 février 1871, dans un contexte très particulier : après quatre mois de résistance et d'occupation, la France demande l'arrêt des combats. Jules Favre rencontre Bismarck au mois de janvier pour reprendre les négociations. Le Prussien impose ses conditions : deux cents millions d'indemnité, le désarmement des troupes et de l'enceinte fortifiée, et l'occupation de tous les forts. Le 28 janvier, un armistice de vingt et un jours est signé à Versailles qui fixe les élections au 8 février, Bismarck ne voulant signer un traité qu'avec les représentants d'une Assemblée élue.

Le délai de trois semaines n'est pas suffisant pour l'élaboration d'une vraie campagne électorale. Du côté républicain, Gambetta, alors ministre de l'Intérieur, prend en charge l'organisation de la propagande. Celle-ci repose en grande partie sur *Le Bulletin de la République française*, qui se fait l'écho de l'action gouvernementale et qui participe aussi à « l'instruction publique du peuple [1] ». Les instituteurs sont également sollicités pour défendre l'idéal républicain. En fait, dès son arrivée au pouvoir, Gambetta avait cherché à renouveler le paysage électoral en vue d'élections prochaines. Une de ses premières décisions avait été le remplacement du personnel du Second Empire, tout d'abord les préfets. Le 24 décembre 1870, il avait dissous les conseils généraux pour les remplacer par des commissions départementales nommées par les préfets. Toutes ces mesures sont finalement renforcées par le décret du 31 janvier 1871 qui frappe d'inéligibilité les anciens ministres, sénateurs, conseillers d'État et préfets du Second Empire[2]. Gambetta va jusqu'à menacer le suffrage universel. Ses méthodes étant jugées trop radicales, on lui retire l'Intérieur. D'ailleurs, ces mesures dirigées contre les bonapartistes sont-elles vraiment justifiées ? Qu'est devenue la cause bonapartiste depuis la chute de l'Empire[3] ?

Le 4 septembre 1870, à l'annonce de l'effondrement du régime, le personnel sur lequel reposait l'Empire s'efface sans manifester la moindre opposition[4]. La peur s'empare des cadres administratifs et politiques de l'Empire, tout le monde fuit. La cause impériale sort discréditée par cet abandon de ses serviteurs. À aucun moment les bonapartistes ne tentent d'agir face aux événements du 4 septembre. La presse bonapartiste reste muette et disparaît quasi du jour au lendemain[5]. En Angleterre, toutefois, dans l'entourage de l'impératrice, l'idée commence à germer qu'en France on pourrait fédérer ceux qui, malgré tout, sont encore fidèles à l'Empire. Eugénie confie cette mission au seul homme en position de relever le défi : Eugène Rouher. Ministre, président du Conseil d'État et président du Sénat sous le Second Empire, Rouher personnifiait la politique impériale[6]. Émile Ollivier, qui l'avait surnommé le « vice-empereur », se plaisait à parler de « rouhernement » pour souligner sa place majeure dans les affaires de l'État. Entièrement dévoué à l'empereur, partisan d'un Empire autoritaire, conservateur et clérical, Rouher s'opposa à la dérive libérale du régime. Après la chute de l'Empire, il rejoint l'impératrice en Angleterre et, prenant conscience de l'importance de garder un contact avec les fidèles, il décide de fonder un journal, *La Situation,* dont la fonction est avant tout fédératrice. Au départ, il ne s'agit pas d'un journal de propagande ou d'opposition. En réalité, au début de 1871, les bonapartistes sont vraiment anéantis et veulent éviter de se faire remarquer, par peur des représailles. Pourtant quelques fiefs subsistent, principalement dans le Nord, le Sud-Ouest et en Corse. Dans le nord de la France, il s'agit essentiellement des milieux industriels qui se souviennent des acquis sociaux concédés par Napoléon III ; dans le sud-ouest, plutôt d'un attachement traditionnel des milieux ruraux et, en Corse, d'un lien sentimental avec la dynastie des Napoléon. Ainsi, à la fin de janvier 1871, les bonapartistes sont réduits à la confidentialité et ne disposent d'aucune structure partisane.

Dans ce contexte, la loi d'inéligibilité souhaitée par Gambetta provoque la consternation. Les sièges auxquels les bonapartistes pouvaient prétendre étaient ceux détenus par des candidats ancrés dans leur fief depuis longtemps. Or il s'agissait pour la majorité d'anciens serviteurs de l'Empire. Cette mesure ruine toute chance de victoire. Les bonapartistes sont découragés, beaucoup renoncent à se lancer dans la campagne électorale. En outre, le scrutin choisi pour ces élections les défavorise. Sous l'Empire, le scrutin utilisé était l'uninominal à deux tours ; on revient là au scrutin de liste départemental à un seul tour, utilisé sous la IIᵉ République. On vote au chef-lieu de canton et non plus dans la commune, ce qui restreint le vote des populations rurales et conservatrices. Une vingtaine de candidats de sensibilité bonapartiste se présentent malgré tout, mais souvent en rejoignant des listes monarchistes et conservatrices. Cela donne naissance à des listes de conciliation. Excepté en Corse, aucune liste n'était réellement bonapartiste. À trois jours des élections, les préfets reçoivent un avis du gouvernement leur notifiant l'annulation du décret du 31 janvier, à la demande de Bismarck [7] ; la nouvelle est connue trop tard pour permettre aux bonapartistes de se réorganiser.

Les élections se déroulent le mercredi 8 février après une campagne quasi inexistante par manque de temps, avec des listes électorales constituées en quelques jours, alors qu'une partie du pays est encore occupée. La victoire est écrasante pour les conservateurs, qui ont réussi à former des listes de large union autour des thèmes de la paix et de la liberté, tout en restant évasifs sur la question du régime. Sur 675 sièges pourvus, 400 sont monarchistes ; les bonapartistes n'obtiennent qu'une petite vingtaine de sièges. Ces derniers, qui ont eu l'audace de se lancer dans la lutte, sont pour beaucoup des hommes ancrés depuis longtemps dans leur région. Prax-Paris, maire de Montauban, est élu dans le Tarn-et-Garonne alors que le préfet, peu avant l'élection, avait fait déchirer ses affiches et confisquer ses professions de foi ainsi que ses bulletins[8]. Dans la Sarthe, le riche industriel Haentjens parvient à conserver le mandat qu'il détient depuis 1863[9]. En Charente-Inférieure, le baron Eugène Eschassériaux, député depuis 1852 et très impliqué dans la vie politique locale, réussit à se faire réélire sur sa seule notoriété[10]. Le comte Joachim Murat, petit-neveu du roi de Naples, doit sa victoire dans le Lot à la renommée de son nom dans ce département, berceau de sa famille[11]. En fait, ces élections ont pour principal mérite de prouver que les bonapartistes n'ont pas totalement disparu. Même si les députés bonapartistes ne sont pas assez nombreux pour agir seuls et qu'ils ne forment qu'une force d'appoint, la nécessité d'organiser un parti devient évidente.

Le 1er mars 1871, l'Assemblée se réunit pour signer le traité de paix et voter la déchéance des Napoléon. Les députés bonapartistes présents se révèlent de nouveau incapables de défendre leur cause, ne tentant pas même de rébellion contre le vote ; la loi passe à l'unanimité, sauf six voix. C'est Napoléon III, encore en captivité, qui se charge de sa propre défense par une lettre datée du 6 mars dans laquelle il proteste vivement contre la déchéance et refuse de reconnaître à la Chambre un pouvoir constituant. Cette lettre, bien que sans retentissement politique, est pourtant d'une importance capitale pour la doctrine bonapartiste. En effet, l'ex-empereur affirme le principe bonapartiste de l'« appel au peuple », qui restera le cœur de la doctrine du parti tout au long de la Troisième République : « Un régime non sanctionné par le recours à l'Appel au peuple est illégitime [12]. »

Au regard des événements, Napoléon III prend conscience de la nécessité et de l'urgence de reformer rapidement un parti pour sauver la cause qu'il souhaite transmettre à son fils. En mai 1871, Rouher revient en France, mandaté par le souverain déchu pour reconstruire le parti. Il s'installe rue de l'Élysée avec son « état-major », constitué en majorité par d'anciens ministres de Napoléon III comme Chevreau ou le duc de Padoue. La première volonté de Rouher est de se faire élire à l'Assemblée afin de prendre la tête du petit groupe de députés bonapartistes qui y siègent. Son échec aux élections législatives partielles du 2 juillet 1871 le pousse à réagir : après s'être entendu avec les candidats locaux, il est décidé qu'aux prochaines élections en Corse Abbatucci laissera son mandat à Rouher pour lui permettre d'entrer à l'Assemblée. Rouher est finalement élu en Corse et entre à l'Assemblée en février 1872. Le mois précédent, Charles Alphonse Levert, ancien préfet, a été élu dans le Pas-de-Calais. Ces succès électoraux permettent à Rouher de se lancer dans l'organisation d'un parti bonapartiste [13].

La mise en place du parti s'effectue à partir du « Cercle de la paix », qui se transforme vite en un comité politique baptisé « comité central », qui réunit les personnalités les plus influentes du bonapartisme, essentiellement d'anciens ministres et d'anciens préfets du Second Empire. La mission du comité central consiste à développer et coordonner la propagande, en particulier par la relance de la presse bonapartiste dans l'ensemble des départements. Nécessité accrue par le scrutin départemental, qui oblige désormais les candidats à conquérir la totalité du département et non plus uniquement leur arrondissement. Cette nouvelle organisation est reconnue par Napoléon III, qui en confie officiellement la direction à Rouher et en choisit les douze membres[14]. Dès lors, le comité central prend la forme d'un d'organe consultatif chargé principalement de la propagande. Au même moment, grâce à un succès oratoire de Rouher à l'Assemblée le 21 mai 1872, les députés décident de constituer un groupe bonapartiste à la Chambre. Le 23 mai 1872, ils se réunissent chez le duc de Padoue et prennent le nom de « groupe de l'Appel au peuple ».

Le duc de Padoue occupe une place majeure dans la reconstruction bonapartiste. Il faut dire qu'il était doublement attaché à l'Empire : son père était un parent de Letizia Bonaparte et sa mère était une Montesquiou-Fezensac, fille du chambellan de Napoléon Ier. Après des études à l'École polytechnique en 1833, entré dans le génie, le duc de Padoue avait quitté l'armée dès 1839. Dix ans plus tard, Louis Napoléon Bonaparte le nommait préfet de la Seine-et-Oise, puis sénateur en 1853. Dévoué au Second Empire, il devint ministre de l'Intérieur le 5 mai 1859, à la veille du départ de Napoléon III pour la guerre d'Italie. Haussmann, dans ses *Mémoires*, le qualifie de « grand seigneur, fort riche, très affable, absolument étranger à ce que l'on nomme l'habileté politique ». Il quitta le ministère en novembre 1859, pour des raisons de santé. Sous la IIIe République, il consacra une partie de sa fortune à la cause bonapartiste et devint l'un des chefs les plus actifs du parti de l'Appel au peuple. Échouant d'abord aux élections partielles de 1874 et 1875, il fut élu en Corse en 1876. Il ne se représenta pas en 1881, mais resta actif au sein du parti bonapartiste et prit la tête des comités plébiscitaires de la Seine [15].

Dans la théorie, l'organigramme du parti est simple. À sa tête se trouve le comité central, qui correspond à peu près au groupe de l'Appel au peuple. La France est divisée en régions, elles-mêmes découpées en échelons départementaux. Chaque département est confié à un chef, qui le plus souvent est un ancien député, chargé d'établir des comités dans chaque canton. Pour dynamiser cette structure, des inspecteurs doivent assurer le lien entre les correspondants locaux et la tête du parti. Toutefois, le projet n'est que très partiellement réalisé, par manque de candidats dans les régions. Quant à la stratégie politique, elle repose essentiellement sur le recours à l'appel au peuple, auquel est ajouté le plébiscite. Considéré comme un élément nouveau, il permet aux bonapartistes de ne pas faire figure d'hommes du passé et de se démarquer des royalistes en conciliant principe dynastique et démocratie [16].

Le réveil de l'idée bonapartiste s'accompagne de l'acquisition par Rouher, dès 1871, du journal *L'Ordre* et d'une active propagande au moyen de brochures et de photographies. L'espoir renaît chez les bonapartistes. Ils ébauchent de nouveau des projets, le plus ambitieux étant le « second retour de l'île d'Elbe », déjà évoqué. L'état de santé de l'empereur coupa court à l'aventure. D'ailleurs, lui-même ne se montrait favorable à ce plan qu'à deux conditions : le départ de Thiers et la fin de l'occupation militaire allemande [17]. Or la chute du gouvernement Thiers n'eut lieu qu'en mai 1873 et les dernières troupes allemandes évacuèrent le territoire en juillet 1873. Entre-temps, l'état de santé de Napoléon III avait empiré. La souffrance devenant insupportable, il accepta de se faire opérer.

CHAPITRE 9

L'empereur est mort,
vive l'empereur ?

Napoléon III, qui souffrait de calculs rénaux, est opéré une première fois le 2 janvier 1873. L'énorme pierre qui le torturait est extraite. Apparemment l'opération est un succès, mais le 4 et le 5 janvier son état décline rapidement ; des fragments de calculs étaient restés, qui irritaient les reins. Une nouvelle opération est tentée le 6, mais la faiblesse du patient empêche de la mener à bien. Le 7, on procède à une troisième opération ; une quatrième, encore nécessaire, est prévue le 9. Or, dans la matinée du 9 janvier, l'état de l'ex-empereur devient critique et en quelques heures la mort l'emporte. Le décès est constaté à 10 h 45.

La nouvelle est accueillie avec calme en France. Les rapports de police n'indiquent aucune agitation particulière dans les villes [1]. Chez les bonapartistes, si d'abord la tristesse et la désolation s'installent, ils se rendent très vite compte, au-delà de la douleur, des lourdes conséquences qu'entraîne cette disparition. Rouher reçoit la nouvelle alors qu'il siège à la Chambre, dans l'après-midi du 9 janvier. Il s'éclipse, le visage marqué par l'émotion, sans que personne ne sache pourquoi. Sa première réaction est de réunir le comité bonapartiste pour organiser une campagne de presse capable de riposter aux écrits hostiles susceptibles de paraître à cette occasion. Pour les députés bonapartistes, il est indispensable de réagir rapidement s'ils ne veulent pas disparaître avec Napoléon III. Les obsèques étant prévues en Angleterre pour le 15 janvier, les députés décident de faciliter les modalités de voyage afin de permettre à de nombreux fidèles d'y assister. Les estimations parlent d'environ vingt mille personnes. La cérémonie débute à 8 heures dans la petite église St Mary, à Chislehurst. Les anciens membres du gouvernement impérial ainsi que le personnel sont placés aux premiers rangs, juste derrière la famille[2]. La cérémonie est abondamment détaillée dans la presse bonapartiste, qui se sert de cet événement comme thème de propagande. L'accent est particulièrement mis sur la sortie de l'église, où le prince impérial se fait acclamer par la foule aux cris de « Vive l'empereur, vive Napoléon IV ! »

La presse anglaise consacre une grande place à ces obsèques. Le *Times* du 16 janvier livre un compte rendu détaillé de la cérémonie : « Aucun souverain mourant dans son palais au milieu des larmes de son peuple n'a jamais rencontré une reconnaissance plus absolue de son rang suprême. Dans cette modeste maison de campagne, on retrouvait les Tuileries d'avant 1870[3]. » Le *Morning Post* relate également l'événement avec émotion : « Malgré les malheurs de la fin de son règne, la France a tenu à rendre un ultime hommage à Napoléon III. » Par ces mots, l'Angleterre honorait celui qui avait su favoriser les relations franco-britanniques. En France, l'état d'esprit est bien différent.

Seule une frange minoritaire pleure l'empereur défunt. Depuis les élections du 8 mai 1870, la France avait connu la guerre, la débâcle, la capitulation de Napoléon III à Sedan. La France, jusqu'alors considérée comme l'une des principales puissances militaires européennes, avait été battue en un mois par un État jugé secondaire. Les humiliations qui s'ensuivirent – la proclamation de l'Empire allemand dans la galerie des Glaces à Versailles, la capitulation de Paris et la Commune – ne furent attribuées qu'à Napoléon III, sans doute parce qu'il avait gouverné sans partage pendant plus de vingt ans ; une véritable légende noire s'installa. Les réactions, lors du décès de l'ex-empereur, sont en effet d'une extrême agressivité à son égard ainsi qu'à celui de sa famille. La presse républicaine est la première à propager des propos hostiles à Napoléon III, rendu unique responsable de la catastrophe de Sedan[4]. On assiste à un déluge de calomnies. Une telle violence à l'égard de l'ancien souverain révèle en fait les faiblesses et surtout la méfiance que la République, encore fragile, éprouve vis-à-vis de l'Empire. Thiers va même jusqu'à limiter les services religieux célébrés dans les paroisses à la mémoire de l'empereur[5].

Mais les manifestations d'affection et de fidélité lors de la cérémonie de Chislehurst confortent au contraire les députés bonapartistes dans leur espoir de faire survivre la cause impériale. Les chances de restauration peuvent même apparaître plus grandes : le jeune prince est exempt des fautes de son père. L'épisode de Sedan va enfin pouvoir être relégué dans le passé. Cependant le prince, bien jeune encore, ne sera majeur qu'en 1874. En attendant, quelle politique mener ; surtout, quelle tendance va l'emporter à la tête du parti ?

Le prince Napoléon a conduit les funérailles de l'empereur au côté du prince impérial. Dans son esprit, il est désormais, de toute évidence, l'unique chef de la maison impériale jusqu'à la majorité du fils de Napoléon III. Pour s'imposer, il convie le soir même des obsèques les députés bonapartistes à une réunion intime, dans son hôtel, à Londres, à laquelle assiste le baron Eschassériaux. Ils sont peu nombreux à avoir répondu à l'invitation du prince, les idées de ce dernier étant jugées trop radicales par la majorité des membres du parti. Très rapidement, la conversation aborde la situation politique : « Nous avons dit que la mort de l'Empereur ne changeait rien à la situation, qu'une grande injustice commise par la France préparait une grande réhabilitation. [...] Il fallait rester sur le terrain du plébiscite et demander que le pays fût appelé à choisir son gouvernement et son chef[6]. » Le prince se montre très calme et conciliant ce soir-là, comportement pourtant contraire à son tempérament. Mais ne cherche-t-il pas à séduire les députés ? Eschassériaux poursuit son récit : « Le Prince a montré dans cet entretien les dispositions les plus bienveillantes pour le Prince Impérial et pour sa mère, dont il a peint la douleur en disant qu'elle n'était qu'un sanglot et qu'on ne pouvait encore lui parler d'affaires. » Phrase ambiguë... On s'étonne que le prince éprouve de la compassion pour l'impératrice ; mais on sent bien qu'il souhaite déjà l'écarter des prises de décision. L'épreuve déterminante de l'ouverture du testament de Napoléon III n'a pas encore eu lieu.

Dès le lendemain, le prince Napoléon demande à voir les papiers laissés par l'empereur déchu. Dans le cabinet de travail de celui-ci, des scellés ont été apposés par Piétri, fidèle secrétaire de Napoléon III ; on les lève en présence du prince[7] et l'on y trouve un testament, daté du 24 avril 1865. Comme il semble alors peu vraisemblable au prince Napoléon que, après la chute de l'Empire et à la veille d'une sérieuse opération chirurgicale, Napoléon III n'ait pas pris de nouvelles dispositions, et persuadé qu'Eugénie ne reculerait devant rien pour conserver l'entière direction de son fils et la fortune de son mari, il en vient à fouiller lui-même dans les papiers personnels de son cousin, à la recherche d'un second testament. N'en trouvant pas, il conclut que l'impératrice, avec la connivence de Rouher et de Piétri, l'a détruit.

Les dispositions testamentaires de Napoléon III, en effet, ne répondent en rien aux attentes de Plon-Plon. Le texte, rédigé en 1865, est clair : il nomme l'impératrice sa légataire universelle et régente jusqu'à la majorité du prince impérial. Or Plon-Plon estime que c'est à lui que revient cette place. Avant même l'ouverture du testament, Émile Ollivier, en ami fidèle, conseillait déjà au prince de faire preuve de magnanimité : « Quelles que soient les dispositions de l'Empereur, acceptez-les. S'il a confirmé la régence de l'Impératrice, déclarez tout haut que vous serez à ses côtés, comme vous l'eussiez été auprès de l'Empereur. Ne soyez pas un sujet de division. Sacrifiez tout, supportez tout pour le moment. Votre rôle historique est à ce prix [8]. » Plon-Plon, faisant fi du conseil et se considérant, au contraire, chef de famille jusqu'à la majorité du prince impérial, entend exercer lui-même un droit de tuteur sur son neveu et superviser son éducation. Il concéderait bien que le jeune prince prenne la tête du parti bonapartiste, mais sous son autorité. L'impératrice, choquée, tente de raisonner le prince en lui expliquant qu'elle ne peut admettre qu'il lui retire la garde de son fils.

Après son entrevue avec le prince Napoléon, l'impératrice avait souhaité recevoir les députés afin de les conforter dans leur fidélité à la cause impériale et de les remercier d'être venus de France. À l'issue de cette réception, les députés se réunissent chez Rouher pour examiner la situation et mettre au point une stratégie offensive. Plusieurs possibilités sont proposées, mais en aucun cas il n'est question du prince Napoléon [9]. En définitive, ils se mettent d'accord pour continuer la lutte par le soutien au prince impérial en préconisant toujours le recours à l'appel au peuple comme principe. Ils réfléchissent aussi à la conduite à adopter en attendant la majorité du prince impérial, qui selon la Constitution de l'Empire reste mineur jusqu'à mars 1874. Le problème de la régence est abordé, mais non retenu. En revanche, Eschassériaux rapporte que l'idée de constituer un conseil de famille remporte l'assentiment de la majorité : « On a dit qu'il ne fallait pas de régence. On définit que l'impératrice serait tutrice légale ; qu'on composerait un conseil de famille qui nommerait sans doute le prince Napoléon pour subrogé tuteur ; que cette situation n'était pas de nature à durer longtemps ; que d'ici le 16 avril 1874, si la France faisait appel à Napoléon IV, on avancerait par une loi l'époque de sa majorité, afin d'éviter une régence peu populaire en France[10]. »

Rouher est le premier à proposer un conseil de famille qui surveillerait les actes du prince impérial jusqu'à sa majorité. Cette démarche paraît surprenante quand on connaît l'antagonisme existant entre le ministre de Napoléon III et le prince Napoléon : tous deux représentaient les deux tendances opposées du Second Empire, l'un critiquant l'Empire pour son manque de libéralisme, l'autre incarnant à lui seul l'empire autoritaire. On peut donc se demander pourquoi, après la mort de Napoléon III, Rouher en vint à proposer un conseil de famille intégrant le prince Napoléon. En fait, il avait pris conscience du fait que la querelle entre le prince Napoléon et l'impératrice, bien décidée à ne pas céder aux exigences de Plon-Plon, ne pouvait que nuire au parti, déjà secoué par la mort de l'empereur. Selon lui, la constitution d'un conseil de famille aurait comme avantage de soustraire le jeune prince à ces tiraillements et, en même temps, lui permettrait de conserver un droit de regard sur le prétendant. En effet, d'après Plon-Plon, Rouher prévoyait, « quelques jours après la mort de l'Empereur, que le conseil pourrait être composé de moi, de notre cousin Louis Lucien, de Joachim Murat[11], pour le côté paternel et pour le côté maternel du maréchal de Canrobert, de M. Rouher et du duc de Padoue ou de M. Magne[12] ». Si dans un premier temps, Plon-Plon semble accepter ce compromis, en mai 1873, il écrit à 'impératrice une lettre dans laquelle il fait état de son refus catégorique de ce conseil de famille. Il prend soin de ménager l'impératrice, mais ne cautionne pas la façon dont Rouher dirige la cause bonapartiste et veut donc remanier le conseil familial pour l'en exclure. Dans sa réponse du 1er juin, Eugénie certifie « désirer comme vous la bonne entente entre nous et désirer surtout écarter les malentendus ; car, pour ma part, mon plus vif désir sera de faire tout ce qui est dans mon pouvoir, sans compromettre les intérêts de mon fils, pour que l'harmonie existe, non seulement dans les apparences mais dans le fond. [Mais] Le conseil de famille est réglé par la loi [13] ». On peut se demander à quelle loi l'impératrice fait allusion. L'argument juridique n'est qu'un prétexte pour refuser de modifier la composition du conseil de famille, conseil qui, en réalité, n'a jamais vraiment existé [14].

On s'aperçoit donc que les dissensions qui ne vont cesser d'affaiblir la cause impériale pendant les décennies suivantes se font jour dès le lendemain du décès de Napoléon III. Le prince Napoléon pense reprendre enfin le flambeau impérial, alors que les bonapartistes, se regroupant naturellement autour de Rouher, l'excluent de leur plan. Outré, Plon-Plon se réfugie à Prangins, persuadé d'être la victime d'un jeu politique manigancé par l'impératrice, sous l'influence de Rouher.

La princesse Mathilde se retrouve au cœur de ces discordes familiales. Elle qui n'a jamais vraiment accepté l'impératrice s'unit néanmoins à elle pour tenter de défendre les droits du prince impérial et de raisonner son frère. À l'automne de 1874, elle se rend à Arenenberg où séjournent Eugénie et son fils pour marquer son allégeance au fils de Napoléon III, qui est « notre chef unique à tous [15] ». En réalité, la princesse Mathilde reporte sur le prince impérial l'affection qu'elle a toujours réservée à l'empereur. D'autre part, aussi bien Mathilde qu'Eugénie déplorent ces querelles, persuadées qu'elles sont la pire des publicités pour la cause. D'ailleurs, que peut espérer le parti bonapartiste après la mort de l'empereur ?

CHAPITRE 10

De l'espoir à la désillusion

La période 1873-1875 est marquée par une importante reprise en main du parti sous l'égide de Rouher, qui développe une puissante campagne de propagande. Les résultats sont positifs : le parti gagne de l'importance dans le pays et ce essentiellement grâce à la popularité grandissante du prince impérial, qui personnifie la cause bonapartiste, dont il devient le héraut[1]. Au lendemain de la mort de Napoléon III, il avait été décidé par l'impératrice et par le conseil de famille que le jeune prince ne ferait aucune proclamation publique et aucun commentaire sur la politique française avant sa majorité. Aussi Rouher continue-t-il à dominer le parti, au sein duquel la tendance conservatrice l'emporte ; mais, conscient du danger d'une trop grande dérive droitière, il propose un programme fédérateur reposant sur le principe de l'appel au peuple, seul élément de la doctrine bonapartiste qui soit commun à tous.

Cette reprise en main intervient à un moment où la situation française est marquée par la remontée monarchiste. En effet, au début du mois d'août 1873, le comte de Paris rend visite au comte de Chambord pour faire allégeance à l'aîné des Bourbons. Est-ce là réconciliation définitive ? L'événement occupe une grande place dans la presse française. Afin de contrecarrer ces bruits de restauration monarchique, le parti de l'Appel au peuple estime devoir faire parler de lui ; le prince impérial doit faire pendant aux deux autres princes. Les six mois de deuil étant révolus, les membres du parti bonapartiste décident de se rendre à Chislehurst, le 15 août, à l'occasion de la Saint-Napoléon, pour se recueillir sur le tombeau de l'empereur et fêter le jeune prince. À cette occasion, une souscription est ouverte qui permettra d'offrir au prince impérial une statue de bronze représentant Napoléon III à Magenta[2]. C'est un succès : elle réunit dix mille souscripteurs et presque trente-trois mille signatures en province. Le 15 août, un millier de personnes, souhaitant assister à l'événement, traversent la Manche. Pour les récompenser de leur présence, Rouher estime que le prince doit s'exprimer, même si c'est contraire aux dispositions prises précédemment. La menace monarchique nécessite d'attirer l'attention sur le fils de Napoléon III et de lui faire occuper une place plus politique. En définitive, le prince impérial accepte de prendre la parole. Son discours est largement inspiré par Rouher, qui en fait un outil de propagande face à la réconciliation des deux branches royalistes. Le prince insiste sur le principe de l'appel au peuple : « Je trouve dans l'héritage paternel le principe de la souveraineté nationale et le drapeau qui la consacre. Ce principe, le fondateur de notre dynastie l'a résumé dans cette parole à laquelle je serai toujours fidèle : "Tout par le peuple et pour le peuple[3]". » L'allusion au drapeau n'est pas innocente, qui renvoie à l'attachement du comte de Chambord au drapeau blanc bloquant la restauration monarchique. À la fin du discours, le prince est largement acclamé.

En France, la restauration monarchique gagne du terrain sans qu'aucune opposition ne se fasse sentir. Le pays prépare l'arrivée du comte de Chambord, qu'on appelle déjà Henri V. Rouher, inquiet, commence à mobiliser les députés bonapartistes pour organiser une riposte[4]. Le 25 octobre, ces derniers se réunissent pour voter à l'unanimité une résolution hostile au principe royaliste. En même temps, ils rédigent un manifeste par lequel ils rappellent la prédominance de la souveraineté nationale et proposent l'organisation d'un plébiscite sur le choix du régime, déclaration immédiatement envoyée à tous les journaux bonapartistes, dont plus de soixante-dix la diffusent ; elle est même reprise par des journaux non bonapartistes. Sur ce, le 30 octobre, l'organe légitimiste *L'Union* publie une lettre du comte de Chambord qui proclame son attachement inébranlable au drapeau blanc, ruinant ainsi tout espoir de restauration monarchique. Le péril tant redouté disparaît, mais davantage du fait de l'intransigeance doctrinale des royalistes que de la campagne antiroyaliste menée par le camp bonapartiste.

Globalement, les bonapartistes sortent renforcés par la lutte qu'ils ont menée contre le royalisme ; l'année 1874 marque sans doute l'apogée du bonapartisme après Sedan. En effet, les bonapartistes profitent de la désertion du camp royaliste après l'échec de la restauration ainsi que de la lassitude qui s'installe dans les rangs républicains face à une Assemblée de droite[5]. Dans ce contexte, la doctrine de l'appel au peuple apparaît comme un recours séduisant. En outre, la célébration de la majorité du prince impérial apporte l'élément fédérateur qui manquait au parti. Cette cérémonie permet à Rouher de recréer l'unanimité et de donner un nouvel élan à la cause, malgré l'hostilité du jeune prince à cette démarche. Selon lui, la France n'était pas prête et lui-même n'avait pas achevé ses études[6]. Il ne voulait pas se compromettre en parlant à date fixe sans nécessité. Dans le parti, on ne veut pas en démordre : il est important que la majorité du prince impérial soit fêtée avec éclat, il faut qu'il apparaisse libre et en mesure d'incarner le nouveau recours de la cause impériale. Il est aussi nécessaire d'entretenir, voire de ranimer le réflexe dynastique chez les électeurs napoléoniens[7]. Le prince finit par se rendre aux arguments de ses partisans : le 16 mars, il adresse un message aux fidèles venus de France. Dès lors, l'effervescence s'installe dans le parti. Le duc de Padoue met en place un comité chargé d'organiser le voyage et la propagande autour de l'événement. Le programme de la journée est imprimé et distribué dans la France entière, accompagné d'une série de portraits sous lesquels est inscrite la date du 16 mars. Le prince y est représenté de différentes manières : à l'ombre d'un drapeau, la main posée sur une urne (allusion au plébiscite)... Des médailles sont même frappées à son effigie. On ne néglige rien pour déclencher un élan en sa faveur.

Dès le 14 mars, la gare du Nord et la gare Saint-Lazare sont envahies. On attendait trois mille personnes, sept mille au moins ont fait le déplacement. Le prince impérial avait voulu profiter de cette occasion pour réunir sa famille à ses côtés ; le prince Lucien Bonaparte et le prince Joachim Murat répondirent présent, seul le prince Napoléon se désolidarisa. Dès qu'il reçut l'invitation, il fit savoir au prince impérial qu'il refusait d'assister à une cérémonie organisée par « ceux qui se sont arrogé le droit de diriger le parti bonapartiste[8] ». S'estimant toujours injustement persécuté, il ne pouvait cautionner une fête au sujet de laquelle il n'avait jamais été consulté au préalable. Il terminait sa lettre ainsi : « Quand vous croirez le moment venu de vous affirmer réellement et de prendre une attitude personnelle, je serai toujours heureux que vous me permettiez de m'entretenir avec vous de la situation si grave où se trouve notre parti[9]. » Par cet acte, le prince Napoléon se discréditait davantage encore aux yeux de son jeune cousin et des bonapartistes en général. Surtout que, au même moment, Plon-Plon se détachait du régime de l'empire pour lui préférer la république. Émile Ollivier déplorait ce choix du prince dans la mesure où, d'après lui, le nom de Napoléon impliquait un système dynastique : « Je regrette beaucoup l'attitude que prend le prince Napoléon. Blessé par les procédés qu'on a eus envers lui, aveuglé par une ambition impatiente, aiguillonné par de mauvais conseillers, il poursuit un rôle personnel, non contre l'enfant, mais à côté de lui. Ne comprenant pas qu'il est condamné à vouloir, à défendre, à poursuivre l'Empire, il le déclare peu souhaitable et dans tous les cas irréalisable, et il pousse à la République parce qu'il espère y trouver un rôle [10]. » En effet, le prince Napoléon, après avoir rompu avec l'impératrice et son fils, prônait un autre système politique en grande partie par peur de ne pas avoir de place dans un Empire restauré par le fils de Napoléon III.

En dehors de cet irascible personnage, nombreux sont les fidèles à se rendre au rendez-vous du 16 mars. La journée commence par une messe célébrée dans l'église St Mary et se poursuit par une allocution du jeune prince, à Camden Place. Prenant la parole devant plus de sept mille personnes, il remercie d'abord les fidèles d'être si nombreux à ses côtés, rappelle la mémoire de l'empereur et termine par l'apologie de la doctrine plébiscitaire : « Le plébiscite c'est le salut, le droit, la force rendue au pouvoir et l'ère des longues sécurités rouvertes au pays. » Après le discours, accueilli avec enthousiasme par la foule, le prince défile devant les quatre-vingt-six délégations. Le succès de la manifestation est indéniable, tant par le nombre des fidèles présents que par l'excellente prestation du prince. Émile Ollivier s'en réjouit : « La manifestation de Chislehurst a produit un excellent effet. Le prince impérial a prouvé qu'il était un homme et tout le monde est revenu enthousiasmé de lui. Il a dit son discours d'une manière excellente et le discours lui-même a été généralement approuvé [11]. » À la suite de cette journée, le prince impérial reçoit plus de trois cent mille lettres de félicitations. Il incarne désormais les espérances du parti, la presse bonapartiste parle du « sacre de Napoléon IV ». L'effort de propagande déployé lors de l'organisation de la manifestation est maintenu. Le comité du duc de Padoue se charge des lettres de remerciement et inonde de nouveau le pays de dizaines de milliers de photographies et d'images d'Épinal illustrant la cérémonie.

La République est désarmée face à l'engouement déclenché par le prince impérial ; le parti bonapartiste devient l'objet d'une surveillance policière incessante. Lors de l'organisation de la cérémonie, le duc de Broglie avait donné l'ordre de saisir les photographies du jeune prince, sous prétexte qu'elles excitaient le peuple. Au lendemain de l'événement, la journée du 16 mars est amplement relatée dans la presse bonapartiste, mais sans les mots « empire » ou « empereur », qui risquent de provoquer une saisie immédiate. Agacé par cette agitation bonapartiste, le préfet de Seine-et-Oise s'en prend au duc de Padoue, maire de la petite commune de Courson-l'Aulnay (devenue Courson-Monteloup), qu'il suspend pour raisons disciplinaires. Il est reproché au duc d'avoir « assisté à la manifestation qui s'est produite en Angleterre, le 16 mars, après avoir pris une part active à son organisation[12] ». Ces tentatives d'intimidation sont inefficaces, les bonapartistes persévèrent : ils vont jusqu'à faire frapper, en Belgique, des pièces de monnaie à l'effigie du prince entourée de la mention « Napoléon IV Empereur ».

L'inquiétude du régime est d'autant plus justifiée que, à la même époque, les bonapartistes renforcent leur position électorale : sur seize élections partielles en 1874, ils participent à dix et obtiennent cinq sièges[13]. C'est dans ce cadre que le 24 mai 1874 le baron de Bourgoing, ancien écuyer de Napoléon III qui avait été député de la Nièvre de 1868 à 1870, se fait réélire dans ce département, pourtant fief républicain. Cette élection, qui a lieu deux mois après le 16 mars, affole les orléanistes et les républicains, qui lancent une campagne antibonapartiste. Ils craignent de voir reparaître le fantôme de cet Empire auquel, quatre ans plus tôt, plus de sept millions de Français avaient apporté leurs suffrages. Le 9 juin, à l'Assemblée, les orléanistes et les républicains s'associent pour accuser le parti bonapartiste de conspiration lors de l'élection de la Nièvre. Leur accusation s'appuie sur une pièce compromettante pour le comité de l'Appel au peuple fournie par le député républicain Cyprien Girerd. Les députés bonapartistes s'insurgent, assurant que la pièce est fausse[14]. Leurs revendications ne sont pas écoutées, la séance se clôture par la suspension de l'élection de Bourgoing. En fait, les bonapartistes auront plus tard confirmation qu'il s'agissait d'une manœuvre conjointe des orléanistes et des républicains[15]. Ce n'est que le 2 juillet 1875 que Bourgoing obtiendra la discussion de son élection par l'Assemblée, mais sans avoir gain de cause : l'Assemblée, arguant la très faible majorité de Bourgoing lors du scrutin du 24 mai 1874, annule l'élection. Entre-temps, Pierre Magne, ancien ministre des Finances de Napoléon III, qui avait récupéré son portefeuille sous le ministère de Broglie, est accusé d'avoir collaboré au document invalidant l'élection de Bourgoing. Lassé d'être soupçonné à tort, il remet sa démission au gouvernement. Le 16 juillet 1874, il est suivi de son confrère et ami Oscar de Fourtou, qui occupait l'Intérieur. Les seuls bonapartistes présents au gouvernement quittent le pouvoir.

Les conséquences de l'élection de la Nièvre répondent aux objectifs visés par les républicains et les orléanistes : mener une série de persécutions à l'encontre des bonapartistes, à commencer par les députés de l'Appel au peuple. La presse bonapartiste est également touchée par ces mesures : des procès sont intentés à plusieurs journaux bonapartistes. Cette campagne est fatale pour un parti qui, même s'il est parvenu à revenir sur la scène politique, est encore fragile. Désarçonné, le groupe de l'Appel au peuple n'est plus capable de s'opposer à la nouvelle coalition. Pourtant, le spectre d'une restauration impériale reste encore réel pour les républicains modérés et les orléanistes qui, le 30 janvier 1875, n'hésitent pas à s'unir pour faire passer l'amendement Wallon fondant la République[16]. Ils poursuivront par le vote des lois constitutionnelles en février et juillet 1875. Les chances d'un retour de l'Empire par la voix légale s'éloignent, la mobilisation des troupes bonapartistes s'essouffle et l'effet s'en ressent immédiatement dans les résultats électoraux.

1875 est véritablement l'année de l'installation de la République, par l'établissement des lois constitutionnelles. Le bonapartisme, dès lors, entame son déclin. Le parti de l'Appel au peuple souffre d'un manque de cohésion et de discipline. N'étant plus assez puissant pour agir seul, le parti doit associer ses votes tantôt à ceux de la droite contre la gauche, tantôt à ceux de la gauche contre les monarchistes. Lors des engagements électoraux de 1876, les bonapartistes vont devoir s'unir soit avec les républicains gambettistes, soit avec les conservateurs monarchistes. La tête du parti étant occupée par la fraction réactionnaire du groupe, c'est le courant conservateur, Rouher en tête, qui l'emporte. Comme le note René Rémond, le drame du bonapartisme vient de « son glissement à droite », qui le pousse à nier sa tendance de gauche et à se confondre avec les partis conservateurs[17].

Le grand rendez-vous électoral de 1876 est fixé à mars pour les élections législatives. La campagne s'annonce difficile pour le parti de l'Appel au peuple : l'installation de la République et le septennat repoussent l'éventualité d'un plébiscite, élément central du programme proposé par les bonapartistes. En outre, le parti est affaibli par les tiraillements internes et par les différentes campagnes de propagande effectuées ces dernières années, qui ont épuisé les caisses. Le budget dont il dispose pour entrer en campagne est fort réduit. Il faut ajouter à cela la remise en question par les fidèles de la politique menée par Rouher. Certains vont jusqu'à demander directement au prince impérial un manifeste qui serait la ligne officielle du parti, ce que refuse le prince[18]. Lors des législatives de février 1876, autre signe de désunion dans le parti : le prince Napoléon décide de se présenter dans la même circonscription que Rouher, à Ajaccio. C'est un affront direct à la conduite du parti, qui rend publique sa désapprobation du candidat officiel soutenu par le prétendant et confirme sa volonté de mener sa propre politique, d'après lui la seule satisfaisante[19]. Le prince impérial, en tant que prétendant, ne peut fermer les yeux sur cet acte irrespectueux. Une fois la candidature de Plon-Plon rendue publique, Louis envoie Piétri en Corse, porteur d'une lettre destinée aux électeurs. Après avoir dénoncé une candidature portée contre sa volonté, il signale les dangers de « dissentiments nouveaux » lors de votes à l'Assemblée si le prince devait être élu. Il termine en engageant les Corses « qui ont le sentiment du devoir et de l'honneur » à voter pour Rouher[20]. Malgré l'appui du prince impérial, le « vice-empereur » est fragilisé par ces luttes fratricides ; il finit cependant par l'emporter. À l'annonce des résultats, le prince Napoléon exige l'invalidation de l'élection de son adversaire sous prétexte d'irrégularité ; Rouher, qui s'était présenté dans plusieurs circonscriptions, avait été largement élu par la ville de Riom, dans le Puy-de-Dôme, et choisit de représenter cette dernière à la Chambre. Les électeurs corses, de nouveau convoqués le 14 mai, répondent présents au seul appel du nom de Bonaparte. Le scandale n'est pas terminé : une fois élu, Plon-Plon s'opposera quasi systématiquement aux bonapartistes à la Chambre et préférera voter aux côtés des républicains. Cet épisode place définitivement le prince Napoléon dans le camp de l'opposition, aussi bien aux yeux du prince impérial qu'aux yeux des hommes du parti.

À l'échelle nationale, les grands vainqueurs des élections législatives sont les républicains, avec 393 élus contre 140 conservateurs. Le recul conservateur affecte moins que les autres les bonapartistes, qui arrivent à prendre l'avantage au sein des droites avec soixante-seize sièges, devant les orléanistes, qui obtiennent quarante sièges, et les légitimistes, vingt-quatre[21]. Le score paraît satisfaisant et montre que les bonapartistes occupent encore une place non négligeable sur la scène politique nationale. La crise du 16 mai 1877 va leur donner l'une des dernières occasions de le démontrer.

Après la victoire républicaine de 1876, Mac-Mahon est obligé de constituer un gouvernement plus orienté à gauche, avec à sa tête Jules Simon. Le 16 mai 1877, il saisit le prétexte de débats parlementaires au cours desquels le gouvernement ne réussit pas à imposer ses vues aux républicains pour blâmer Jules Simon. Celui-ci démissionnant sur-le-champ, Mac-Mahon appelle Albert de Broglie pour le remplacer[22]. Dès lors, une épreuve de force s'ouvre entre le président et la Chambre. Celle-ci n'acceptant pas le ministère de droite que tente de lui imposer Mac-Mahon, le président saisit le Sénat pour demander la dissolution. De son côté, la Chambre, se sentant menacée, fait voter un ordre du jour par lequel les 363 signataires s'engagent à « combattre la politique de réaction et d'ouverture qui remet en question tout ce qui a été péniblement gagné en six ans ». Précisons ici que le prince Napoléon vote l'ordre du jour aux côtés des républicains[23]. Le 25 juin, la Chambre est dissoute.

Cette dissolution est accueillie de différentes façons au sein du parti bonapartiste. Rouher et Eschassériaux estiment que, en s'opposant ouvertement à l'assemblée représentante du peuple, le président condamne les chances des conservateurs [24]. Ils craignent également que les orléanistes renouvellent les mesures répressives de 1873 à leur égard. Pour d'autres membres du parti bonapartiste, la dissolution est l'occasion rêvée de s'emparer enfin du pouvoir. Paul Granier de Cassagnac, homme fort du parti, en est persuadé. Sa position au sein du parti est originale et le plus souvent porteuse de discordes. Paul de Cassagnac a été initié au journalisme et à la politique par son père, Adolphe, collaborateur de plusieurs journaux conservateurs et soutien de Louis Napoléon Bonaparte dès 1848. Partisan de l'Empire, mais sous sa forme autoritaire, Adolphe Granier de Cassagnac avait été député du Gers de 1852 à 1870. En 1866, son fils Paul, alors âgé d'une vingtaine d'années, devient rédacteur du journal conservateur *Le Pays*. Engagé volontaire pendant la guerre de 1870, il revient à la politique sous la IIIᵉ République. Il reprend sa place dans les colonnes du *Pays* pour défendre la cause bonapartiste face aux républicains. En 1876, il est élu député du Gers, place qu'il gardera jusqu'en 1902, avec toutefois une interruption de cinq ans entre 1893 et 1898. En digne héritier de son père, Paul de Cassagnac n'envisage l'Empire que sous sa forme autoritaire. Conservateur et clérical, il a des prises de position qui souvent se rapprochent de celles des royalistes. En fait, Paul de Cassagnac est à la fois une figure du parti bonapartiste et un semeur de troubles. Il se distingue par son charisme et sa plume, qui lui valent une certaine popularité ; toutefois, son tempérament fougueux altère son action politique. Ses emportements sont fréquents, ses jugements abrupts et sommaires. Il taxe d'infamie ses pires ennemis comme ses meilleurs alliés. Cassagnac n'a jamais pu s'entendre avec qui que ce soit, même avec ceux dont les idées s'accordaient le mieux avec les siennes [25]. Aussi ses rapports avec le parti bonapartiste et ses chefs sont-ils en majorité conflictuels, comme c'est le cas pour la première fois en mai 1877. L'agitation entretenue par Cassagnac compromet la possibilité d'une conduite commune dans la préparation des élections. Le 26 juin, une commission est néanmoins créée par le groupe de l'Appel au peuple en vue d'arrêter les candidatures avec le gouvernement [26]. Les négociations se révèlent houleuses ; on assiste à de véritables règlements de comptes. Les bonapartistes doivent se battre pour imposer leurs candidats. En définitive, ils parviennent à défendre leur position au sein de la droite avec deux cent cinquante candidats bonapartistes, même si ce chiffre masque une réalité tout autre.

Dans ces conditions, Rouher et le prince impérial se montrent mitigés à propos de l'union conservatrice, par opposition à Paul de Cassagnac qui l'encourage plus que jamais, suivi par les sénateurs bonapartistes qui, tant par leur mode d'élection au suffrage indirect que par leurs convictions conservatrices, sont proches des monarchistes favorables à Mac-Mahon. Ainsi, la majorité des notables du parti bonapartiste apportent leur soutien à Mac-Mahon face au péril républicain, et ce malgré les réserves de Rouher et du prince impérial [27]. Dès lors, les candidats acceptant l'union conservatrice se présentent sur un programme monocolore, de stricte allégeance au « maréchalisme orléano-conservateur [28] ». Seuls la Corse et les départements du Sud-Ouest s'affichent franchement bonapartistes. Toutefois, l'élection corse soulève de nouveau un problème. Plon-Plon renouvelle sa fronde en se présentant contre le candidat officiel, qui n'est autre que le baron Haussmann. La campagne électorale donne lieu à de vifs affrontements sur le terrain. En définitive, Haussmann est élu. Les bonapartistes ne pardonnent pas au prince Napoléon son vote aux côtés des 363. Convaincu d'avoir été joué, Plon-Plon demande l'invalidation de son adversaire ; cette fois-ci, il ne l'obtient pas. Le prince Napoléon ne sera plus jamais élu. Les résultats des scrutins du 14 et du 28 octobre 1877 confirment la victoire des républicains avec 323 sièges. Les bonapartistes, avec le meilleur score au sein des droites (104 sièges), atteignent leur plus haut niveau électoral, bénéficient d'une vingtaine de sièges supplémentaires gagnés essentiellement auprès des populations rurales, qui ne font pas toujours la différence entre les divers candidats de droite. Ce score s'explique également par une meilleure participation électorale et par un plus grand nombre de candidats présentés bénéficiant du soutien de l'ensemble de la droite. La géographie électorale du bonapartisme se fige dans des bastions essentiellement situés à l'ouest d'une ligne Lille-Toulouse. Les écarts régionaux se sont accentués. Le bonapartisme donne l'impression de glisser à droite par sa géographie électorale, les reculs se localisant dans les zones plutôt orientées à gauche [29]. En outre les bonapartistes, incapables de profiter de leurs résultats électoraux, n'augmentent en aucun cas leur influence politique. Ces élections ne font que confirmer la victoire de la « République des républicains ». Les prochains scrutins de 1878 et 1879 donneront, chaque fois, une victoire plus profonde aux républicains.

Au sein du parti bonapartiste, la politique menée par Rouher est de plus en plus critiquée, en particulier par l'aile gauche du parti, représentée par le député du Nord Jules Amigues. Il dénonce ouvertement, dans *Le Petit Caporal*, le manque d'engagement de Rouher, qui aurait éloigné l'électorat ouvrier et paysan [30]. D'autres députés, dont Raoul-Duval, n'hésitent plus à parler de ralliement à la République [31]. Le parti est miné par les luttes internes largement reproduites par la presse bonapartiste. Le prince impérial reste impuissant face à cette situation : il est loin et n'ose pas contredire Rouher, par respect à son inébranlable fidélité. L'état d'esprit des Français ayant énormément évolué depuis la chute de l'Empire, les idées défendues par Rouher deviennent dépassées. Le jeune prince en exil ne peut s'en apercevoir, puisque lui-même évolue dans un entourage déconnecté de toute réalité[32]. En France, la situation politique ne s'améliore guère. Au début de janvier 1879, les républicains deviennent majoritaires au Sénat. Mac-Mahon démissionne le 30 janvier 1879 ; l'Assemblée élit à sa place Jules Grévy, républicain modéré. Il est étonnant de remarquer que le départ du maréchal n'a suscité aucune crise et d'observer la facilité avec laquelle Grévy est élu[33]. Le groupe de l'Appel au peuple a voté pour Grévy « par crainte de quelque intrigue au profit du duc d'Aumale[34] ». Dès lors la République est définitivement installée et, avec elle, s'éloignent les rêves de restauration impériale. Le prince impérial se sent inutile. Il respecte le nouveau président et veut rester fidèle à la ligne qu'il s'est tracée de ne pas se faire remarquer par d'inutiles provocations. Les républicains étant trop forts pour être déstabilisés, il faut les laisser s'enliser seuls. C'est pourquoi le prince se propose pour servir dans l'armée anglaise, en Afrique australe. Il veut montrer qu'il est capable de faire quelque chose par lui-même et qu'il est un véritable Bonaparte, c'est-à-dire un soldat. Il pense également qu'une action de gloire, en redorant le nom des Bonaparte, lui permettra, à son retour, de s'imposer comme le sauveur de la France.

Le 11 février 1879, l'Angleterre apprend la nouvelle du désastre de l'armée anglaise à Isandhlwana, au Zoulouland, actuelle Afrique du Sud. La consternation envahit le pays ; les Anglais ne supportent pas l'idée d'être vaincus par les Zoulous. Le gouvernement anglais réagit immédiatement par l'envoi de renforts ; la conquête totale du pays est décidée ; les officiers anglais se préparent à partir. Parmi eux se trouvent deux proches camarades du prince impérial à Woolwich. Louis aussi se décide : « J'ai soif de sentir la poudre », écrit-il à l'un de ses camarades de Woolwich qui a déjà rejoint l'Afrique du Sud. Il entame des démarches auprès du ministre de la Guerre, le duc de Cambridge, pour obtenir l'autorisation de se joindre aux troupes anglaises. En même temps, il se renseigne déjà sur les possibilités de gagner Le Cap. De retour à Camden, il annonce à sa mère sa décision ; celle-ci, horrifiée, tente de le raisonner, mais se heurte à une volonté ferme et définitive. Il expose ses arguments : affirmer sa personnalité en réalisant quelque chose par lui-même, montrer qu'il est un Bonaparte. La réponse lui parvient deux jours plus tard : l'Angleterre ne veut pas assumer la responsabilité de l'engagement du prince. Louis pleure de dépit, supplie sa mère d'intervenir auprès de la reine Victoria ; comprenant les motivations de son fils, Eugénie finit par céder. Sur demande de la souveraine, le duc de Cambridge est alors obligé d'accepter la présence du prince impérial dans son armée. Il envoie son accord au prince, le 24 février. À l'annonce de la nouvelle, Rouher accourt à Camden Place en vue de dissuader le prince ; il échoue dans sa démarche.

Le départ du prince impérial est fixé au 29 février. Sa joie aurait pu être atténuée par les modalités de son départ mal définies : on ne lui accorde pas le statut d'officier de Sa Majesté, il est seulement autorisé à suivre les opérations comme « témoin ». Pour l'heure, peu importe, il part et pense convaincre les autorités sur place.

En France, l'annonce de ce départ provoque à la fois stupeur, colère et indignation : un Bonaparte partant se battre pour les Anglais ! Certains y voient le caprice d'un jeune prince voulant se changer les idées. Son « oncle », le prince Joachim Murat, juge cette décision légère : « Il agissait comme un cadet de famille et non comme l'héritier du trône[35]. » Plon-Plon en impute la responsabilité à Eugénie : il est persuadé que le départ du prince impérial est lié à l'avarice de sa mère, qui l'oblige à fuir la tutelle maternelle[36]. En définitive, seuls les « exaltés » réagissent favorablement[37] : « S'il revient, il reviendra empereur », écrit Eugène Loudun à Lambert[38]. Pour les républicains, c'est l'occasion rêvée de reprendre l'offensive sur le ton de la moquerie. Les pamphlets et caricatures reprennent l'image de « bébé s'en va-t-en guerre ». Sous les railleries se dissimule la peur d'un retour auréolé de gloire du prince.

Louis quitte Camden Place le 29 février. La veille, il avait pris le temps de s'isoler pour rédiger son testament, qu'il confie à Piétri. Le 30, il embarque à bord du *Danube* pour une traversée de vingt-huit jours. Le prince impérial atteint le port du Cap le 26 mars. Du Cap, il se rend à Durban, où il rencontre le commandant en chef de l'armée anglaise, qui l'attache à son état-major comme aide de camp, afin d'éviter de le prendre comme officier. En fait, bloqué par une fièvre, il ne rejoint le camp que le 25 avril. À son arrivée, le prince, ravi, épanche son enthousiasme dans ses lettres : « La vie que je mène me plaît et me fait du bien. Jamais je ne me suis senti aussi fort et dispos [...]. Je viens de rentrer de reconnaissance. Nous avons été six jours absents, quelques coups de fusil ont été tirés de part et d'autre, mais rien ne s'est passé de bien sérieux[39]. » Très vite, Louis fait preuve d'un tel zèle qu'il inquiète son entourage. Afin de canaliser son ardeur, on lui confie la responsabilité de choisir le lieu de campement et le tracé de la route pour la prochaine expédition. La mission est facile, l'armée étant proche et le terrain connu. Le prince n'ayant le droit d'avoir aucun soldat sous ses ordres, une escorte commandée par le lieutenant Carey l'accompagne.

La petite escorte, formée de huit hommes, quitte le camp le 1er juin. Dans l'après-midi, ils arrivent dans un kraal (cinq huttes dans un enclos) et choisissent d'y faire halte pour se reposer. Aucune présence ennemie n'étant remarquée, ils descendent de cheval, commencent à s'installer lorsqu'un guide aperçoit un Zoulou dans les champs de maïs. Ils rejoignent aussitôt leurs chevaux. Au premier coup de fusil, une quarantaine de Zoulous surgissent. Carey, déjà en selle, somme ses hommes de déguerpir ; Louis, qui a à peine glissé son pied dans l'étrier lorsque la fusillade éclate, tombe. Seul, assailli par sept Zoulous, il tente de se défendre, mais il est abattu de dix-sept coups de sagaie. L'héritier impérial meurt ainsi au combat après s'être défendu avec courage. Quelques minutes plus tard, lorsque Carey et ses hommes se retrouvent, ils s'aperçoivent de l'absence du prince. De retour au camp, ils annoncent la disparition de Louis ; la consternation est immense. Le commandant envoie aussitôt une troupe à la recherche du corps du jeune prince qui est vaguement embaumé et enveloppé du drapeau tricolore. Un service funèbre a lieu sur place, avant le rapatriement de la dépouille en Europe.

La reine Victoria apprend la mort tragique du prince le 18 juin : bouleversée, elle envoie immédiatement quelqu'un à Camden Place, afin d'informer l'impératrice avant que les journaux ne répandent la nouvelle. C'est au duc de Bassano, grand chambellan de l'Empire, qui a suivi la famille impériale en exil, que revient la lourde responsabilité d'annoncer la perte de son fils à l'impératrice. Sous le choc, Eugénie s'évanouit. Elle restera prostrée pendant plusieurs jours, refusant de s'alimenter. Elle ne sortira de cet état que pour faire face à ses obligations.

L'annonce de la mort du prince impérial bouleverse l'opinion britannique. Pourtant les sphères politiques cherchent à étouffer l'affaire : d'une part, vis-à-vis de la

111

République française, qui craint qu'une trop grande publicité autour de la mort du prince n'en fasse un héros et ne réveille l'ardeur bonapartiste ; d'autre part, parce que cette affaire place le gouvernement anglais dans une position délicate : l'armée va devoir s'expliquer sur la responsabilité de ses officiers [40].

La nouvelle gagne Paris le 19 juin. Au cours d'une réception à l'Élysée, le président de la République reçoit une dépêche privée l'informant de rumeurs concernant la mort du prince impérial. Il en parle immédiatement au ministre de l'Intérieur, qui n'est au courant de rien. Ce n'est que le 20 juin, à deux heures de l'après-midi, que le ministre des Affaires étrangères et l'ambassadeur d'Angleterre reçoivent un télégramme de Londres leur annonçant officiellement le triste événement. Quelques heures plus tard, la nouvelle descend dans la rue. De véritables attroupements s'organisent autour des kiosques. L'Estafette, le premier journal à faire sa une sur la mort du jeune Napoléon, est épuisé en quelques instants. On s'arrache le journal bonapartiste Le Pays. Les Parisiens, sous le choc, vont jusqu'à penser qu'il s'agit d'une invention de la propagande bonapartiste. Gambetta, interrogé par le journal Le Temps, avoue que son premier réflexe fut de ne pas y croire, y voyant d'abord une manœuvre politique visant à provoquer un engouement en faveur du jeune soldat.

La foule est réellement émue. On a pitié de ce jeune homme, victime indirecte de la politique de son père : « La mort du prince impérial a causé dans le département du Finistère une émotion douloureuse à cause de la jeunesse de la victime, expiant des fautes qui ne sont pas les siennes. On plaint aussi l'ex-impératrice, sans oublier cependant qu'elle fut le principal acteur de la guerre de 1870-1871. Ce terrible événement est considéré comme la dernière catastrophe du Second Empire [41]. » Partout l'émotion, la stupeur. Maxime Du Camp est frappé par l'ampleur de la consternation : « Roger de Cormenin, qui alors avait vingt-quatre ans, ne s'occupait guère de politique et n'avait point d'opinion assise, m'écrivait : "Au milieu de mes tracas personnels, est arrivée la sinistre nouvelle de la mort du prince impérial. Nous en avons été bouleversés. Je ne vois plus qu'amis en larmes. Je doute que jamais aucun prince n'ait été aussi justement pleuré des gens de son pays. On sent mieux ce que l'on a perdu, depuis que s'est faite l'irréparable perte. Tout le monde ici est dans le désarroi, à l'exception de quelques républicains qui se font un devoir et un plaisir de baver sur ce cercueil où est enfermé l'homme qu'ils redoutaient le plus[42]." »

Le gouvernement français, inquiet de la réaction à une telle nouvelle, charge les préfets de mener une enquête sur les effets produits par la mort du prince impérial dans leur département. Le 29 juin, la sûreté conclut à « un étonnement général qui rendait presque sympathique à ses ennemis la victime du Zoulouland[43] ». En réalité, l'enquête a de quoi rassurer le gouvernement français. Elle révèle le peu de portée politique accordée à la mort du prince et souligne l'effondrement du parti bonapartiste. Le commissaire de Saint-Malo rapporte : « La presse locale, à quelque parti qu'elle appartienne, s'est exprimée en termes très convenables. Au point de vue politique, chacun y donne ses appréciations, mais en général on y voit l'effondrement du parti bonapartiste[44]. » On retrouve le même sentiment à Boulogne-sur-Mer, région où les bonapartistes sont encore très présents en 1879 : « [Les bonapartistes] n'hésitent pas à reconnaître que le parti bonapartiste disparaît avec lui. [...] Le nom du prince Victor, qui n'est pas dans la tradition napoléonienne, ne leur paraît pas avoir suffisamment de prestige pour les retenir dans le giron du parti[45]. » Il est intéressant de noter que, à l'annonce de la mort du prince impérial, le nom du prince Victor apparaît dans les rapports de police, alors qu'officiellement personne ne connaît encore les dispositions testamentaires du fils de Napoléon III. Dans une lettre à sa femme datée du 20 juin, Paul Cambon, alors préfet à Lille, s'interroge sur l'avenir de la cause bonapartiste et fait clairement allusion aux éventuelles instructions politiques laissées par le prince impérial : « Je plains de tout mon cœur ce pauvre petit Prince qui est allé se faire tuer si lamentablement, mais au point de vue politique sa mort éclaircit singulièrement la situation. Vraiment la République est favorisée de la Providence. [...] On dit que les bonapartistes se sont réunis et ont décidé de ne pas prendre le prince Jérôme comme prétendant. On dit aussi que le Prince défunt aurait laissé un testament désignant les fils du prince Jérôme comme successeurs. Toujours est-il que le parti bonapartiste doit être en désarroi[46]. »

En effet, dans les rangs bonapartistes, c'est la consternation. Les feuilles bonapartistes paraissent encadrées de noir ; elles déplorent la mort de ce jeune prince si prometteur et choisissent de retracer la brève existence de l'héritier pour tenter de le faire entrer dans la légende : « né au moment où le Second Empire était à son apogée, élevé au milieu d'une cour luxueuse puis précipité des splendeurs des Tuileries au gouffre de Sedan, adolescent voué à l'exil, à l'isolement, qui avait voulu échapper à une existence vide[47] ». Un rapprochement est fait avec Napoléon Ier : sa mort en exil, prisonnier des Anglais, avait alimenté l'image de martyr. En fait, on cherche à poétiser la mort du prince impérial pour tenter de faire perdurer le mythe[48]. Un autre parallèle est établi avec le fils de Napoléon Ier, le duc de Reichstadt, mort à l'âge de vingt et un ans en terre étrangère[49]. La France s'interroge sur l'étrange destin de cette famille.

L'événement occupe également les colonnes de la presse républicaine, mais le ton est tout autre, variant du soulagement à la moquerie. *La Marseillaise* titre « L'Empire est mort, De profundis ! La République vivra, Alléluia ! » *La Liberté* juge que « la République n'avait qu'un ennemi sérieux, c'était le parti de l'Appel au peuple. Lui seul pouvait lui faire obstacle et la tenir en échec »... En fait, on s'aperçoit que la République craignait réellement la popularité du jeune prince, qui avait réussi à reporter l'affection dévolue aux Napoléon sur sa personne. *La République française*, journal de Gambetta, exprime clairement son soulagement : « Ce qui faisait la force du parti bonapartiste auprès des électeurs était uniquement la prédiction de la prochaine rentrée du "Petit", comme on disait dans les campagnes. Il n'y a plus de "petit prince", il n'y a plus de Napoléon dont le peuple connaisse l'existence. Il n'y a plus de parti. En perdant son "petit prince", il a perdu ses électeurs. Il résulte que la République est sur le point de devenir le gouvernement incontesté. » Dans l'ensemble, les journaux républicains sont restés dignes et respectueux face à la mort du prince impérial ; ils se bornent à tirer de l'événement des conclusions politiques favorables à la cause qu'ils soutiennent. Certains en profitent, tout de même, pour continuer à déverser des propos calomnieux ou moqueurs à l'encontre du prince impérial. Le supplément de *L'Avant-garde démocratique*, dont le rédacteur Léo Taxil est un radical, titre : « Il a claqué, le pauvre chéri ! Détails inédits sur la mort lamentable du jeune oreillard. » La violence de certaines feuilles est telle que la police est appelée à les saisir. À l'étranger, la disparition du prince est analysée comme un événement politique de première importance. Avec le prince disparaît le seul prétendant sérieux et dangereux ; les pays voisins comprennent que la forme républicaine sera celle qui gouvernera définitivement la France. Un journal autrichien conclut ainsi : « plus d'entraves, maintenant, au développement des institutions républicaines ».

115

Sur le plan politique, il est vrai que les bonapartistes semblent anéantis par la mort de leur prince : « Cette mort jeta la consternation [...] le prince était très aimé et il semblait à tous la seule solution possible à la situation qui, chaque jour, s'aggravait[50]. » En effet, les derniers espoirs du parti reposaient sur le fils de Napoléon III. Il présentait de réelles qualités, ses rares apparitions en public avaient été concluantes. Les sympathisants bona-partistes sont découragés, l'accablement est général. Pour beaucoup, un sentiment d'injustice prend le dessus : « Pourquoi lui ? » Pourtant, les partisans de la cause ne peuvent se permettre de s'apitoyer sur leur sort : le prince est mort, mais sa cause doit lui survivre. Le journal bona-partiste *Le Gaulois* prend l'initiative : « Quelque profonde que soit notre douleur, nous avons le devoir d'affirmer devant le pays que si le prince impérial est mort, sa cause lui survit. La succession des Napoléon ne tombe pas en déshérence. Représentant d'un principe impérissable, le parti impérial reste debout, compact, fidèle et dévoué. »

Apprenant la mort du prince, les membres de l'Appel au peuple se réunissent au siège du parti pour décider de la conduite à tenir. Leur premier geste est de voter une adresse destinée à l'impératrice. Dans un second temps, leur objectif est de tenter de sauver leur cause, comme l'exprime Rouher dans les colonnes du *Gaulois* : « Je suis toujours confiant dans la destinée fatidique de l'Empire. La mort généreuse et désintéressée du jeune prince a donné à la légende napoléonienne un nouvel essor[51]. »

En attendant les funérailles du prince impérial, le parti de l'Appel au peuple organise une première cérémonie à Paris dans le but de créer un rassemblement fédérateur. Son succès est immense. La messe célébrée à la mémoire du prince défunt le 26 juin en l'église Saint-Augustin réu-nit une foule nombreuse[52]. Une délégation royaliste y est même présente, à la demande du comte de Chambord.

D'autres messes sont organisées en province. L'affluence y est aussi importante et montre une forte participation du peuple. Au-delà du regroupement populaire, Bernard Ménager y voit une occasion de fédération contre la responsable de cette perte : l'Angleterre, ennemie de toujours[53]. Toutefois, pour le parti de l'Appel au peuple, les funérailles prévues à Camden Place, le 12 juillet, restent la priorité. Un comité se met de nouveau en place pour faciliter la venue des fidèles souhaitant rendre un dernier hommage à leur « petit prince ». En fait, l'événement dépasse la sphère bonapartiste ; le vicomte de Vogüé note dans son journal que « Paris s'occupe uniquement des funérailles superbes qu'on fera le 12 au dernier des Napoléon[54] ».

CHAPITRE 11

Le prince Napoléon, enfin prétendant ?

La dépouille du prince impérial arrive le 10 juillet à Plymouth. L'impératrice Eugénie envoie une escorte composée du prince Joachim Murat, représentant la famille, de Rouher et de Piétri pour l'accueillir et l'accompagner jusqu'à Camden Place, où le cercueil est déposé dans le hall, recouvert des drapeaux français et anglais. L'enterrement est fixé au 12 juillet.

Le gouvernement français a exigé que les obsèques ne revêtent aucun caractère officiel : le prince impérial n'ayant jamais régné, il doit être traité comme un simple officier. Cette décision arrange le gouvernement anglais, embarrassé par cette affaire [1]. Or la reine Victoria l'entend autrement : le prince, mort héroïquement, a selon elle droit à d'imposantes funérailles. Elle a même envisagé de déposer en personne l'ordre du Bain sur le cercueil mais, sous la pression du gouvernement anglais, elle doit céder. On lui demande également de ne pas assister personnellement aux obsèques, de peur que sa présence soit mal interprétée par la République française. Elle s'y fait donc représenter par deux membres du gouvernement, le ministre de la Guerre et celui des Colonies. Le 12 juillet au matin, elle rend tout de même visite, avec deux de ses filles, Béatrice et Alice, à l'impératrice pour lui remettre une couronne de laurier portant l'inscription : « À celui qui vécut la vie la plus pure et qui mourut de la mort d'un soldat en combattant sur la terre zouloue pour notre pays. »

C'est le prince Napoléon, accompagné de ses deux fils, qui mène le deuil en qualité de chef de la famille impériale. Tous les ambassadeurs sont présents en grand uniforme, suivis d'une foule immense de Français[2]. La cérémonie évoque la mémoire du prince : une mélodie qu'il avait composée est reprise, et trois salves de mousqueterie tirées par les cadets de Woolwich retentissent alors que le corps est placé dans un petit corridor latéral de l'église, où il restera pendant huit ans[3].

À l'issue de la cérémonie, c'est encore au prince Napoléon que revient le soin de remercier les fidèles venus de France, mais aussi les membres des familles régnantes européennes. L'impératrice rentre chez elle, laissant le prince remplir le rôle qui lui tenait tant à cœur. Elle lui propose quand même de le recevoir après : « Le jour de la terrible cérémonie, par esprit de sacrifice, croyant ainsi obéir à un devoir de mon fils, j'ai fait dire à la princesse Mathilde et au prince Napoléon que je les recevrais, ainsi que les enfants du prince, après leur retour de la chapelle. La princesse s'est rendue à mon invitation. Lui fit demander sa voiture et sans un mot d'excuse repartit pour Londres. Je pense que l'âme de mon fils, contente du sacrifice que je faisais, m'a délivrée de le voir en le laissant agir selon ses instincts pervers. Quant à la politique, je suis complètement en dehors [...]. Si tu savais combien ce qu'on appelle politique me dégoûte et me blesse ! Je la connais à présent du côté des petites passions, des ambitions et des intérêts mesquins. Dans la solitude qui m'est faite, je n'ai plus rien à lui sacrifier et je ne désire plus que la paix de l'âme au prix des déchirements du cœur[4]. »

Le refus du prince Napoléon de se rendre chez l'impératrice est remarqué ; tout le monde y voit le signe de discordes autour de la succession politique du prince impérial[5]. Celle-ci était normalement réglée, mais l'affaire n'est pas simple.

À l'annonce de la mort du fils de Napoléon III, le 20 juin, Rouher réunit les députés de l'Appel au peuple chez lui afin d'aborder la question de la résolution à prendre face à la disparition de leur prétendant. Au cours de cette séance, Paul de Cassagnac fait pour la première fois allusion à d'éventuelles dispositions testamentaires laissées par le prince impérial, qui évinceraient le prince Napoléon au profit de son fils aîné, Victor[6]. Vieil opposant du prince Napoléon, Cassagnac propose immédiatement de l'abandonner et de proclamer Victor prétendant[7]. La majorité des députés présents repoussent cette éventualité par respect de l'ordre dynastique, institué par Napoléon III et ratifié par le plébiscite du 8 mai 1870. Rouher, soucieux avant tout de l'unité du parti, conseille également de se ranger derrière le prince Napoléon. En définitive, les députés se séparent sans avoir pris de décision. Deux autres réunions sont nécessaires pour que le prince Napoléon soit accepté. Après d'âpres discussions, la majorité finit par reconnaître qu'il est primordial de sauver l'unité du parti, qu'une cause divisée ne peut attirer de nouveaux partisans. En fait, Rouher réussit à faire adopter un statu quo jusqu'à l'ouverture du testament. Dans le même temps, il fait signer une déclaration destinée à la presse, réaffirmant la foi des bonapartistes en l'Empire, sans référence de personne[8].

L'ouverture du testament du prince impérial a lieu le 1er juillet au siège du parti de l'Appel au peuple, en présence de la majorité de ses membres. Ce testament avait été rédigé par le prince impérial à Camden Place la dernière nuit avant son départ. Il se compose de plusieurs parties : Louis y affirme d'abord son amour pour sa mère ainsi que sa gratitude pour la reine d'Angleterre, puis il

énonce ses dernières volontés (reposer auprès de son
père) ; suit, enfin, la liste habituelle des legs. Rien que
d'ordinaire si, à son testament, Louis n'avait ajouté un
codicille, dans lequel figurent les phrases suivantes : « Je
n'ai pas besoin de recommander à ma Mère de ne rien
négliger pour défendre la mémoire de mon grand-oncle
et de mon père. Je la prie de se souvenir que tant qu'il y
aura des Bonaparte, la cause impériale aura des représentants. Les devoirs de notre Maison envers notre pays ne
s'éteignent pas avec ma vie ; moi mort, la tâche de continuer l'œuvre de Napoléon Ier et de Napoléon III incombe
au fils du Prince Napoléon, et j'espère que ma mère bien-
aimée, en le secondant de tout son pouvoir, nous donnera,
à nous autres qui ne seront plus, cette dernière et suprême
preuve d'affection. Fait à Chislehurst, le 26 février
1879[9]. »

Ce codicille inattendu – Rouher affirme ne pas en
connaître le contenu – sème le plus grand trouble dans
le milieu bonapartiste. Pourquoi le fils de Napoléon III
désigne-t-il le prince Victor et non son père comme héritier du trône impérial ? Plusieurs raisons peuvent être
avancées.

Il est tout d'abord évident que l'aversion du prince
Napoléon pour l'impératrice y est pour quelque chose.
Comme l'explique la comtesse des Garets, le prince
Napoléon aimait « affirmer partout et toujours son opposition arrogante, son mépris manifeste au jeune chef de sa
Maison et à l'Impératrice [...]. Aussi le Prince Impérial,
pour l'avenir de sa Maison, jugea-t-il nécessaire d'écarter
simplement, sans éclat, mais définitivement, son cousin et
de faire passer les droits de succession sur la tête du
Prince Victor[10] ». En fait, cette inimitié du prince Napoléon vis-à-vis de l'impératrice avait influencé les rapports
du prince impérial avec son « oncle ».

Par ailleurs, les tentatives du prince Napoléon après la
mort de l'empereur pour obtenir la tutelle politique du

prince impérial avait déplu à ce dernier. Pourtant, au cours de l'été de 1873, l'impératrice, soucieuse d'éviter une rupture préjudiciable au parti, avait pris l'initiative de convier le prince Napoléon à Arenenberg, où elle devait se rendre avec son fils : « Nous comptons aller en Suisse dans les jours de juin. J'espère que les circonstances me permettront de vous voir tous deux et vos enfants qui doivent être grands et charmants à ce qu'on dit[11]. » Plon-Plon se rendit à Arenenberg, mais dans le seul but de faire modifier le conseil de famille. L'impératrice résista. Le prince écrivit le jour même à Émile Ollivier : « Les sentiments sont ceux de Londres, donc absolument rien à faire[12]. » Au lieu de s'estomper, la mésentente politique ne fit que s'accentuer. Les prises de position de Plon-Plon se radicalisèrent ; il cherchait à se démarquer des bonapartistes de droite. À l'automne de 1873, il s'exprimait dans *L'Avenir*, journal radical, pour dénoncer l'invasion du cléricalisme. Quelques mois après, il refusait de se rendre à Camden Place pour les festivités célébrant la majorité du prince impérial. En octobre 1874, il perdait les élections des conseils généraux, à Ajaccio, contre Charles Bonaparte, petit-fils de Lucien, soutenu par le prince impérial. La princesse Mathilde, la première à déplorer les agissements de son frère, était navrée qu'il restât campé sur ses positions : « Napoléon se perd de jour en jour davantage. Il a fait paraître dans un journal un article contre la majorité du prince et dans lequel il est dit en toutes lettres que jusqu'à vingt et un ans le neveu n'est qu'un écolier et lui un homme fait[13]. » Durant l'été de 1875, elle tenta un rapprochement : le prince Napoléon acceptait de rencontrer Augustin Filon, envoyé à Saint-Gratien par le prince impérial, en vue d'une réconciliation. L'entrevue n'aboutit pas[14]. Au contraire, la rupture se cristallisa avec l'élection de Corse en 1876 où, comme on l'a vu, le prince Napoléon se présenta contre le candidat officiel du parti bonapartiste, Rouher. Cette fois-ci, le prince impérial désavoua officiellement et en termes énergiques la candidature de son oncle : « Il se porte contre ma volonté, il s'appuie sur nos ennemis, je suis forcé de le traiter comme tel [...]. Je ne pouvais aller au-devant d'une réconciliation, mais je l'aurais acceptée avec joie. Une entente ne pouvait être sincère que si le Prince renonçait à mener une conduite politique autre que la mienne ; elle n'eût été durable que s'il eût abandonné toute idée de candidature [15]. » Ainsi les choses étaient claires : désormais le prince impérial considérait son oncle comme un ennemi politique.

De son côté, Plon-Plon ne semblait pas tenir le prince impérial pour responsable de ses actes. Persuadé que ce dernier était surtout victime de son entourage, il continuait à affirmer : « Mon dévouement constant pour Napoléon III, mon souverain dans la postérité, mon ami dans le malheur, et mon affection pour son fils ne sauraient être mis en doute [16]. » Dans le fond, le prince Napoléon souhaitait un rapprochement avec son neveu. Il demanda entre autres à Ernest Pinard de le négocier, mais celui-ci jugea la tâche trop délicate [17]. En avril 1877, lors d'une absence de l'impératrice, la reine Sophie tentait une ultime démarche : « Dans l'intérêt de votre nom, un rapprochement est bien désirable et cette méchante fille est loin de son fils pour le moment [18]. » Le 14 mai, elle communiquait à Plon-Plon la réponse du prince impérial, qui mettait fin à tout espoir de rapprochement : « Je vous remercie, Madame, d'avoir songé à me donner un conseil affectueux sur une affaire aussi intime. La reine me conseille de tendre la main au prince Napoléon en lui promettant l'oubli du passé ; j'ai fait, madame, spontanément, il y a trois ans, semblable démarche alors qu'il pouvait éviter une rupture ; la renouveler aujourd'hui serait un acte de faiblesse. Je ne puis que me repentir d'avoir désavoué mon cousin, l'intérêt de mon parti m'en dictait le devoir. Une amélioration immédiate est donc impossible, on verrait dans un acte semblable autre chose qu'un

rapprochement entre deux membres d'une famille désu-
nie, on verrait une adhésion de ma part à la politique du
Prince Napoléon, politique qui ne sera jamais la mienne.
Que Sa Majesté veuille bien se persuader que mes actes
n'ont pas été dictés par un étroit ressentiment[19].» Ainsi,
en 1879, lors du départ du prince impérial, une réelle
opposition existait entre le prince Napoléon et le fils de
Napoléon III. Ce différend personnel est-il seul à l'origine
des dispositions testamentaires du prince impérial ?
  Au-delà de cet antagonisme, le prince impérial savait
que le prince Napoléon n'était pas en mesure de rassembler les bonapartistes autour de son nom. Son avènement
aurait condamné tout espoir d'un Troisième Empire.
Cette analyse est effectivement confirmée dans les faits ;
dès le 29 juin, le commissaire de Nevers note : « Le prince
Jérôme Napoléon n'a aucun prestige, n'inspire pas
confiance et ne ralliera point les hommes sérieux du parti
bonapartiste. La désignation de son fils Victor comme
chef de ce parti ne trouve aucun crédit, soit à raison de
la jeunesse du prince, soit parce qu'il serait sous la tutelle
de son père[20].» En outre, l'âge de Plon-Plon est un handicap : il a déjà un passé politique, lourd de sa conduite
sous le Second Empire et de ses idées politiques trop marquées. En choisissant le prince Victor, le prince impérial
opte pour un jeune homme doté d'une virginité politique
qui n'entache pas le parti. Toutefois, connaissant Plon-
Plon, le prince impérial pouvait-il imaginer de sa part une
abdication en faveur de son fils ? D'autre part, peut-on
vraiment, à vingt-deux ans, croire en sa mort prochaine ?
Louis pensait-il au présent lorsqu'il rédigea ce testament,
ou n'était-ce pas une disposition se rapportant au futur ?
Toutes ces questions ont amené à croire que Rouher et
l'impératrice étaient à l'origine de cette disposition[21]. Or,
il semblerait que ni Rouher ni l'impératrice n'étaient
informés du choix du prince impérial. Augustin Filon rap-

porte une conversation entre Eugénie et Raoul Raoul-Duval peu de temps après le départ du jeune prince, au cours de laquelle Raoul-Duval aborde la question des risques encourus par Louis au Zoulouland et les conséquences de son éventuelle disparition pour le parti bonapartiste. Eugénie lui répond : « Mais le prince Napoléon est toujours là. » Raoul-Duval lui rétorque que le prince Napoléon n'existe plus politiquement pour la majorité des bonapartistes : « Alors, dit l'impératrice, le prince a deux fils très bien doués. L'aîné, le prince Victor, est un jeune homme charmant. Mon fils l'aime beaucoup, mais on ne peut passer par-dessus la tête du prince Napoléon[22]. » On peut s'interroger sur la fiabilité de cette conversation relatée après les événements.

Une chose est sûre : dans un premier temps, la disposition du prince impérial apparaît salutaire aux membres les plus autoritaires du parti bonapartiste, qui ne supportent pas le prince Napoléon, aussi bien à cause de son caractère qu'en raison de ses idées politiques. Toutefois, Victor n'étant en 1879 âgé que de dix-sept ans, certains membres du parti craignent de placer la cause impériale sous l'égide d'un homme si jeune et si inconnu. Même si le prince Napoléon ne fait pas l'unanimité, la majorité du parti en vient à penser que son nom et son profil napoléonien peuvent devenir des éléments fédérateurs[23]. Dès lors, les bonapartistes se trouvent dans une situation ambiguë. Leur chef, selon les institutions impériales, est le prince Napoléon, dont ils ne partagent pas les idées. D'un autre côté, s'ils suivent le codicille du prince impérial, ils placent à leur tête un jeune prince inconnu dont ils ne connaissent pas encore la position. En définitive, sur les conseils de Rouher, les membres du parti choisissent d'ignorer le testament du prince impérial et reconnaissent le prince Napoléon comme chef de parti. Même Cassagnac finit par se ranger à l'avis général et propose d'envoyer une commission, composée de cinq membres, chez le prince Napoléon pour lui présenter les hommages du groupe parlementaire de l'Appel au peuple en tant que prétendant à la cause impériale. Cette initiative est largement soutenue par Robert Mitchell, journaliste et député bonapartiste de la Gironde, qui prône le ralliement au prince Napoléon. La réunion se termine sur un consensus général... qui n'est que de façade.

Le 1er juillet au soir, la commission se rend chez le prince Napoléon. Y figurent Rouher, le comte Joachim Murat – député du Lot, il représente le groupe parlementaire de l'Appel au peuple – et Ferdinand Barrot, sénateur bonapartiste. De son côté, la tendance radicale juge aussi nécessaire de rédiger un communiqué par lequel ses membres reconnaissent le prince Napoléon comme chef incontesté. Malgré les efforts de chacun, on sent que des dissensions persistent. Le fait que les radicaux envoient leur propre délégation auprès du prince Napoléon montre qu'il existe, dès le début, une rupture au sein du groupe bonapartiste. Néanmoins, pour le moment, les bonapartistes, quelle que soit leur tendance, cherchent avant tout à éviter l'éclatement du groupe. Ainsi, « l'ennemi de la veille se trouvait être l'indispensable chef [24] ».

Lorsqu'il apprend la mort du prince impérial le 20 juin, Plon-Plon est persuadé d'être l'unique prétendant possible. Le rôle dont il a toujours rêvé lui revient enfin ; en aucun cas il n'envisage que ses droits puissent être contestés. Il est alors loin de soupçonner les volontés de son « neveu », endossant naturellement les responsabilités de sa nouvelle position. Pourtant, des bruits circulent vite sur les éventuelles dispositions testamentaires du prince impérial. Plon-Plon n'y prend pas garde et se place au-dessus de ces considérations dynastiques. Le 1er juillet, il refuse d'assister à l'ouverture du testament, mais il y envoie l'un de ses proches, chargé de l'informer dans les plus brefs délais. Étant donné son caractère entier et impulsif, on se serait attendu à une réaction violente en découvrant le contenu du codicille. Or elle est tout autre : trop convaincu d'être dans son bon droit, il ne semble pas atteint par la nouvelle, prenant cette disposition comme un caprice de la part de son neveu. Il n'y accorde aucune valeur, car, d'après lui, elle lui a été imposée par son entourage – Rouher et l'impératrice, et penser qu'il s'agit là encore d'une manœuvre d'Eugénie pour l'évincer de la succession impériale étaie son sentiment de légitimité. D'où son air étonné lorsqu'il reçoit, le 1ᵉʳ juillet, la commission chargée de lui faire part des dispositions prises par le groupe de l'Appel au peuple. Le fait qu'on ait pu contester ses droits lui paraît impensable. Pour montrer qu'il est bien le chef unique de la famille impériale, il prend la tête des funérailles du prince impérial et décide de conduire le cortège, entouré de ses deux fils.

La situation du prince Napoléon est définitivement entérinée le 19 juillet : les parlementaires du groupe de l'Appel au peuple se réunissent pour le proclamer officiellement chef de la famille impériale et dynaste [25]. En apparence, la scission a été évitée. Les parlementaires taisent leurs convictions en espérant que le prince Napoléon, investi de son nouveau rôle de prétendant, cherchera tout comme eux à soutenir le mieux possible la cause de l'Empire [26].

Le prince Napoléon prend effectivement son nouveau rôle très à cœur ; il ne peut, de plus, s'empêcher d'être amusé de se retrouver à la tête de ses ennemis de la veille. De leur côté, les membres du parti bonapartiste attendent avec impatience des actes concrets de leur nouveau chef ; ils veulent savoir s'il compte respecter leur positionnement politique. Il tarde à se manifester, ce qui lui est reproché par les dirigeants du parti [27]. On évoque alors de nouveau le codicille du testament du prince impérial. Paul de Cassagnac lance une campagne en faveur du prince Victor dans *Le Pays*. Le prince Napoléon n'observe cette agitation que de loin, n'y voyant que des luttes d'intérêts personnels : « Les gens qui posent la candidature de mon fils avaient été jusqu'à ce jour des généraux dans le parti et il leur répugne de n'être plus désormais que des soldats relégués au peloton de punition[28]. »

Dans un premier temps, le prince tente de contrôler le parti tout en restant discret, selon les conseils que lui adresse Émile Ollivier : « Se tenir dans l'ombre. Ne pas risquer de se confondre avec les réactionnaires. Votre grosse difficulté me paraît être du côté de la tribune : vos amis risquent de vous montrer autre que ce que vous êtes[29]. » Plon-Plon se tient informé chaque jour des affaires du parti par l'intermédiaire de Rouher, qu'il consulte avant toute prise de décision et par l'intermédiaire d'une délégation du groupe de l'Appel au peuple, chargée de lui faire un compte rendu après chaque séance parlementaire[30]. D'autre part, pour mieux s'intégrer, le prince Napoléon décide de recevoir chez lui, tous les dimanches soir, les membres du parti bonapartiste. Il s'attache aussi à lancer un journal bonapartiste populaire à cinq centimes, *Le Peuple français*, afin de mieux se faire connaître et d'assurer la diffusion de ses idées. Ces efforts font que, dans un premier temps, le ralliement semble possible[31]. Seul Cassagnac ne cesse pas l'opposition. Il a de plus trouvé un allié en la personne de Jules Amigues ; ensemble, ils reprennent l'offensive lancée par Cassagnac, qui demande au prince Napoléon, par une adresse parue dans *Le Pays,* de se déclarer officiellement prétendant au trône impérial. En fait, Amigues, attaché aux acquis sociaux apportés par Napoléon III, se méfie des prétentions de réformisme social du prince et l'accuse de vouloir abandonner l'idée d'Empire[32]. Il s'unit à Cassagnac pour prouver que, par ses différentes professions de foi républicaines, le prince n'a aucune crédibilité en tant que prétendant au trône [33] ; ils exigent de Plon-Plon une répudiation de la forme républicaine. À part ces deux agitateurs, l'ensemble du parti bonapartiste a accepté le prince Napoléon, même si c'est sans grande conviction. Rouher par exemple, obligé de collaborer avec le prince Napoléon, continue à être agacé par le personnage et ne lui est dévoué qu'en apparence. Il semble même qu'il contribue, en coulisse, à alimenter la campagne qui se profile contre le prétendant. Frédéric Masson, ami du prince Napoléon, n'a pourtant jamais cru à la double conduite de Rouher : « qu'il aimât ou non le prince Napoléon, qu'il eût eu avec lui des dissentiments qui avait laissé des traces profondes et qui ne permettaient aucune réconciliation, cela est vrai [...]. Mais rien ne me permet de penser qu'il jouât double jeu. Lorsqu'il parlait du prince Napoléon, il ne cessait de répéter ce mot auquel il attribuait un sens qu'il n'a point : *Il est le dynaste* [34] ». En fait, dans un premier temps, malgré la méfiance qu'il suscitait, le prince Napoléon a réussi à préserver l'union au sein du parti bonapartiste. Émile Ollivier félicite son ami tout en lui renouvelant ses conseils de prudence : « L'essentiel est de faire les morts [35]. » Les premières prises de position du prince Napoléon font cependant resurgir les dissensions.

Lors de l'élection sénatoriale de novembre 1879 en Charente [36], le prince soutient Raoul-Duval, défenseur d'un bonapartisme plus populaire, alors que la tendance impérialiste du parti, alliée aux royalistes, lui préfère le maréchal Canrobert, grand dignitaire du Second Empire. Le maréchal l'emporte, le 9 novembre 1879. Le prince Napoléon s'incline devant ce choix et persévère dans sa volonté de conciliation lors de la nomination d'un nouveau président pour le groupe de l'Appel au peuple. Il propose Eschassériaux, l'un des seuls à pouvoir atténuer les tiraillements au sein du parti, mais celui-ci refuse ce poste [37].

Au même moment, Cassagnac décide de reprendre l'offensive contre le prince Napoléon. En novembre 1879, il consulte le cardinal de Bonnechose pour connaître son avis sur le ralliement des bonapartistes catholiques au prince. Sous le Second Empire, le cardinal de Bonnechose, qui siégeait au Sénat, avait été l'un des fervents défenseurs des intérêts du pape. Sur le plan politique, il était partisan d'un Empire autoritaire. Le cardinal de Bonnechose répondit à Cassagnac que le ralliement au prince Napoléon était possible sous quatre conditions : « 1. Liberté d'enseignement et reconnaissance des droits du père de famille ; 2. Abrogation des articles organiques et nouvelle législation qui règle les rapports de l'Église et de l'État ; 3. Déclaration relative au pouvoir temporel du pape ; 4. Abandon de certaines déclarations antérieures, qui donnent prétexte à des doutes et à des prétentions excessives, telles que celle-ci : "L'Empire sera la démocratie couronnée." [38] » Le cardinal de Bonnechose termine en conseillant à Cassagnac de rester réservé à l'égard du prince Napoléon, tout lui en demandant des engagements.

Cassagnac, interprétant les conseils du cardinal de Bonnechose selon ses vues, reprend l'offensive contre le prince Napoléon. En janvier 1880, à l'occasion de la messe anniversaire de la mort de Napoléon III, lui et Amigues sollicitent du prince un désaveu public de ses anciennes idées républicaines et anticléricales. Plon-Plon ne réagit pas, mais cela n'empêche pas la tension de monter. Lorsque Plon-Plon assiste à l'office religieux à Saint-Augustin, il subit des menaces physiques de la part d'hommes de main de Cassagnac. Quelques jours plus tard, à Saint-Philippe-du-Roule, ce sont les hommes d'Amigues qui manifestent leur hostilité à haute voix [39]. Ces diverses escarmouches montrent à quel point la stabilité du parti est fragile.

Sur ce, le 5 avril 1880, *L'Ordre* publie une lettre du prince Napoléon par laquelle il prend position en faveur des mesures d'expulsion adoptées par les républicains à l'encontre des Jésuites. Cette lettre provoque un tollé dans le parti, qui y voit une trahison. Les fidèles du prince tentent de rattraper la situation en expliquant qu'il s'est exprimé au niveau du droit civil, mais que pour les questions religieuses sa position n'a pas varié : il prône le concordat. Ce discours ne parvient pas à apaiser les notabilités du parti, surtout que, dans le même temps, le prince Napoléon s'attaque à l'Union conservatrice, qu'il rend responsable des revers électoraux de 1876 et 1877. Les membres du parti sont d'autant plus choqués que, comme à son habitude, le prince Napoléon agit avec brutalité. Son discours est abrupt, propre à heurter les sensibilités des plus conservateurs du parti, les impérialistes ; ceux-ci, qui s'étaient justement engagés dans un combat commun avec les monarchistes contre la politique religieuse des républicains et avaient toujours reproché au prince son irréligion, préfèrent rompre avec lui plutôt que de lui demander un nouveau démenti. La désagrégation du parti se confirme.

Certains bonapartistes de gauche, craignant que l'élément conservateur l'emporte et que le parti vire à droite, se laissent séduire par Gambetta et se rallient à la République. Les défections touchent aussi la tendance conservatrice du parti : ils sont plusieurs à rejoindre les rangs monarchistes, comme Tristan Lambert. Après avoir partagé la captivité de l'empereur en 1870, il était devenu bonapartiste par fidélité à Napoléon III et, après lui, à son fils. De même pour le baron de Mackau, qui avait commencé sa carrière politique sous l'étiquette bonapartiste par fidélité familiale – son père, fervent bonapartiste, avait traversé les régimes précédents avec de glorieux états de service [40]. De leur côté, Amigues et Cassagnac reprennent avec virulence leur campagne contre le prince « rouge ». En octobre 1880, lors d'une réunion au Cirque Fernando organisée par Amigues, les deux compères demandent l'application du codicille du testament du prince impérial et exigent l'abdication du prince Napoléon en faveur de son fils Victor. Les deux hommes commencent à être suivis dans leur revendication. La princesse Mathilde, qui pourtant ne veut pas être mêlée à ces affaires politiques, entre alors en scène. Elle estime qu'il faut mettre fin à ces dissensions qui entachent l'image de la famille Bonaparte et provoquent une hémorragie dans le parti bonapartiste. Selon elle, seule une intervention de l'impératrice peut ramener l'ordre. Elle s'adresse directement à Eugénie : « Sa mort [*du prince impérial*] a jeté notre parti dans des [*illisible*], qui nous seront nuisibles si on continue à si mal interpréter ses dernières volontés. Vous ne pouvez vous désintéresser de ce qui se passe ; surtout dans l'intérêt de la mémoire du cher prince, que l'on exploite méchamment. Je connais assez la droiture de votre caractère pour être sûre que vous blâmez la scission qu'une poignée d'impérialistes voudraient voir entre le père et le fils [41] ». En dépit de cet appel au secours, l'impératrice, décidée à rester en retrait, refuse d'intervenir : « Vous comprendrez j'en suis sûre qu'après un coup aussi triste, je n'aspire qu'au calme et à la retraite. Il ne me reste plus qu'à vivre dans le passé et espérer de les rejoindre un jour [42]. » Cette réaction déçoit le prince Napoléon et la princesse Mathilde qui y voient un soutien indirect aux positions des impérialistes.

Désormais, seul un noyau continue à respecter l'ordre dynastique et considère encore le prince Napoléon comme son chef légitime. Le baron Eschassériaux et Rouher optent pour cette position, tout en exprimant des critiques et des réserves. En août 1880, Rouher commence à fléchir ; il finit par avouer à Eschassériaux que ses espoirs

LE PRINCE NAPOLÉON, ENFIN PRÉTENDANT ?

vont vers le prince Victor[43]. En fait, les notabilités bonapartistes finissent par se désolidariser du prince Napoléon, qui perd ainsi le contrôle du parti. Avec les quelques hommes restés à ses côtés, il décide de réactiver la propagande bonapartiste en province, espérant ainsi toucher un nouvel électorat. La première partie de ce plan d'action prévoit un voyage de propagande de Plon-Plon dans l'ouest de la France[44]. Pendant ce temps, ses amis redoublent d'activité, multipliant les pamphlets et les discours[45]. Cunéo d'Ornano, député bonapartiste de Cognac, se montre particulièrement actif. Son journal, *Le Suffrage universel,* est un des seuls à apporter son entier soutien au prince Napoléon. Comme, en perdant le contrôle du parti, Plon-Plon perdait aussi le soutien de la presse bonapartiste, il crée, en décembre 1980, un nouveau journal, *Le Napoléon*[46]. Dès le premier numéro, il y affiche clairement ses convictions par un manifeste-programme qui rappelle les points majeurs de sa politique : la suppression du pouvoir temporel du pape, la défense de la société civile face au cléricalisme, l'abolition des féodalités financières et une réforme fiscale visant au soulagement des plus pauvres. Il se place désormais sur le terrain de la République et renonce à ses droits dynastiques, ne briguant plus que la tête de l'État.

Au même moment, les « bonapartistes de Chislehurst », comme les appelle Émile Ollivier, très sévère à leur égard, font paraître un manifeste prônant l'appel au peuple, mais sans préciser le nom du prétendant. Émile Ollivier est scandalisé : « C'est une perfidie et une manière de garder encore l'oreille des populations bonapartistes pour y glisser que vous êtes un fléau provisoire à supporter jusqu'à ce que, la providence vous ayant précipité au séjour des damnés, Votre fils, qu'on juge mal j'en suis sûr, vous désavoue et reprenne dévotement la tradition cafarde de Chislehurst[47]. » En somme, les différentes prises de position du

133

prince Napoléon n'ont fait que creuser le fossé existant déjà entre lui et les impérialistes, majoritaires au sein du parti. À partir de mars 1881, deux tendances se distinguent au sein du parti : les jérômistes, ou révisionnistes, qui sont les partisans du prince Napoléon, et les victoriens, ou impérialistes, qui attendent la majorité du prince Victor. Entre les deux, on trouve les « dynastiques » qui, même s'ils ne partagent pas ses idées, continuent à reconnaître le prince Napoléon comme chef du parti.

Dans ce contexte de crise, les élections législatives de l'été de 1881, prévues pour le 21 août et le 4 septembre, s'annoncent difficiles pour le parti bonapartiste. Le nombre de candidats présentés, même en regroupant les deux tendances, est inférieur à celui des élections précédentes. En raison de la division interne du parti, certains élus hésitent sur la conduite à adopter et décident de ne pas renouveler leur candidature. Sur quatre-vingts candidats bonapartistes, trente-sept sont présentés par le prince Napoléon [48].

Les jérômistes entrent en campagne avec un programme radical élaboré par le prince Napoléon et comportant, entre autres, l'adoption du divorce, l'amnistie politique, la suppression du repos dominical obligatoire et surtout la révision de la Constitution afin d'obtenir l'élection du président de la République au suffrage universel. Quant aux impérialistes, ils affichent des professions de foi conservatrices et antirépublicaines. Les élections se soldent par la déroute ; les bonapartistes n'obtiennent que quarante-six sièges, en perdant donc plus de la moitié par rapport à 1877. Toutefois, cette chute est à inscrire dans un contexte d'écroulement général de la droite. Sur les trente-sept candidats du prince Napoléon, douze sont réélus, mais il s'agit des élus « dynastiques » et non pas des jérômistes. Le prince voit échouer ses plus fidèles serviteurs : Lenglé en Haute-Garonne, Pascal en

Gironde, Haentjens dans la Sarthe ; seuls quatre de ses proches sont réélus : Cunéo d'Ornano en Charente, Dréolle en Gironde, le baron Dufour dans le Lot et Prax-Paris en Tarn-et-Garonne. De plus, leur réélection est davantage liée à leur popularité personnelle dans leur département qu'au programme qu'ils défendent.

L'élection de 1881 marque ainsi l'échec personnel du prince Napoléon et met au jour les conséquences de la division du parti. Sur le plan doctrinal, le jérômisme aurait pu répondre aux attentes d'un électorat populaire, mais il manque de notoriétés locales, handicap non négligeable lors d'une élection au scrutin d'arrondissement. Du côté des impérialistes, leur positionnement se confond avec celui des conservateurs et, même s'ils insèrent dans leurs thèmes de campagne la décentralisation, l'allégement des pressions fiscales pour les agriculteurs et la réduction de la durée du service militaire, cela reste insuffisant pour mobiliser un nouvel électorat. Globalement, les rescapés sont des personnalités bien ancrées dans leur région, réélues par fidélité à leur personne bien plus que par adhésion à leur programme.

Le prince Napoléon analyse la défaite. Pour lui, elle est essentiellement due à des moyens financiers insuffisants qui ont empêché une propagande efficace. En fait, cet échec a déstabilisé les propres amis du prince. Cunéo d'Ornano juge nécessaire de redéfinir le bonapartisme républicain ; Lenglé, lui, déplore des candidatures désordonnées et tardives chez les jérômistes, et certaines prises de position trop tranchées[49]. Les impérialistes, eux, estiment le prince Napoléon entièrement responsable de l'échec aux dernières élections et l'accusent d'avoir abandonné la forme de l'Empire. Cette crise pousse Cassagnac et Amigues à réévoquer la candidature du prince Victor et, cette fois, à entrer en contact avec lui.

CHAPITRE 12

Victor dans le jeu des impérialistes

Dès la mort du prince impérial, en 1879, Cassagnac et Amigues avaient commencé à parler du prince Victor dans leurs journaux. Au cours de l'année 1880, *Le Pays* et *Le Petit Caporal* cherchent régulièrement à attirer l'attention sur le jeune prince. La moindre occasion est bonne à saisir pour l'évoquer : sa santé, sa présence ou son absence aux dîners organisés par son père, ses résultats scolaires... L'année suivante, une étape est franchie. Désormais, ils appellent le père à abdiquer en faveur du fils et attendent avec impatience l'année 1883, date à laquelle Victor entrera dans sa vingt et unième année et pourra, espèrent-ils, s'affranchir de son père. Aussi, dès 1882, Cassagnac et Amigues préparent le terrain en commençant à poser la candidature du prince Victor. Pour prouver leur détermination, ils créent, à Paris, des comités d'arrondissement victoriens, mais ils sont désavoués par Rouher dès le 7 novembre [1]. En fait, Cassagnac et Amigues voient dans le prince Victor non seulement un moyen d'échapper à la tutelle du prince Napoléon, mais aussi de l'affaiblir. C'est ainsi que le prince Victor, qui n'a pas vingt ans, se retrouve utilisé par les adversaires de son père.

En février 1882, Jules Amigues émet le projet d'organiser une série de conférences dans le but de présenter le prince Victor au public bonapartiste ; quant à Cassagnac, il décide d'organiser un grand banquet pour fêter son anniversaire, le 18 juillet 1882. Ce banquet devait faire pendant à celui, annuel, organisé le 15 août en l'honneur de la Saint-Napoléon. Cette agitation autour de Victor pousse le prince Napoléon à réagir ; il décide d'éloigner son fils de l'effervescence qui commence à naître autour de lui, prenant pour cela prétexte d'un voyage d'étude d'une année, destiné à élargir l'esprit du jeune homme.

L'année 1882 est une année calme pour le prince Victor, qui vient d'avoir son baccalauréat et doit patienter un an avant d'entamer son service militaire. Après maintes hésitations quant à la destination de son voyage à l'étranger et aux personnes devant l'accompagner, il est finalement convenu qu'il partira pour Heidelberg, en Allemagne, avec M. Pugliesi-Conti. Celui-ci, préfet de la Vendée sous le Second Empire, était resté fidèle à la famille impériale et avait proposé ses services au prince Napoléon. Plon-Plon supervise minutieusement la préparation du voyage, dont il aurait même confié le programme à Maxime Du Camp[2]. Par ce voyage, le prince Napoléon a trouvé avant tout le moyen d'éloigner son fils de Paris afin de le soustraire à l'influence de ceux qui réclamaient l'application des dispositions testamentaires du prince impérial. Le prince Victor quitte Paris le 31 janvier 1882 pour Heidelberg.

Le séjour du prince à Heidelberg est axé sur l'étude. Chaque jour il suit, à domicile, des cours de langues, de géographie, d'histoire et plus spécialement d'histoire militaire. Son enseignement comporte aussi une partie plus pratique avec, entre autres, la visite de casernes. Il en profite pour parler avec les officiers et les soldats, et montre rapidement un grand intérêt pour la carrière militaire. Victor disposant de peu de distractions, il lui vient l'idée d'entreprendre un voyage à travers l'Europe pour rompre la monotonie de son séjour allemand. Mais au moment où il va quitter Heidelberg, en avril 1882, des rumeurs surgissent dans les milieux bonapartistes, selon lesquelles il serait mort. Dans le seul but d'attirer l'attention sur le jeune prince, *Le Petit Caporal* n'a pas hésité à faire courir ce bruit, sans fondement aucun. Afin d'y couper court, le prince Victor est obligé de repousser son départ. Souhaitant rester à l'écart de ce qu'il pense être des combinaisons politiques, il refuse de s'exprimer officiellement. Les démentis n'étant pas adressés à la presse bonapartiste de la main du prince Victor, les rumeurs ne se calment pas. Pour clore l'incident, le prince Victor finit par accepter de rompre le silence. Pour la première fois, il rédige une lettre destinée à être publiée : « Le bruit de ma mort vous a émus. Je tiens à vous rassurer moi-même. Je ne sais sur quoi il a pu se fonder. Dieu merci, je ne me suis jamais mieux porté. Les journaux ont beaucoup parlé de moi ces temps derniers. Je fais allusion à cette polémique passionnée dont je suis l'objet, et dans laquelle je paraîtrais, si l'on y ajoutait foi, ne pas avoir pour mon père le respect que je lui dois et l'affection que j'ai toujours eue. Vous connaissez mes sentiments et mon esprit de famille. C'est assez vous dire combien ce qui se passe m'est pénible. Je mène ici une vie d'étude et de travail ; ma seule préoccupation est de me rendre digne du nom que je porte et de me préparer à bien servir mon pays le jour où mon devoir m'appellera à le faire[3]. »

À la suite de cette publication, le prince Victor reçoit une avalanche de dépêches qui lui expriment soutien et sympathie. Comme on peut le voir, le prince Victor venait d'être victime d'une manœuvre politique orchestrée par Cassagnac et Amigues visant à susciter un acte public de sa part. D'ailleurs, la nouvelle de sa mort n'avait jamais été jugée crédible : « Je n'ai pas cru un instant à la terrible nouvelle de la mort de Victor », écrivait Julie Bonaparte à Émile Ollivier[4]. De son côté, Cassagnac voit son initiative récompensée : on a parlé du prince Victor, dont il a obtenu une intervention publique. Fort de son succès,

Cassagnac est bien décidé à ne pas en rester là. Son prochain objectif est d'entrer en contact direct avec le prince Victor pour le convaincre de reprendre l'héritage du prince impérial. Il semblerait que ce soit par l'intermédiaire de Pugliesi-Conti que les impérialistes aient réussi à atteindre le jeune prince. François Berthet, secrétaire du prince Napoléon, condamne le comportement de l'ancien préfet : « Malgré la mission de confiance qui lui avait été donnée, celui-ci se fit l'instrument des intrigues les plus regrettables en ménageant à son jeune compagnon des entrevues politiques avec les pires ennemis du Prince[5]. »

Paul de Cassagnac finit par se rendre à Heidelberg, en mai 1882, dans l'unique but d'obtenir une entrevue avec le prince Victor. Loin de son père, n'aura-t-il pas plus de chances d'arriver à le convaincre de reprendre le flambeau impérial ? Tel est aussi l'avis de Jules Amigues, qui réussit à établir une correspondance régulière avec le jeune prince lors de son séjour allemand. Un certain Cottiguier s'occupe de faire passer le courrier. Sur ce, en juin 1882, Victor quitte soudainement Heidelberg pour effectuer le voyage qu'il avait prévu en Europe de l'Est. Il fait d'abord escale dans plusieurs grandes villes allemandes (Nuremberg, Ratisbonne, Munich, Bonn), avant de rejoindre l'Autriche. En réalité, si Victor quitte Heidelberg, c'est en grande partie pour échapper à la pression impérialiste. Or, à Bonn, de nouveau par l'intermédiaire de Pugliesi-Conti, Amigues obtient une entrevue avec le prince Victor. Ils se reverront clandestinement au retour du prince à Paris. Pour l'heure, le fils du prince Napoléon poursuit son voyage par l'Autriche, la Hongrie et Prague. Pendant que Victor sillonne l'Europe, des allusions à ses rencontres avec Cassagnac et Amigues remontent jusqu'à son père. Or, toutes les démarches faites auprès du jeune prince avaient été soigneusement cachées à Plon-Plon. À l'automne de 1882, Victor s'inquiète de la parution d'articles mentionnant des contacts de sa part avec Cassagnac. Il s'empresse aussitôt de démentir ces bruits, affirmant ne pas connaître Cassagnac et réitérant son soutien à son père. Le prince Victor clôt son séjour à l'étranger par une halte auprès de sa mère, à Moncalieri. Il n'est de retour à Paris qu'en octobre 1882, quelques jours avant de commencer son volontariat militaire.

Celui-ci commence au début de mois de novembre. Le prince Victor a choisi de l'effectuer au 32ᵉ régiment d'artillerie, à Orléans. Son incorporation fait l'objet de diverses rumeurs : on raconte que son colonel était un ami du prince Napoléon, qu'il bénéficie de privilèges par rapport aux autres volontaires... Tout est bon pour attirer l'attention sur le prince Victor. Mais, cette fois-ci, le gouvernement se préoccupe de ces ragots : il voit d'un mauvais œil l'entrée d'un Napoléon dans l'armée. Par précaution, le ministre de la Guerre demande des renseignements précis sur le service militaire du prince Victor. Il obtient pour seule indication : « On dit le colonel de ce régiment entièrement dévoué au Prince Jérôme[6]. » Inquiet, le ministre fait poursuivre les recherches. Le résultat de l'enquête est rassurant : « L'admission au 32ᵉ d'artillerie de ce jeune homme est la conséquence de l'option qu'il a faite en vertu du droit qu'il tenait du numéro 380, sur 894, qui lui est échu lors du tirage au sort des volontaires pour choisir leur régiment. Toutes les opérations concernant cet engagé conditionnel sont régulières et ont été faites ouvertement, sans être précédées ni accompagnées d'aucune démarche. J'ajoute maintenant qu'au régiment, le jeune Victor Bonaparte, absolument inconnu au colonel Harel, sera traité sur le même pied que tous les autres soldats. Le colonel du 32ᵉ, qui n'a, du reste, aucune relation avec la famille de ce volontaire, a éprouvé, m'assure-t-on, une véritable surprise et même des regrets de ce que ce jeune homme ait choisi son

140

régiment pour y faire son volontariat[7]. » Ce rapport est clair : le prince Victor n'a bénéficié d'aucun passe-droit. Tous les échos sur le comportement du prince semblent positifs. Victor se plie consciencieusement à la discipline de l'armée, il effectue les corvées comme n'importe quel autre jeune homme, même s'il éprouve quelques difficultés de temps à autre, comme il l'écrit à son père : « Pour dire la vérité c'est très dur, quoique tous les conditionnels soient solides, nous sommes tous perturbés et le soir on dort bien dans le lit si étroit et malgré l'odeur et l'atmosphère de la chambrée[8]. » Dans d'autres lettres à sa mère, Victor avoue trouver la vie de régiment parfois pénible. Elle demande à Plon-Plon d'avoir des nouvelles régulières et espère que « cette année lui fera du bien ; elle lui fera comprendre et apprendre bien des choses pour lui-même[9] ».

Sur le plan politique, la presse bonapartiste utilise le volontariat du prince pour le poser en digne héritier des Bonaparte. Elle évoque le « soldat modèle, soumis à la discipline, adoré de ses camarades attirés par sa bonté profonde[10] ». C'est aussi l'occasion pour les impérialistes d'entrer de nouveau en contact avec le jeune prince. Le prince Victor reçoit plusieurs fois la visite de Georges Amigues, le fils de Jules Amigues, envoyé par *Le Petit Caporal*, toujours dans le but d'inciter le prince Victor à se substituer à son père à la tête du parti bonapartiste. Le fils de Pugliesi-Conti passe également le voir. Les démarches se multiplient à l'approche de la majorité de Victor, en juillet 1883. Tous le supplient d'accepter le rôle de prétendant au trône impérial.

Victor achève son service militaire le 11 novembre 1883. Il semble avoir apprécié son année ; les quelques moments difficiles ont été surmontés par son goût pour la carrière militaire. Après avoir passé son examen de sortie, le prince Victor aurait dû être pourvu du grade de sous-officier ; or le ministre de la Guerre refuse qu'on le lui accorde. Le motif était prétendument le risque de raviver les ardeurs napoléoniennes au sein de l'armée, et d'engendrer un nouveau « Petit Caporal ». Victor est profondément déçu.

À vingt et un ans, le fils du prince Napoléon a donc reçu une bonne formation secondaire dans les lycées parisiens et a visité l'Europe. Que va-t-il devenir ? La question préoccupe autant son père que les impérialistes. Le prince Napoléon ne pense qu'à éloigner son fils de Paris ; les impérialistes poussent ce dernier à s'y installer pour affirmer ses positions et se libérer du joug paternel. Que va, que peut choisir le prince Victor ? Peut-il accepter les propositions des impérialistes sans empiéter sur les prétentions de son père ?

CHAPITRE 13

Le fils s'oppose au père

Au sein du parti bonapartiste, deux camps antagonistes sont en cours de formation : celui du prince Napoléon et celui des notables du parti, qui souhaitent mettre à leur tête le prince Victor. Dès lors, la querelle politique dégénère en affrontements personnels. Le jeune prince devient l'enjeu de ces luttes d'intérêts, tiraillé entre son père et ceux qui lui demandent d'assumer son rôle de prétendant. Qui parvient à le convaincre ? L'acharnement dont font preuve les impérialistes, associé à l'intransigeance du prince Napoléon, fait pencher la balance de leur côté, provoquant la rupture irrémédiable entre père et fils.

En 1882-1883, les impérialistes se mettent à poser officiellement la candidature du prince Victor. Émile Ollivier est le premier à déplorer l'abandon dont est victime le prince Napoléon : « Le pauvre prince est de plus en plus délaissé, renié, attaqué par les bonapartistes et de plus en plus leur mot d'ordre est : le Prince Victor. Ils sont parfaitement convaincus que le jeune Prince aura une conduite opposée à celle de son père et qu'il renouera la tradition du Prince Impérial. Le pauvre homme me fait pitié[1]. »

À l'automne de 1882, Cassagnac et Amigues créent les premiers comités victoriens à Paris[2]. Leur initiative s'accompagne de prises de contact avec Victor, ce qui exaspère le prince Napoléon. Pour ne pas être supplanté par son fils, celui-ci redevient dynaste et décide de réaffirmer sa place de chef de la maison impériale. Le 16 janvier 1883, il fait placarder dans tout Paris un manifeste attaquant la République. Par ce geste, il entend apparaître comme le prétendant qui dispute au comte de Chambord le trône de France. Le texte insiste sur l'aspect héréditaire, tout en confirmant le principe de l'appel au peuple. Le prince Napoléon se pose d'abord en héritier des deux empereurs : « Héritier de Napoléon Ier et de Napoléon III, je suis le seul homme dont le nom ait réuni 7 300 000 suffrages[3]. » Puis il écarte clairement l'éventualité de son abdication : « Ma conduite, mes opinions, mes sentiments ont été systématiquement calomniés. Impassible, je n'ai répondu que par le mépris à ceux qui ont été jusqu'à chercher à exciter les fils contre le père. Efforts odieux et stériles. [...] Mes fils sont encore étrangers à la politique. L'ordre naturel les désigne après moi, et ils resteront fidèles à la vraie tradition napoléonienne. On a parlé d'abdication, cela ne sera pas. Lorsqu'on a plus de devoirs que de droits, une abdication est une désertion. » Après avoir réglé la question dynastique, le prince Napoléon en revient au point central de sa revendication, l'appel au peuple : « Le pays ne peut se relever qu'en revenant aux principes de la souveraineté, c'est-à-dire au droit pour le peuple de nommer son chef. » Le père de Victor réaffirme ses droits de prétendant, faisant vibrer pour cela la fibre napoléonienne. Le texte est largement diffusé dans la presse bonapartiste et nationale.

L'opinion est surprise par ce coup de théâtre. Le prince Napoléon a bien choisi son moment, la conjoncture politique française est fragile. Depuis l'avènement de la « République des républicains », six gouvernements se sont succédé, les nombreuses crises ministérielles portent préjudice au régime parlementaire. La situation économique est elle aussi instable, de grands scandales financiers secouent le pays, le chômage est en hausse, l'agriculture en crise. La prospérité du Second Empire paraît bien loin. Gambetta meurt le 31 décembre dans ce contexte morose ; cette disparition d'un des principaux défenseurs de la République plonge le camp républicain dans un profond désarroi, un vide politique qui profite au prince Napoléon. De son côté, le gouvernement ne s'attendait pas à ce sursaut impérial ; inquiet, il fait immédiatement déchirer les affiches et arrêter le prince Napoléon, d'abord incarcéré à la Conciergerie, puis à la maison de la Santé, à Auteuil[4]. La tentative de Plon-Plon a pour effet de raviver l'inquiétude du gouvernement à l'égard des menaces césaristes. Le lendemain de son arrestation, la Chambre des députés vote par 307 voix contre 113 une proposition d'initiative parlementaire tendant à interdire le séjour du territoire français aux membres des familles ayant régné sur la France et à les priver de tous leurs droits politiques. Les jours suivants, le gouvernement est incapable de s'entendre sur le projet de loi[5] ; le 29 janvier, le président du conseil, Charles Duclerc, démissionne, remplacé par le ministre de l'Intérieur, Fallières, qui tombe malade. Il faut chercher un autre gouvernement. Le projet de loi d'expulsion des princes est tout de même voté à la Chambre le 1er février et envoyé au Sénat, qui repousse le texte le 17 février. Entre-temps, le 9 février, le prince Napoléon est remis en liberté à la suite d'un arrêt de non-lieu. Le projet de loi est abandonné et un nouveau ministère, constitué par Jules Ferry, peut alors entrer en fonctions. Cet épisode fait apparaître le manque de cohésion de la République, hantée par le spectre du coup d'État.

Toujours est-il que cette arrestation fait de la publicité au prince Napoléon, perçu comme un martyr de la République. Au niveau politique, il peut se féliciter d'avoir contribué à la chute du cabinet Duclerc, mais surtout d'avoir éradiqué l'hostilité des bonapartistes à son égard, aux yeux desquels il sort grandi de ces péripéties[6]. En

145

fait, les bonapartistes sont étonnés de voir le prince passer à l'action en s'appuyant sur des principes non seulement plébiscitaires, mais impérialistes. Rouher, qui pourtant vient de se rapprocher des antijérômistes, lance un appel en faveur du prince Napoléon : « Aujourd'hui que le prince Napoléon a parlé, qu'il a hautement revendiqué les droits de la France entière à exprimer ses vœux, qu'en un mot il a fait acte de chef de parti, les divergences d'opinion qui existaient entre jérômistes et victoriens n'ont plus de raisons d'être. Il ne doit plus y avoir qu'un parti n'ayant qu'un drapeau unique : le drapeau impérialiste[7]. Le baron Eschassériaux se range lui aussi immédiatement derrière le prince Napoléon[8]. Le 19 janvier, à son initiative, le groupe de l'Appel au peuple apporte officiellement son soutien au prince incarcéré. L'impératrice Eugénie, qui pourtant avait décidé de se tenir hors de la scène politique depuis la mort de son fils, se déplace à Paris pour lui rendre visite à la Conciergerie[9]. Elle va jusqu'à passer l'éponge sur les nombreux conflits qui l'opposaient au prince pour lui apporter son soutien et consolider ainsi le mouvement unitaire qui semble naître au sein du parti bonapartiste.

A priori, l'initiative du prince Napoléon est un succès. Bernard Ménager montre, par l'analyse des archives policières, que le manifeste du 16 janvier a produit une sorte de frémissement, un réveil du sentiment bonapartiste[10]. La police s'inquiète de la distribution de quelques milliers de portraits du prince Napoléon près de Toulouse[11] ; on se raconte l'aventure jusque dans les campagnes. Le prince Napoléon profite de ce regain de popularité pour fonder, en février 1883, un nouveau journal sous le titre *L'Appel au peuple*. Il est néanmoins aussi éphémère que le premier journal qu'il avait créé ; sa publication est suspendue dès le mois de juin. Il lance également une brochure hebdomadaire intitulée *La Lanterne de Jean Bossu*, dans laquelle le culte napoléonien est associé à l'idée républicaine [12]. Dans le même élan et pour préparer les élections législatives, des comités dits « populaires » sont activés dans chaque arrondissement parisien, pour contrecarrer l'action des comités victoriens. Le 17 février, une grande réunion jérômiste est organisée sous la présidence de Maurice Richard et d'Ernest Pascal, qui rassemble plus de six mille personnes, venues acclamer le thème de la révision constitutionnelle. Au cours de cette réunion, Lenglé va jusqu'à poser la candidature du prince Napoléon à la présidence de la République. Plon-Plon accepte la motion votée et se présente désormais comme prétendant républicain. Entraînés par leur nouveau succès, les jérômistes poursuivent et appellent à voter, lors des prochaines élections, en faveur d'un radical à défaut d'un bonapartiste. Ainsi, même si le prince Napoléon avait fait acte de prétendant par son manifeste, ses convictions républicaines refaisaient surface. Ernest Merson, journaliste bonapartiste se rapprochant de la tendance « dynastique », estime que cette fois-ci le prince Napoléon va trop loin et finit par se ranger dans le camp victorien : « Finalement, il prit une attitude politique qui était la négation de son devoir et de son droit. Il adopta les formules républicaines, cessant d'être Napoléon pour redevenir Bonaparte. Il se mit à la suite de la Révolution, oubliant qu'il avait la mission de s'en rendre maître. Il déserta notre cause [...]. Il abdiqua l'Empire afin de poursuivre l'établissement de je ne sais quel Consulat imaginaire et impossible [13]. »

En fait, il convient de nuancer l'effet du manifeste du prince Napoléon. Dans un premier temps, tout le monde se rallie à celui qui a osé cela. Mais cet élan d'unification est de courte durée : les adversaires politiques du prince, Cassagnac en tête, reviennent sur leurs illusions du début de l'année. Cassagnac, seul dans la lutte depuis la disparition d'Amigues, réactive sa campagne contre le prince

Napoléon [14]. Désireux de briser son ascension avant les élections législatives, plus déterminé que jamais, il décide de relancer la polémique sur les dispositions testamentaires du prince impérial. Il espère ainsi détacher Victor de son père pour en faire l'unique prétendant au trône impérial.

Jusqu'à présent, les démarches de Cassagnac n'étaient pas soutenues par l'ensemble du parti. Rouher, bien que retiré de la vie politique, continuait de fait à exercer son influence. Si, officiellement, il soutenait Plon-Plon [15], son aversion personnelle pour lui l'incitait à soutenir des projets en faveur de Victor, sans vouloir le faire de manière claire, pour préserver l'unité du parti [16]. Alors que certains impérialistes avaient continué à soutenir Plon-Plon en vertu de la position officielle de Rouher, la mort de ce dernier, en février 1884 [17], profite à Cassagnac, qui s'impose alors à la tête du parti bonapartiste. Désormais, il a le champ libre pour entamer de nouvelles démarches auprès du prince Victor, qui, de son côté, dispose de tout son temps depuis la fin de son service militaire.

En fait, depuis novembre 1883 – date de la sortie de Victor du régiment –, Cassagnac essaie d'obtenir un engagement politique du jeune prince. Le prince Victor étant maintenant majeur et dégagé de ses obligations militaires, il estime que rien ne l'empêche plus d'appliquer le testament du prince impérial. Cassagnac avait souhaité organiser autour du prince Victor un événement marquant pour le parti bonapartiste. Le 15 novembre, un grand banquet était offert par les comités parisiens pour fêter la libération du prince. Afin de donner du poids à cette réunion, Cassagnac s'était préalablement adressé au prince Victor en vue d'obtenir un manifeste qui aurait été lu le soir du banquet, sans obtenir de réponse. Quelques jours après, les jeunes avocats de la conférence Molé-Tocqueville avaient invité le prince Victor à un banquet qu'ils voulaient donner en son honneur[18]. Le jeune prince avait commencé par refuser sous prétexte de ne pas vouloir attirer l'attention, puis il s'était ravisé, mais à deux conditions : que le dîner ne révélât aucun caractère politique et qu'il eût obtenu au préalable l'approbation de son père. Le prince, Napoléon n'avait pas interdit à son fils de s'y rendre, mais au dernier moment l'avait obligé à l'accompagner à Londres. Le banquet avait alors été décalé au retour de Victor. À leur retour, le prince Napoléon autorisa son fils à assister au banquet, à la condition de rédiger ensemble le discours que Victor prononcerait. Comme ils n'arrivèrent pas à se mettre d'accord, même sur un texte fort bref, Victor dut, à la demande de son père et pour ne pas le contrarier, repousser l'invitation des jeunes avocats. Il leur écrivit une lettre, toujours sous l'égide de son père, pour justifier son refus : « Apprenant qu'on pourrait donner au dîner que vous avez bien voulu m'offrir un caractère qu'il ne comporte pas, je crois devoir, à mon grand regret, décliner votre invitation. Je n'ai pas en ce moment de rôle politique à remplir, mais je tiens à vous dire que je serais très affligé de voir mon nom servir de prétexte à créer un antagonisme entre mon Père et moi, ce qui est aussi loin de mon cœur que de mon devoir[19]. »

Cet épisode est le premier d'une série de démarches qui permettent aux impérialistes de parvenir à leurs fins. Après la demande de Cassagnac et celle des jeunes avocats, le prince Victor est sollicité par la presse bonapartiste. Le fils de Pugliesi-Conti va lui rendre visite chez son père afin de lui soumettre une note, destinée aux principaux organes bonapartistes, par laquelle le jeune prince apporterait son soutien au parti. Après en avoir corrigé certains passages, Victor autorise la note, reproduite dans *Le Pays* et dans *Le Petit Caporal* : « [Le prince Victor] entend formellement ne désavouer aucun des amis fidèles qui se sont inspirés des idées de Napoléon III et du prince impérial, pour promettre à la France, quand le moment sera venu, un gouvernement qui saura grouper tous les honnêtes gens, par le prestige d'un pouvoir fort issu de la volonté nationale, par la sauvegarde résolue des droits de la démocratie et des intérêts conservateurs et enfin par la haute protection due aux croyances religieuses[20]. » Ces quelques lignes sous-entendent que le prince Victor se ferait l'héritier d'une politique plus conservatrice, en continuité avec celle du prince impérial.

La note paraît alors que Victor réside auprès de sa mère, à Moncalieri, et sème une vive agitation dans le parti bonapartiste. Pour le prince Napoléon, c'est la trahison : son fils se place du côté de ses adversaires et contredit la lettre du 26 novembre par laquelle il affirmait n'avoir aucun rôle politique à jouer ; Plon-Plon considère que le fait d'avoir autorisé cette note est déjà un acte politique. Pour les impérialistes, c'est la victoire : Ils ont identifié un point de divergence entre le père et le fils, sur lequel appuyer leur stratégie de division. Victor, brouillé avec son père, se laissera plus facilement approcher par les impérialistes.

Le prince Napoléon est blessé dans son amour-propre. Préférant ne pas croire à la culpabilité de son fils, il accuse les directeurs des journaux d'avoir publié cette note sans détenir d'autorisation, les défiant d'être en mesure de produire la note écrite de la main de Victor. Or il se trouve qu'il n'existait aucune trace écrite de l'acte d'insoumission de Victor. Pour mettre fin à la polémique, Plon-Plon exige que son fils coupe court définitivement aux rumeurs faisant état d'un antagonisme entre eux. Deux proches du prince Napoléon se rendent aussitôt en Italie pour chercher la lettre de soumission de Victor, destinée à la presse bonapartiste : « Mon silence vis-à-vis de vous deviendrait une compromission indigne de moi en présence des incidents regrettables que ma lettre du 26 novembre dernier aurait dû prévenir. Je répète que je n'ai pas en ce moment de rôle politique à remplir, c'est dire assez clairement que je n'ai donné à personne mandat de parler en mon nom. Quelle que soit ma répugnance pour les discussions de presse, je désavoue hautement toute tentative qui aurait pour but ou pour effet, en divisant nos forces, de me prêter un rôle aussi odieux vis-à-vis de mon Père que peu honorable devant mon pays. Vous êtes le chef de ma famille, je demeure le champion fidèle de la tradition Napoléonienne ; mes sentiments envers vous n'ont pas varié, et je n'ai jamais hésité à les faire connaître [21]. »

Il est difficile de se faire une opinion sur le comportement du prince Victor pendant les mois où se cristallise la rupture. Par cette lettre, certes, il confirme son total soutien à son père et réaffirme qu'il n'a pas de rôle politique à jouer. Pourtant, il continue à avoir des contacts avec les impérialistes. Le 4 janvier 1884, Paul de Cassagnac arrive à Turin pour le voir. La première entrevue a lieu au Palazzo Reale, le 5 janvier. Le 6, Victor refuse de le recevoir une nouvelle fois. Or, le lendemain, Cassagnac se rend au château de Moncalieri, à l'insu de la princesse Clotilde. Victor est plus que jamais tiraillé entre les deux camps. D'un côté, il rédige une lettre dans le but de rassurer son père ; d'un autre, sa jeunesse et son manque d'expérience politique le rendent vulnérable aux assauts de Cassagnac, qui fait preuve d'une forte détermination. Toujours est-il que cet incident a montré au prince Napoléon que son fils peut agir sans lui. La lettre du 16 décembre ne suffit plus à le rassurer, il garde une attitude méfiante à l'égard de Victor. Son orgueil a été mis à l'épreuve par cette polémique publique. Compte tenu de l'état d'esprit de son père, Victor redoute son retour à Paris. À la fin de janvier, *Le Gaulois* annonce qu'il prolonge son séjour à Moncalieri : « Le Prince Victor, qui ne devait rester auprès de la princesse Clotilde qu'un petit

151

nombre de jours, y a déjà séjourné autant de semaines qu'on lui croyait le projet d'y passer de jours. On va même jusqu'à dire qu'il songe à ne pas revenir en France, pour éviter les embarras d'une situation mal définie. [...] Il se serait dans ce but résigné à un exil volontaire[22]. »

De retour à Paris, Cassagnac communique au prince Victor un ordre du jour voté quelques jours plus tôt par les comités impérialistes, par lequel ils lui confirment leur soutien. Le jeune prince se retrouve dans une situation délicate, estimant incorrect de ne pas répondre au témoignage de sympathie des impérialistes, tout en sachant qu'une réponse à cet ordre du jour l'exposerait de nouveau aux remontrances paternelles. En outre, il est tenu de respecter les termes de sa lettre du 16 décembre, dans laquelle il s'engageait à repousser tout acte politique. Cette lettre avait d'ailleurs été considérée comme une reculade par les impérialistes. Cassagnac, personnage au caractère tranché, s'essouffle dans ses tentatives auprès de Victor et commence à être agacé par le manque de détermination du jeune prince. À l'ordre du jour voté par les comités, il ajoute une lettre par laquelle il demande au prince Victor de s'expliquer clairement sur sa conduite. Victor répond en ces termes : « Qu'ai-je voulu nettement établir ? J'ai voulu établir que jamais je ne m'associerai à des attaques formulées contre mon Père et que je repoussais avec indignation toute association à la pensée d'une révolte. J'ai voulu, de plus, déclarer que je n'avais pas de rôle politique à jouer en ce moment. Mon intervention réitérée n'avait pas d'autre but. Maintenant, cela veut-il dire que je ne puisse avoir ma manière personnelle de voir, de penser, sur les choses de la politique et de la religion ? Assurément non, et je ne serais pas digne du nom que je porte, et dont je sens les charges patriotiques, nom étroitement lié aux destinées de mon pays, si je me désintéressais absolument de ce qui le regarde[23]. » La lettre est aussitôt reproduite par la presse bonapartiste.

La position de Victor, on le constate, n'est toujours pas claire. Il réaffirme son soutien à son père, tout en laissant supposer que tous deux n'ont pas pour autant les mêmes convictions politiques. Cette lettre ne contente en fait personne : le prince Napoléon est vexé que son fils puisse avoir une vision politique différente de la sienne ; quant aux impérialistes, ils attendaient une prise de position ferme de la part de Victor. Or Victor confirme sa fidélité à son père tout en approuvant, indirectement, les principes impérialistes. À partir de là, la situation entre le père et le fils devient intenable. Plon-Plon ne fait plus confiance à son fils, il veut être informé de tout ce qui le concerne, le fait surveiller et filtre sa correspondance [24]. De son côté, Victor ne se résigne pas à se détacher de son père et souhaite sincèrement rétablir de bonnes relations avec lui. Il s'engage « sur sa parole d'honneur à tenir toujours une conduite franche et loyale envers son père et à ne faire aucun acte politique sans être d'accord entre eux [25] ». Tout semble rentrer dans l'ordre. Mais c'est sans compter l'acharnement des impérialistes, bien décidés à faire céder Victor. Cassagnac utilise comme nouvel argument la réintroduction aux prochaines législatives du scrutin de liste, qui nécessite plus que jamais la cohésion idéologique, qui devrait être possible par le soutien à un même chef. Ainsi, malgré la réserve effective de Victor, les impérialistes comptent bien aller jusqu'au bout et faire de lui leur chef. De son côté, comment peut réagir Plon-Plon ?

Le prince Napoléon se montrant de plus en plus méfiant à l'égard de son fils, il devient très difficile de rencontrer le jeune prince, qui habite encore chez lui. Cassagnac, estimant qu'il faut que Victor quitte le domicile paternel, envisage la mise en place d'une rente annuelle qui serait versée à Victor et qui proviendrait d'une participation commune de ses partisans [26]. Toutes les démarches se font à l'insu du prince Napoléon. Fait plus étrange, on

a l'impression que Victor, tout simplement instrumenta-
lisé par les impérialistes, en ignore lui-même tout.

Voyant que son fils lui échappe, Plon-Plon entame des
négociations avec le roi de Suède, puis avec le sultan de
Constantinople pour faire incorporer Victor dans leur
armée ; il cherche à tout prix à éloigner le jeune homme
des mauvaises influences qu'il subit. Ses démarches
échouent, personne ne souhaitant assumer la charge d'un
prince français dans son armée[27]. Plon-Plon envisage alors
un nouveau voyage d'un an pour son fils : « À la suite des
avortements du projet de te faire prendre du service en
Italie, en Suède, en Angleterre et enfin en Turquie, mon
avis est qu'il faut que tu voyages pendant un an dans le
pays que tu voudras et que j'accepterais. L'itinéraire et la
personne désignées, je te mettrai largement à même de
vivre convenablement pendant ce voyage[28]. » À l'annonce
de cette décision, Victor – jusqu'à présent d'un tempérament soumis – rétorque qu'il refuse de quitter Paris et
qu'il compte s'installer dans un appartement indépendant.
Dans la foulée, il lui annonce son désir de se rendre
auprès de l'impératrice, à Farnborough, avant de passer
quelques jours en Suède[29]. Le prince Napoléon, déstabilisé par cette soudaine détermination, lui rappelle seulement qu'une vie indépendante est impossible pour
l'instant, tant vis-à-vis de l'opinion publique que sur le
plan financier. Pas déconcerté, Victor lance la phrase qui
déclenche la crise définitive : « Tout est arrangé, j'ai personnellement 40 000 francs de rente[30]. » Plon-Plon, scandalisé, questionne son fils pour connaître l'origine de cet
argent. Victor refuse de répondre, son père explose et
décide de mener sa propre enquête pour en découvrir la
provenance. Victor avait juste précisé que, à l'origine, il
s'agissait d'une libéralité d'un certain Auban-Moët, un
riche industriel d'Épernay[31].

Le 21 mai, le prince Napoléon et le prince Victor se
rendent séparément à l'enterrement de la princesse Murat.

Tous les journaux s'emparent de l'incident : *Le Matin* du 22 mai 1884 annonce que le prince Victor désapprouve ouvertement les idées politiques et religieuses de son père et que, à l'issue de scènes violentes entre eux deux, le jeune prince a décidé de quitter la maison de son père pour s'installer rue de Monceau. C'est officiel, la séparation est consommée. Victor quitte le domicile paternel le 21 mai 1884 pour s'installer au 64 *bis*, rue de Monceau. Les impérialistes ont gagné. Victor est libéré ; encore faut-il qu'il accepte de prétendre au trône impérial.

Compte tenu du caractère excessif et autoritaire du prince Napoléon, l'affaire devient tragique à ses yeux. Il n'accepte pas que son fils lui désobéisse. Il condamne l'attitude de Victor, qu'il juge fausse : « Moi qui ai voué tant de soins à l'éducation de mes enfants. Ce n'est pas moi qui lui ai donné pareil exemple, j'ai mes défauts, mais toujours j'ai eu la loyauté et la franchise[32]. » Plon-Plon se sent humilié, trahi. Comme Victor refuse toujours de lui avouer la provenance de ses revenus, il décide d'envoyer l'un de ses proches, le baron Brunet, à Épernay pour enquêter[33]. En attendant de connaître les résultats, Plon-Plon décide de ne plus avoir de contact avec son fils, sauf si celui-ci lui avoue de lui-même la vérité. Le député Eugène Jolibois est désormais l'intermédiaire entre Plon-Plon et Victor. Il tente d'infléchir le père en lui expliquant que ceux qui versent la libéralité veulent rester anonymes, mais qu'il se porte garant de l'honorabilité et de la régularité de l'engagement. Entre-temps, Brunet rentre d'Épernay, où il a découvert que M. Auban-Moët n'était pour rien dans cet arrangement. Plon-Plon s'impatiente, s'énerve, finit, au bout d'une semaine, par découvrir l'origine de la rente : elle provient d'une dizaine de souscripteurs, que Victor était censé ne pas connaître et qui auraient pris l'engagement auprès de M. Jolibois de donner une pension de 40 000 francs par an, sous forme de

155

prêt, au prince Victor jusqu'à ce qu'il puisse les rembourser avec les intérêts. Le prêt est gagé sur l'héritage de l'impératrice Eugénie et sur celui de la princesse Mathilde.

Le prince Napoléon est très affecté : il ne supporte pas que des hommes du parti se servent d'argent pour s'emparer de son fils. Maintenant que l'origine politique de l'argent lui a été confirmée, Plon-Plon refuse tout contact : selon lui, à partir du moment où Victor accepte l'argent de ses propres adversaires politiques, il cautionne leur politique et, à ce titre, devient lui aussi un adversaire. En outre, Plon-Plon est d'autant plus attristé qu'il est persuadé que son fils le trahit uniquement par attrait de l'argent, pour une vie plus facile et plus libre. Il rompt définitivement tout lien avec Victor, mais prévoit tout de même, dans un premier temps, les conditions d'une éventuelle réconciliation. Toujours par l'intermédiaire de Jolibois, il les fait connaître à son fils : que Victor quitte Paris pendant un an, qu'il refuse cette rente et qu'il rompe tous contacts avec les impérialistes. Victor refuse ces conditions, mais, encore une fois, il ne tranche pas clairement : il répond qu'il a pris connaissance des conditions de la réconciliation, que pour l'instant elles ne lui conviennent pas, mais il ajoute, par diplomatie, que ce n'est pas définitif et qu'il y réfléchira[34]. Par ces mots, Victor espère maintenir le dialogue avec son père. Or celui-ci, étranger à tout compromis, n'envisage que deux solutions : soumission ou séparation.

CHAPITRE 14

La rupture définitive

En mai 1884, lorsque le prince Victor quitte le domicile paternel, un rapprochement entre le père et le fils est encore possible ; ce n'est qu'à la suite d'une réunion des comités impérialistes que la rupture devient irrémédiable. Les impérialistes se rassemblent le 21 juin sous la présidence de Paul de Cassagnac pour voter l'ordre du jour suivant : « La réunion, applaudissant aux sentiments qui ont déterminé le prince Victor-Napoléon à conquérir son indépendance, y voit l'assurance que le parti impérialiste possède en lui le ferme représentant de l'ordre dans la démocratie et de la liberté religieuse qui constituent la vraie politique de l'Empire [1]. » Le soir même, le prince Victor répond en ces termes à la délégation venue lui porter l'ordre du jour : « Je remercie les comités impérialistes du témoignage de dévouement qu'ils me donnent ; les principes qu'ils viennent de rappeler ont été ceux de l'empereur Napoléon Ier et de l'empereur Napoléon III et ils sont et resteront les miens [2]. »

Cette déclaration du prince Victor est prise comme la pire des trahisons et des injures par Plon-Plon. Il estime que Victor, par cet acte, se positionne comme prétendant. Sans attendre, il écrit sur-le-champ à son fils pour lui exprimer sa désapprobation et la portée qu'il accorde à cette déclaration, dans une lettre qui, dépourvue de toute nuance, rend la rupture irréversible : « Vous venez de faire un acte éminemment politique en acceptant un ordre du jour voté sur la proposition de l'homme qui s'est donné la mission d'insulter votre père [...]. Il y a quelques mois, à la suite de circonstances à peu près semblables, je vous ai pardonné et vous m'avez donné votre *parole* d'honneur *que votre conduite serait toujours franche et loyale envers moi et que vous ne feriez pas d'acte politique sans que nous soyons d'accord. "Fiez-vous à moi pour faire cesser des relations qui, à mon grand regret, m'ont donné l'apparence d'être contre vous."* Vous avez manqué à votre parole d'honneur. Pour la seconde fois, vous venez d'encourager et donner publiquement la main à ceux qui abreuvent votre père d'insultes [....]. Vous avez accepté une libéralité honteuse [...]. Vous avez accepté d'être aux gages des adversaires politiques de votre père. Vous ne m'avez rien épargné ! À vos trahisons politiques réitérées, vous avez ajouté la douleur de vous voir établi dans une situation honteuse. La coupe d'amertume est pleine ! L'heure est venue où je dois à mon nom, à ceux qui m'ont précédé et à ceux qui me suivront de remplir sans faiblesse mon devoir de chef de famille. Cependant, quoique vous soyez indigne à tous égards, je veux faire une dernière tentative auprès de vous [...]. La malédiction d'un père n'est jamais une force et cette malédiction pèsera sur votre tête si dans vingt-quatre heures vous ne désavouez pas votre dernière démarche, et si, quittant Paris, vous ne mettez pas définitivement un terme aux misérables intrigues dans lesquelles vous salissez votre présent en compromettant votre avenir. Je ne vous parle pas de la douleur dont mon cœur est pénétré, vous avez trop prouvé que votre cœur n'est pas sensible à ces sentiments[3]. »

Plon-Plon se pose en victime injustement traitée par son fils. Pour Victor, la situation est tout autre. Cette rente ne lui fournit-elle pas l'occasion de se soustraire enfin à l'autorité d'un père devenu oppressant depuis la mort du prince impérial ? Toujours est-il que, séduit et rassuré par la rente, il estime les réactions de son père excessives. Au lieu d'apaiser leur querelle, cette lettre met fin à tout rapport entre eux. Victor répond à son père dès le lendemain : « Votre lettre m'afflige profondément et je ne puis exprimer la douleur que j'éprouve de voir, à ce point, mes sentiments méconnus par vous. Vous m'imposez un désaveu et vous exigez de moi un départ, qui n'est autre chose qu'un exil. Me soumettre à cette dure injonction serait reconnaître que je me suis oublié au point de manquer à mes devoirs de fils et de Prince [...]. Je ne veux pas rappeler ce que, comme fils, malgré une sollicitude et des bontés dont je suis reconnaissant, j'ai dû souffrir, et ce que je souffre encore [...]. Comme Prince, il ne pouvait me convenir d'abdiquer la liberté de ma pensée ; et loin de renoncer au droit d'avoir une opinion personnelle, j'ai cru que mon âge m'autorisait à exercer ce droit, ou au moins à ne pas le laisser compromettre. Mais, ce que je tiens à proclamer bien haut, c'est que j'ai toujours condamné et réprouvé les violences et les attaques dirigées contre votre personne [...]. En réalité, les paroles que j'ai prononcées et que vous incriminez ne sont qu'une réponse toute simple et naturelle à l'expression de sentiments sympathiques pour ma personne ; elles sont l'affirmation de principes qui nous ont été légués à vous et à moi, à moi après vous je ne l'oublie pas, par les décisions des deux Empereurs et par les décrets plébiscitaires. Je n'ai pas d'action à exercer [...], je n'ai pas de droits à faire valoir pour le présent, mais j'ai des devoirs à remplir et je n'y manquerai pas plus envers vous qu'envers la France. Quant aux conditions matérielles qui ont accompagné ma séparation de vous, mon père ne saurait supposer que son fils a pu manquer aux lois de l'honneur. Je n'ai rien accepté, rien consenti qui ne convienne à la dignité de mon nom. Je viens donc, mon Père, faire un suprême appel à votre cœur et vous supplier d'en bannir les sentiments de rigueur, qui vous ont inspiré envers moi une sévérité que je ne mérite pas[4]. »

Ces deux lettres, les dernières échangées entre le père et le fils, sont publiées dans la presse bonapartiste du 26 juin et reprises par certains journaux nationaux, comme *Le Figaro* ou *Le Matin*. Ces querelles de famille n'intéressent d'ailleurs guère le public, qui n'y voit qu'un facteur supplémentaire d'affaiblissement de la cause bonapartiste, vouée désormais à une lente agonie.

Si Victor a rompu avec son père, c'est parce que la situation familiale devenait insoutenable et non par ambition prématurée ou par envie de jouer un rôle politique. En effet, les dispositions testamentaires du prince impérial avaient bouleversé l'équilibre familial. Lorsque Plon-Plon apprit que Victor était nommé à sa place, devenu jaloux de son fils, il craignit dès lors d'être concurrencé par lui. Est-ce pour cela qu'il lui interdit de présenter Saint-Cyr, ce dont Victor conserva une vive rancœur ? Pendant plusieurs années, on l'avait poussé à travailler uniquement dans ce but, pour être digne de son nom – un Bonaparte se doit d'être le meilleur, surtout dans le domaine militaire ; or, au moment où Victor atteignait au but tant attendu, son père changeait d'avis en raison de sa nouvelle position d'héritier. Non seulement Victor ne pouvait pas suivre ses camarades à Saint-Cyr, mais de plus, il l'isolait en l'obligeant à voyager. Son souci de tenir son fils à l'écart était récurrent. À peine Victor avait-il achevé son service militaire qu'il était envoyé auprès de l'impératrice à Farnborough, pendant que Plon-Plon entamait des négociations pour lui faire prendre du service dans une armée étrangère. Se sentant indirectement responsable de la situation dans laquelle se trouvait Victor, Eugénie avait accepté de l'accueillir chez elle pendant quelques jours. Avant l'arrivée de Victor, Mathilde écrivit à l'impératrice pour la remercier de son geste vis-à-vis de son neveu qui « n'a pas été gâté et une marque d'affection lui est bien douce. Vous pouvez causer de tout avec lui, comme je le fais moi-même. Il est toujours discret et vrai[5] ». À en croire Mathilde, le séjour de Victor se passa bien : « Victor a été bien heureux de votre accueil. C'est un cœur chaud et droit[6]. » En revanche, à son retour, la situation n'avait guère évolué. Les démarches de Plon-Plon pour le faire incorporer dans une armée étrangère ayant échoué, il cherchait d'autres moyens de l'écarter de la scène parisienne. De retour de Farnborough, Victor fut envoyé chez sa mère, à Moncalieri. Or l'éloignement ne suffit pas à décourager les impérialistes, prêts à tout pour se doter d'un nouveau chef.

Lors des premières démarches des impérialistes, Victor, qui n'a jamais eu l'intention de prétendre au trône impérial à la place de son père, ne se sent pas concerné par leur appel au secours. Seule leur détermination et leur insistance vont l'amener à penser qu'il est, en effet, leur dernier recours, et c'est uniquement à la suite de leurs manœuvres politiques que Victor prend un chemin politique opposé à celui de son père. En outre, il est trop jeune pour avoir des idées politiques précises, mais n'est-il pas à un âge où l'on éprouve le besoin de se démarquer de son père ? Les impérialistes ont su en profiter en interprétant à leur guise les interventions de Victor. Lorsque ce dernier affirme qu'il n'a pas de rôle politique à jouer en ce moment, ils jouent sur les mots, relèvent « en ce moment », extrapolant sur le fait que, pour plus tard, Victor a des projets politiques. L'attitude des impérialistes fait apparaître un paradoxe : la façon dont ils s'emparent de Victor le place, dès le départ, en position de dépendance vis-à-vis d'eux, et non de chef. Or, jusqu'à présent, le succès des Napoléon résidait dans leur capacité à incarner un chef charismatique derrière lequel on se range.

D'autre part, les impérialistes jouent sur les sentiments, se présentant comme des hommes qui, en tant qu'anciens serviteurs de l'Empire, font valoir que les principes de Napoléon Ier et de Napoléon III ne sont plus représentés en France depuis l'« avènement » du prince Napoléon. C'est donc à lui que revient la tâche de relever l'héritage impérial. Opiniâtres, les adversaires du prince s'attaquent à un jeune homme qu'ils comptent modeler pour en faire leur prétendant idéal. Ils lui inculquent leur interprétation de la doctrine bonapartiste, afin qu'il l'applique telle qu'ils la conçoivent. D'une fracture politique on en arrive à une déchirure familiale.

La rupture, politique à l'origine, devient donc familiale. Sans le vouloir, l'impératrice Eugénie, que chacun cherche à rallier dans son camp, se retrouve au premier plan. Plon-Plon, très touché de sa venue lors de son incarcération en 1883, entretenait depuis des rapports réguliers avec celle qu'il avait longtemps jalousée. Lors de sa rupture avec Victor, il la tient constamment informée, espérant recevoir de nouveau son aide. De son côté, Victor, poussé par les impérialistes, auxquels l'aide de l'impératrice conférerait une légitimation précieuse de leur action, cherche également son appui, qui l'adouberait comme prétendant officiel. Pourtant, la position d'Eugénie est claire : elle veut rester étrangère à toute intrigue et à toute publicité faite autour de la famille impériale. Or, dès que Victor quitte le domicile paternel, Plon-Plon l'en informe, joignant à sa lettre un article paru dans *Le Matin* selon lequel Eugénie soutiendrait le départ de Victor[7]. Eugénie, scandalisée, écrit aussitôt à la princesse Mathilde pour lui manifester son mécontentement : « *Le Matin*, journal qu'on m'a envoyé, est bien mal renseigné en ce qui me regarde, et si on veut aller contre le but qu'on se propose on n'a qu'à se servir de ce moyen-là. Quand je veux faire une chose, je la fais, mais on ne me force jamais la main.

Vous feriez bien de dire au général Fleury de rester tranquille ainsi qu'aux autres personnes qui s'occupent de ce qui ne les regarde pas. Je vous plains, ma chère cousine, d'être au milieu de ces discussions pénibles[8]. »

Nous sommes à la fin de mai. Le 1er juin de chaque année depuis 1879, une messe est célébrée à la mémoire du prince impérial dans l'église de Chislehurst, suivie d'une réception à Farnborough, où l'impératrice est installée depuis 1881. Les impérialistes y voient l'occasion rêvée pour mettre en avant le prince Victor, tout juste libéré du joug paternel. Comme ils le pressent d'assister à ces cérémonies, Victor écrit à Eugénie pour lui annoncer sa venue. Compte tenu du contexte, l'impératrice refuse de le recevoir chez elle ; soucieuse toutefois de ne pas le blesser, elle l'autorise à se rendre en Angleterre, mais uniquement pour assister à l'office religieux prononcé en l'église de Chislehurst[9].

Conseillé par ses nouveaux mentors, le prince Victor se rend donc en Angleterre. *Le Petit Caporal* et *Le Pays* s'empressent d'affirmer qu'il a été appelé par l'impératrice, qui serait prétendument ravie que Victor ait accepté d'appliquer le codicille du testament du prince impérial. En fait, l'impératrice accepte, malgré tout, de le rencontrer lors de son séjour, mais pas chez elle. Si elle cherche à parler avec le jeune prince, ce n'est non pas pour lui affirmer son soutien mais, au contraire, pour lui conseiller de se réconcilier avec son père et lui communiquer les conditions éventuelles d'un arrangement ; s'il le refuse, c'est aussi avec elle qu'il rompra ses relations. Ces conditions sont au nombre de trois : Victor doit tout d'abord effectuer un voyage d'un à deux mois ; ensuite, il devra s'expliquer sur la rente qu'il perçoit et, enfin, il remboursera à ses souscripteurs la somme déjà versée. Pour compenser la perte, Eugénie propose de lui faire verser par sa famille une pension régulière[10]. En fait, elle reprend les conditions proposées par Plon-Plon, en les assouplissant.

Victor, de retour à Paris le 7 juin, tente, sur les conseils de l'impératrice, de trouver un accord avec son père, auquel il propose de partir un à deux mois à l'étranger et il accepte de s'expliquer sur sa rente[11]. Malgré cela, la tentative échoue : ni l'un ni l'autre n'est réellement décidé à faire de concessions. Le prince Napoléon informe immédiatement Eugénie de la tournure des événements ; il lui envoie toutes les lettres échangées avec son fils ainsi que des articles de journaux. Refusant de prendre parti, elle ne peut que regretter ces disputes, considérant que le motif n'en vaut pas la peine : « Il faut que l'amour du pouvoir soit bien puissant puisqu'il permet une lutte entre père et fils, et que les armes dont on se sert font plus que tuer puisqu'elles blessent l'honneur[12]. » Sa tentative de réconcilier les deux hommes lors du passage de Victor en Angleterre, est même injustement interprétée par le prince Napoléon comme une marque de soutien à son fils. De plus, et paradoxalement, il n'hésite pas à utiliser son nom et prétend qu'elle lui avait avoué condamner la conduite de Victor. L'impératrice, ulcérée par le procédé, s'empresse de faire connaître son opinion au prince : « Vous me faites intervenir je ne sais pourquoi, car je me suis toujours tenue en dehors de tout[13]. »

En réalité, Eugénie reconnaît des torts aux deux parties : « Je trouve que tout le monde a tort, le père qui n'a reculé devant rien pour briser l'avenir de son fils ; le prince Victor, qui a du moins pour lui son inexpérience, a eu tort de mettre sa main dans celle des ennemis personnels de son père, chacun n'ayant que son profit devant les yeux et faisant une guerre au couteau à son adversaire, sans songer au lien du sang qui les lie s'il ne les unit pas[14]. » Ainsi, l'impératrice reproche à Victor ses relations avec les ennemis de son père, surtout Cassagnac, qu'elle n'apprécie guère, mais elle estime que la réaction de Plon-Plon est humiliante pour son fils : « Une chose me frappe, c'est que vous dites à un *Napoléon*, publiquement, qu'il a manqué à son honneur. L'offense la plus grave qu'on puisse faire à un homme, quels que soient les torts qu'il puisse avoir, lui est faite par son Père [15] ! »

Dans un premier temps, Eugénie évite d'avoir des contacts avec l'un ou l'autre, puis, progressivement, elle accepte de revoir Victor. Il est vrai que, d'un point de vue politique, l'impératrice reste plus proche des hommes qui soutiennent Victor que des jérômistes. En outre, elle se sent un peu responsable de ce jeune garçon qui s'est séparé de son père et se retrouve sans ressources personnelles, à la suite de l'application des dispositions testamentaires de son fils. Aussi, soucieuse qu'il puisse tenir son rang de prince, elle décide de l'aider financièrement : « Lorsque votre fils est venu la première fois à Farnborough, sachant qu'il n'avait que six mille francs pour faire face à bien des exigences auxquelles un prince peut difficilement se soustraire, je lui dis que je lui ferais remettre deux mille francs par mois qui, ajoutés à ceux que vous-même deviez lui donner [...], lui permettraient facilement de satisfaire ses besoins personnels et à certaines libéralités nécessaires dans sa position [16]. » Elle ne souhaite toutefois en cela qu'assurer à Victor les moyens d'un train de vie correct auquel, en tant que membre de la famille Bonaparte, il est tenu. Jusqu'à la disparition du prince Napoléon en 1891, elle limitera ses contacts avec l'un ou l'autre, prenant soin, quand elle reçoit l'un, d'accueillir l'autre dans les mois qui suivent : « Le prince Napoléon et le prince Louis sont venus voir sa Majesté à Naples. Comme elle veut tenir la balance égale entre le père et le fils, cela lui permettra de recevoir le prince Victor dans le courant de l'année [17]. »

Souffrant d'un caractère aux tendances paranoïaques, le prince Napoléon demeure persuadé qu'Eugénie soutient

Victor. Pour l'apaiser, cette dernière l'invite à la première messe de requiem célébrée en l'église Saint-Michel de Farnbourough, le 1er juin 1888[18]. Le prince repousse l'invitation, au prétexte que, le jour même, seront officiellement annoncées les fiançailles de sa fille. Deux ans plus tard, l'impératrice écrit au prince Napoléon au sujet de la publication d'un ouvrage du comte d'Hérisson, qui l'a contrariée[19] ; en fait, elle le soupçonne d'y avoir œuvré. Plon-Plon lui répond aussitôt qu'il n'est pas en relation avec Hérisson, ajoutant : « Je crains que ce bruit ne vienne du protégé de Votre Majesté à Bruxelles. » Eugénie est outrée : « Je tiens à vous dire que ce n'est pas de Bruxelles que les bruits relatifs à la publication de M. d'Hérisson sont parvenus – pas plus à Bruxelles qu'ailleurs je n'ai de protégé[20]. » Fuyant la scène politique, elle ne cessera de prôner l'apaisement et la réconciliation, conseillant Victor en ce sens, mais ses diverses tentatives seront vouées à l'échec.

La mère de Victor, la princesse Clotilde, se trouve elle aussi engagée dans cette affaire. Victor séjourne auprès d'elle, à Moncalieri, lorsque éclate la première crise entre le prince Napoléon et son fils. Plon-Plon reproche alors à son épouse de ne pas assez surveiller les fréquentations de leur fils, surtout lorsqu'il apprend que Cassagnac s'est rendu à Moncalieri : « Aujourd'hui que tu as la responsabilité morale de la conduite de Victor, puisqu'il est auprès de toi, je dois te prévenir. Cela finira mal, ce jeune homme est trop ambitieux[21]. » Au début, Clotilde est persuadée que Victor ne se rend pas compte de la portée de ses actes. Connaissant le caractère impulsif de son mari, elle pense que Plon-Plon exagère et dramatise les faits, d'où son intransigeance à l'égard de ce dernier. Vivant retirée en Italie, elle ne peut comprendre la gravité de la situation et sa portée politique. Après la polémique de novembre 1883, elle décide d'écrire à son époux en vue de l'apaiser : « C'est un brave garçon [Victor], qui serait désolé que tu puisses douter de ses sentiments vis-à-vis de toi, et que tu le juges sur des apparences et des faits qui ne dépendent pas tous de lui. Je t'assure qu'il est très ennuyé de tout ce qui se passe. Je tiens encore à te dire qu'il a été réellement trompé[22]. » Par la suite, lorsque Clotilde comprend que Victor s'est laissé manipuler par les ennemis politiques de son mari, elle réitère ses démarches pour que Plon-Plon pardonne à son fils : « Il y avait eu du manque de réflexion de la part de Victor, dès le début de cette affaire, j'en conviens ; mais fais la part de sa jeunesse, de sa position, du zèle trop ardent de certaines personnes et tu conviendras que sa situation est difficile [...]. Est-ce de sa faute si on lui écrit ? Si on lui envoie des cartes[23] ? » Au fur et à mesure que l'affaire s'envenime, Clotilde s'aperçoit que Victor persiste dans ses prises de position, qu'il se détache réellement de son père pour se tourner vers Cassagnac et les autres. Bien qu'ayant elle-même eu parfois du mal à supporter les excès de son époux, elle est choquée du manque de franchise de leur fils et finit par reconnaître qu'il est légitime que Plon-Plon se soit méfié de lui. D'autant plus qu'elle se sent elle-même trompée : en décembre 1883, lorsqu'elle avait demandé à Victor des explications sur sa conduite, il avait affirmé qu'il n'y était pour rien, que des personnes s'amusaient à parler en son nom et qu'il ne lui était jamais venu à l'idée de contredire son père. Or, en juin 1884, il commet la même faute. Clotilde, déçue, comprend alors qu'il n'a jamais vraiment voulu se ranger derrière son père. Désabusée, elle écrit au prince Napoléon, le 25 juin : « Lorsqu'il est venu ici en décembre 1883, je crois qu'il avait déjà des idées arrêtées, je m'en suis rendu compte peu à peu[24]. »

Pendant quelque temps, elle refuse de recevoir Victor à Moncalieri ; Humbert Ier, roi d'Italie et frère de Clotilde, fait de même[25]. Mais rapidement, sous prétexte que son fils a besoin de réconfort en ces moments difficiles, elle décide de passer outre les derniers événements et lui pardonne ses agissements politiques auxquels, à dire vrai, elle ne comprend pas grand-chose. En revanche, elle a le cœur brisé de voir se déchirer ces deux personnes qu'elle affectionne. Aussi fera-t-elle, elle aussi, de multiples tentatives pour les rapprocher.

La sœur du prince Victor, la princesse Laetitia, et sa tante, la princesse Mathilde, condamnent également la rupture entre le père et le fils. La princesse Laetitia souffre de cette situation. En 1889, Victor est absent pour son mariage avec le duc d'Aoste, Plon-Plon menaçant de ne pas y assister si son fils est présent. L'année suivante, Victor assiste au baptême du fils de Laetitia, mais pas Plon-Plon.

La princesse Mathilde était très proche de son frère et, n'ayant pas eu d'enfant, elle s'était beaucoup occupée de ses neveux. Très tôt sa préférence alla à Louis, dont elle était la marraine[26]. En Victor elle voyait un enfant « aimable et paresseux », mais elle avait pitié de lui, s'apercevant qu'il était sans cesse en butte aux sarcasmes de son père[27]. Un jour, le prince Napoléon surprit Victor hors du lycée. Celui-ci prétendit sortir de la rue de Berri, où habitait sa tante, alors qu'il se promenait en cachette. Mathilde ne démentit pas ses propos et se contenta de le sermonner en particulier, mais elle fut marquée par ce trait de caractère, lui reprochant par la suite de ne pas être franc. Lors des premières démarches des impérialistes auprès de Victor, elle prit sa défense, estimant les réactions de Plon-Plon excessives, mais ne tarda pas néanmoins à constater que Victor se laissait volontiers manipuler, même s'il prenait soin d'écrire à sa tante : « Je vous assure que mon désir est que tout se termine et tout s'arrange [...] vous pouvez être sûre que la profonde affection que je vous ai vouée ne variera jamais, et que votre bonté pour moi, je ne l'oublierai jamais[28]. » Convaincue du double jeu de Victor, elle fut choquée par ce manque de loyauté. Elle comptait sur l'impératrice pour opérer le rapprochement : « Elle [l'impératrice] m'a raconté sa grande conversation qu'elle avait eue la veille avec Victor. Elle a été parfaite, sévère, très sévère. Il a été très embarrassé, *très ému* surtout lorsqu'il lui a demandé d'aller à Farnborough et qu'elle a dit "ce n'est pas le moment". Cela annoncerait-il la réaction souhaitée[29] ? » En fait, elle condamnait l'attitude de Victor dans cette affaire qui faisait une mauvaise publicité au nom de Napoléon, seule chose à laquelle elle accordait encore de l'importance. C'est pourquoi elle aussi chercha à tout prix à réconcilier Victor et Plon-Plon.

Des personnes de son entourage, dont Claudius Popelin, la poussent à agir. Le 25 juin, le lendemain de la séparation officielle, elle envoie à son neveu une dernière lettre d'avertissement : « Je suis bien attristée à un pareil spectacle qui atteint mon cœur et révolte mon esprit. Je voudrais, si cela est profitable encore, pouvoir t'arrêter sur l'abîme du haut duquel tu te jettes et que tu regretteras plus tard. Tu donnes la main à des personnes qui outragent ton père de la manière la plus sanglante, et cela pour te mettre sur le pavois. Ce n'est ni filial, ni loyal [...]. Je suis incapable d'approuver ce qui se passe, encore moins d'y participer. J'ai d'ailleurs un chagrin profond que je ne saurais dissimuler. Aussi, je pense qu'il vaut mieux que tu ne viennes pas dîner demain chez moi si tu ne dis m'apporter l'espérance que tu es revenu à de meilleurs sentiments, car je suis sans forces pour te pardonner irrémissiblement ; je me sens dès à présent incapable de t'approuver. Il m'est bien douloureux, après avoir mis tant de tendresse en tes jeunes années, d'être forcée de te blâmer, toi que j'aurais voulu inattaquable[30]. » La princesse Mathilde, profondément désolée de cette rupture, entreprend plusieurs tentatives de rapprochement entre le père et le fils. Victor, touché par les démarches de sa tante qui reste, pour lui, le seul arbitre possible dans cette affaire, cherche à lui expliquer sa position et ses motivations : « Je sais qu'on vous dit que l'avenir de notre cause est à jamais perdu ; je ne le crois pas, et puisque le chef naturel de la dynastie n'a pas voulu, hélas !, renouer le chaînon brisé par la mort du prince impérial, mon nom m'oblige à défendre la seule cause avec laquelle nous avons notre raison d'être et je suis résolu à le faire jusqu'au bout et à tout tenter avant de la laisser s'effacer à tout jamais. Voilà quelle est ma conduite ; je ne suis ni un fils révolté, ni un jeune homme qui veut sa liberté, je veux réserver l'avenir [31]. »

Après la rupture de 1884, elle refuse de recevoir Victor, puis change d'avis dans le but de le raisonner. N'y arrivant pas, elle espace les rencontres. En 1886, lors de son départ pour l'exil, Victor va lui faire ses adieux ; elle adresse aussitôt ce commentaire au comte Primoli : « Il m'attendrit peu, c'est un égoïste sans élan [32]. » Victor ne revit Mathilde qu'au moment de la mort de son père, où elle tenta l'ultime réconciliation entre le père et le fils. L'échec la désola : elle trouvait ridicule de briser les liens entre un père et son fils pour un Empire qui ne reviendrait jamais.

En fin de compte, Victor rompt avec son père sans le soutien de sa famille, pour prendre la tête d'un parti dans lequel il ne veut pas s'investir. À l'évidence, il cherche avant tout à s'éloigner de Plon-Plon, à s'affirmer en dehors de l'autorité paternelle et pour cela aspire à plus d'autonomie.

Malgré les nombreuses tentatives de leurs entourages respectifs, la rupture de juin 1884 est définitive. Elle a pour conséquence de cristalliser la scission du parti bonapartiste. Maxime Du Camp résume la réaction de la majorité des contemporains : « Sur le radeau de l'Empire, les naufragés s'entre-dévorèrent. Le prince Napoléon et le prince Victor, le père et le fils, se dressèrent l'un contre l'autre, chacun d'eux prétendant être le seul vrai fabricant de gloire et de prospérité. Ils ne se ménagèrent pas et se dirent leurs vérités ; la litanie fut longue, parfois je l'ai entendue et j'en ai été écœuré. Chacun tirait à soi le manteau impérial. Ils l'ont si bien tiré, qu'ils l'ont déchiré [...]. Le raccommodera-t-on ; y fera-t-on une reprise perdue qui permettra de le porter encore[33] ? » Cinq ans jour pour jour après l'annonce de la mort du prince impérial, le parti bonapartiste, déjà fortement affaibli, prenait le risque de se scinder en deux partis opposés.

CHAPITRE 15

Des débuts politiques timides

Depuis le mois de mai 1884, le prince Victor est installé au 64 *bis*, rue de Monceau. Au lendemain de la séparation, l'agitation s'accentue devant son domicile, où les journalistes bonapartistes se pressent, espérant recueillir quelques mots. Or le jeune prince ne semble pas décidé à rompre le silence qu'il s'est imposé depuis la rupture paternelle. De leur côté, les impérialistes attendent un engagement politique de la part de celui qu'ils ont choisi comme prétendant. Au cours de l'été de 1884, ils l'invitent à assister aux manifestations qu'ils organisent. Victor refuse, arguant qu'il ne souhaite pas intervenir en politique et ne prend la parole que pour confirmer sa position : « Je vous donne ces explications pour vous et pour mes amis, bien décidé à ne plus répondre à de nouvelles attaques et à garder désormais le silence que ma situation commande[1]. » Le 15 août 1884, Cassagnac lui demande malgré tout de présider le banquet qu'il organise en son honneur. Pour marquer son refus, le prince Victor s'absente à cette date de Paris pour séjourner à Vienne quelques jours. En définitive, le manque d'engagement politique de Victor ne fait que confirmer l'hypothèse selon laquelle il aurait cherché avant tout à fuir l'autorité paternelle et non à prendre la tête du parti bonapartiste.

De leur côté, les impérialistes s'entêtent. À l'automne, ils envisagent, pour le faire connaître, de poser la candidature du prince Victor aux prochaines élections législatives.

172

Cette fois-ci, Victor se déclare trop jeune pour se présenter comme député et rappelle qu'il refuse de s'engager
en politique pour l'instant. Déçus, les partisans du prince
Victor se rassemblent le 25 octobre et rédigent une
motion à son intention pour « le mettre en demeure d'affirmer ses prétentions à la couronne par des actes, des
discours ou des écrits, sous peine de se voir abandonner
par ses partisans[2] ». En effet, les réticences affichées par
Victor commencent à décourager les impérialistes, qui
regrettent d'avoir accéléré la séparation entre père et fils,
d'autant plus qu'elle leur coûte le versement d'une rente
de 40 000 francs[3]. Certains partisans en arrivent à vouloir
annuler l'engagement, dans la mesure où le jeune prince
n'assume aucune fonction politique. On parle alors d'un
rapprochement entre le père et le fils, celui-ci voulant
revoir son père pour lui dire qu'il reconnaît avoir été dupé
par les hommes qui lui servent sa rente[4]. Il ne s'agit que
de bruits, mais qui ont pour effet de décourager les impérialistes dans leurs démarches auprès de Victor. Cette
accalmie cache un profond malaise.

Henry Dichard, ancien directeur du *Petit Caporal*,
publie une brochure qui reflète l'amertume des impérialistes[5]. L'auteur reproche au jeune prince d'avoir quitté la
maison paternelle sans avoir écrit un mot, sans avoir fait
« acte de prince » par une proclamation, et d'être accaparé par des politiciens préoccupés exclusivement d'intérêts électoraux. Henry Dichard parle d'une « indécision
regrettable » : « Car vous ne voulez mécontenter personne [...]. Rompre avec votre père politiquement, bien
entendu nous y comptions tous. Mais nous n'admettions
cette rupture éclatante et significative dans son éclat que
pour vous voir sortir par la grande porte, en revendiquant
hautement votre indépendance politique [...]. Au lieu de
tout cela, qu'avez-vous fait ? Rien, rien ! » L'auteur poursuit en soulignant la dérive réactionnaire du parti depuis

173

la mort de Jules Amigues, qui détourne l'Empire de sa mission : « Fonder la démocratie avec un appareil monarchique ». Il estime que la scission survenue n'a rien arrangé, elle n'a pas eu les effets doctrinaux escomptés et n'a fait qu'augmenter les désertions au sein du groupe. L'auteur conclut par la nécessité d'une réconciliation afin de rétablir l'unité dans le parti. Henry Dichard représente les impérialistes de « gauche », ralliés au prince Victor sur les conseils d'Amigues, qui se révèlent d'autant plus déçus de la rupture entre le père et le fils qu'elle les place du côté des conservateurs. Ainsi, en quelques mois, le prince Victor a réussi à décevoir aussi bien la tendance traditionnelle, Cassagnac en tête, que l'aile gauche du parti. Les seuls à se contenter de lui sont ceux qui pensent avant tout aux prochaines élections. Le manque de cohésion autour d'un chef leur permet de préparer la campagne librement et de contracter les alliances qu'ils préfèrent, en particulier avec les monarchistes.

L'année 1885, année qui voit les premières élections depuis la rupture du prince Napoléon et de son fils, débute par les élections sénatoriales du 6 janvier, mais le grand rendez-vous électoral est fixé pour octobre, avec les législatives. Pour préparer les sénatoriales, les impérialistes concluent avec les monarchistes un premier accord en décembre 1884, dans le but de renouveler l'union conservatrice[6]. Cette tactique consiste à s'unir, lors des luttes électorales, avec les représentants des royalistes contre les républicains. L'alliance conservatrice est matérialisée par un comité de douze membres (impérialistes, orléanistes, légitimistes) chargé de désigner, dans chaque circonscription, les candidats à opposer aux républicains. Cette alliance est fortement préconisée par Cassagnac, qui y voit le seul espoir restant pour combattre la République. Il est relayé par Édouard Boinvilliers et son *Nouveau Catéchisme impérial*[7]. Cet opuscule, présenté sous forme de catéchisme, c'est-à-dire de questions et réponses, tend à prouver que l'alliance électorale des monarchistes et des bonapartistes pour les élections de 1885 se justifie sur le plan tactique : « En France, la démocratie a été préparée par le Royaume, couronnée par l'Empereur et compromise par la République. Bien que divergeant sur le régime à instaurer en France (les bonapartistes veulent l'élection du Prince par le peuple et les monarchistes veulent la "tradition seule"), les uns et les autres se retrouvent dans la détestation de la République[8]. » Les bonapartistes purs y voient une soumission inadmissible ; toutefois, la majorité suit Cassagnac.

Le résultat des sénatoriales est décevant : mêlés à l'Union conservatrice, les impérialistes perdent la moitié des sièges qui leur restaient. Pourtant, ils n'en tirent aucune leçon. À l'été de 1885, ils reprennent contact avec les monarchistes pour préparer une nouvelle alliance conservatrice[9]. En fait, les républicains avaient adopté le 14 août 1884 un texte modifiant les lois constitutionnelles de 1875 par l'introduction d'une disposition visant à faire de la République le gouvernement « définitif et nécessaire » de la France[10]. En interdisant aux descendants des familles régnantes de briguer la présidence de la République, cette loi portait atteinte aux partis dynastiques. À ce moment-là, le comte de Paris sentit la nécessité de réformer la formule monarchique en l'appuyant sur une base plus populaire. Il en vint donc à rassurer les bonapartistes, qui participèrent d'autant plus volontiers à l'Union des droites qu'elle était présidée par le baron de Mackau, sentimentalement plébiscitaire. Par ailleurs, le rétablissement du scrutin de liste finit de convaincre les bonapartistes que l'union conservatrice était leur seule chance[11].

C'est dans ce contexte que s'ouvrent les négociations entre royalistes et bonapartistes pour l'établissement des listes. Un rapport de police précise que le prince Victor s'est montré favorable à l'union conservatrice pour ces élections [12]. De son côté, le prince Napoléon préfère lancer un appel à l'abstention pour trancher avec le comportement de son fils, qu'il déplore. D'après lui, Cassagnac fait du prince Victor un prisonnier des Orléans [13]. Les résultats déçoivent encore les bonapartistes, qui bénéficient peu de la poussée conservatrice d'octobre 1885. Même s'ils augmentent leurs effectifs avec soixante-cinq députés, ils jalousent la multiplication par trois de la représentation royaliste.

Ces résultats, ajoutés à la quasi-disparition des jérômistes, poussent le prince Victor à analyser cet échec et à intervenir concrètement dans les affaires du parti. Il commence par se positionner vis-à-vis de son père. Le 26 octobre, il accorde une interview au *Figaro* dans laquelle il reconnaît que la politique du prince Napoléon ne répond pas aux attentes des bonapartistes et qu'il est de son devoir de s'engager en politique : « Que mon père reconnaisse le plébiscite de 1870, qu'il en accepte toutes les stipulations, qu'il se proclame héritier de Napoléon III et du Prince Impérial et je lui rends publiquement l'hommage qui est dû au chef de la dynastie. » D'autre part, le prince Victor perçoit la nécessité de s'imposer face à Cassagnac. En effet, doté d'une personnalité forte, celui-ci avait su déclencher l'enthousiasme à un moment où les bonapartistes cherchaient un guide. Cependant, fervent catholique [14], proche des royalistes, il ne s'entendait ni avec les proches de Victor – pourtant conservateurs – ni avec le prince Napoléon [15]. Dès la fin de l'année 1884, Cassagnac avait menacé de quitter le parti. En fait, le prince Victor s'était aperçu qu'il avait favorisé la rupture entre lui et son père pour faire de lui l'exécuteur de sa propre politique. En outre, comme il a poussé le parti sur la voie de l'union conservatrice, le prince Victor le rend responsable de l'échec de 1885. Voilà pourquoi il cherche désormais à atténuer son influence au sein du parti bona-partiste. En fait, les élections de 1885 sont décisives pour Victor. Elles déclenchent son entrée en politique.

Car, dès lors, le prince Victor accepte de s'impliquer dans les affaires du parti. Dans ce but, il établit une cor-respondance régulière avec les élus et ouvre ses portes aux hommes du parti qui souhaitent bénéficier de son conseil.

La première action décisive du prince Victor en tant que chef de parti concerne la lutte contre l'union conservatrice et Cassagnac. En février 1886, trouvant que *Le Petit Capo-ral* n'est pas assez indépendant de Cassagnac, Victor décide de ne plus en faire l'organe officiel du parti et fonde un nouveau journal, *La Patrie,* puis *La Souveraineté nationale*[16]. De son côté, Cassagnac trouve les prises de position du prince Victor trop timorées ; il attend du pré-tendant un coup de force. Il se sépare du parti bonapar-tiste en avril 1886, après avoir au préalable fondé son propre journal, *L'Autorité.* Il tente alors d'inventer une nouvelle doctrine, dite « solutionniste » : la dynastie des Bonaparte ne correspondant plus aux désirs de la nation, l'appel au peuple peut être à l'origine d'une nouvelle dynastie. Cette doctrine permet de se rallier à la monar-chie ou à un républicain sauveur. Les adversaires de Cassagnac surnomment cette doctrine le « n'importe-qui-quisme[17] ». La scission provoquée par Cassagnac entraîne de nouvelles désertions dans le parti bonapartiste et l'affaiblit au niveau idéologique. Cassagnac reprend à son compte le principe plébiscitaire, resté jusqu'alors pri-vilège des bonapartistes. Dans ce contexte, la tentative de Victor de prendre la direction du parti est difficile. Ses actions se limitent à quelques interventions ponctuelles, il n'arrive pas à occuper suffisamment le terrain pour souder les hommes autour de lui.

CHAPITRE 16

Il faut partir

Depuis la séparation de 1884, le prince Victor fait l'objet d'une surveillance régulière. Un mouchard est placé en permanence devant le 64 *bis*, rue de Monceau. Cette prudence de la République prouve la méfiance qu'elle conserve à l'égard des prétendants et en particulier des Bonaparte, incarnation du coup d'État. En effet, les républicains craignent avant tout de voir se renouveler le schéma qui assura le succès à Louis Napoléon Bonaparte ; le coup d'État perpétué par « Napoléon le Petit » reste la référence clef. Les républicains, qui furent souvent les alliés des bonapartistes sous la Restauration et la monarchie de Juillet, n'ont jamais pardonné à Louis-Napoléon Bonaparte les événements du 2 décembre 1851. La République s'est constituée et refaite contre l'Empire, d'où son soin à détruire tout ce qui se rattache au pouvoir personnel. La presse républicaine n'hésite pas à utiliser la caricature pour écorner l'image du prétendant impérial, en dépit de son peu d'activité politique ; le prince Victor est représenté en promenade, tenant en laisse l'aigle impériale. Même si les républicains ironisent, la moindre prise de position ou apparition officielle d'un prétendant effraie le gouvernement de la République.

Dans ce contexte, l'idée de protéger la République par le vote d'une loi d'expulsion des princes fait son chemin et finit par aboutir en 1886. En 1883, le manifeste du prince Napoléon avait suscité un premier projet de loi d'exil, finalement rejeté par le Sénat. La même année, le comte de Chambord, qui vivait hors de France, mourut sans laisser de descendance. Cette disparition mit fin à la séparation entre légitimistes et orléanistes ; la branche des Orléans devint seule prétendante au trône. Contrairement à son cousin, le nouveau prétendant, le comte de Paris, habite la France, où il décide de réorganiser le parti monarchiste, parvenant pour cela à rallier sous sa bannière une grande partie des légitimistes. En 1884, face à cette menace monarchiste, les républicains au pouvoir éprouvent le besoin de protéger le régime en place par une nouvelle loi constitutionnelle. Jules Ferry, qui avait promis de faire de la république le gouvernement « définitif et nécessaire » de la France, en est à l'origine [1]. Il choisit de présenter son projet après la première victoire militaire de la Troisième République, lors de l'expédition du Tonkin, en mai 1884. Le vote définitif de la loi constitutionnelle a lieu le 13 août 1884. Elle prévoit la modification du mode d'élection des sénateurs inamovibles, la réglementation des droits financiers du Sénat, la suppression des prières publiques à l'ouverture des sessions parlementaires, et l'affirmation solennelle du droit supérieur de la forme républicaine du gouvernement est déclarée « non susceptible de révision ». Le souhait de Ferry se réalise ; la république est désormais « le gouvernement définitif de la France ».

L'année suivante, au premier tour des élections de 1885, l'union des royalistes, conjuguée aux divisions des républicains, déclenche un raz de marée en faveur des conservateurs. Mais leur victoire est aussitôt atténuée par le second tour [2]. En fait, après quinze ans de république, les républicains ont compris que, unis, ils sont en mesure de résister aux assauts conservateurs ; le régime paraît solide. Mais ces résultats des élections de 1885 ont effrayé les députés républicains, qui déposent un nouveau projet de loi sur l'expulsion des princes. Le camp républicain n'arrive pas à s'entendre sur ce sujet, certains y voyant le début d'un gouvernement de persécution. En février 1886, Freycinet fait repousser le projet de loi[3].

Sur ces entrefaites, le 15 mars 1886, le comte de Paris donne une grande fête chez la duchesse de Galliera, en l'hôtel Matignon, pour célébrer les fiançailles de sa fille avec le prince Charles de Portugal. Aucun membre du gouvernement, ni du corps diplomatique, n'y est invité. Or le lendemain, dans *Le Figaro*, un compte rendu précise : « On a vu dans cette soirée le personnel complet d'un grand gouvernement, avec ses princes, ses députés, ses conseillers d'État. » Le journaliste ajoute : « Le comte de Paris saura passer du silence à l'action quand le moment sera venu. » Les bruits propagés dans la presse fournissent l'occasion rêvée pour les radicaux de représenter un projet de loi d'expulsion des princes. Cette fois-ci, Freycinet se laisse entraîner et, le 28 mai, défend le projet à la Chambre : « Je soutiens que lorsqu'on est prince, on a le devoir d'être plus réservé qu'un simple citoyen ; je soutiens que quand on veut vivre sur le territoire de la République et qu'on représente une dynastie déchue, on est tenu à plus d'égards et à plus de réserve qu'un simple citoyen. Je vous reconnais à vous le droit de travailler pour le renversement de la République, mais je ne le reconnais pas à ceux de vos princes qui restent sur le territoire français. »

La loi d'exil est votée le 15 juin à la Chambre, par 315 voix contre 232. Au Sénat, le 22 juin, elle n'obtient qu'une majorité de 15 voix. Cette loi touche aussi bien les Orléans que les Bonaparte. D'ailleurs, le prince Napoléon en est outré : tout au long des discussions qui ont débuté en février 1886, il proteste contre l'amalgame fait par les parlementaires entre les Bourbons-Orléans et les Bonaparte, qu'il présente comme les défenseurs de la

Révolution[4]. Toutefois, comme les autres, il est obligé de quitter le pays dès le 23 juin. De son côté, le prince Victor ne se faisait aucune illusion sur l'issue du vote, mais il n'avait pas voulu faire connaître le pays qu'il choisissait comme lieu d'exil avant le vote au Sénat. Le 22 juin, il attend chez lui le résultat du scrutin. Dès qu'il le connaît, il fixe son départ pour Bruxelles au lendemain.

Le 23 juin au matin, la police occupe la rue de Monceau : trois brigades de sergents de ville prennent position aux abords de la maison du jeune prince[5]. Dès deux heures, un long défilé commence au 64 *bis* : il s'agit des partisans du prince, venus lui apporter leur soutien. À trois heures, le prince Victor leur adresse ces quelques mots : « Je vous remercie de vos témoignages de sympathie. Vous n'attendez pas de moi de vaines protestations contre la mesure qui me frappe. Le régime actuel est condamné à proscrire par son impuissance à gouverner. Je ne me plains ni ne m'étonne. Je sais même gré à la République d'avoir assez différé ses violences pour que j'aie pu servir comme soldat dans les rangs de l'armée française. L'exil n'ébranlera pas ma foi dans notre cause ; il ne m'empêchera pas d'y dévouer ma vie. Malgré l'éloignement, malgré toutes les injustices et toutes les amertumes, je resterai fidèle aux principes de l'Empire, tels que les ont conçus Napoléon Ier et Napoléon III. Ces principes sont les vôtres, ils signifient : souveraineté de la Nation, stabilité et fermeté du pouvoir, égalité des droits, respect des croyances religieuses, paix entre les citoyens, démocratie organisée. Ayons bon courage, messieurs. Le peuple a déjà montré par d'éclatants exemples que les décisions des Assemblées et les lois de bannissement ne l'arrêtent pas lorsqu'il est résolu à faire prévaloir sa volonté. Je compte sur lui pour me rouvrir les portes de la France. Vienne l'heure des grandes crises, et Dieu aidant, je ne faillirai aux devoirs que me tracera le patriotisme et que m'impose mon nom. Au revoir messieurs [6] ! »

Deux heures après, le prince Victor quitte la rue de Monceau. Il traverse Paris à cheval pour se rendre à la gare du Nord. « Ce n'est pas en fugitif mais en triomphateur qu'il arrive à la gare du Nord, où six mille personnes sont massées [7]. » La foule envahit la gare, malgré l'interdiction d'accès [8]. Le prince Victor a du mal à atteindre son wagon, où l'attendent quelques sénateurs et députés bonapartistes, dont Jolibois, Léon Chevreau, Levert et Ganivet. Le soir même, le prince arrive à Bruxelles, destination choisie pour la proximité de son pays natal. L'accueil belge vaut les adieux parisiens : « Il eut beaucoup de peine à traverser la gare tellement les curieux et curieuses l'entouraient [9]. » Il ne reverra plus jamais la France.

Cette loi d'exil prononcée contre les prétendants à un moment où la République paraît forte souligne sa vulnérabilité. De peur que ses adversaires acquièrent du poids, elle cherche à les éloigner, comme si elle s'apercevait que sa chance résidait dans la faiblesse de ces derniers. Cette loi montre bien que le prince Victor et le comte de Paris sont perçus, par la République, comme des menaces. Le 25 juin, le préfet de police donne l'ordre d'interdire l'affichage de tout manifeste du comte de Paris ou du prince Victor [10]. Même expulsés, les princes continuent à inquiéter le gouvernement français ; la Sûreté générale reçoit toujours l'ordre de surveiller les prétendants, surveillance renforcée lors des crises importantes traversées par la République.

Le prince Victor quitte donc Paris à l'âge de presque vingt-quatre ans, sans avoir eu ni le temps ni l'opportunité de se faire connaître. Il laisse des partisans qui, eux, ont eu le temps d'être déçus. Victor s'installe à Bruxelles, tandis que son père se réfugie dans sa propriété de Prangins, en Suisse. En partant, le prince Napoléon délaisse la

politique, confiant la direction du dernier comité révisionniste, à Paris, à son ami proche, Lenglé. Dans cette affaire,
le prince Napoléon se sent injustement expulsé et se dit
écœuré par les agissements de la République française.
Toutefois, gardant l'espoir d'un retour en France, il souhaite éviter toute publicité autour de lui. Seul le général
Boulanger le sortira furtivement de sa léthargie politique.
Désormais, le père et le fils se retrouvent séparés géo-
graphiquement ; Victor se sent plus libre pour affirmer
son rôle de prétendant. En outre, une fois à Bruxelles, il
s'aperçoit qu'il doit se montrer plus déterminé s'il ne veut
pas sombrer rapidement dans l'oubli.

CHAPITRE 17

La reprise en main du prince Victor

Une fois installé à Bruxelles, le prince Victor est bien décidé à acquérir de l'ascendant sur ses fidèles. Il s'avise que s'il n'agit pas, il sera vite oublié en France et sombrera dans un exil doré. Pour y remédier, il choisit de reprendre en main le parti. En juillet 1886, il reconstruit le « comité central impérialiste de l'Appel au peuple » ; le duc de Padoue reste président. Il est assisté de trois vice-présidents : un sénateur, Poriquet ; un député, Jolibois, et un militaire, le général Du Barail. Le choix du général Du Barail est significatif. Général lors du conflit de 1870, il est fait prisonnier sous les murs de la ville de Metz. Après sa libération par les autorités prussiennes, il participe à la répression de la Commune. Il fait ensuite partie des deux cabinets du duc de Broglie en 1873, en tant que ministre de la Guerre. Une fois retiré du pouvoir, il décide de se présenter sous l'étiquette du groupe de l'Appel. Le prince Victor, fasciné par sa carrière militaire, lui réserve une place de plus en plus importante dans l'organisation de ce parti. Pour l'heure, le prince donne des instructions précises au duc de Padoue quant au rôle de ce comité : « Je veux aujourd'hui créer définitivement un grand conseil qui soit le guide et le soutien de nos amis dans les luttes électorales et qui ait pour mission de préparer et d'assurer le succès des candidats sincèrement et résolument impérialistes [1]. » Victor garde l'essentiel des membres de l'ancien comité : les frères Chevreau, le baron

Haussmann, le préfet Boitelle et les députés Sens, Levert, Ganivet et Delafosse. Tous sont de purs victoriens. Le comité se réunit la première fois le 26 octobre, puis le 9 novembre. Le principal problème abordé est celui de l'union conservatrice. Le duc de Padoue envoie son compte rendu au prince : « Dans l'état actuel des choses, il serait dangereux de dénoncer cette alliance ; il faut s'organiser de façon à avoir partout des comités et des candidats, afin de pouvoir traiter d'égal à égal avec le parti royaliste [2]. » Or, par la refonte du comité, Victor cherche avant tout à en éliminer Cassagnac et ses amis pour le purifier des éléments solutionnistes (prêts à soutenir n'importe quel prince) qui poussaient à l'union conservatrice [3]. En fait, le principal objectif du prince Victor est de libérer le groupe de l'Appel au peuple de l'Union conservatrice. Pour cela, il le transforme en parti plébiscitaire, la forme du régime étant repoussée au second plan [4].

Le prince Victor se heurte néanmoins aux réticences de certains membres du parti, qui refusent l'autorité du nouveau comité ; Cassagnac est le chef de file de ce petit groupe. Vexé d'avoir été mis à l'écart du comité central, il garde son ascendant sur les comités impérialistes de la Seine, dont il est resté président. En juillet 1887, après s'être réunis, ces comités menacent de se séparer sous prétexte qu'ils veulent dépendre directement du prétendant et non du comité central. Dans un premier temps, Victor ne change pas l'organisation. Il s'en explique dans la *Gazette de France* : « Quand j'ai dû quitter la France, j'ai pris la résolution de placer les comités de la Seine, comme les comités de tous les départements, sous la direction immédiate du comité central impérialiste [...]. Les hommes qui constituent le comité central ont été désignés à mon choix par les services qu'ils n'ont cessé de rendre depuis seize ans à la cause de l'Empire. » Cela ne suffit pas à éviter la scission qui, en fait, correspond à la division entre victoriens solutionnistes derrière Cassagnac, et victoriens antisolutionnistes.

Sur ce, le 15 août 1887, le prince Victor reçoit les membres du comité central de l'Appel au peuple à l'occasion de la Saint-Napoléon. Pour la première fois, il fait acte d'autorité et prononce un discours condamnant le solutionnisme de Cassagnac : « Le solutionnisme acclamerait n'importe qui ! Mais le gouvernement d'un peuple ne se donne pas dans une course au clocher ! » Ensuite, il critique la « République à l'américaine » des jérômistes et, enfin et surtout, la stratégie de l'Union conservatrice, rendue responsable de l'affaiblissement du parti. Il conclut en préconisant un retour à l'Empire autoritaire de 1852, qui retrouverait sa pureté originelle. Il souhaite aussi une intensification de la propagande à partir des comités impérialistes, qu'il voudrait plus nombreux. Dans le même élan, il s'adresse directement à ses électeurs par le biais d'une lettre publique diffusée dans les journaux bonapartistes[5]. Sa déclaration commence ainsi : « Ma politique est très nette et très simple. Elle se résume en peu de mots : c'est le réveil de l'idée napoléonienne, l'organisation incessante de mon parti, la reconstitution de toutes ses forces, leur union plus complète et plus absolue, et, enfin, le but certain, le relèvement de la France par le rétablissement de l'Empire. » Il développe en insistant d'abord sur la reconstruction du parti à partir du comité central puis il en vient à la condamnation de l'alliance conservatrice : « L'union dans ces conditions-là, je ne la veux plus. » Le prince Victor dévoile ensuite l'organisation sur laquelle il compte se reposer pour gouverner son parti : « Nous avons presque partout des comités. Et si j'excepte quinze départements qui pour l'instant ne sont pas encore constitués complètement, j'ai déjà dans presque tous les arrondissements de la France un comité local, une réunion permanente d'hommes d'élite prêts à tous les dévouements et les sacrifices pour le triomphe de ma cause. » Mais, surtout, il entend désormais prendre lui-même la tête de l'ensemble des comités : « Cet ensemble de comités formé après tant d'efforts et avec tant de succès par le comité du duc de Padoue, j'ai voulu le diriger : j'ai tenu à en être le chef. » Le prince Victor prend enfin l'initiative et revêt la posture d'un véritable chef de parti. On perçoit, dans ce discours, que Victor connaît bien l'organisation et les forces de son parti, on sent l'intérêt qu'il porte à sa cause. Cette déclaration est accueillie comme un événement par un parti bonapartiste jusqu'alors rongé par les disputes, auquel elle semble indiquer une politique nouvelle. *Le Figaro* du 16 août parle de « détermination subite ».

Cet activisme du prince Victor a quelques effets, mais limités [6]. Dans un premier temps, les hommes du parti sont motivés par cet acte qu'ils attendaient depuis longtemps : ils intensifient la propagande et surtout essaient de favoriser la formation de nouveaux comités. À la fin de 1887, on peut compter sur une soixantaine de comités impérialistes [7]. Néanmoins, ce réveil du prétendant intervient un peu tard. Il n'arrive pas à imposer son autorité sur des hommes qui avaient pris l'habitude d'agir selon leurs propres intérêts. En outre, les effets positifs sont rapidement anéantis par la ferveur boulangiste qui, même si elle suscite l'ultime espoir de la cause napoléonienne, finit par l'affaiblir tout en consolidant la République.

CHAPITRE 18

Le raz de marée boulangiste

Lors des élections de 1885, les républicains l'emportent, mais de justesse et surtout grâce au soutien des radicaux. Les années 1886-1887 sont donc marquées par une nécessité pour les républicains d'ouvrir les rangs du pouvoir aux radicaux. C'est dans cette perspective que le cabinet Freycinet confie le ministère de la Guerre au général Boulanger. À quarante-huit ans, le général mène une carrière brillante, conséquence « d'un judicieux dosage de courage militaire, de talent publicitaire et d'intrigues politiques[1] ». Il avait commencé comme jeune lieutenant en Grande Kabylie, à Magenta et en Cochinchine. De retour à Paris en 1870, une blessure l'empêche de participer à la Commune, ce qui lui évite d'être compromis dans cette boucherie. Colonel à trente-sept ans, il se retrouve sous les ordres du duc d'Aumale, auquel il n'hésite pas à demander une recommandation pour accélérer sa nomination au grade de général. Il n'obtient celle-ci qu'en 1880, contre toute attente, grâce à l'appui de son protecteur du moment, qui n'est autre que Gambetta. En 1881, ce jeune général républicain est choisi pour représenter la France lors des festivités pour le centenaire de la bataille de Yorktown. Boulanger se laisse séduire par la grande République américaine, qui lui fait découvrir l'élection du chef du pouvoir exécutif au suffrage universel et la publicité politique. De retour à Paris, il reçoit la direction de l'infanterie, poste qui lui donne l'occasion de se faire connaître des milieux parlementaires. C'est à ce moment-là qu'il se rapproche d'un de ses anciens camarades de lycée, Clemenceau. Dès lors, la nomination du général Boulanger au ministère de la Guerre apparaît comme une victoire pour les radicaux.

Dès son arrivée au ministère, le général insuffle le changement attendu par les radicaux. Son programme comprend trois points : la démocratisation de l'armée, l'affermissement de la légitimité républicaine et l'affirmation de l'honneur national. La prise de mesures symboliques touchant à l'amélioration du sort du soldat et son charisme assurent à Boulanger un vif succès ; mais c'est en se forgeant l'image du « général Revanche » qu'il déclenche un mouvement de regroupement autour de sa personne. Pour rendre son honneur à la France, il prône une revanche sur l'Allemagne qui permettrait de récupérer les provinces perdues. Cependant, sa politique agressive vis-à-vis de l'Allemagne et sa popularité grandissante rendent le général bien encombrant pour le gouvernement. Il réussit à sauvegarder sa place lors d'un premier changement de cabinet en décembre 1886, mais ne résiste pas aux manœuvres des républicains modérés qui s'unissent à la droite pour renverser le ministère Goblet en mai 1887. La nomination de Rouvier à la présidence du Conseil marque le recul des radicaux et le départ de Boulanger, nommé commandant du 13e corps d'armée à Clermont-Ferrand. Une élection partielle a lieu à Paris en pleine crise ministérielle. Le journal *L'Intransigeant* conseille à ses lecteurs d'ajouter le nom de Boulanger à celui du seul candidat en lice. Le résultat est étonnant : 12 % des bulletins portent le nom du général, alors qu'il n'était ni candidat ni même éligible[2]. La crise de mai 1887 coûte à Boulanger sa place de ministre, mais donne naissance au mouvement boulangiste, prêt à faire vaciller la France.

Il est intéressant de noter que la popularité du général Boulanger explose à la suite des élections de 1885[3] – plus grand succès électoral des droites depuis l'installation de la République –, dans un terreau propice aux scandales. Dès l'été de 1886, le gouvernement républicain s'imagine à la merci d'un coup de force ou d'une conspiration[4]. Il suffit de lire *Le Figaro* du 25 juillet pour s'en convaincre : « On ne peut plus ouvrir un journal, ni écouter une conversation sans être frappé des mots de coup d'État, de 18 fructidor, de dictature militaire, comme à la veille de brusques changements de l'histoire. C'est dans l'air ; on est d'autant plus porté à y croire que la République ne peut vraiment plus marcher. » Dans ce climat délétère, le général Boulanger semble être l'homme providentiel capable de remédier aux maux de la République. Dès lors, les partis conservateurs voient en lui un moyen de renverser le pouvoir et cherchent à s'allier au général prometteur, bonapartistes en tête. Pourtant, telle n'est pas la vision du prince Victor.

Le parti impérialiste est en pleine restructuration lors de l'apparition du phénomène boulangiste. De Bruxelles, le prince Victor tente de prendre de l'ascendant sur ses troupes et de redynamiser son parti. L'émergence du mouvement boulangiste bouleverse cette reprise en main. Depuis 1886, le prince Victor cherche à faire cesser les dissensions internes par la mise en place d'une nouvelle organisation des comités, chapeautés par un comité central. Or, avec les premiers succès électoraux de Boulanger, nombreux sont les comités qui se confondent avec les comités boulangistes[5]. Pour bien marquer la différence entre les deux, le prince Victor rédige en février 1888 une note sur l'organisation des comités parisiens : « Tous les comités existant actuellement dans le département de la Seine porteront à l'avenir le titre de comités napoléoniens impérialistes. Leur direction est confiée à monsieur le duc de Padoue[6].» Ce rappel à l'ordre se révèle incapable d'enrayer l'enthousiasme des troupes bonapartistes pour Boulanger. Il est vrai que le programme boulangiste a de quoi séduire les victoriens : appel au peuple, autorité, anti-parlementarisme[7]. Partagés sur la conduite à suivre face à Boulanger, les dirigeants du parti impérialiste se rendent à Bruxelles pour recevoir les directives de leur prince[8].

Dans un premier temps, le prince Victor se montre peu enthousiaste à l'idée de soutenir Boulanger, les jérômistes s'étant déjà ralliés au général[9]. D'autre part, au début d'avril 1888, Victor est avant tout préoccupé par la mort du duc de Padoue, survenue le 29 mars. Non seulement il faut trouver quelqu'un capable de le remplacer à la présidence du comité central, mais, surtout, comme Padoue alimentait largement les caisses du parti, c'est un coup dur. Le prince Victor nomme pour lui succéder le général Du Barail, déjà vice-président du comité central. Celui-ci, ancien militaire, est rapidement conquis par la popularité du général Boulanger. Il s'en ouvre au prince Victor, qui lui conseille de ne pas s'emballer : « Ce n'est qu'une forme accidentelle et passagère du sentiment plébiscitaire[10]. » Les réticences princières font que les impérialistes sont absents des premières négociations entre Boulanger et les droites. Ils n'entrent en scène qu'après les premiers succès électoraux du général et par peur qu'il ne soit accaparé par les royalistes. En effet, dès le printemps de 1888, le comte de Paris laissait entendre qu'il était prêt à reconnaître le principe plébiscitaire en vue d'une restauration monarchique. C'est à ce moment-là que les victoriens comprennent qu'eux aussi peuvent profiter de la popularité grandissante du général ; ils voient dans un coup d'État militaire le prélude possible à la restauration de l'Empire.

Les impérialistes entrent en contact avec Boulanger par l'intermédiaire du baron de Mackau, chef de l'Union des droites. Le 25 mai 1888, ils participent à la réunion des trois groupes parlementaires des droites[11] et obtiennent l'adoption d'un ordre du jour proposant une campagne en faveur de la dissolution pour arriver, « par la révision des lois constitutionnelles, à la consultation directe de la nation[12] ». À cette même réunion, un comité d'action de douze membres est constitué, dans lequel le groupe de l'Appel au peuple obtient quatre sièges, tout comme la droite royaliste et l'Union des droites, représentée, entre autres, par le baron de Mackau, Paul de Cassagnac et le comte de Martimprey. Tous trois sont connus pour leur sensibilité bonapartiste[13]. Les bonapartistes se retrouvent ainsi en position de force par rapport aux royalistes[14]. Ils profitent de cet avantage pour se rapprocher de Boulanger en acceptant presque systématiquement les alliances électorales avec les candidats boulangistes. Lors des élections partielles de l'été de 1888, l'alliance entre impérialistes et boulangistes est effective, bien qu'aucun accord officiel n'ait été conclu. Les comités impérialistes de province demandent aux candidats bonapartistes de s'effacer face aux candidats boulangistes ; en contrepartie, le général accepte d'éliminer ses candidats dans les départements où les impérialistes sont mieux placés[15]. Néanmoins, l'ouragan boulangiste pose rapidement des problèmes au sein du parti impérialiste. Le prince Victor est le premier concerné, car la popularité du général éclipse ses efforts pour se faire connaître par ses partisans[16].

En réalité, le prince Victor craint une alliance officielle avec les boulangistes qui pousserait le parti bonapartiste à se confondre dans le boulangisme. Le jour de la création du comité des douze, le général Du Barail est chargé de transmettre sa position : « Il [le prince Victor] entend que, déployant fièrement le drapeau napoléonien, nous restions indépendants, libres, dégagés de toute compromission et de toute ardeur dans des efforts qui ont pour but et qui auront pour résultat de rendre au peuple la libre disposition de ses destinées [17]. » De Bruxelles, le prince Victor insiste sur le fait qu'il n'y a pas d'alliance avec les boulangistes mais que l'« on se sert de Boulanger comme d'un instrument contre la République [18] ». L'idée du prince Victor est d'utiliser la popularité du général pour se faire connaître. L'imagerie populaire servirait de lien entre lui et Boulanger. En octobre 1888, une campagne publicitaire présente le prince Victor, à cheval, en train de passer des troupes en revue : le mimétisme avec l'imagerie boulangiste est clairement recherché [19]. Une autre image représente toute la dynastie napoléonienne avec, en plus, le général Boulanger. Cette campagne n'arrive pas à freiner l'engouement des bonapartistes pour Boulanger. Le prince Victor assiste, impuissant, au détournement de la cause napoléonienne au profit du général.

Tout au long de l'épisode boulangiste, le prince Victor reste méfiant à l'égard du général Revanche. La personnalité même de Boulanger ne le met pas en confiance : il le tient pour un opportuniste avide de popularité, dont on ne connaît pas les motivations. Mais, surtout, il redoute que le bonapartisme perde sa spécificité au contact du boulangisme, dont le programme reste flou, tout en reprenant les grands thèmes des plébiscitaires : dissolution, révision et Constituante. Aussi, dans un premier temps, le prince Victor repousse l'alliance politique, par peur d'un appauvrissement idéologique de la doctrine plébiscitaire. Il est d'ailleurs intéressant de noter que l'ascension de Boulanger s'opère sur un terrain laissé vacant par le bonapartisme [20]. En effet, le succès de celui-ci repose sur l'exploitation du sentiment patriotique des Français, en leur promettant de rendre sa grandeur à leur pays. Il reprend aussi le thème du dégoût du régime parlementaire : face au laisser-aller de la République, Boulanger apparaît comme l'homme capable de ramener la discipline, l'ordre. Ici intervient l'éternel besoin des Français d'un gouvernement fort, besoin aussi de confier leur destin à un guide. Boulanger arrive à incarner ce sauveur. Il réussit à instaurer une relation directe entre lui et le peuple, domaine délaissé par le prince Victor qui se montre incapable d'endosser une telle dimension charismatique. En effet, le succès boulangiste s'explique en grande partie par la présence physique du général, par sa belle prestance à cheval. Dès le début, Boulanger touche le cœur des Français avant leur esprit : à la revue militaire du 14 Juillet 1886, il est beau, il est fort et il parle de restaurer la grandeur de la France[21]. L'ascension rapide du général est en grande partie liée à la place inoccupée par le prétendant bonapartiste. Pourtant, le prince Victor aurait pu essayer de récupérer la popularité du général en rappelant que Boulanger ne faisait que reprendre des concepts bonapartistes ; la continuité de la géographie électorale – même si elle n'est pas parfaite – entre le vote bonapartiste de 1848 et le vote boulangiste de 1889 aurait pu servir d'argument au jeune prince. Or le prince Victor refuse de revendiquer cette continuité.

À la fin de 1888, le succès de Boulanger semble inévitable. Le prince Victor, même s'il ne prononce toujours aucune déclaration officielle, finit par tolérer que le parti impérialiste soutienne Boulanger. Aussitôt, les bruits les plus fous circulent sur les liens entre Victor et Boulanger : le prince aurait fait remettre une lettre au général, l'informant que le parti impérialiste se ralliait à son élection à Paris[22]. Au même moment, il aurait demandé une aide financière à l'impératrice Eugénie, que celle-ci accepterait de lui verser à condition qu'il se réconcilie avec son père, surtout maintenant que tous deux sont ralliés au boulangisme. Un rapport de police du 8 janvier 1889 mentionne l'existence d'une correspondance secrète entre Victor et

Boulanger ; un autre que Victor reçoit une rente annuelle de 40 000 francs et que cette année il ferait don de 10 000 francs pour soutenir la cause boulangiste. Même la sœur du prince Victor, la princesse Laetitia, lui aurait fourni 100 000 francs[23]. Au début de janvier 1889, un mouchard rapporte que Victor a quitté subitement Bruxelles pour se rapprocher des frontières françaises au cas où Boulanger remporterait les élections parisiennes. Mais il ne s'agit que de bruits.

En fait, au vu des succès électoraux du général, le prince est obligé d'accepter que ses hommes apportent leur soutien à Boulanger, mais lui-même n'est jamais entré en contact avec le général[24]. Il continue même à refuser de se prononcer officiellement sur l'alliance boulangiste. Or ses fidèles réclament une prise de position officielle et claire de leur prétendant. Celle-ci ne venant pas, ils se rallient au général tout en accusant le prince Victor de lâcheté. Pour mettre fin à ces attaques, le prince s'explique sur sa conduite et fait passer des instructions de vote pour l'élection parisienne : « Cette candidature est avant tout une candidature de protestation et d'hostilité contre le gouvernement actuel. Les comités impérialistes de la Seine doivent le soutenir à ce titre [...]. Nos amis apporteront leur concours au général Boulanger parce qu'il est l'adversaire le plus redoutable du gouvernement ; mais le prince, personnellement, vous le comprendrez, ne doit à aucun prix intervenir dans la lutte ni directement, ni indirectement[25]. »

La popularité de Boulanger atteint son paroxysme avec l'élection législative partielle parisienne de janvier 1889. Lors du scrutin du 27 janvier 1889, son succès est total : il obtient 43 % des voix face au radical Édouard Jacques et ses 28,6 %. Le général a su rassembler les voix des conservateurs et des ouvriers, tous les arrondissements lui sont acquis, sauf le IIIᵉ. Cette élection a de quoi inquiéter le gouvernement qui, pourtant, ne mobilise pas la police. De son côté, le général lui non plus ne bouge pas, refusant de marcher sur l'Élysée bien qu'il ait le soutien des urnes et de l'armée. Il explique son attitude en rappelant qu'il avait promis d'agir dans la légalité et qu'il veut rester fidèle à ses engagements[26]. Cette occasion manquée marque immédiatement le déclin du boulangisme. Le soir de l'élection, ceux qui soutenaient le général depuis plusieurs mois espèrent tous une prise du pouvoir de sa part. Ne voyant rien venir, Thiébaud s'exclame : « Minuit cinq, messieurs, depuis cinq minutes le boulangisme est en baisse. » Situation confirmée par Eschassériaux : « Au lieu d'aller coucher à l'Élysée comme son rôle le lui commandait, il a été tout tranquillement coucher chez lui tournant le dos à la fortune [...]. Ce défaut de résolution chez un homme amolli et qui comptait trop sur son étoile l'a perdu dès ce moment. [...] Le gouvernement, sauvé ce jour-là par l'inertie du général, comprit qu'il pouvait être maître en montrant plus d'énergie que lui[27]. » Quant au prince Victor, il est seul à Bruxelles. Il n'apprend les résultats de l'élection que le lendemain, en même temps que l'attitude de Boulanger. Il n'est guère étonné. Aucune agitation particulière n'est remarquée avenue Louise. L'agent de la Sûreté en déduit qu'aucun plan n'avait été préparé par le prince au cas où Boulanger aurait décidé de marcher sur l'Élysée[28].

La déception générale permet aux républicains de profiter de ce répit pour se ressaisir. Deux hommes d'ordre sont rappelés : Tirard prend la tête du gouvernement, avec Constans à l'Intérieur. Les préfets n'ont plus le droit de recevoir les délégués des syndicats ; la Ligue des patriotes est dissoute, ses membres poursuivis pour délit de société secrète ; les crimes politiques sont jugés. Constans fait courir le bruit dans Paris que des arrestations sont en cours. Informé de son éventuelle arrestation, le général Boulanger décide de fuir Paris le 1er avril pour Bruxelles. D'exil, il continue à superviser les élections, mais sa fuite a montré sa faiblesse et l'a décrédibilisé sur le plan politique. Les résultats électoraux s'effondrent lors des élections générales de septembre 1889.

Une fois le général rendu inéligible, des électeurs continuent encore à inscrire son nom sur les bulletins, mais la ferveur boulangiste a disparu. Le comte de Paris, par son manifeste du 28 août 1889, se déclare favorable à la révision de la Constitution pour tenter de récupérer l'électorat boulangiste. De son côté, le prince Victor répond en demandant la consultation du peuple par la voix du plébiscite. Finalement, seule la République sort renforcée de cette crise. Boulanger, abandonné de tous, se morfond auprès de sa maîtresse, Mme de Bonnemains, qui meurt en juillet 1891. Il se suicide sur sa tombe à Bruxelles, en septembre de la même année.

À l'heure du bilan, le prince Victor tire les conséquences de l'aventure : le parti bonapartiste en sort profondément affaibli, tant au niveau électoral qu'au niveau idéologique et même financier. Sur le plan électoral, le nombre de députés bonapartistes chute de 65 en 1885 à 35 en 1889, chiffre qui ne sera plus jamais dépassé. En outre, les chances de voir l'Empire se reformer s'évanouissent ; le régime républicain s'est imposé. Sur le plan financier, l'aventure boulangiste a vidé les caisses du parti. Sur le plan idéologique, elle a souligné deux problèmes : d'une part, le manque d'une doctrine bonapartiste bien définie, d'où la confusion avec la doctrine boulangiste et donc l'égarement des électeurs ; d'autre part, le comportement des candidats bonapartistes n'a pas évolué, ils restent tentés par l'union conservatrice, mal contre lequel le prince Victor avait essayé de lutter. En somme, l'aventure boulangiste, qui représentait l'ultime espoir du parti bonapartiste, l'a profondément affaibli et a fait ressortir ses limites. Le prince Victor prend conscience de l'importance de l'aspect populaire du bonapartisme, jusqu'alors négligé par les dirigeants impérialistes. Parallèlement, il s'aperçoit de nouveau des méfaits de l'alliance avec les conservateurs. Émile Ollivier est du même avis que le prince Victor ; lui aussi condamne l'alliance conservatrice, tentant de convaincre le général Du Barail : « Croyez-moi, quiconque allie sa destinée à celle du parti conservateur est fini. Je vous ai expliqué [...] après les élections, pourquoi les Napoléon avaient perdu tant de terrain depuis qu'ils ont contracté cette alliance. Boulanger en a péri à son tour [...]. Le conservateur en lui-même n'a aucune valeur. Il faut s'en servir sans compter sur lui[29]. » En définitive, à la fin de 1889, le parti bonapartiste a besoin, avant tout, de retrouver son souffle après avoir été disloqué par le boulangisme.

CHAPITRE 19

Le prince Napoléon : dernier acte

En décembre 1890, le prince Napoléon quitte Prangins pour Rome, où il avait l'habitude de séjourner pendant une bonne partie de l'hiver. En février, atteint d'une pneumonie, il reste alité pendant plusieurs jours. Après avoir été très médiocre, son état semble s'améliorer au début du mois de mars. Victor, rassuré, en informe les membres de son service d'honneur : « Il y a une grande amélioration dans l'état du Prince [1]. » Mais soudainement, à la suite d'une sorte d'attaque, l'état de Plon-Plon devient critique. D'après Marie-Anne et Alfio Pappalardo, le prince Napoléon souffrait plutôt de la malaria (paludisme) qu'il avait attrapée en Crimée [2]. La princesse Clotilde et la princesse Laetitia accourent aussitôt à l'Hôtel de Russie, où il se meurt. Victor, averti par le roi d'Italie, décide lui aussi de se rendre à Rome [3]. La princesse Mathilde fait également le déplacement ; seul Louis, officier dans l'armée russe, arrive trop tard.

Depuis 1884, Clotilde, Laetitia et Mathilde n'avaient pas renoncé à l'espoir d'une réconciliation entre le père et le fils. Réunies devant la chambre du mourant, elles effectuent une dernière tentative. Elles convertissent à leur cause le valet de chambre du prince, Bétolaud, chargé de faire entrer Victor par surprise dans la chambre de son père. Celui-ci obéit, mais se heurte à deux reprises à un refus catégorique de Plon-Plon. Berthet raconte que Laetitia, impatiente, décide alors d'aller voir elle-même son père : « Victor vient d'arriver, veux-tu le voir ? Il va venir[4]. » Le prince répond fortement « Non » ; Laetitia appelle la princesse Mathilde à l'aide, celle-ci insiste à son tour. Plon-Plon s'emporte, se retourne vers son valet de chambre : « Foutez-moi ces deux femmes à la porte. » D'autres témoignages disent que Victor réussit à s'introduire dans la chambre de son père et que celui-ci, horrifié, trouva la force, même à demi conscient, de lui montrer la porte[5]. Telle est la version rapportée par le journal *Le Temps* : « À la vue de son fils, le prince Jérôme, comme mû par un ressort, se dresse à demi sur son lit et, dans un élan d'exaspération indicible, pousse des exclamations informes. La scène fut émouvante et terrible. » En réalité, Victor n'a pas pu pénétrer dans la chambre de son père. Il se serait tout de même arrangé avec son valet de chambre pour l'apercevoir de loin.

La princesse Clotilde et le roi Humbert Ier assistent également aux dernières heures de Plon-Plon. Eux aussi ont tenté de rapprocher le père et le fils, la princesse Clotilde par ses nombreuses prières, le roi Humbert, en parlant avec le prince Napoléon. Devant la détermination du prince, ils préfèrent réserver la sérénité du mourant. Ils ne comprennent pas l'acharnement de Laetitia et de Mathilde et jugent plus important de s'occuper de Victor, profondément affecté de ne pas pouvoir se réconcilier avec son père. Marie-Anne et Alfio Pappalardo continuent à défendre la thèse de la réconciliation, s'appuyant sur un article du journal italien *Il Corriere della Sera*, du 10 mars 1891, qui donne le récit de la journée de Victor à son arrivée à Rome : « Après 14 heures, toujours accompagné de son cousin et de ses amis, ils se rendirent à l'Hôtel de Russie. Le Prince Victor fut introduit dans la pièce par sa mère et sa tante. Victor se jeta entre les bras de son père qui, pris par l'émotion, laissa couler des larmes. À son fils qui le questionnait avec empressement sur sa santé, tout en l'encourageant, le père répondit en secouant la tête mélancoliquement : Je m'en vais. C'est fini, mon ami ! La scène fut très émouvante. [...] Le père [...] parla un certain temps avec son fils aîné, la voix du malade, qui gardait ses facultés mentales très lucides, étant cassée par l'asthme[6]. » Or cet article semble bien avoir été commandé par le roi Humbert – sans doute à la demande de Victor ou de sa famille – afin de rassembler les rangs bonapartistes. Cette démarche préfigure du comportement du roi à l'annonce de la mort de Plon-Plon. En outre, on ne voit pas pourquoi les proches du prince Napoléon, que ce soit la princesse Mathilde ou son propre secrétaire, François Berthet, auraient donné une version peu flatteuse pour le prince Napoléon si elle n'était pas exacte. D'autre part, la réaction de Plon-Plon ne paraît pas irréelle lorsqu'on connaît son caractère et la profondeur de la blessure causée par la rupture avec Victor.

Victor portera toute sa vie le poids de cette fracture. Beaucoup pensent que le prince Napoléon refusa l'ultime réconciliation, conscient du handicap qu'il causait à Victor. Dès le lendemain du décès du prince Napoléon, les journaux titraient au sujet du prince Victor : « Sa race est damnée[7]. » La princesse Mathilde, plus proche de son frère que de son neveu, dont elle avait condamné l'attitude au moment de la rupture, s'est pourtant montrée la plus active dans les diverses tentatives de rapprochement. Elle est profondément peinée et déçue par l'échec de ses démarches et condamne l'obstination de son frère : « Il a eu tort de ne pas savoir dissimuler ses ressentiments, justes dans leur appréciation, mais nuisibles pour ceux à qui on les fait sentir [...]. Il y a des blessures qui ne guérissent pas[8]. »

Toujours est-il que, le 17 mars, le prince Napoléon expire sans avoir pardonné son fils, mais après avoir reçu les derniers sacrements. Ici se pose la question de sa conversion « tardive ». Plon-Plon était connu pour son anticléricalisme farouche ; or, le 15 janvier 1891, un article du *Gaulois*, intitulé « Une conversion éclatante », donne ces détails : « Le prince Napoléon, qui est à Rome depuis plusieurs semaines, édifie la Ville éternelle par ses conversations et ses pratiques religieuses. Non seulement on l'a vu ces jours-ci pieusement agenouillé, avec le roi Humbert et la reine Marguerite, au pied du tombeau du roi Victor-Emmanuel, au Panthéon, pendant l'office commémoratif ; mais encore, tous les dimanches, il assiste à la messe et répète qu'il entend être, désormais, bon catholique. » Lenglé avait rédigé un démenti publié dans *Le Figaro* du lendemain : « On dirait vraiment que c'est la destinée du prince Napoléon [...] de passer pour un exagéré ; hier, il était un athée, un mangeur de prêtre ; aujourd'hui, parce qu'on le voit entrer dans une église, il devient ultra-clérical. La vérité, c'est qu'il a des croyances philosophiques et spiritualistes très nettes [...] comme il l'a dit dans sa lettre du 5 avril 1880 : "Lorsqu'on réclamera la suppression du budget des cultes ou la fermeture des églises, je m'y opposerai." »

En fait, le prince Napoléon, comme on l'a dit, reconnaissait la nécessité de la religion mais lui-même n'était pas assidu et se montrait très sévère à l'égard du clergé. Il semble que, à la fin de sa vie, l'amertume qui l'avait toujours animé se soit accentuée, comme le remarque la princesse Mathilde : « il a soif d'actions qu'il ne fera jamais. Il déteste la vie et craint la mort [9] ». Au cours de son séjour à Rome, il se rapproche de l'abbé Puyol, ancien aumônier des Tuileries devenu archiprêtre de Saint-Louis-des-Français à Rome, ainsi que du cardinal Mermillod. S'il a avec eux de longues conversations sur la religion, il ne semble pas pour autant être devenu un catholique convaincu. Cependant, les deux ecclésiastiques se montrent très présents pendant la maladie du prince. Dans l'un de ses derniers entretiens avec le prince, le cardinal Mermillod aurait obtenu qu'il accepte l'extrême-onction [10]. Celle-ci lui est délivrée par l'abbé Puyol, en présence de la princesse Clotilde, quelques heures avant sa mort, c'est-à-dire, d'après Eugénie, lorsque les progrès de la maladie l'empêchent de lutter [11].

La cérémonie de l'enterrement est organisée sur-le-champ, avant même qu'il soit pris connaissance des dernières volontés du prince. Le gouvernement italien autorise des funérailles solennelles pour marquer le rôle qu'avait eu le prince dans l'unification de l'Italie. La messe est célébrée le 19 mars en l'église Santa Maria di Montesanto, à Rome, en présence de la famille royale et de nombreux représentants des souverains étrangers. Le prince Victor conduit le deuil, juste derrière le cercueil porté par un char funèbre tiré par six chevaux. Le corps est ensuite convoyé en train vers Turin, où il est inhumé dans la basilique de la Superga, nécropole de la maison de Savoie [12]. Ce même 19 mars, à Genève, le testament du prince ainsi qu'une note relative à l'organisation de ses funérailles sont ouverts. La note stipule son refus catégorique de voir Victor figurer dans le cortège funéraire. Le notaire la télégraphie aussitôt à la princesse Clotilde, qui ne la prend pas en considération. Les amis du prince Napoléon accusent alors la famille royale d'Italie d'avoir précipité les funérailles du prince pour éviter de devoir prendre en compte des dispositions qu'ils soupçonnaient gênantes [13]. En effet, beaucoup se doutent que son testament exprime sa rancune vivace.

Le fait est confirmé. Plon-Plon déshérite totalement son fils aîné, Victor : « Je ne laisse rien à Victor, mon fils aîné, c'est un traître et un rebelle, sa conduite me cause une grande douleur et un profond mécontentement. Je ne veux pas qu'il assiste à mes obsèques [14]. » Il institue son fils cadet, le prince Louis, son légataire universel et chef de la maison impériale. Il lui transmet ses biens, mais aussi ses recommandations politiques qu'il considère comme la mission de sa race : « Je laisse spécialement à mon fils Louis tous mes papiers, souvenirs historiques et de famille, armes, livres tableaux, effets personnels, service de table [...]. Je désire que Louis garde Prangins ou une campagne hors de France où il conservera réunis tous mes papiers et souvenirs [...]. Je recommande à mon fils Louis de rester fidèle à mes opinions politiques et religieuses, elles sont dans la vraie tradition de mon grand-oncle Napoléon Iᵉʳ. J'espère que Louis sera le représentant de la cause des Napoléon, son but politique doit être d'organiser la démocratie française. Qu'il s'inspire de l'amour profond et constant du peuple, de ceux qui souffrent surtout, ainsi que du progrès scientifique qui est la grande loi de l'humanité. Qu'il soit par-dessus tout Français et patriote. Je bénis ce cher enfant, j'espère qu'il sera digne de son nom. »

Chose plus surprenante, la princesse Clotilde et la princesse Laetitia sont également écartées de la succession : « Ma fille Laetitia a touché, lors de son mariage avec le duc d'Aoste, ce que je pouvais lui donner [15]. » Le testament se poursuit par une liste de legs particuliers : quelques souvenirs à ses amis Victor Duruy et Frédéric Masson, un peu d'argent à ses serviteurs. D'autre part, la ville d'Ajaccio hérite deux tableaux, un d'Horace Vernet, *La Bataille de l'Alma*, et l'autre de Pils, *Le Débarquement en Crimée,* ainsi que sa collection de monnaies et de médailles à l'effigie de sa famille : « Je désire donner à cette ville, berceau de ma famille, un témoignage d'attachement. Malgré l'ingratitude de beaucoup d'Ajacciens, je ne veux me souvenir que de ceux qui sont restés fidèles à moi et à la Cause que je représente. » Le prince exprime aussi le désir que son corps soit déposé aux Invalides, auprès de ceux de son oncle et de son père. Conscient que cette volonté serait difficilement acceptée par le gouvernement français, il suggère une autre possibilité : « Je veux être inhumé en Corse, dans l'une des îles Sanguinaires, à l'entrée du golfe d'Ajaccio. Mon monument sera simple : une pyramide en granit de Corse, se voyant de la mer et surmontant mon caveau creusé dans le rocher. Ce monument, battu par les vents et les flots, sera l'emblème de ma vie si agitée, si tourmentée. » Il prévoit à cet effet le versement de 10 000 francs aux pauvres de la ville, le jour de ses obsèques. Ce testament résume parfaitement la personnalité du prince Napoléon : il a voulu faire revivre la grandeur liée à sa race, sans parvenir à dissiper sa profonde amertume.

Clotilde, Laetitia et Victor décident d'attendre l'arrivée du prince Louis, le 30 mars, pour s'entendre sur l'éventuelle application des volontés testamentaires de Plon-Plon. La famille est finalement réunie à Prangins au début d'avril. Le prince Victor est accompagné de deux de ses proches : le comte de Laborde et le comte Fleury, liés avec l'ensemble de la famille.

En fait, le testament du prince Napoléon, non conforme à la loi française, est annulé. En outre, le prince Louis, officier en Russie, n'a aucunement l'intention de faire valoir ses droits dynastiques. Il est d'accord avec sa mère et sa sœur pour laisser à Victor la responsabilité de chef du parti bonapartiste. L'impératrice Eugénie, restée à l'écart de ces histoires de famille, adresse tout de même quelques commentaires à la reine Victoria : « Je ne puis m'empêcher de penser (peut-être à tort) que le Prince Napoléon, en faisant un testament qu'il savait devoir être nul, n'ait eu l'intention de jeter la discorde entre ses enfants. S'il avait simplement voulu avantager son fils cadet, il pouvait, d'après la loi française, lui laisser la quotité disponible[16]. »

Bref, ce testament n'est pas respecté. Louis garde Prangins ; le reste des papiers et souvenirs est réparti entre les deux frères. Les volontés du prince Napoléon touchant à son inhumation ne sont pas plus observées que ses volontés politiques. En effet, le corps du prince Napoléon a été transporté à la Superga pour y être inhumé, avant même que la famille ait pris connaissance de ses dernières volontés. Il semble que Clotilde, sur les conseils du roi Humbert, ait décidé le jour même du décès de son mari de le placer dans la nécropole des Savoie. Cependant, ni elle ni ses enfants n'entreprirent par la suite de démarches – sans doute inutiles – auprès du gouvernement français pour demander que le prince reposât en Corse. Afin de montrer l'union retrouvée, la princesse Clotilde et ses trois enfants choisissent de passer la première période de deuil ensemble, à Prangins.

Sur le plan politique, la mort du prince Napoléon met fin à la scission entre bonapartistes blancs et bonapartistes rouges mais, surtout, elle donne à Victor une légitimité incontestable. Il est désormais le chef unique d'une cause unifiée ; saura-t-il insuffler un vent nouveau au parti ? Après la mort du prince Napoléon, nombreux sont les impérialistes qui attendent un manifeste du prince Victor[17]. Cassagnac demande la création d'un nouveau comité central et d'une commission d'exécution qui serait chargée de transmettre les ordres du prince. D'autres, au contraire, estiment que le prince Victor ne doit absolument pas faire de déclaration officielle, car il est le seul chef reconnu par le parti impérialiste depuis plusieurs années : « Si la mort du prince Napoléon venait à se produire, elle ne saurait être considérée par nous comme un événement politique. [...]. De deux choses l'une, ou Votre Altesse s'est considérée comme le chef absolu du parti bonapartiste et alors la disparition de son père ne change en rien la situation, ou bien vous reconnaîtriez implicitement par cette proclamation que vous ne devenez le chef légitime de ce parti que par la mort du prince Napoléon [18]. »

Dans un premier temps, Victor ne fait aucun commentaire sur sa nouvelle position. Ce n'est qu'à la demande des hommes du parti qu'il décide de réunir les présidents des comités impérialistes, le 23 avril, à Bruxelles [19]. Il les informe qu'il ne compte rédiger aucun manifeste : « Mon programme, tout le monde le connaît. » Cependant, il se montre favorable à la réorganisation souhaitée par Cassagnac, auquel il propose la vice-présidence du futur comité central. Celui-ci refuse, n'imaginant pas occuper la deuxième place et, finalement, en raison de ses rivalités avec les impérialistes purs ; le parti n'est pas réorganisé. De son côté, le prince Victor veut avant tout réunifier la cause en reconquérant l'électorat jérômiste. Or, dès la fin de l'épisode boulangiste, les quelques comités jérômistes restants s'étaient ralliés à la République. Ceux qui se rangent derrière Victor sont des hommes de tradition bonapartiste qui avaient conservé des liens avec le père et le fils ; tel est le cas de Robert Mitchell [20]. En réalité, il est délicat, pour les partisans du prince Napoléon, d'épouser la cause du fils rebelle, surtout que, idéologiquement, ils se sentent plus proches de la République que des impérialistes, trop conservateurs à leurs yeux. En outre, sur le terrain, la haine viscérale entre jérômistes et victoriens ne s'efface pas avec le prince Napoléon.

CHAPITRE 20

Victor, chef de la maison impériale

Pour un Bonaparte, le prince Victor est grand : « Le prince, qui a trente et un ans, en paraît davantage ; il a les épaules larges et est de grande taille, très grand même ; il a une figure mâle, énergique ; le front, déjà très découvert, et le menton sont bien d'un descendant de Bonaparte, mais la moustache, brune et forte, est celle des princes de Savoie, se relevant fièrement vers les pointes ; ses yeux noirs brillent vivement entre leurs paupières largement ouvertes, et la puissance de son regard n'est atténuée que lorsqu'il sourit [1]. » Avec l'âge, sa calvitie devient plus marquée, mais elle est largement compensée par son imposante moustache « en guidon de bicyclette [2] ». Au premier abord, quelque chose de napoléonien se dégage de son physique, même si l'on ne peut pas parler de réelle ressemblance avec le premier empereur. Son physique, plus élancé que celui de ses ancêtres, en impose. Lucien Daudet, qui avait eu l'occasion de le côtoyer à Farnborough, reconnaît qu'il « est la bonté même, mais intimidant [3] ». Cette première impression de froideur, de réserve un peu distante, est vite atténuée par un visage joufflu, au regard profond et doux, rappelant celui de sa mère.

Le prince Victor a quarante-trois ans lorsque circulent les premières rumeurs d'un mariage avec la princesse Clémentine de Belgique : « Quant au prince Victor, écrit Clément Vautel dans *La Vie illustrée*, il a dépassé la quarantaine. Le cheveu, rare, grisonne ; le masque que barre une moustache à la Humbert est moitié Savoie, moitié Bonaparte. La taille est haute et d'allure imposante. » Au fil des années, il eut tendance à s'empâter. Il prit les allures d'un grand seigneur, distingué certes, mais n'incarnant pas le visage de l'avenir. À l'heure où il fut susceptible d'être appelé au pouvoir, il bedonnait sous sa jaquette. Or, à l'époque, et c'est le mérite de Bertrand Joly d'avoir mis le fait en lumière, les Français accordaient une grande importance aux relations entre le physique et le moral. Ils croyaient pouvoir lire l'âme d'un être au travers de son aspect corporel, d'où l'importance du prestige physique pour tenter de séduire les foules, Boulanger et Déroulède en étant les meilleurs exemples[4].

Du point de vue du caractère, le prince Victor n'a pas hérité le tempérament excessif de son père. Il semble plutôt calme, taciturne même, évitant toute manifestation bruyante. Réfléchi, il parle peu. Sa voix est nette, sans vivacité, il possède un sang-froid déconcertant. Il ne s'emporte jamais ni ne prononce un mot plus haut que l'autre. Il déteste attirer l'attention sur lui et préfère rester discret et courtois. Tous ceux qui ne le connaissent pas sont frappés par sa timidité, son attitude en retrait. D'ailleurs, pour certains, cette attitude réservée est le résultat des habitudes prises chez son père et surtout le miroir inversé du caractère explosif de Plon-Plon. Lenglé, pourtant admirateur du prince Napoléon, note : « Le genre de vie que les événements lui avaient imposé ne pouvait lui permettre d'entretenir avec eux [ses fils] cette communauté de joies et de peines d'où jaillit presque infailliblement la communauté des sentiments[5]. » Victor garde la marque de cette éducation distante dans sa grande difficulté à exprimer ses sentiments, mais aussi dans sa maturité précoce. Amédée Edmond-Blanc, qui deviendra son secrétaire, en est frappé lors de sa première rencontre avec le jeune prince : « J'ai trouvé chez ce jeune homme de vingt-deux ans une force de caractère, une maturité d'esprit véritablement surprenante. Pas d'emportements, pas de partis pris à la légère, mais une résolution calme, décidée, raisonnée[6]. » Les traits de la personnalité qui reviennent le plus souvent dans les témoignages des contemporains sont « douceur », « bienveillance naturelle », mais aussi « réfléchi », « pensif », « raisonné ». Il est vrai que, parfois, le prince Victor manque même d'un peu de légèreté et de spontanéité. Il réfléchit toujours avant d'agir et cherche à comprendre les autres : « Pendant que chacun parle, le Prince écoute avec une attention soutenue [...] à chaque fois qu'un point lui paraît obscur, il demande une explication complémentaire, prouvant par cela même la subtilité de son esprit et la rapidité de son jugement[7]. »

Le prince Victor aime l'étude : la majeure partie de son temps est consacrée à la lecture et au travail, d'où sa grande culture. « Travailleur acharné, je ne prétendrai pas qu'il soit ; mais il étudie tout[8]. » Esprit curieux, il lit énormément, sa bibliothèque est colossale. C'est un homme intelligent, mais quelque peu gêné par un tempérament placide, voire mou. Son tempérament réfléchi et réservé lui donne un contact difficile au début : « Le prince Victor est d'un abord froid, voire un peu hautain. Son parler est grave, mais quand l'entretien a pris son "train", il se livre et apparaît charmant[9]. » Quand il ne connaît pas bien son interlocuteur, Victor ne parle jamais beaucoup, ce n'est qu'une fois en confiance qu'il se détend et devient tout à fait charmant et même chaleureux : « Le prince Napoléon était un causeur tout à fait séduisant. [...] Son charme, fait de simplicité et de bienveillance, était extrême. » Sa timidité est un lourd handicap et le rend difficile à cerner : on n'arrive pas à savoir ce qu'il pense et ce qu'il ressent. Beaucoup y voient de la faiblesse. Il lui est souvent reproché de ne jamais prendre parti. En fait, Victor a hérité de la douceur et de la réserve de sa mère.

210

Profondément bienveillant, cherchant à satisfaire tout le monde, il finit, dans bien des cas, par ne contenter personne. Cela se vérifiera avec les membres du parti bonapartiste : cherchant à être diplomate pour éviter de froisser les susceptibilités des uns et des autres, il est régulièrement qualifié de « mou » ou de « faible[10] ». D'autres voient dans cette attitude un manque de grandeur : « Il n'a pas de panache sans doute, mais le panache est-il nécessaire[11] ? »

En fait, il semble nécessaire de différencier l'homme public de l'homme dans son intimité. En public, Victor paraît froid, réservé et mélancolique, tout simplement pas très à l'aise : « il est extrêmement réfléchi, ne parle jamais au hasard, assez silencieux en public. [...] Depuis qu'il y a moins de monde, le prince Napoléon parle beaucoup plus[12] ». En privé, d'une grande bienveillance pour ses proches, il est d'excellente compagnie, tant par sa conversation que par son aptitude à s'intéresser à autrui. En fait, il prend ses distances lorsqu'il endosse son rôle de prince, rôle qui lui tient à cœur par sens du devoir mais qui semble lui peser. Il n'a tout simplement pas l'allure, ni le charisme, ni l'âme d'un meneur d'hommes. C'est un homme comme les autres, avec ses qualités – gentil, réfléchi, intelligent – et ses défauts – un peu faible, taciturne, manquant de spontanéité. En homme de son temps, il évite l'exubérance au profit de la discrétion bourgeoise. Pour conclure, on peut citer le portrait fait par le baron Legoux, alors président des comités plébiscitaires de la Seine, après qu'il eut été reçu à Bruxelles par le prince : « Il est très sérieux, très averti, très disert, intelligent, parlant bien, modéré, possédant une belle prestance, [...] homme du monde, d'accueil aimable sans se lancer à la tête des gens ; pondéré et travailleur[13]. »

CHAPITRE 21

Le cercle familial

Le prince Victor était très attaché à sa famille. La majorité de ses voyages annuels était consacrée à des visites familiales, principalement à Moncalieri, chez sa mère, et à Farnborough, chez l'impératrice. Un lien particulier l'unissait à son frère Louis, avec lequel il avait été élevé. Tout comme Victor, Louis fut très tôt passionné par la question militaire. En 1884, il effectua son service militaire au 31e de ligne, à Blois[1]. Après la rupture entre Victor et Plon-Plon, ce dernier reporta toute son affection paternelle sur Louis et se préoccupa de son avenir. À la fin de son service, il l'envoya faire un tour du monde, au cours duquel il passa par les Indes, le Japon, San Francisco et New York. Entre-temps, la loi d'exil des princes avait été votée en France, mais elle ne touchait pas Louis ; cependant, le prince Napoléon ne voulait pas que son fils bénéficiât d'aucune tolérance de la République française et comme, en outre, il redoutait de le laisser à Paris, de peur que ses opposants politiques prissent également de l'ascendant sur lui, conscient enfin que Louis avait besoin de se réaliser, il entama des démarches auprès de son beau-frère, le roi Humbert Ier, pour le faire entrer dans l'armée italienne. Son incorporation se fit en mai 1887, sous le titre de comte de Moncalieri, conféré par Humbert ; il fut nommé lieutenant au 13e régiment de chevau-légers. La constitution de la Triple-Alliance obligea Louis à quitter l'armée italienne en octobre 1889. Il entreprit

alors un grand voyage dans le Nord, prélude à son incorporation dans l'armée russe. D'abord lieutenant-colonel
au régiment de dragons du roi de Wurtemberg à Nijni
Novgorod, il fut en 1896 promu colonel au 44ᵉ régiment
de dragons russes, tenant garnison à Piatigorsk dans le
Caucase. Major-général en 1902, Louis fut chargé de
maintenir l'ordre au cours de la guerre russo-japonaise
dans la province d'Erivan. Soldat strict, aimé par ses
troupes, il fut également un excellent administrateur. En
1906, il écrivit à Frédéric Masson – grand historien napoléonien proche de la famille Bonaparte – pour lui annoncer sa promotion au grade de général et sa décision de
prendre un congé sans terme. Dès lors, il passa l'hiver
entre l'Italie et Paris, l'été dans sa propriété de Prangins.
En 1914, lorsque la Première Guerre mondiale éclata, il
avait abandonné tout commandement actif et s'était fixé
en Italie.

Il souhaita alors intégrer l'armée française et chargea
Frédéric Masson de communiquer sa demande au président de la République : « Tout mon désir serait de participer moi aussi à la défense de notre pays. Je compte sur
votre amitié pour remettre la demande ci-incluse à monsieur le président de la République. Si cette demande n'est
pas acceptée, que je puisse me tourner vers notre alliée
que j'ai servie pendant dix-sept ans[2]. » Sa demande fut
rejetée. Louis reprit alors contact avec le tsar, qui lui offrit
d'être le représentant de l'armée russe auprès de l'Italie ;
ce fut sa dernière mission. En 1917, la révolution russe
mit fin à sa carrière militaire. Il se retira à Prangins pour
mener une vie calme, qu'il coupait par de fréquents
voyages à Paris.

Physiquement et moralement, le prince Louis était
proche de son frère. Il était moins grand, mais il avait le
même regard doux et profond. On retrouvait aussi chez
lui les traits de caractère de Victor – réserve, timidité,

discrétion – mais accentués par une vie solitaire. En fait, il était un peu sauvage, mélancolique, et faisait parfois preuve d'un esprit acerbe[3]. S'agissait-il d'un héritage paternel ? Sans doute, même s'il était loin d'être aussi excessif. Il détestait toute publicité autour de sa personne et de son nom : « D'une nature concentrée et morose, [il] n'ambitionna jamais aucune sorte de popularité. Ses familiers et ceux qui le connurent ont vanté, avec sa culture et son intelligence réfléchie, la sûreté de ses attachements[4]. » Louis lisait beaucoup, son intérêt se concentrait particulièrement sur l'histoire de sa famille. Attachement qui se traduisit, comme chez Victor, par l'achat de souvenirs familiaux.

Toutes ces ressemblances font que Louis et Victor se sentaient proches l'un de l'autre, même s'ils ne se voyaient pas souvent. Louis ne prit jamais parti dans la dispute qui opposait son frère et son père. Lorsqu'on lui demandait son avis, il disait qu'il regrettait profondément la situation, mais n'aimait guère s'exprimer sur ce sujet[5]. Jusqu'au départ de Louis pour la Russie, les deux frères se retrouvaient chaque été chez leur mère, à Moncalieri. Par la suite, les occasions de rencontres se firent plus rares. En 1894, Victor effectua un grand voyage en Russie, au cours duquel il retrouva son frère à Saint-Pétersbourg[6]. Les bonapartistes avaient voulu donner un caractère politique au voyage du prince Victor. L'impact fut tout autre : on parla beaucoup de Louis. Un article du *Gaulois* indiquait qu'un député bonapartiste « avait manifesté l'intention de donner sa démission pour céder son siège législatif au prince Louis ». Ce bruit était totalement faux ; Louis refusa toujours d'endosser la moindre responsabilité politique. En outre, il n'envisageait pas pouvoir faire concurrence à son frère. Le secrétaire de Victor, Edmond-Blanc, s'émut de cette manœuvre en raison de « l'intimité qui règne entre les deux frères[7] ». Malgré l'éloignement et des

214

choix de vie différents, les deux frères restèrent profondément liés. Comme marque de cet attachement, Victor appela son fils Louis et choisit son frère comme tuteur.

Un autre personnage occupe une place importante dans l'entourage familial de Victor, sa sœur la princesse Laetitia[8], née le 20 décembre 1866. Même si elle n'est pas élevée avec ses frères, elle leur demeure très attachée. En 1874, lorsque le prince Napoléon rentre vivre en France avec ses deux fils, Laetitia s'installe avec sa mère, à Moncalieri. Âgée de sept ans seulement, elle est d'abord confiée à une gouvernante, puis à des précepteurs. Contrairement à ses frères, elle n'a pas de contact avec les jeunes de son âge, évoluant dans un milieu d'adultes, auprès d'une mère de plus en plus absorbée par ses pratiques de dévotion. Dans ce monde à part qu'est Moncalieri, les distractions de Laetitia se résument à la visite annuelle de ses frères et à quelques séjours chez les Savoie[9].

La princesse Laetitia avait une stature imposante. Avec l'âge, son ascendance wurtembergeoise s'accentua et elle eut tendance à prendre du poids. Les traits de son visage étaient Savoie, mais elle avait le regard vif et impétueux de son père. Si elle n'était pas considérée comme une belle femme, on reconnaissait unanimement la distinction qui se dégageait de son allure. Son cousin, Joseph Primoli, a laissé d'elle ce portrait : « Enfant, malgré la finesse de ses traits, elle était franchement laide. La tête pouvait avoir une jolie forme, mais elle était tellement enfoncée dans les épaules qu'on ne songeait qu'à la plaindre [...]. Un beau jour le buste se dégagea, la jolie tête sortit des épaules et, bien à sa place, elle rayonna de tout son éclat[10]. » Le physique de la princesse révélait une personnalité forte. Du point de vue du caractère, Laetitia était sans doute la plus proche de son père. Elle possédait de grandes qualités de cœur, obscurcies par un tempérament fantasque.

215

Excessive dans ses prises de position, dotée cependant d'un esprit curieux, elle avait la liberté d'esprit de son père et la même excentricité. Son destin fut original et tragique. Le 11 septembre 1888, elle épousa le frère de sa mère[11], le prince Amédée de Savoie, duc d'Aoste, qui avait été roi d'Espagne de 1870 à 1873. Il était veuf et de plus de vingt ans son aîné[12]. Cette union un peu étrange satisfaisait néanmoins tout le monde, et en premier lieu ses parents[13]. Il faut dire que plusieurs projets de mariage avaient été envisagés, tous repoussés par la princesse[14]. Laetitia se montrait exigeante, refusant le principe d'un mariage arrangé tout en attachant beaucoup d'importance à convoler avec quelqu'un de son rang. En raison du lien de parenté entre les deux époux, une dispense papale fut nécessaire[15], que Léon XIII délivra sans grande difficulté, par faveur pour la princesse Clotilde.

Moins de deux ans après, le 18 janvier 1890, son mari mourait ; laissant une veuve de vingt-trois ans. Son fils Humbert, né le 22 juin 1889 et auquel le roi avait attribué le titre de comte de Salemi, devint sa seule consolation. En juin 1915, Laetitia pouvait annoncer l'incorporation de son fils : « Mon fils est volontaire dans le régiment de cavalerie. Il est parti depuis 8 jours, très heureux et fort joli garçon sous l'uniforme[16]. » Lorsqu'il fut blessé en janvier 1917, l'inquiétude de sa mère fut compensée par sa fierté : « Mon fils a été blessé, je l'ai soigné ici ! Il a reçu la médaille d'argent à la valeur militaire[17]. » Or, le 19 octobre 1918, alors qu'il était au front, il mourut subitement d'une paralysie cardiaque. L'existence de Laetitia fut brisée. Elle perdit goût à la vie : « absolument plus rien ne m'intéresse depuis mon grand malheur[18] ». Désormais, elle partagea son temps entre Moncalieri et sa villa niçoise de Cyrnos[19].

La personnalité de la princesse Laetitia est attachante. Dans sa correspondance avec Frédéric Masson et Thouvenel, on perçoit l'affection qu'elle portait à ses frères. Elle se permettait cependant toutes sortes de réflexions qui, avec son franc-parler, pouvaient les heurter. C'est particulièrement vrai avec Victor, auquel elle donnait des conseils tant au niveau politique que personnel.

Comme ses frères, elle avait été élevée dans le culte de Napoléon et était très fière de ses origines mais, chose plus amusante, elle se sentait à ce titre concernée par l'avenir politique de la France : « La situation en France me paraît plus favorable pour nous ! Et la nouvelle gaffe du duc d'Orléans n'est guère faite pour animer ses partisans. [...] Si vous saviez comme je regrette de ne pouvoir être à Paris et m'occuper activement de ce qui nous intéresse [20] ! » En fait, son souhait le plus profond était de se mettre au service de Victor pour agir sur la scène politique française ; elle était partisane de l'action, tout l'opposé de son frère aîné. Laetitia agaçait Victor : « On me dit que l'orage gronde contre moi à Bruxelles [21]. » Pourtant, elle n'agissait que dans le but de défendre la cause de son frère, qu'elle aimait beaucoup : « J'adore mon frère et voudrais lui être utile [22]. » Le mariage de Victor fut un grand sujet de frictions entre le frère et la sœur, on y reviendra. La mort subite de Victor, en mai 1926, la plongea dans un état de profonde mélancolie ; elle s'éteignit cinq mois après lui, le 25 octobre, à Moncalieri.

Le prince Victor entretenait également de très bons rapports avec sa famille maternelle. En 1878, Humbert, le frère aîné de Clotilde, succédait à Victor-Emmanuel II. Il avait épousé en 1868 Marguerite de Savoie-Gênes, dont il eut un seul fils, Victor-Emmanuel, né en 1869. La reine Marguerite était l'atout majeur de ce souverain généralement jugé trop conservateur [23]. Par son charme et sa grâce, elle avait su rallier la gauche radicale au régime. De son côté, Humbert se cantonnait à un rôle de souverain constitutionnel. Néanmoins, les anarchistes ne lui pardonnèrent pas la répression des émeutes de Milan en 1898-1899 ; il fut assassiné à Monza, en 1900[24]. Le prince Victor partageait avec son oncle sa passion pour la question militaire. Est-ce en vertu de ce goût commun qu'il initia Victor à la chasse ? D'un caractère rigoureux, il désapprouva l'attitude de Victor à l'égard de son père. En réalité, Victor était plus proche de son cousin germain, Victor-Emmanuel, roi d'Italie à partir de 1900, qui avait épousé Hélène de Monténégro en 1896. À en croire Primoli, le prince Victor sympathisa dès le début avec la princesse Hélène « qui m'a chanté les louanges de son cousin le Prince Napoléon[25] ». Pour preuve de l'affection qu'il portait à Victor, Victor-Emmanuel tenta une démarche auprès de Léopold II pour aider son cousin dans la question de son mariage ; nous y reviendrons. Victor était également très lié avec le clan Savoie-Aoste. Le frère de sa mère, Amédée, duc d'Aoste, avait eu trois fils de son premier mariage avec la princesse Maria Vittoria della Cisterna : Emmanuel, futur duc d'Aoste, Victor-Emmanuel, comte de Turin, et Louis-Amédée, duc des Abruzzes. À chacun de ses séjours à Moncalieri, Victor passait par Turin, où il retrouvait ses cousins, avec lesquels il aimait chasser. Pour entretenir ces liens, le prince Victor s'efforçait d'être présent aux événements majeurs, comme le mariage de son cousin le duc d'Aoste avec la princesse Hélène d'Orléans, en 1895, en Angleterre.

Du côté Bonaparte, les relations étaient plus complexes. Il ne restait plus que des descendants de Lucien, toujours mis à l'écart au sein de la famille[26]. En outre, Victor, contrairement à son père qui avait passé son enfance en Italie au milieu des Bonaparte, les connaissait peu. Les seuls avec lesquels il eut des contacts réguliers étaient les Primoli, venus s'installer à Paris sur invitation de Napoléon III, une fois l'Empire rétabli. Charlotte Primoli était doublement Bonaparte : elle était née de l'union de

218

Charles Lucien Bonaparte, premier fils de Lucien, avec sa cousine Zénaïde, fille aînée du roi Joseph. En 1848, elle avait épousé un officier de la marine papale, le comte Pietro Primoli, duquel elle eut deux fils, Joseph et Louis. L'aîné, Joseph ou « Gégé », s'intégra parfaitement à la bonne société parisienne. Né à Rome en 1851, il vécut à Paris entre 1853 et 1870, où il effectua des études de droit. Il y acquit le goût d'une vie riche de relations mondaines et littéraires, devenant l'un des piliers des salons littéraires de ses tantes, la princesse Mathilde et Julie di Roccagiovine, sœur de sa mère. Cultivé, bibliophile passionné, photographe habile, il continua, après l'Empire, à partager son temps entre Rome et Paris. Ses rapports soutenus avec les milieux culturels et artistiques des deux villes l'engagèrent à promouvoir les contacts et les échanges entre les cultures française et italienne[27]. Toute sa vie, il revendiqua l'héritage de la descendance Bonaparte, vouant un véritable culte à la famille de sa mère. C'est dans cette perspective qu'il se lança dans l'écriture d'une histoire secrète de la famille Bonaparte pour laquelle il réunit une grande documentation aussi bien orale qu'écrite. Cette position de « mémorialiste » de la famille lui assurait une place de choix dans l'entourage de la princesse Mathilde et dans celui de l'impératrice, chez lesquelles il séjournait une ou deux fois par an. À sa mort, Joseph Primoli légua à la ville de Rome ses magnifiques collections de souvenirs napoléoniens, qui y constituèrent le fonds du Museo Napoleonico. Son but avait toujours été de développer le culte napoléonien en Italie. D'autre part, une fondation, la Fondazione Primoli, devait favoriser les échanges culturels entre l'Italie et la France. Joseph Primoli ne fit jamais partie des intimes du prince Victor. Ils se fréquentaient essentiellement au cours de séjours chez l'impératrice Eugénie. En fait, « Gégé » évoluait dans les cercles artistiques et littéraires. Les relations entre les deux cousins restèrent distantes, même s'ils avaient la même vénération pour le nom de Napoléon, qui se traduisit dans les deux cas par une collection d'objets se rattachant à l'histoire de leur famille. Le prince Victor était semble-t-il plus proche de Louis, « Loulou », qui, même s'il suivait son frère, s'échappait des cercles artistiques et littéraires pour profiter des fêtes et des réceptions de l'aristocratie romaine.

L'autre membre du clan Bonaparte avec lequel le prince Victor entretenait des contacts était le prince Roland Bonaparte, petit-fils de Lucien et fils de Pierre Bonaparte, connu pour avoir tué Victor Noir. Le prince Roland vivait à Paris. Jeune, il épousa Marie Blanc, riche héritière dont il eut une fille, Marie, qui consacra sa vie à l'étude et à la divulgation de la psychanalyse. Le prince Roland Bonaparte, passionné de géographie, devenu célèbre par ses nombreux voyages scientifiques, devint président de la Société de géographie et de l'Institut d'anthropologie. Peu actif en politique, il était cependant membre du parti bonapartiste et très courtisé par les dirigeants du parti, qui voyaient en lui un bailleur de fonds pour la cause bonapartiste. Ses liens avec le prince Victor se résumèrent à quelques visites à Bruxelles pour parler politique.

Exilé à Bruxelles, le prince Victor se montrait soucieux de maintenir des contacts avec sa famille. Même s'il ne les voyait pas très souvent, il était intimement lié avec son frère et sa sœur qui, tous deux, avaient des destinées solitaires. Avec ses oncles et cousins germains Savoie, Victor partageait le goût de la chasse et des voitures... À leurs côtés, il découvrait les joies d'appartenir à une fratrie, chose qu'il n'avait jamais connue enfant. Ses relations avec la famille Bonaparte restèrent plus protocolaires. Que ce fût l'impératrice ou les descendants de Lucien, on le considérait avant tout comme le prétendant impérial.

CHAPITRE 22

Quelques proches

Comme nous l'avons vu, le prince Victor s'installe à Bruxelles en 1886, à la suite du vote de la loi d'exil. Il emménage alors dans un hôtel particulier, au 239, avenue Louise. Cette avenue se situe dans un quartier assez récent de Bruxelles, entre le centre-ville et le bois de la Cambre. L'hôtel habité par le prince n'existe plus aujourd'hui. D'après André Martinet, il s'agissait d'un « hôtel superbe avec de grandes portes et de larges fenêtres [1] ». Tel n'est pas l'avis de la police, qui précise que la « demeure du prince n'offre rien de remarquable, la plupart des hôtels situés dans l'avenue sont beaucoup plus beaux [2] ». Une chose est sûre, l'hôtel n'était pas très grand : en 1910, le prince Victor avait été obligé d'acheter le 241, avenue Louise pour pouvoir y accueillir la princesse Clémentine [3]. L'espace restait encore insuffisant pour que la princesse pût garder tout son service : « J'ai eu un gros chagrin, celui de devoir pensionner notre chère bonne Toni [...]. La maison ici est petite, le logement pour elle étroit, humide, médiocre [4]. » Toutefois, dans un premier temps, le 239 se révéla largement suffisant pour Victor.

À peine aménagé, l'hôtel est envahi par les hommes du parti bonapartiste venus de Paris pour s'entretenir avec le prince Victor. Le visiteur pénétrant avenue Louise est d'abord confronté à Amédée Edmond-Blanc, secrétaire du prince, dont le cabinet se situe au rez-de-chaussée. Si celui-ci le juge opportun, il permet à cette personne

221

d'accéder à l'antre du prétendant au premier étage :
« Nous montons par un escalier dont les murs sont cou-
verts d'armes du plus haut prix, de tapisseries superbes[5]. » Le décor du cabinet est austère, la pièce grande,
éclairée par deux larges fenêtres donnant sur un jardinet.
Entre les deux fenêtres est placé un bureau, sur lequel
chaque objet est rangé avec soin : quelques photographies
de la famille impériale, les dossiers en cours, des lettres et
des rapports de toute nature amoncelés, auxquels s'ajoutent de nombreux journaux, français et belges. Sur la che-
minée trône un buste de Napoléon III, entouré des
portraits du roi et de la reine d'Italie. Après la mort de
Plon-Plon, ce décor est renforcé par deux vitrines renfermant des souvenirs historiques, dont la plupart proviennent de Napoléon Ier : sa redingote grise et son
chapeau ; les vases cultuels de vermeil avec lesquels il fut
administré à Sainte-Hélène, son brevet de lieutenant signé
par le maréchal de Ségur, ministre de la Guerre de
Louis XVI... La seconde vitrine contient, entre autres,
l'habit rouge du Premier consul, une robe blanche du roi
de Rome ainsi que le fauteuil sur lequel Napoléon voyagea
à bord du *Bellerophon*[6]. Victor recevait ses amis ou partisans dans cette pièce. À en croire André Martinet, tous
étaient impressionnés par ce décor impérial : « Personne
ne peut y pénétrer pour la première fois sans ressentir une
émotion poignante[7]. » Le cabinet donnait sur la bibliothèque, pièce majeure pour Victor, qui aimait y travailler
et s'y ressourcer.

Dans les deux salons de réception, le même décor, le
même ordre et surtout la même religion du passé. Lors de
son installation, Clémentine fait cette description à sa
sœur : « C'est un reliquaire historique où le moindre objet
a sa valeur, sa beauté, son intérêt. On y vit dans un monde
de souvenirs[8]. » En définitive, l'avenue Louise ressemble
à un musée de souvenirs qui, parfois, ont le goût des

regrets, tout en retraçant avec émotion la gloire de la maison impériale. C'est dans ce cadre que Victor accueillait ses amis venus de France se mettre à son service ou ses nouvelles relations belges. Dans le premier groupe, on trouve au tout premier plan Amédée Edmond-Blanc, son secrétaire.

À vingt ans, en 1859, celui-ci intégra la Maison de l'empereur avant d'être nommé sous-préfet en 1862 ; fonction qu'il assuma jusqu'à la chute de l'Empire. Engagé pendant la guerre, attaché par la suite au trésorier général de la Gironde, il interrompit sa carrière pour consacrer son énergie à la restauration napoléonienne. Il chercha d'abord à entrer au service du prince impérial, mais celui-ci refusait de se constituer un état-major. Au moment de la rupture entre Victor et son père, sa sensibilité impérialiste poussa sans hésitation Edmond-Blanc à soutenir le jeune prince. Dès leur première entrevue, rue de Monceau, Edmond-Blanc fut séduit par le prince Victor [9]. Aussi, lorsqu'il eut connaissance du vote de la loi d'exil, il lui proposa immédiatement de le suivre à Bruxelles [10]. Edmond-Blanc quitta Paris avec le prince Victor et resta à ses côtés jusqu'à sa mort, en 1906.

Officiellement, ses fonctions consistaient à seconder le prince dans ses tâches de secrétariat. En réalité, il était l'ami, le confident et même le conseiller politique [11]. Toute personne qui désirait s'entretenir avec le prince Victor, journaliste ou politique, devait passer par lui. C'est seulement après cet examen qu'il l'introduisait auprès de son maître. Les membres du parti bonapartiste reprochèrent beaucoup au prince Victor de ne pas être assez indépendant de son secrétaire. En fait, ils rendaient Edmond-Blanc responsable de l'inaction du prince. Lors du léger réveil bonapartiste du début du siècle, les hommes du parti ne comprirent pas la circonspection d'Edmond-Blanc. Les critiques se multiplièrent à son égard : « De tous les côtés, le prince est sollicité de se séparer de ce dernier en qui on voit un obstacle [12]. » Edmond-Blanc en était tout à fait conscient : « Dion me disait également que j'étais le bouc émissaire, qu'on me rendait responsable de la situation actuelle [13]. » Malgré tout, il restait convaincu que le temps des coups d'État était révolu. Victor et son secrétaire étaient devenus tellement proches qu'il est difficile de juger quelle a été réellement son influence politique sur le prince Victor. Le prince prenait certes toujours conseil auprès de lui, mais était-ce à lui que revenait la décision ? Probablement pas. En fait, sa principale activité restait le secrétariat du prince. Il commençait sa journée par le dépouillement de l'abondante correspondance du prétendant, rédigeait une partie des réponses ainsi que le courrier envoyé aux responsables du parti, et les soumettait au prince. Il assurait également les relations entre la presse et le prince Victor en préparant les interviews. Bref, Amédée Edmond-Blanc était l'homme de confiance du prince Victor. Sa mort, en mai 1906, affecta le prince Victor, qui perdait un collaborateur précieux : « Votre appréciation sur le pauvre Blanc est si juste ! Il fut un homme si fidèle, si dévoué ! Victor trouvera difficilement une amitié aussi sincère [14]. » Edmond-Blanc fut remplacé par M. Beneyton, dont le rôle se limita au secrétariat du prince.

En dehors de son secrétaire, avec lequel il partageait son quotidien, le prince Victor pouvait compter sur des sortes d'« aides de camp ». Il s'agissait pour la plupart d'hommes de tradition bonapartiste qui se relayaient auprès de Victor pour lui rendre de multiples services, dont le principal était de faire le lien entre Paris et Bruxelles. Bien souvent, ces hommes s'occupaient aussi des affaires personnelles du prince à Paris. Parmi eux, on peut citer le lieutenant-colonel Nitot, le comte de Laborde, le baron Durrieu, le baron Lepic, Jules Boitelle, Thouvenel, le marquis de La Valette, le comte Fleury, le marquis de Lagrange et le marquis de Girardin. Ces hommes, dévoués corps et âme au prince, formaient autour de lui une sorte de garde privée ; on disait qu'ils appartenaient à son service d'honneur[15]. En général, leur famille avait été au service de l'Empire, et eux-mêmes s'étaient mis à la disposition du prince Victor, qu'ils connaissaient depuis leur enfance et qui les considéraient comme de véritables amis. Ils avaient aussi comme prérogative d'accompagner le prince dans ses divers déplacements. Lors de ses voyages, entre autres familiaux, le prince Victor appréciait particulièrement la présence à ses côtés soit du comte de Laborde, soit du comte Fleury ou encore de Louis Thouvenel. Leur discrétion et leurs bonnes relations avec le reste de la famille de Victor rendaient leur présence agréable. Louis Thouvenel était particulièrement lié avec l'ensemble de la famille. Né en 1853, il était le fils du ministre des Affaires étrangères de Napoléon III et avait épousé une Abbatucci, famille de notables politiques et de militaires corses. Doublement attaché à la famille impériale, il entretenait des relations régulières avec le prince Victor, mais aussi avec son frère et sa sœur. Après des études en sciences politiques et en droit, il commença, en 1876, une carrière diplomatique en tant qu'attaché à l'ambassade de France à Constantinople. Il occupa divers postes en Europe du Sud avant de démissionner pour se consacrer à l'écriture. Il collabora à plusieurs journaux dont *La Revue de Paris* et *Le Gaulois*, puis publia diverses études sur son père. Il vivait à Auteuil et était un des principaux correspondants du prince Victor en France. En 1924, Thouvenel se qualifiait de « doyen du service d'honneur du prince[16] ».

Pour les voyages dits d'étude, le prince Victor se faisait volontiers accompagner d'un autre membre de son service d'honneur, le marquis de Lagrange. Le 13 avril

1904, *Le Figaro* publiait l'annonce de son décès suivi de ces quelques lignes : « Homme apprécié du monde parisien et du parti impérialiste. Le prince Napoléon perd en lui un de ses amis les plus fidèles et un de ses serviteurs les plus dévoués. Membre du service d'honneur du prince, il l'accompagnait souvent dans ses voyages [17]. » Né en 1850 et fils d'un écuyer de l'impératrice Eugénie, le marquis de Lagrange était resté toute sa vie fidèle à la tradition bonapartiste. Lui aussi s'était marié dans la sphère bonapartiste, puisqu'il avait épousé la fille d'Alfred Le Roux, ancien ministre de Napoléon III. Le marquis de Lagrange s'était d'abord destiné à la carrière militaire, mais la guerre de 1870 ayant éclaté alors qu'il préparait Saint-Cyr, il décida de s'engager volontairement. Fait prisonnier à Verdun, il réussit à s'échapper. Après la guerre, il resta officier de réserve jusqu'en 1887, date à laquelle il se retira pour s'occuper de ses importants domaines en Seine-et-Oise. Dès lors, il s'impliqua dans la vie politique locale. En 1891, il se fit élire maire de son village, mais en août 1899 il fut suspendu de ses fonctions pour avoir refusé l'affichage de l'arrêt de la Cour de cassation renvoyant le capitaine Dreyfus devant un nouveau conseil de guerre. Malgré ses nombreuses occupations – il était administrateur de diverses sociétés financières –, il se rendait au moins une fois par an à Bruxelles pour effectuer son service d'honneur. Le prince Victor pouvait ainsi partager les vues d'un homme de terrain, qui, en plus, portait un intérêt prononcé à l'armée.

Au sein du service d'honneur du prince Victor, le marquis de Girardin occupait une place particulière. Il fut un de ceux qui servirent Victor le plus longtemps et en qui le prince eut le plus confiance [18]. Ses tâches étaient très diverses : il traitait aussi bien les affaires politiques que les affaires personnelles. Il était également chargé de prospecter chez les antiquaires, dans les ventes aux enchères, auprès de particuliers, dans le but de repérer des objets napoléoniens susceptibles d'intéresser le prince. Chaque mois, Girardin revenait à Bruxelles pour rapporter à Victor le fruit de ses recherches, « lesquelles ont pour but tous documents et objets se rapportant ou provenant du Premier Empire, lances, piques, aigles en bronze doré [19] ». Par ailleurs, on sait grâce aux rapports de police que Girardin possédait un logement à Bruxelles, rue de Washington, à proximité de l'avenue Louise. Il s'agissait probablement de son pied-à-terre pour ses nombreux séjours, étant donné qu'il faisait continuellement la navette entre Paris et Bruxelles. Ses allées et venues étaient si fréquentes que, au poste frontière, il n'était plus contraint à la fouille des bagages. En février 1899, un inspecteur de la Sûreté française s'inquiéta de ce manquement au règlement et s'en plaignit au poste frontière belge qui attesta : « On le connaît, c'est le comte de Girardin, un intime du prince Victor qui lui apporte les paquets et les nouvelles de Paris [20]. » Les missions de Girardin concernaient aussi les affaires privées du prince. Lorsque Victor quitta Paris pour Bruxelles, Mlle Biot, avec laquelle il entretenait une liaison, le suivit, laissant un appartement à louer rue de Courcelles. Le prince chargea alors Girardin de trouver un locataire : « le loyer est de 6 000 F et le bail se termine le 15 avril 1889 [21] ». La Sûreté confirme que Girardin était chargé des affaires très privées : « Le prince préfère le marquis de Girardin [à Thouvenel] qui fait toutes ses commissions auprès de ces dames [22]. » En somme, le prince Victor pouvait compter sur le dévouement de ces quelques hommes de confiance. Une fois installé à Bruxelles, il établit aussi des contacts avec la société belge.

La surveillance de l'hôtel du prince Victor permet de connaître le nom des visiteurs les plus assidus. Dès son installation, en dehors des Français, deux Belges se font remarquer : le banquier Léon Lambert-de Rothschild et Hubert Dolez, diplomate. Le prince Victor entra en contact avec Léon Lambert-de Rothschild pour affaires, mais leur relation dépassa rapidement celle d'un banquier avec son client. Le baron Lambert devint l'un des fidèles de l'avenue Louise : « le prince entretient des relations très suivies avec le baron [23] ». Familier du palais royal, il faisait partie des hommes importants du pays, ce qui ne l'empêcha pas de nouer des liens amicaux avec le prince Victor. Leur amitié donna néanmoins lieu à de nombreux commentaires, certains voyant dans le baron Lambert un potentiel bailleur de fonds pour le parti bonapartiste [24]. Un mouchard rapporte le 16 janvier 1899 qu'un banquier bruxellois, M. Lambert (gendre du baron Gustave de Rothschild), avait offert à Victor deux millions de francs, que le prince aurait refusés. Un mois plus tard, d'autres bruits attestent que Lambert aurait proposé à Victor un chèque en blanc, de la part des Rothschild. Le prince n'avait plus qu'à y inscrire le montant qui lui convenait et aller toucher l'argent à la banque [25]... Il ne s'agit que de rumeurs. Il ne faut pas oublier qu'on est alors en pleine affaire Dreyfus ; le prince Victor s'étant démarqué des antisémites, les agents de police sont à l'affût de toute trace susceptible de prouver l'existence de liens entre le prince et le milieu de la finance juive. Il convient de rester prudent à l'égard de ces rapports de la Sûreté générale. Le baron Lambert n'a certainement pas financé de campagne électorale bonapartiste ; il est inenvisageable que ce grand banquier belge ait apporté un soutien financier au prince Victor, car il était trop proche du roi des Belges pour se compromettre dans des intrigues politiques. Pourtant, d'autres rapports des années 1903-1904 s'acharnent à donner un caractère politique à leurs rencontres [26], alors qu'ils étaient tout simplement devenus amis.

Quant à Hubert Dolez, il avait été présenté au prince Victor par Maurice Levert, fervent bonapartiste : « c'est son proche parent, Maurice Levert, député, ancien préfet de l'Empire, zélé victorien, qui vient assez souvent à Bruxelles faire sa cour au prétendant et s'informer si son jeune maître est sage, qui a mis M. Dolez en relation avec le prince Victor[27] ». Hubert Dolez avait mené une brillante carrière diplomatique : conseiller de légation à Saint-Pétersbourg, consul général à Alexandrie, ministre résident à Berne et à Constantinople[28]. Il appartenait à une famille de politiciens belges à l'origine de la création du parti libéral en Belgique. D'après le journal belge *La Réforme*, Dolez cherchait à se rapprocher du prince Victor afin de se ménager des appuis pour briguer l'ambassade de Belgique, à Paris. Or cette raison ne peut pas être à l'origine de leur amitié, le prince Victor étant bien mal placé pour soutenir quelqu'un en France. En fait, là encore, la police donnait un caractère politique à des relations tout simplement amicales. Il est vrai que, en raison de la position de Dolez, le prince Victor aimait s'entretenir avec lui de politique, mais leurs conversations se rapportaient davantage à l'actualité qu'au parti bonapartiste. En outre, Dolez dépannait aussi le prince de temps en temps pour faire circuler du courrier entre la France et la Belgique : « Un des autres moyens de correspondre entre le prince Victor et les impérialistes de Paris vers la Belgique est M. Hubert Dolez, ancien diplomate belge, extrêmement lié avec le prince, qui dîne chez lui fort souvent[29]. »

Ayant des contacts avec le monde de la finance et de la politique, Victor voulut entrer en relations avec des militaires belges. D'après deux rapports, plusieurs officiers du régiment des Guides faisaient partie des invités réguliers de l'avenue Louise. Le général Van der Smissen était aussi reçu fréquemment chez le prince Victor : « Son nom a été inscrit plusieurs fois sur le registre de la maison de S.A.I. le prince Victor déposé dans l'antichambre. En somme, comme prétendant, le prince Victor recherche avec une attention toute particulière les relations avec le parti militaire belge[30].» Le général avait commandé la légion belgo-mexicaine envoyée au Mexique de 1864 à 1867, épisode de sa carrière auquel le prince Victor était particulièrement sensible. Par la suite, Van der Smissen avait été aide de camp de Léopold II de 1883 à 1890, période au cours de laquelle il fit la connaissance de Victor[31]. Le prince Victor, conservant un fort attachement pour le milieu militaire, avait plaisir à entretenir des relations avec des officiers belges.

Dans un premier temps, Victor, d'une nature timide, ne chercha pas à s'introduire dans les cercles mondains. D'ailleurs, il semble avoir été tout d'abord snobé par l'aristocratie belge, qui lui préférait le duc d'Aumale, également exilé à Bruxelles[32]. Toutefois, au fil du temps, le prince Victor finit par se mêler à la haute société belge : la comtesse de Robiano et le duc d'Arenberg devinrent des intimes[33]. Le prince Victor se lia surtout avec la comtesse Ghislaine de Caraman-Chimay, qui occupait une place originale au sein de la noblesse belge. Son père, gouverneur de la province du Hainaut, avait été ministre des Affaires étrangères de 1884 à 1892 et faisait partie de l'entourage proche de Léopold II. Pourtant, Ghislaine avait été élevée à Paris et elle n'était revenue en Belgique qu'en 1900[34]. La comtesse, tempérament artiste, aimait la musique, peignait des portraits au pastel – dont celui du prince Victor[1]. Grande observatrice des évolutions de la société, elle s'intéressait de près à la politique. Elle était plutôt de sensibilité de gauche, fait remarquable au sein de sa caste, et chercha d'ailleurs à mettre le prince Victor en contact avec des personnalités politiques françaises de cette tendance. Par la suite, elle devint, de 1909 à 1954, dame d'honneur de la reine Élisabeth. En fait, on s'aperçoit que la majeure partie des contacts du prince Victor avaient un lien avec le palais royal.

---

1. Voir la couverture du présent ouvrage.

Une fois installé avenue Louise, le prince Victor demanda à être reçu par Léopold II pour le remercier d'avoir accepté qu'il se réfugiât à Bruxelles. Le roi se montra très aimable envers l'exilé. Au cours de cette audience, Victor rencontra le frère du roi, le comte Philippe de Flandres, avec lequel il sympathisa. Un article de *La Réforme* indique que, dès janvier 1887, Victor reçoit chez lui le roi, le comte de Flandres et des officiers de la Cour[35]. Quelques mois plus tard, la police constate que le prince Victor « est de mieux en mieux à la Cour de Bruxelles auprès du roi Léopold et surtout du comte de Flandres[36] ». Victor devint en effet l'un des intimes du comte ; il était tous les ans invité à la réception donnée à l'occasion de la fête du comte, à laquelle seuls les plus proches étaient conviés[37]. Il faut dire que beaucoup de choses les rapprochaient. Le comte de Flandres, devenu prince héritier à la mort du fils unique de Léopold II, était dépourvu d'ambition – personne d'ailleurs ne croyait vraiment à son accession au trône. Une surdité grandissante l'isolait et accentuait son humeur changeante. Pour trouver le calme, il se réfugiait dans sa bibliothèque qui rassemblait des milliers de livres précieux. Tout comme le prince Victor, une de ses occupations favorites était de se rendre chez les antiquaires ou à des ventes publiques pour acheter des objets d'art et des livres rares[38]. Ces goûts communs avaient rapproché le comte de Flandres et le prince Victor, alors qu'en politique leurs vues différaient. Le comte de Flandres, très conservateur, détestait la Révolution française et condamnait le régime parlementaire, qu'il surnommait la « voyoucratie[39] ». Fort dévot, attaché à un monde traditionnel, il repoussait tout changement social, qu'il jugeait inutile. Mais ces divergences n'avait pas empêché qu'une réelle amitié naquît entre eux. Les relations du prince Victor avec Léopold II furent plus complexes. De simples visites de courtoisie, leurs relations s'approfondirent avec le projet de mariage de Victor avec la fille du roi, Clémentine. Cependant, Léopold II ne porta jamais de jugement personnel sur le prince Victor. Pour des questions de politique, il ne souhaitait pas établir de liens réguliers avec ce prince exilé. Pourtant, des rumeurs circulèrent en janvier 1889, selon lesquelles Léopold II serait intervenu entre Victor et Plon-Plon en vue d'une éventuelle réconciliation[40]. Le roi aurait envoyé chez le prince Victor son chef de cabinet, le comte Paul de Borchgrave d'Altena, pour le convaincre de se réconcilier avec son père. Le prince Victor aurait répondu que, pour l'heure, ce rapprochement était impossible. La Sûreté alla jusqu'à affirmer qu'une entrevue entre Victor et son père avait eu lieu en Belgique, près de Spa. Plon-Plon, qui se rendait chez l'impératrice en Angleterre, aurait fait escale en Belgique[41] ; cette rencontre aurait été facilitée par Léopold II. On peut se demander pourquoi le roi aurait essayé de rapprocher le père et le fils. En fait, Léopold II connaissait le prince Napoléon depuis très longtemps. En 1854, le futur Léopold II, accompagnant son père à Paris pour un voyage officiel, avait alors rencontré le prince Napoléon, avec lequel il avait sympathisé. Était-ce en souvenir de cet agréable moment que le roi accepta d'intervenir ? Toujours est-il que les efforts du roi se soldèrent, comme les autres, par un échec.

En définitive, le prince Victor vivait retiré dans son antre de l'avenue Louise. Il avait peu de contacts avec la société belge, en dehors de quelques exceptions comme Lambert, Dolez et la famille de Flandres. L'essentiel de son entourage se rattachait encore à la France, comme en témoignent les membres de son service d'honneur. La personne centrale de ce dispositif était sans conteste son secrétaire, Edmond-Blanc, compagnon indispensable dans cette vie consacrée aux devoirs d'un prince en exil. Après la mort de son père, Victor était devenu le chef incontestable d'une cause unifiée.

CHAPITRE 23

Un changement de cap sans résultat

En 1890, l'audience du parti bonapartiste est en baisse, conséquence des dissensions internes du parti mais aussi des espoirs déçus suscités par l'aventure boulangiste. À la fièvre boulangiste succède la lente agonie du parti bonapartiste [1]. Cinquante-sept comités victoriens subsistent, mais leurs réunions se tiennent à intervalles irréguliers. Les bonapartistes se révèlent incapables d'éviter un nouvel échec aux élections municipales du printemps de 1890. Le prince Victor accuse d'inefficacité le général Du Barail, malade de la goutte pendant la campagne électorale. Mais, surtout, ces résultats lui confirment la nécessité de se débarrasser de l'alliance conservatrice et le besoin de reprendre en main le parti.

Tout d'abord, le prince Victor s'aperçoit que les bonapartistes ont besoin de regagner la confiance des masses populaires. La mort de son père le laisse libre d'opter pour une éventuelle réorientation à gauche du parti, terrain occupé jusqu'à présent par Plon-Plon. L'une des premières décisions de Victor pour rallier les jérômistes est le remplacement du général Du Barail, à la tête des comités plébiscitaires de la Seine, par le baron Legoux. Cet ancien procureur a abandonné sa carrière en 1881 pour se consacrer à la politique et plus précisément à la cause bonapartiste. Par sa collaboration à plusieurs journaux, *L'Ordre, Le Peuple français* et *Le Gaulois,* il s'impose comme un militant actif. Lui-même se présente comme le défenseur des droits du peuple et de la souveraineté nationale : « Hier, je n'étais que l'avocat de la loi ; aujourd'hui je suis devenu l'avocat du peuple[2]. » En choisissant le baron Legoux, le prince espère rétablir l'union dans le parti.

D'autre part, pour endiguer les nombreux ralliements à la République, Victor décide d'adopter clairement l'étiquette plébiscitaire. Cette orientation déplaît aux impérialistes purs, attachés à la forme de l'Empire. Or le prince Victor ne s'oriente vers le principe d'un gouvernement choisi directement par le peuple qu'après l'épisode boulangiste, qui avait rendu le régime républicain incontestable : « Notre doctrine, la doctrine des Napoléon, est essentiellement démocratique. Aussi tous ceux qui se réclament de la souveraineté du Peuple, tous les démocrates sincères sont-ils appelés à devenir nos alliés et nos auxiliaires [...]. Plus que jamais, je demeure convaincu que seul l'exercice direct de la Souveraineté du Peuple peut donner au pouvoir la force nécessaire pour accomplir une œuvre bienfaisante de pacification sociale[3]. » Le prince Victor ne se considère plus comme « dynaste » ou prétendant ; désormais, il aspire au pouvoir sur désignation directe du pays. Afin de marquer cette réorientation, il demande que tous les comités bonapartistes prennent le nom de comités plébiscitaires. Par ce changement d'appellation, il entend souligner la priorité de la volonté nationale sur la volonté dynastique. Cette démarche de Victor est aussi la conséquence d'une autre prise de conscience : la nécessité de faire appel à de nouvelles personnes. En effet, le prince constate le vieillissement des cadres du parti, la disparition progressive des fidèles serviteurs de l'Empire. Ce personnel avait l'avantage de séduire par son aspect commémoratif, mais il apparaît vital de recruter un personnel plus jeune, tourné vers l'avenir et non vers le passé.

Cette réorientation déplaît aux impérialistes, en majorité cléricaux et antirépublicains. Face à cette résistance, le prince Victor ne veut pas brusquer les choses et, pour limiter les désertions, repousse le débat sur la forme du futur régime, sous prétexte de se concentrer sur le principe plébiscitaire. Berger, député de Saumur, met tout de même en garde le prince sur le fait que l'idée de plébiscite a été discréditée par l'épisode Boulanger. Selon lui, il serait opportun de renouveler la propagande sur d'autres thèmes, mais cela se révèle difficile, par manque de moyens financiers[4]. De son côté, le prince Victor, qui ne s'était pas manifesté après la mort de son père, se montre désormais prêt à réaliser un plan de campagne. Il multiplie les interventions et voudrait publier un manifeste rappelant ses principes politiques, mais pour cela... il a besoin d'argent[5]. Entre-temps, une partie des bonapartistes conservateurs suit Léon XIII, qui, en février 1892, par l'encyclique « Au milieu des sollicitudes », conseille aux catholiques français de se rallier à la République[6]. Ne croyant plus à la possibilité d'un renversement de la Troisième République, certains députés bonapartistes, craignant désormais de perdre leur électorat catholique, optent alors pour le ralliement. De son côté, Jules Delafosse en vient à proposer la constitution d'un parti républicain plébiscitaire, mais Cassagnac s'insurge contre ce projet, dès lors abandonné[7].

N'arrivant à empêcher ni les tiraillements au sein du parti ni le ralliement à la République, le prince Victor confirme et accentue son virage à gauche[8]. Conseillé par Émile Ollivier, qui lui écrit que, « dans le désarroi général, il ne serait pas mal que vous fissiez entendre votre voix. L'anniversaire du 22 septembre semble vous en fournir une occasion propice[9] », Victor saisit l'occasion du centenaire de la proclamation de la République, le 22 septembre 1892, pour réaffirmer cette nouvelle orientation. Rappelons que le prince Victor n'avait pas pris la parole lors du centenaire de 1789, pourtant fêté avec faste par la

République à travers l'Exposition universelle de 1889. Du vivant de son père, Victor n'osait pas appuyer son argumentation sur l'héritage de 1789, domaine encore réservé aux jérômistes. En 1892, la situation est différente ; Victor confirme sa nouvelle position par la revendication de la commémoration de la proclamation de la République. Par une déclaration officielle aux comités plébiscitaires, le prince Victor rappelle que cette date appartient aux plébiscitaires bien plus qu'à tous les parlementaires qui ont accaparé le pouvoir : « On va célébrer l'anniversaire du 22 septembre 1792, parce que, ce jour-là, la République fut proclamée. Mais on oublie que, ce jour-là aussi, fut inauguré un principe bien supérieur à la République. [...] Les démocrates prononcèrent, à l'unanimité, le 22 septembre : "Il ne peut y avoir de Constitution que celle qui est acceptée par le peuple." [...] Un gouvernement puisant sa force dans cette origine vraiment démocratique pouvait seul être un instrument de paix et de progrès social. N'est-ce pas parce qu'ils étaient les élus du peuple que les Napoléons ont eu les moyens de servir sa cause ? N'est-ce pas parce qu'ils ont sauvegardé ses droits qu'ils ont mérité sa confiance et obtenu des millions de suffrages ? C'est Napoléon Ier qui a sauvé et organisé les conquêtes de 1789. C'est Napoléon III qui a rétabli dans son intégrité le suffrage universel mutilé [10]. »

Par ce discours, le prince souligne l'aspect social du bonapartisme, afin de sensibiliser les ouvriers à l'idée napoléonienne. En effet, Victor est convaincu qu'aux yeux de l'opinion le parti bonapartiste n'est plus différentiable d'un quelconque parti monarchiste conservateur. Or il perçoit la montée en puissance du mouvement ouvrier et socialiste et veut freiner les désertions des ouvriers attirés par les théories sociales d'un Jaurès, au détriment d'anciens élus bonapartistes présentant une image désuète et stéréotypée. C'est ainsi que le prince

Victor revendique l'héritage social de Napoléon III afin de rattacher l'idée socialiste à la tradition bonapartiste. À la fin du mois de décembre 1892, Paris est en proie à une vive agitation. Des révélations sur l'affaire du canal de Panamá éclaboussent plusieurs membres du gouvernement ; la République est de nouveau discréditée[11]. Ce faux pas de la République est considéré comme une chance par les comités plébiscitaires, dont les chefs se rendent à Bruxelles pour inciter Victor à l'action, au coup de force[12]. Parallèlement, ils font courir le bruit dans la presse que le prince a quitté Bruxelles pour Paris, où il devrait tenter quelque chose[13]. Ils espèrent ainsi réveiller les ardeurs de leur prétendant. Leur tentative reste sans succès, Victor refusant toute idée de recours à la force[14]. Il se contente de rappeler : « L'Empire a fait Suez, la République Panamá[15]. » Cependant, l'agitation des bonapartistes a pour effet d'attirer les regards vers l'avenue Louise : les journalistes s'y pressent pour s'assurer de la présence de Victor à Bruxelles[16]. À Paris, le baron Legoux est chargé d'éteindre les rumeurs et en profite pour affirmer la nouvelle position de Victor : « Le Prince Victor ne publiera un manifeste que si les affaires de Panamá déclenchent de gros désordres dans Paris [...] alors, il ferait acte de candidat à la présidence de la République. [...] Le prince n'aspire pas à l'Empire, sorti de la Révolution, il entend se mettre à la disposition de la France républicaine[17]. »

Au début du mois de janvier 1893, le prince Victor abat d'autres cartes. Il se présente comme candidat à la présidence d'une République dont le premier magistrat sera élu au suffrage universel : la question de la forme du futur régime est enfin tranchée. Ainsi, toute préoccupation dynastique s'efface devant la reconnaissance hautement affirmée de la souveraineté populaire. Le prince Victor adopte définitivement l'étiquette plébiscitaire et s'efforce d'orienter les membres des comités vers une question qui lui paraît cruciale : la question sociale. Pour cela, il défend et remet à l'honneur l'œuvre sociale de Napoléon III : « C'est Napoléon III qui, par la liberté des réunions et des coalitions, par le développement des sociétés de secours mutuels, par la création des caisses de retraite, a inauguré cette transformation sociale que, désormais, il n'est plus au pouvoir de personne d'arrêter. Ne voit-on pas, chaque jour, ceux qui reprochaient avec le plus de véhémence à l'auteur couronné de *L'Extinction du paupérisme* d'être socialiste, se pavoiser de ce titre devant l'opinion publique, afin d'en obtenir quelque crédit [18] ? »

Le prince Victor n'est pas suivi : les hommes du parti n'envisagent pas de soutenir la forme républicaine, surtout au moment où celle-ci semble fragilisée par le scandale de Panamá. Ils appuient leur argumentation sur le fait que la forme impériale du gouvernement a été instituée par les plébiscites antérieurs, qu'il est donc impossible de la remettre en cause. En aucun cas ils ne cherchent à faire du discours du prince un programme électoral, car ils craignent de voir leur parti transformé en parti plébiscitaire républicain. Ils restent campés sur le terrain des revendications protestataires et espèrent de leur prince un coup de force, non un programme politique [19].

Dès lors, le fossé ne cesse de se creuser entre les membres du parti et le prince Victor, dont les préoccupations se dirigent vers la question sociale. En 1893, Victor écrit à Émile Ollivier pour le féliciter d'une brochure qu'il vient de publier sur la guerre sociale. Dans sa lettre, le prince reprend une phrase de la brochure – « L'essentiel de la liberté n'est pas la liberté politique, c'est la liberté sociale et civile » – et affirme que « ces mots sont notre véritable programme de gouvernement [20] ». Cette sensibilisation du prince Victor à la notion de liberté sociale démontre qu'il a bien perçu les mutations de la société française. Il est vrai que, à la suite du développement industriel et urbain du Second Empire, le cadre de la vie politique française s'est transformé. Une France nouvelle est apparue, caractérisée par l'émergence d'une classe moyenne importante composée d'ouvriers, mais surtout de petits propriétaires, exploitants agricoles. D'autre part, avec la révolution des transports – voies ferrées, routes, canaux –, les échanges se sont multipliés. En 1890, la France est un espace national, non plus une juxtaposition de provinces fermées, propice à un débat national, favorisé par l'alphabétisation croissante liée à une scolarisation quasi générale et par l'essor de la presse, devenue moins chère et mieux diffusée grâce au chemin de fer. Le débat politique pénètre les campagnes, où la voix du grand notable n'est plus la seule à être entendue. Chacun prend conscience qu'il a le droit de s'exprimer pour défendre son idéal politique. D'ailleurs, la nouvelle classe moyenne ne réclame pas la lutte des classes (réservée à une minorité ouvrière au sens prolétaire), mais l'accès à un statut d'indépendance par la possession d'un patrimoine. Dans ce contexte, la République offre un schéma séducteur en assurant l'élévation personnelle, en dehors de tout système élitiste. En définitive, la République propose à cette nouvelle société politique des réponses adaptées à ses aspirations[21]. De Bruxelles, le prince Victor, qui consacre une partie de sa journée à décortiquer la presse française, prend conscience de cette transformation de la société et cherche à adapter son discours. Mais tel n'est pas le but de son électorat qui, lui, s'attache au contraire à la défense d'intérêts conservateurs.

Le virage idéologique amorcé par le prince Victor est n'est pas approuvé par les membres du parti bonapartiste. L'étude sociologique réalisée par Patrick André sur les parlementaires bonapartistes de la Troisième République explique en partie ce positionnement : d'après lui, les députés bonapartistes se rapprochent davantage de la classe dirigeante de la monarchie de Juillet ou du Second Empire que des nouveaux députés républicains. La première génération de députés bonapartistes de la Troisième République (1871-1893) regroupe des hommes contemporains du Second Empire, qui défendent leur cause contre la République[22]. La génération suivante (1893-1919) est constituée essentiellement par leurs héritiers, qui entretiennent le « feu sacré ». L'attachement de ces hommes à l'Empire n'est pas vraiment politique. Certains soutiennent la forme de l'Empire par fidélité affective, comme les députés corses ou ceux qui sont liés avec la famille Bonaparte par des alliances matrimoniales, tel Joachim Murat dans le Lot. D'autres sont partisans d'un régime dynastique mais opposés à la monarchie, comme Rouher. Quant aux grands commis de l'État – sorte de techniciens de l'administration –, ils sont attachés à l'œuvre législative des Napoléon[23]. Enfin, les plus nombreux sont des notables traditionnels de type terrien, plus conservateurs et cléricaux encore que bonapartistes. Bien entendu, Cassagnac mais aussi Eschassériaux sont de ceux-là. Ainsi, même s'ils viennent d'horizons différents, les députés bonapartistes, avant tout des notables de tendance conservatrice, ne comprennent pas la nouvelle orientation politique du prince Victor. Ils y voient une résurgence de l'idéologie du prince Napoléon, qu'ils ont si longtemps combattue. Incapables de faire évoluer leur message, ils se lancent dans la bataille électorale de 1893 sans avoir renouvelé leur programme, limité à l'appel au peuple.

Un effort est tout de même entrepris par le baron Legoux, qui crée un comité électoral pour préparer la campagne de 1893[24]. Il réussit à y intégrer trois jeunes élus : Marius Martin, député du Puy-de-Dôme, ancien jérômiste, Maurice Binder et Maurice Quentin-Bauchart, conseillers municipaux du VIIIᵉ arrondissement de Paris. En revanche, deux des principaux notables du parti, Eschassériaux et Jolibois, décident de ne pas se représenter[25]. En outre, Eschassériaux, ne voulant plus assumer de responsabilité politique dans un monde qu'il estime ne plus être le sien, refuse de parrainer un jeune candidat. Avec le retrait d'Eschassériaux, les bonapartistes risquent de perdre la Charente-Inférieure[26]. Le prince Victor, voulant à tout prix l'éviter, envisage de déclencher une sorte de manifestation plébiscitaire et spontanée en demandant à Eschassériaux de guider ses électeurs : à défaut de candidat officiel, qu'ils notent le nom du prince Victor sur les bulletins de vote. Cette manifestation aurait pour but de faire croire en France aux aspirations secrètes des habitants des campagnes pour le retour de la dynastie des Napoléon. Eschassériaux refuse de se prêter au jeu : « Je lui ai fait entrevoir mes craintes d'un fiasco et la sagesse de l'éviter [...]. Nous sommes tombés d'accord sur l'état d'affaiblissement de tous les partis, sur l'inconscience publique et sur l'affaissement moral de tous les partis[27]. » Si le retrait de la vie politique d'hommes comme Jolibois et Eschassériaux peut s'expliquer par leur âge, le parti connaît alors d'autres défections, comme celle du duc d'Abrantès, qui écrit au prince Victor en mai 1893 pour lui annoncer qu'il ne se représente pas, n'éprouvant plus d'intérêt pour ce qu'il fait et ne croyant plus à son éventuelle réussite : « Je regrette d'autant plus que les circonstances se présentant aujourd'hui plus favorables qu'elles ne l'ont jamais été, et qu'au milieu du discrédit des opportunistes, du désarroi des royalistes et de l'incertitude des catholiques, il y a pour les représentants de la souveraineté nationale une partie à jouer[28]. » Tel n'est pas l'avis d'Henri Baboin, qui lui aussi retire sa candidature, mais en raison lui, d'une conjoncture politique qu'il estime défavorable : « Depuis 1877, les forces de résistance conservatrices au courant républicain sont toujours allées s'affaiblissant et je n'oserais évaluer aujourd'hui ce qu'il en reste debout, tellement elles me semblent réduites à l'impuissance[29]. »

En définitive, une cinquantaine de candidats se présentent sous l'étiquette plébiscitaire aux élections d'août-septembre 1893. Les résultats sont désastreux : seuls treize députés arrivent à se faire élire, principalement en Basse-Normandie et en Charente[30]. Le Sud-Ouest, bastion bonapartiste, est définitivement perdu ; s'ajoutant à la Dordogne, au Lot, aux Landes et aux Basses-Pyrénées, déjà perdus en 1889, deux régions importantes, la Charente-Inférieure, où les bonapartistes perdent trois sièges, et le Gers, où ils en perdent quatre. Ces deux départements, fiefs bonapartistes depuis 1870, étaient tenus par deux grandes figures du parti : Eschassériaux et Cassagnac. Eschassériaux s'est retiré, mais Cassagnac essuie un revers cinglant dans son département, conséquence de la distension du lien entre les élus et la petite clientèle paysanne qui s'ouvre au libre-échange. Eugène Berger est également battu à Saumur, défaite qu'il explique par son âge avancé[31]. Ces résultats catastrophiques font que les quelques députés restants ne sont plus assez nombreux pour former un groupe à la Chambre ; le groupe parlementaire de l'Appel au peuple disparaît. D'autre part, les hommes du parti voient dans ces résultats la conséquence des prises de position de leur prétendant, qui préfère « faire semblant de réfléchir plutôt que d'agir[32] ». Dès lors, le bonapartisme devient un courant politique marginal dont la représentation parlementaire se limite à une dizaine de députés disposant de moyens de propagande de plus en plus restreints. Dans ce contexte de crise, ceux qui restent trouvent tout de même le moyen d'aggraver la situation par des discordes internes, animées principalement par Cassagnac.

La crise s'accentue au printemps de 1895[33]. Le baron Legoux est de plus en plus controversé, il est jugé trop mou par les membres du parti. Les comités souhaitent alors le rappel de Cassagnac à leur tête, ou la remise en place d'un comité central sous l'autorité directe du prince Victor. Ce dernier repousse ces propositions, ne voulant pas remettre Legoux en question ; certains présidents de comité passent outre et adressent directement une lettre à Cassagnac qui, dans un premier temps, ne répond pas[34]. Le baron Legoux, se sentant repoussé, annonce sa démission[35]. Il ajoute : « si les comités choisissaient Cassagnac comme chef, le prince Victor-Napoléon les laisserait agir selon leur propre inspiration, car il ne peut pas accepter un solutionniste, prêt à soutenir le duc d'Orléans ». Au mois de juillet, la crise atteint son point culminant : Cassagnac quitte les comités, ses partisans menacent de le suivre. Il réclame alors que le représentant du prince ne soit pas désigné mais élu, conformément à la règle plébiscitaire. Un vote est alors organisé à la fin de juillet pour trancher entre le baron Legoux et Cassagnac. Vingt comités se prononcent pour Cassagnac, douze pour Legoux. Lorsque le prince Victor apprend ces résultats, il se déclare décidé à dissoudre des comités qui continuent à transgresser ses ordres. Finalement, le prince choisit de recevoir Cassagnac à Bruxelles pour tenter de s'entendre avec lui. Cassagnac repart découragé : « L'entêtement bête de cet orgueilleux empêchera la fusion des partis bonapartistes et leur division diminuera les chances d'une action active[36]. » À la suite de cet échec, deux courants distincts se forment, ceux qui suivent *L'Autorité*, journal de Cassagnac, et les partisans du *Petit Caporal* et du prince Victor.

Le 18 août 1895, une autre réunion des bureaux des comités plébiscitaires de la Seine est organisée pour nommer le président général des comités. Cassagnac obtient 105 voix sur 259, Legoux 154, alors que Cassagnac n'avait pas posé sa candidature. Les comités qui ont voté contre Legoux ne veulent pas reconnaître son autorité et se déclarent « comités impérialistes indépendants ». Le prince Victor confirme tout de même le baron Legoux à sa place de président général des comités plébiscitaires de la Seine. Legoux tente alors de rassurer les fidèles par un discours dans lequel il s'affirme plébiscitaire par le droit, tout en demeurant impérialiste par le cœur. Il en profite aussi pour soumettre une nouvelle organisation des comités au prétendant, qui la lui accorde : « Vous pensez qu'une organisation plus large et moins centrée serait plus favorable au développement et à l'action des comités [...]. Veuillez donc réunir les présidents des comités et leur faire connaître que, sur votre demande, j'ai résolu de supprimer les fonctions de délégué général, ainsi que toutes les dispositions adoptées jusqu'à ce jour en ce qui concerne la réglementation des comités, la présidence et l'élection du bureau. En laissant les comités s'organiser, se constituer dans leur complète indépendance, je suis heureux de leur donner une nouvelle marque de confiance[37]. » En décembre, la majorité des comités adoptent ce nouveau règlement. L'apaisement n'est que de courte durée ; Cassagnac disposait encore d'une forte minorité prête à le suivre. En fait, il est décidé à la rupture et reprend l'offensive au printemps de 1896.

Il profite de la nouvelle organisation et de la démocratisation des comités pour faire élire trois vice-présidents généraux indépendants du prince Victor et hostiles à Legoux[38]. Cependant, Cassagnac, homme d'action, et en total désaccord avec les nouveaux statuts du parti qui interdisent tout agissement contre l'ordre public, décide alors de quitter les impérialistes et leur « prince au bois dormant[39] ». Cette polémique épuise ce qu'il reste encore du parti. Victor s'en ouvre directement à Cassagnac :

« Pour une simple question d'amour-propre et de vanité blessée, il y a de votre part une attitude qui n'a pour résultat que de désorienter une fraction du parti et de dérouter les gens de bonne volonté [40]. » Quelques jours auparavant, Cassagnac avait confié au secrétaire du prince les raisons de son attitude : « J'ai été profondément blessé par lui. Dès sa sortie de chez son père, il m'a écarté : non seulement, il m'a tenu éloigné de ses conseils mais même de sa personne. Pendant son séjour de deux ans rue de Monceau, il ne m'a même pas invité une fois à déjeuner. J'ai été froissé, ulcéré ; voilà la raison d'être de mon attitude, l'origine de mes polémiques [41]. »

Finalement, Cassagnac décide de cesser la lutte, mais les bonapartistes restent méfiants : « Ce retour a du bon et du mauvais. Le bon, c'est la fin du schisme, et en même temps le retour à nous d'un homme capable par sa plume, sa parole et son tempérament d'agir à un moment donné sur la masse. Car jusqu'à présent nous avions des hommes, mais nous n'avions pas un homme. Je veux dire quelqu'un qui par son passé et son nom soit connu de la foule. Le mauvais, c'est pour le caractère de notre enfant prodigue : plutôt indiscipliné, autoritaire et clérical [42]. » En fait, Cassagnac, pour mettre définitivement fin à la lutte, demande que le prince Victor lui tende officiellement la main. Celui-ci refuse. Cassagnac quitte alors le parti et finit par prendre la tête, en décembre 1897, de comités rebelles s'intitulant « comités impérialistes de France [43] ». Affaiblis par cette nouvelle scission et se sentant abandonnés par leur chef, les bonapartistes tentent de survivre, sans pouvoir endiguer la dérive du parti.

CHAPITRE 24

Dans l'affaire Dreyfus

À la fin de l'année 1897 surgit le cas Dreyfus. En décembre 1894, le capitaine Alfred Dreyfus avait été dégradé et condamné à la déportation à perpétuité pour fait d'espionnage. Depuis, sa famille s'était employée à prouver son innocence, tant et si bien qu'à l'automne de 1897 l'erreur judiciaire semblait avérée. Dès lors l'affaire, judiciaire au départ, se transforme en crise politique puis en un véritable phénomène d'opinion. Clemenceau parle de « drame inouï d'humanité[1] », Péguy de « crise religieuse[2] ». L'ensemble de la société française se trouve profondément déstabilisé. La particularité de l'« Affaire » réside dans le fait qu'elle oblige chacun à se définir par rapport aux deux grands courants en formation. Deux visions du monde s'affrontent, qui correspondent à deux échelles de valeurs morales opposées. La portée du débat est largement favorisée par la place exceptionnelle qu'y acquiert la presse. En outre, phénomène d'opinion, l'affaire Dreyfus favorise l'essor d'associations comme les ligues, aussi bien à gauche – avec la Ligue des droits de l'homme et du citoyen – qu'à droite – avec la réactivation de la Ligue des patriotes de Déroulède et la création de La ligue de la patrie française, mouvement nationaliste conservateur.

L'affaire Dreyfus éclate dans un pays où couvaient des sentiments contraires, faciles à réveiller. Les « révisionnistes » s'engagent dans une lutte farouche pour la vérité, alors que l'opinion publique et l'armée se refusent à remettre en cause le jugement du conseil de guerre de 1894. Émerge une littérature antimilitariste, relayée par les universitaires qui trouvent dans le cas Dreyfus l'occasion d'une revanche sur la caste militaire. Ils se présentent alors comme des savants voués à la recherche de la vérité. L'autre camp, celui des militaires, hostiles à la révision, fournit un exutoire à l'antisémitisme qui couvait en France [3]. Le camp antisémite accable le condamné juif face aux révisionnistes qui dénoncent l'antisémitisme des officiers comme seul motif d'accusation de Dreyfus. En réalité, entre la fin de 1897 et l'Exposition de 1900, dreyfusards et antidreyfusards portent la lutte sur le double plan de la mystique et de la politique. Chacun se sentant investi d'une légitimité propre pour le salut de son pays, le débat dégénère en un déversement de haines au milieu duquel émergent des questions fondamentales : Qu'est-ce que la vérité, la justice ? Qu'est-ce qu'une nation, une race [4] ?

Si le prince Victor reste en retrait tout au long de l'Affaire, ses troupes n'hésitent pas à s'engager aux côtés de la majorité des partis conservateurs dans la lutte antidreyfusarde. Les quelques comités bonapartistes restants attendent de leur chef qu'il les guide et insuffle un nouveau message politique. Or le prince Victor, de Bruxelles, tient à rester en dehors du débat houleux qui anime la France : favorable aux milieux militaires, il ne peut tolérer les attaques virulentes dont est victime l'armée ; étranger à tout sentiment antisémite, il met en avant la neutralité du bonapartisme originel [5]. Aussi, rappelle-t-il que le Premier Empire a été le premier régime politique, en Europe, à donner un statut officiel à la religion juive. Il insiste également sur le fait que l'antisémitisme est absent de la doctrine bonapartiste, ce qui l'amène à défendre la tolérance et le respect des consciences [6]. En réalité, sa position n'a rien d'original et le place dans la continuité des souverains européens. Léon Blum met en lumière la contradiction qui s'installe entre les prétendants et leurs troupes : « La situation des royalistes et des bonapartistes était curieuse, en ce sens qu'ils étaient en masse et violemment antidreyfusards, alors que leurs chefs naturels, les princes, les prétendants, les membres des familles royale et impériale ne doutaient pas de l'innocence de Dreyfus. L'impératrice Eugénie, par exemple, était dreyfusarde convaincue et résolue. [...] Il ne faut pas s'étonner que le dreyfusisme eût ainsi gagné des partisans et des garants parmi les membres des anciennes familles régnantes. Rien n'était au contraire plus naturel. Toutes les cours d'Europe étaient dreyfusardes. Les informations venues de Rome ou de Berlin avaient circulé dans toutes les familles souveraines, unies par leur code particulier d'usages, mêlées les unes aux autres par de multiples parentés. Ce milieu était celui des Orléans et des Bonaparte, surtout de ceux qui vivaient en exil ; ils avaient été entourés et gagnés par l'opinion commune. [...] L'impératrice était dreyfusarde, le duc d'Aumale était dreyfusard [...]. À la Chambre française et sur le sol français, royalistes, impérialistes, "cléricaux" croyaient à la trahison et honnissaient les complices du traître [7]. »

Sur le terrain, les bonapartistes répondent favorablement aux appels antisémites de *La Libre Parole* d'Édouard Drumont et de la Ligue antisémitique de Jules Guérin, dans lesquelles ils voient une possibilité de séduire un électorat xénophobe et d'affaiblir la République. En outre, l'idée antisémite devient, tout comme Boulanger l'avait été, un moyen d'unir les conservateurs dans le but de renverser la République. C'est ainsi qu'on voit apparaître le « vote plébiscitaire antisémite », défendu vivement par Joseph Lasies [8], puis par Napoléon Magne [9]. Ces premiers virements n'effraient pas le prince Victor qui continue d'éviter toute déclaration officielle pour ne pas se désolidariser de ses troupes. Il fait tout de même passer des instructions à Legoux pour canaliser les ardeurs antisémites au sein des comités : « N'organiser aucune réunion pour ou contre l'affaire Dreyfus ; ne pas crier à bas les Juifs [10] ! » Ces consignes sont insuffisantes pour arrêter les désertions de plus en plus nombreuses dans les comités plébiscitaires en faveur des ligues antidreyfusardes [11].

Le 13 février 1898, les comités plébiscitaires de la Seine organisent une rencontre, présidée par le baron Legoux, avec M. Dubuc, connu pour ses idées antisémites. Au cours de la réunion, on entend crier : « Vive l'armée ! À bas Dreyfus ! » Lors d'une autre réunion bonapartiste, le 18 avril 1898, rue de Turbigo, la foule crie : « À bas la Marianne ! À bas les juifs ! Vive l'empereur [12] ! » Pendant ce temps, en province, les principaux dirigeants bonapartistes signent l'appel suivant : « Nous faisons appel à tous les Français ayant au cœur l'amour de leur pays pour protester contre les insulteurs de l'armée qui veulent livrer la France à la merci d'une poignée de juifs enrichis des dépouilles de tous [13]. » Le fossé ne cesse de se creuser entre les fidèles, qui s'engouffrent dans le courant antisémite, et le prétendant, toujours partisan de la modération.

Dans ce contexte, les élections de mai 1898 sont décevantes, même si les bonapartistes n'en espéraient pas grand-chose [14]. Des personnalités importantes du parti sont battues, dont Peyrusse, Delafosse et Clément de Royer. Au contraire, ceux qui s'étaient alliés aux antisémites sont élus : Cassagnac [15], Delpech-Cantaloup, Lasies, le comte d'Aulan et Ferrette. Ces résultats ne font toujours pas réagir Victor. Il s'enferme dans son silence, attitude de plus en plus critiquée par ses fidèles [16]. Une délégation bonapartiste se rend à Bruxelles pour se plaindre de cette inertie ; elle n'obtient pas davantage de réaction. Le manque d'engagement du prince laisse le parti en déshérence ; les désertions ne cessent de se multiplier[17].

À la fin de l'année 1898, les comités plébiscitaires sont confrontés à une nouvelle épreuve : la réapparition de la Ligue des patriotes et, avec elle, l'émergence du combat nationaliste. Nombreux sont les bonapartistes à adhérer aussitôt à la ligue de Déroulède. Face à cette dérive, l'attitude du prince Victor reste la même : la réserve. Échaudé par l'aventure boulangiste, le prince fait preuve d'une grande méfiance à l'égard de Déroulède et interdit une participation officielle des comités plébiscitaires à ce mouvement. Il n'est pas écouté ; les adhésions bonapartistes à la ligue se multiplient, sous prétexte de tactique politique. Le ligueur bonapartiste Andréoli précise : « Quand nous serons arrivés à ce que nous voulons, nous nous débarrasserons de lui [Déroulède][18]. » Pour l'heure, il est vrai que Déroulède a de quoi séduire l'électorat bonapartiste.

Nombreux sont les historiens à avoir souligné les points communs entre Déroulède et les bonapartistes : chacun prône un pouvoir fort reposant sur la confiance populaire exprimée directement à un homme et met en avant la gloire de la France. Bertrand Joly apporte cependant quelques nuances, même s'il reconnaît la collaboration des deux mouvements tout au long de l'affaire Dreyfus[19]. Il est difficile de fournir des chiffres de la pénétration bonapartiste au sein de la Ligue des patriotes, mais certaines sections sont entièrement bonapartistes, comme Armentières et le comité du XIVe arrondissement de Paris[20]. Il est significatif de voir des hommes importants du parti bonapartiste, comme Gauthier de Clagny, adhérer ouvertement à la Ligue[21]. Toutefois, vu les effectifs du parti bonapartiste à cette époque, ils n'y forment qu'une minorité et n'exercent aucune influence sur la politique générale de la Ligue.

En réalité, le parti bonapartiste, bien mal en point, joue la carte Déroulède, par affinité idéologique peut-être, mais surtout parce qu'il n'a pas le choix. Il faut avouer que le désarroi des troupes bonapartistes est à son paroxysme ; elles se seraient même tournées vers le frère du prince Victor, le prince Louis[22]. Aucune démarche ne semble avoir été faite. Il ne s'agit certes que de rumeurs, mais elles soulignent le trouble existant dans le parti bonapartiste, qui voit le mouvement nationaliste exploser sans réussir à s'y faire une place. En outre, les bonapartistes assistent, une fois de plus, à l'appropriation par d'autres de l'élément central de leur doctrine : le plébiscite. Or, pour Déroulède, les bonapartistes ne constituent qu'un moyen de se ménager une alliance électorale. Ainsi, *Le Drapeau,* organe de la Ligue des patriotes, explique qu'être « républicain, bonapartiste, légitimiste, orléaniste, ce ne sont là chez nous que des prénoms. C'est Patriote qui est le nom de famille[23] ». La confusion avec les bonapartistes devient plus nette dans les années 1898-1899, période à laquelle Déroulède mène une politique de séduction envers les bonapartistes, en faisant soigneusement circuler les rumeurs d'un coup d'État qui pourrait servir de tremplin à une restauration du prince Victor.

Depuis l'automne de 1898, des rumeurs de complots en vue d'un un coup d'État circulent[24]. Le 4 octobre, *La Paix,* dans son éditorial « Le coup d'État », appelle à manifester le 25 octobre pour faire pression sur la Chambre et renverser le cabinet Brisson[25]. L'article cite le nom des organisateurs : Drumont, Rochefort et surtout Déroulède[26]. Le 5 octobre, un policier, se fiant aux paroles du cocher du prince Victor, affirme que le général de Pellieux, alors commandant de la place de Paris, est venu à Bruxelles pour conférer avec le prétendant bonapartiste. Il faut préciser que le général de Pellieux avait joué un rôle particulier dans l'affaire Dreyfus : il avait été chargé, en novembre 1897, d'ouvrir une enquête sur Esterházy. En trois jours, il avait conclu – soit incompétence, soit parti pris délibéré – à la mise hors de cause d'Esterházy. Cet épisode déclencha la réaction des intellectuels (le mot, on le sait, naît alors) et engendra la vague « révisionniste ». Depuis, le général de Pellieux était assimilé à la lutte antidreyfusarde. Toujours est-il que, selon la police, la rencontre avec le prince Victor aurait été organisée à la suite de l'énervement de quelques généraux de l'armée française face à l'incurie du gouvernement. La rumeur est relayée par différents journaux. Elle est même exagérée, puisqu'on en vient à parler d'une entrevue entre le prince Victor et Déroulède. Au bout d'une semaine, l'émotion retombe ; la menace semble peu crédible. Néanmoins, d'après les documents existants, les rumeurs reposent sur des faits réels. Il est vrai que la révélation du faux Henry déstabilise le milieu militaire et cristallise les haines. Dès lors, pour les antidreyfusards, la culpabilité de Dreyfus n'est plus assurée. Ils en arrivent à envisager des solutions extrêmes pour mettre fin à cette affaire. Il est probable que certains généraux se soient alors réunis pour parler de la situation. À l'issue de la réunion, l'un d'entre eux, le général de Pellieux, part livrer ses impressions au prince Victor, à Bruxelles [27]. Bertrand Joly est d'accord pour reconnaître qu'aucun engagement n'a été pris, mais ils ont pu constater la convergence de leurs vœux et de leurs idées. Un vague plan aurait tout de même été envisagé, mais rien de suffisamment organisé pour réussir. Dans la correspondance d'un fidèle bonapartiste, Pierre de Bourgoing, on trouve une série de lettres datées d'octobre 1898, au sujet d'un projet de coup d'État. Il fait d'abord allusion à une tentative d'action de la part de Déroulède, puis il reproche au prince Victor son manque d'initiative et lui propose un plan : profiter de l'œuvre de déstabilisation entamée par Déroulède afin de renverser la Chambre [28].

Ces bruits éveillent tout de même l'inquiétude des autorités françaises. Le 16 octobre 1898, le gouvernement nomme un comité de vigilance qui doit surveiller les activités de Déroulède et des bonapartistes[29]. Cette décision découle aussi d'une note transmise par le préfet de police au ministère de l'Intérieur indiquant : « Le prince Victor, d'après le " tuyau" du préfet, avait projeté de renouveler à Verdun la tentative qu'avait risquée, à Strasbourg, son cousin Louis. [...] Comme son parent, Victor avait obtenu le concours de plusieurs officiers de la garnison. » Un agent, Jean France, est aussitôt envoyé à Verdun ; son enquête ne décelant aucun mouvement favorable au prince Victor, il est transféré à Bruxelles pour surveiller de près les agissements du prétendant impérial[30].

En France, les rumeurs reprennent à partir de janvier. L'atmosphère devient malsaine ; la presse discute ouvertement de la possibilité d'un coup d'État. Le 10 février l'agitation s'accentue, toujours relayée par la presse. Pourtant, rien ne paraît suspect, ni du côté de Déroulède – qui est à Nice, surveillé de près par la Sûreté – ni du côté des prétendants, comme l'indique le rapport de Jean France : « Ni l'un ni l'autre ne pensaient inquiéter à tel point le gouvernement de la République et, chacun d'eux, tout en se préoccupant de l'activité de l'autre, ne se voyait pas à la veille de monter sur le trône[31]. » D'ailleurs, rien d'inhabituel n'est remarqué avenue Louise : le prince ne reçoit pas de visites anormales, ne travaille pas plus qu'à l'ordinaire. L'atmosphère n'est tout simplement pas au complot. Le baron Legoux, regrettant cette situation, écrit au prince pour lui dire que, exilé à Bruxelles, il ne prend pas la mesure de l'atmosphère révolutionnaire de la scène politique française[32].

Sur ce, le 16 février 1899, le président de la République, Félix Faure, meurt subitement. La République, en pleine crise dreyfusienne, est plus vulnérable que jamais. Dès qu'il apprend la mort de Faure, Déroulède s'empresse de rentrer à Paris, où il se rend au siège de la Ligue, mais il n'a ni plan, ni complices, ni idée. Entre-temps, on apprend qu'Émile Loubet a de bonnes chances d'être élu président, choix qui agace en raison de son ancienne compromission dans Panamá. L'armée aussi se montre défavorable à Loubet : il se fait huer lors de son arrivée dans Paris. Les ligues avaient appelé à manifester, la foule se mêle spontanément aux mouvements. Déroulède croit à un rassemblement insurrectionnel. Il ne s'agit pourtant que d'un trait d'humeur. Toujours est-il qu'il n'agit pas le soir même, alors que l'effervescence persiste. On peut même déceler des cris de « À l'Élysée ! » Déroulède, pensant que le régime est à l'agonie et qu'un rien suffit pour le faire vaciller, s'octroie un délai de préparation.

Pendant trois jours, Déroulède déploie une activité immense mais dont on ne sait rien, malgré la surveillance de la police. Le 18, il laisse entendre que le coup de force aura lieu le 23. Des rapports de police confirment la date et citent les noms des généraux Pellieux et Kermartin, mais aucun lieu n'est précisé. Le 22, la Sûreté apprend de sources fiables que l'opération se déroulera après l'enterrement de Félix Faure, au Père-Lachaise. Le plan de Déroulède repose sur la collaboration du peuple et de l'armée : le premier doit donner le signal initial, puis l'armée accomplira l'essentiel de la tâche en occupant les points stratégiques, en arrêtant les opposants et en maintenant l'ordre. Cependant, le plan ne cesse d'être modifié jusqu'au dernier moment. Le 23 au matin, le lieu est déplacé de la Bastille à la Nation, pour débaucher au passage la colonne de Reuilly.

Dans le cadre de la préparation du coup d'État, et contrairement aux royalistes, les bonapartistes jouent franc jeu avec Déroulède. Ses contacts avec le baron Legoux sont fructueux. Dès le lendemain de la mort de Félix Faure, les comités plébiscitaires de la Seine se réunissent pour décider de fournir des effectifs à Déroulède.

Pour passer à l'action, il ne leur manque qu'un mot d'ordre du prince Victor. Le 19 février, une délégation bonapartiste part à Bruxelles, porteuse d'un ultimatum : les comités somment le prince d'agir. Le contenu de cette entrevue est assez flou, aucun témoignage ne permet d'avoir une certitude. Un rapport du 22 février indique que le prince fut d'abord vexé par l'ultimatum, mais qu'il finit par céder aux pressions de la délégation. Ils se seraient même entendus sur un plan d'action : investir, avec l'aide des ligues nationalistes de Déroulède, les ministères délaissés pendant la durée des obsèques de Faure et ensuite faire appel au prince Victor[33]. Un autre compte rendu livre un écho contraire. Le prince aurait immédiatement repoussé toute participation à un coup de force par ces mots : « Quand on est le représentant d'une grande cause, on travaille pour elle, on fait son devoir et on ne doit pas, quand il s'agit de la France, se préoccuper d'intérêts particuliers. C'est moi qui représente aujourd'hui la cause napoléonienne, c'est moi seul qui en suis le dépositaire. Je suis trop maître de moi pour la compromettre dans quelque aventure sans lendemain qui me taillerait un succès facile et une popularité passagère[34]. »
Les bonapartistes sont une nouvelle fois profondément déçus par la réaction de leur prétendant. Cunéo d'Ornano explose : « Les plébiscitaires, nous ne pouvons rien, faute d'initiative de notre chef. Ceci ne peut plus durer et si le Prince ne fait rien en ce moment propice... Eh bien, je me retirerais du parti Napoléonien, car pour nous l'inaction actuelle c'est la mort[35]. » Soucieux toutefois de ne pas abandonner complètement ses partisans, le prince Victor les autorise à suivre Déroulède. D'après un autre rapport, le prince aurait même admis et approuvé le complot : en cas de réussite, son arrivée à Paris était prévue le soir même gare du Nord, par le train de 18 heures. La thèse de Bertrand Joly semble plus réaliste, selon laquelle le

« casanier » prétendant aurait rétorqué à la délégation :
« je ne veux pas marcher derrière un cercueil » et donné
l'ordre de ne rien faire[36]. En définitive, au retour de la
délégation, Cunéo d'Ornano, lors d'une réunion des
comités plébiscitaires, affirme que le prétendant ne se
montrera pas, mais qu'il engage tout de même ses troupes
à marcher derrière Déroulède, le 23. Le baron Legoux et
Charles Faure-Biguet se montrent eux aussi favorables à
l'action et passent outre aux directives du prince : « pour
stimuler l'ardeur de leurs hommes [ils] avaient confié
dans le plus grand secret, à leurs principaux lieutenants,
que le prince Victor était à Paris, qu'il se dissimulait à
l'hôtel Meurice sous un nom d'emprunt, prêt à se rendre
à l'Élysée[37] ». Ces rumeurs, interceptées par le ministère
de l'Intérieur, inquiètent le gouvernement ; la surveillance
est accrue avenue Louise. La mission de l'agent consiste
aussi bien à vérifier la présence du prince que de contrôler
ses visites « pour connaître les gens qu'il verrait, et, si possible, les conversations politiques qu'il aurait avec ses partisans venus de France, les projets qui auraient pu être
élaborés ». L'agent rassure vite ses commanditaires : en
dehors de la délégation, le prince Victor ne reçoit que la
visite habituelle d'un membre de son service d'honneur,
chargé de lui transmettre un rapport hebdomadaire sur la
situation et venant prendre les instructions princières. En
définitive, aucune activité particulière n'est remarquée ; le
prince Victor suit de près les événements mais comme
spectateur, et non comme acteur.

Le 23 février 1899, c'est la réalisation du coup de force.
Paul Déroulède demande vainement au général Roget[38]
de détourner ses troupes pour les faire marcher sur l'Élysée. L'échec est pitoyable, à la limite du ridicule. Le président de la Ligue des patriotes n'est soutenu que par
quelques centaines de nationalistes et antisémites au lieu
des milliers de militants annoncés. Les bonapartistes ne

fournissent qu'une centaine de militants dans la plus grande confusion [39]. Tout cela n'a déclenché aucune émeute. Paris reste calme, la police dégage rapidement les boulevards et procède à deux cent cinquante-sept arrestations dans la journée. L'échec et son caractère grotesque rassurent les républicains. Ils sont soulagés : l'entreprise qui les faisait trembler a eu lieu, elle s'est achevée dans le ridicule [40].

Dès le lendemain, dans *L'Autorité,* Cassagnac déplore l'action de Déroulède, qui n'a fait que conforter la République : « Comment inciter raisonnablement, après cela, les prétendants à tenter une initiative hardie ? » Pourtant, les partisans de l'action ne se découragent pas, entre autres dans le camp bonapartiste, où l'on s'avise qu'avec un peu plus d'organisation le coup de force aurait pu réussir. À la mi-mai de 1899, le procès de Déroulède, arrêté à la suite de sa tentative de coup d'État, fait renaître la tension. Le député bonapartiste Joseph Lasies [41] profite du procès pour s'exclamer : « Je déclare considérer comme un droit absolu de crier "À l'Élysée !" à un général qui passe à la tête de ses troupes et de chercher ainsi à susciter un mouvement insurrectionnel. » De son côté, Legoux tente de sauver Déroulède : il se renseigne sur chacun des jurés chargés de le juger ; on essaie même d'acheter leur complaisance [42]. Parallèlement, les nationalistes se réveillent, soutenus par les bonapartistes : le 20 mai, lors d'une manifestation, les services de police comptent sept cents bonapartistes qui appellent au coup de force en criant « Vive le 18 Brumaire [43] ! » En définitive, Déroulède est acquitté ; une nouvelle alliance entre les nationalistes et les conservateurs tente de se mettre sur pied, qui se concrétise par la formation d'un comité de « salut public ». Sur sept membres, un seul, le baron Legoux, est bonapartiste, signe d'une influence limitée. Ce comité n'arrive pas à percer sur la scène politique.

Toutefois, pendant l'été de 1899, l'agitation reprend, en grande partie à l'initiative des bonapartistes. Les rumeurs de coup d'État refleurissent ; d'après la police, les bonapartistes « se remuent » et font de nouveau l'objet d'une surveillance particulière. Le baron Legoux déclare au prince Victor : « La chose est dans l'air. » Cunéo d'Ornano réclame publiquement une révolution à Déroulède. Ces initiatives personnelles s'opposent à la position du prince Victor.

Plusieurs rapports de l'été de 1899 indiquent que Victor demande d'attendre la fin de l'affaire Dreyfus pour tenter toute action contre le gouvernement : « Rien faire avant la fin de l'affaire Dreyfus et de ne laisser paraître aucun article anti-juif dans *Le Petit Caporal*[44]. » Le prince Victor repousse ensuite l'échéance à la fin des procès de Déroulède et Guérin, prétextant que les anciennes ligues, décapitées de leurs chefs, se tourneront vers les rangs bonapartistes et que ceux-ci seront alors plus à même d'agir[45]. Au même moment, le prince précise à Thouvenel qu'il n'a pas d'instructions à donner pour le moment : « *J'attends* les résultats des démarches que Scipion devait faire ainsi que tout avait été convenu, pour septembre il est vrai. Je pense qu'on devrait entrer en relation (simplement pour le moment) avec Retort[46]. » Le prince Victor utilise des noms codés ; le nom de « Scipion » apparaît à plusieurs reprises dans sa correspondance, sans qu'on puisse comprendre de qui il s'agit. Ce langage montre que le prince n'est pas totalement innocent, qu'il participe à certains projets politiques. Il semble tout de même impossible qu'il ait envisagé de renverser la République par un coup d'État. Au mieux, poussé par ses fidèles, il a dû promettre de profiter des événements, s'ils tournaient en sa faveur. Tel n'est pas le cas ; l'agitation de l'été met fin à la tolérance de Waldeck-Rousseau. Celui-ci entreprend un vaste coup de filet contre l'ensemble des groupements politiques nationalistes et conservateurs[47]. En quelques jours, comme le constate Edmond-Blanc, la mouvance nationaliste se désagrège : « Le ministère a trouvé le grand complot. Il va sauver la République. Il décapite le mouvement nationaliste en supprimant Déroulède ; il désorganise le parti royaliste [...]. Puis viendra l'Exposition. N'en voilà-t-il pas assez pour rendre impuissantes toutes les clameurs étouffées[48] ? » À ceux qui réclament encore un coup de force, le prince préconise d'observer une trêve pour permettre le bon déroulement de l'Exposition universelle, prévue à Paris au début de 1900. Toutefois, en septembre 1899, la grâce de Dreyfus par Waldeck-Rousseau provoque une dernière levée de boucliers des antidreyfusards[49].

C'est dans ce contexte que le prince Victor décide de sortir exceptionnellement de son silence. Il saisit l'occasion du centenaire du Consulat pour faire un discours sous le signe de la concorde en insistant sur le rôle pacificateur du Premier consul dans une France secouée par la Révolution : « Certes, son œuvre législative est grande. Il a réalisé les promesses de la Révolution française et constitué une société nouvelle. Mais son œuvre de paix sociale est peut-être faite plus encore pour mériter notre admiration. Quand le trouble règne dans les esprits, quand rien de ce qui commande le respect n'est plus respecté, c'est un soulagement, pour ceux qui gardent au cœur le Culte de la Patrie, de se reporter à ces premières heures du siècle. [...] J'appelle de tous mes vœux l'heure de la réconciliation nationale. Travailler à cette œuvre de salut, c'est rester fidèle aux traditions du Premier Consul[50]. » Dans ce discours, le prince Victor dresse un parallèle entre la France dont a hérité Bonaparte et celle de l'affaire Dreyfus. Se présentant aussi bien en héritier de la Révolution que de l'Empire, il prône un régime fort reposant sur la « réconciliation nationale ». Il conclut en rappelant qu'il

259

n'a jamais voulu troubler son pays et qu'il souhaite avant tout « faire acte de bon Français ». Mais, lorsqu'on est à la conquête du pouvoir, doit-on faire acte de bon Français ? Ce discours n'est pas écouté par les partisans bonapartistes. Le prince se retrouve isolé face à ses hommes qui cherchent une lutte sur le terrain ; ce qui provoque de nouvelles désertions en faveur des ligues.

Quelques actions sont tout de même menées pour tenter d'arrêter l'hémorragie dans le parti bonapartiste, mais à l'initiative de Legoux. En effet, en tenant compte des ordres du prince, il remobilise les comités autour du seul thème du plébiscite. Il est aussi à l'origine de la création, en 1899, de l'Union des étudiants plébiscitaires, dont le but est de retenir les jeunes attirés par les ligueurs. Cependant, Legoux se sent toujours insuffisamment soutenu par le prince Victor et, ne supportant plus les critiques de ses coreligionnaires, décide de démissionner de ses fonctions de président des comités de la Seine, en août 1902. Il faut lui trouver un remplaçant, ce qui se révèle difficile. D'une part, les candidats sont rares ; d'autre part, le prince cherche quelqu'un capable d'atténuer les tiraillements existants au sein des comités. Le choix s'arrête finalement sur Chandon : « Il ne reste absolument que Chandon. Impossible de s'arrêter à la combinaison Bourgoing, mieux vaut encore quelqu'un de modeste, de pâle et d'incolore[51]. »

La tâche du nouveau président risque d'être spécialement difficile, les comités de Paris étant les plus déstabilisés par la vague nationaliste. En effet, les condamnations du prince Victor ne sont guère écoutées par les Jeunesses plébiscitaires et par les étudiants bonapartistes, qui n'hésitent pas à s'allier aux ligues antisémites, et même à l'Action française, pour mener des actions militantes musclées dans la région parisienne[52]. En outre, le parti subit aussi la concurrence de la Ligue de la patrie française, fondée en octobre 1898, dont le succès devient considérable au début de 1899[53]. Pour Jean-Pierre Rioux, la Ligue de la patrie française concurrence le parti bonapartiste dans la mesure où elle s'adresse à la même couche sociale que celle des dirigeants bonapartistes, c'est-à-dire des notables attachés aux traditions[54]. Là encore, il est difficile de connaître la pénétration bonapartiste au sein de cette ligue : elle semble avoir été limitée, mais il est intéressant de noter que François Coppée entretenait des liens avec les notables du parti et qu'il avait même été reçu à Bruxelles par le prince Victor[55]. Quelques jours après son passage, un des membres de la ligue, M. de Germiny, propose au prince Victor d'être son délégué personnel auprès de la Ligue de la patrie française ; le prince repousse la proposition.

De son côté, Berger, conscient des diverses concurrences pour le parti bonapartiste, et pour combler le vide laissé par le prétendant, prend l'initiative, en 1899, de créer un nouveau comité, le comité central de l'Appel au peuple[56]. Ce comité est destiné à relancer le thème de la révision constitutionnelle et à renouveler la propagande plébiscitaire. La création de ce comité répond au besoin de redynamiser la doctrine plébiscitaire, dont les limites sont apparues lors des débats déclenchés par l'affaire Dreyfus. En outre, les bonapartistes avaient cru à Déroulède ; son échec a découragé la mouvance plébiscitaire. Edmond-Blanc se montre très pessimiste sur l'avenir du parti : « Le gouvernement s'est ressaisi [...]. C'est point par point la réédition de l'affaire Boulanger. Deux ans de conflits, de luttes, de batailles couronnés enfin par la reprise de Paris. Puis, au lendemain de cette victoire qui devait être décisive et gage d'un triomphe définitif, le souffle manque, le gouvernement reprend tous ses avantages, et on retombe dans l'agonie et le néant [...]. À l'agitation succède l'épuisement, une sorte d'état comateux.

261

Après Boulanger, il a duré dix ans. Celui-ci nous promet-il une même période[57] ? »

Avec la condamnation de Déroulède, les espoirs des bonapartistes s'évanouissent. Leur activité s'inscrit de nouveau dans un cadre électoral avec, pour seul objectif, les élections législatives de 1902. Ils ont compris qu'une action par la force n'était plus envisageable. D'autre part, la fin de l'agitation permet au prince Victor de reprendre sa place de chef de parti. Il est intéressant de constater que l'échec de Déroulède a, à peu de chose près, les mêmes répercussions dans le camp bonapartiste que celui de Boulanger. Après qu'il a représenté une chance inespérée pour la cause bonapartiste, on assiste à son essoufflement. Le prince Victor, dont l'influence avait été amoindrie par la popularité de ces deux aventuriers, reprend de l'ascendant sur son parti. En outre, ces deux crises cristallisent le décalage entre le prétendant et les membres du parti bonapartiste. En effet, ces derniers assistent impuissants au déclin de la cause bonapartiste et deviennent partisans d'une solution forte. C'est pourquoi ils se montrent prêts à suivre un homme providentiel capable de renverser la République, premier pas vers un Troisième Empire. De son côté, en aucun cas le prince Victor ne voit en Boulanger ou en Déroulède un moyen d'accéder au pouvoir. Il reste toujours méfiant à l'égard de ces aventuriers, tout en reconnaissant qu'ils participent à raviver le sentiment bonapartiste dans le cœur des Français. Cette divergence de vues se traduit dans des objectifs opposés : les partisans du prétendant impérial agissent en vue de renverser la République, alors que le prince Victor œuvre avant tout à la défense de l'idée napoléonienne.

Une fois la fièvre soulevée par l'affaire Dreyfus retombée, on s'aperçoit qu'elle n'a pas eu que de mauvais effets pour les bonapartistes qui, malgré eux, sont restés à l'écart. En effet, elle a suscité un espoir de faire tomber le gouvernement et a ainsi contribué à sortir le parti bonapartiste de son assoupissement. De Bruxelles, le prince Victor semble percevoir ce sursaut et paraît décidé à l'encourager ; mais dispose-t-il de moyens lui permettant d'imposer ses vues ?

CHAPITRE 25

Une cause en mal de financement

Les problèmes d'argent, dans la vie du prince Victor, sont récurrents et semblent avoir contribué à freiner ses initiatives politiques. Dès le départ, il est placé à la tête du parti, mais en situation de dépendance financière vis-à-vis des hommes qui lui versent sa rente. Par la suite, il dépendra de l'impératrice. Les sommes reçues par le prince n'étaient jamais suffisantes, il avait toujours besoin de plus d'argent. Était-ce à des fins politiques, ou pour ses besoins personnels ?

Le déclin politique du parti bonapartiste s'accompagne de son déclin financier. À ses origines, le parti s'appuyait sur des notables largement enrichis sous le Second Empire et qui étaient prêts à investir dans le relèvement de la cause impériale. Par ailleurs, du temps du prince impérial, l'impératrice Eugénie – par l'intermédiaire de Rouher – soutenait à la fois la propagande faite autour de son fils et *Le Petit Caporal*, auquel elle versait des subsides en tant qu'organe officiel du parti. Après la mort du prince impérial, on assiste au désengagement de l'impératrice et à celui de certains notables du parti qui refusent de donner de l'argent au prince Napoléon. Par la suite, la lente agonie du parti accélère les désistements, phénomène renforcé par la mort des anciens dignitaires du Second Empire. Or le prince Victor avait été hissé à la tête de la cause bonapartiste par ces hommes ; avec leur disparition, le parti et le jeune prince se retrouvent dans une situation financière précaire.

Comme nous l'avons vu précédemment, le prince Victor n'avait pu se séparer de son père que grâce à une rente financée par une dizaine de souscripteurs, dont les principaux étaient le duc de Padoue, Levert et Behic. Le montant total de la rente s'élevait à 40 000 francs par an ; elle était gagée sur les héritages de l'impératrice Eugénie et de la princesse Mathilde. Cette somme devait permettre au prince Victor d'assurer les charges d'une installation indépendante. Mais le montant de la rente diminua rapidement : dès 1885, Cassagnac se désengagea, estimant que le prince Victor ne jouait pas son rôle de prétendant. D'après les rapports de police, ses problèmes d'argent devinrent alors chroniques. Dans ces conditions, il n'était pas envisageable pour lui de participer au financement du parti bonapartiste. La situation s'aggrava avec son départ pour l'exil : ses besoins ne cessèrent d'augmenter, alors que les subsides versés par ses fidèles continuaient à diminuer[1]. David Lecomte commence son étude consacrée à la vie du prince Victor à Bruxelles par l'évocation de ses difficultés financières : « Tout au long de son exil chez nous, Victor manqua de liquidités et ne cessa de se débattre dans des problèmes d'argent[2]. » En avril 1888, un autre coup dur toucha le prince : le duc de Padoue, principal bailleur de fonds, mourut. Certes, le prince Victor trouva un nouveau soutien en la personne du marquis de La Valette, mais les sommes qu'il pouvait fournir restaient largement insuffisantes. Le marquis de La Valette était en réalité américain de naissance et tenait sa fortune de sa mère, une riche Américaine qui avait épousé en secondes noces le marquis de La Valette, ministre de Napoléon III[3]. N'ayant pas eu d'enfant, le marquis de La Valette avait adopté le fils du premier mariage de son épouse, Samuel Welles, auquel il fut autorisé, par décret impérial, à transmettre son marquisat. Le comte Samuel Welles de La Valette fut donc naturalisé français en 1863 et devint, à la place de son beau-père, député de la Dordogne de 1863 à 1870. Son mariage avec la fille de Rouher, Léonie, confirma son intégration dans le milieu bonapartiste. Membre actif du parti bonapartiste après la chute de l'Empire, il se lia avec le prince Victor, auquel il apporta son soutien financier.

En effet, la gêne financière du prince Victor restait un sérieux handicap pour la cause bonapartiste, qui ne pouvait compter sur son prétendant pour renflouer ses caisses[4] ; c'était au contraire le parti qui devait supporter les frais de propagande pour le prince Victor. Lors du départ du prétendant pour l'exil, les hommes de l'Appel au peuple furent persuadés de la nécessité de diffuser son portrait pour le garder présent dans les esprits. Encore fallait-il pouvoir financer une telle campagne ; ce ne fut que partiellement le cas, l'argent manquait pour mettre en place une propagande efficace. Dans son discours d'août 1887, le prince Victor fit allusion aux difficultés financières du parti : « La royauté a de l'argent : nous en manquons. Mais nous avons des soldats et des dévouements, ce qui vaut peut-être mieux[5] ! » Il est certain que le manque de moyens financiers limita les possibilités d'action du parti et du prince Victor. En octobre 1886, Gabriel Blanchet, directeur du *Petit Caporal*, écrivait à ce dernier pour l'informer que son journal était menacé de disparition[6]. Face à cette situation fragile, que pouvait faire le prince Victor ? Il multipliait les demandes auprès de l'impératrice, mais celle-ci refusait toute aide tant que la cause était divisée[7].

La question financière prit encore plus d'importance avec l'affaire Boulanger. Les bonapartistes se retrouvèrent en position de faiblesse au sein de l'alliance boulangiste, par incapacité à rivaliser avec les sommes avancées par les royalistes. Ils s'en aperçurent et cherchèrent à tout prix à remplir leurs caisses. L'ensemble du parti fut sollicité et bien entendu Bruxelles aussi, à de multiples reprises. Pour satisfaire ses fidèles, le prince Victor s'adressa en premier lieu à l'impératrice, dont il essuya un nouveau refus, mais cette fois-ci au prétexte qu'elle ne voulait pas cautionner un aventurier[8]. À quelques jours des élections parisiennes de janvier 1889, la police insiste de nouveau sur la précarité financière du prince Victor, qui pourtant « reçoit 40 000 francs par an de banquiers belges, mais cette année il aurait réussi à obtenir 10 000 francs supplémentaires au profit du général Boulanger[9] ». Le rapport suivant atteste que le prince Victor se serait rendu auprès de sa sœur pour lui réclamer 100 000 francs afin de soutenir le général. Tout en restant prudent quant aux renseignements fournis par ces rapports de police, il paraît évident que le prince Victor cherchait à renflouer ses caisses. Dès 1887, une partie de ceux qui lui versaient sa rente préférèrent apporter leur soutien financier au général Boulanger. Tel fut le cas de Jolibois, qui annonça qu'il allait « couper le robinet[10] ». En fait, l'aventure boulangiste eut pour principal effet d'épuiser les quelques réserves qu'il restait aux bonapartistes.

Ainsi, en 1891, lors de la réunification du parti, la situation financière du prince Victor était déplorable et celle du parti bonapartiste guère meilleure. Comme le note Patrick André, les ressources étaient quasi nulles, le parti fonctionnait sans fonds de caisse[11]. Le prince Victor continuait tout de même à disposer d'une rente, portée à 50 000 francs. Elle suffisait à maintenir son train de vie, mais ne lui permettait en aucun cas d'entreprendre quoi que ce fût[12]. Le journal Le Matin donne le même écho : « On affirme, d'une part, qu'il [le prince Victor] est sans moyens d'exécution [...]. Ainsi manque de direction, manque de ressources, piétinement sur place des chefs qui ne savent plus parler aux troupes un langage démocratique, voilà l'état actuel du parti[13]. » En cette année 1891, la situation du parti et celle du prince Victor ne cessèrent de se dégrader, et la mort de Plon-Plon n'améliora rien : même si le testament qui déshéritait Victor avait été annulé, celui-ci ne touchait aucune liquidité. Le partage ne concernait que les souvenirs familiaux. Quelques mois plus tard, en juillet, le marquis de La Valette s'éteignait. C'était une grosse perte pour le parti, mais surtout pour le prince. Dès lors, les problèmes financiers furent au cœur de ses préoccupations et ce sur une longue période, jusqu'à son mariage avec la princesse Clémentine.

Les rapports de police parlent d'un déficit de plusieurs millions pour le parti en 1891[14], qui prévoyait comme remède d'emprunter douze millions garantis par la signature de l'ex-impératrice[15]. Ces sommes paraissent excessives, mais à cette période il devait faire face à la diminution des subsides versés par les fidèles. On en venait à espérer un revirement de l'impératrice. En effet, celle-ci avait toujours avancé comme argument à son désengagement financier qu'elle ne voulait pas soutenir une cause déchirée. Comme la mort du prince Napoléon mettait fin à la scission, on pouvait espérer qu'elle financerait de nouveau la cause impériale. De fait, l'impératrice accepta de relayer la rente versée à Victor, jusqu'alors assumée par les hommes du parti, afin de lui garantir les conditions de vie d'un prétendant ; à ce titre, elle versait à son neveu 5 000 francs par mois[16]. En revanche, Eugénie refusa de fournir directement des subsides au parti. Elle ne voulait en aucun cas intervenir sur la scène politique et souhaitait maintenir de bonnes relations avec le gouvernement français, qui tolérait sa présence au cap Martin[17]. Les bonapartistes continuèrent, malgré tout, à s'adresser au prince Victor. L'essentiel des contacts entre le prétendant et ses fidèles se transformèrent en demandes de subsides. La situation ne cessa d'empirer. À la fin du siècle, le baron Legoux justifiait la faible activité du parti

268

par le manque d'argent. L'année 1898 paraît avoir été particulièrement difficile : Legoux ne pouvait plus payer les 500 francs réclamés par le propriétaire de la salle Wagram à la suite d'un banquet [18]. De son côté, le prince Victor était sollicité de toutes parts pour soutenir financièrement la campagne électorale de 1898. Coucaud, directeur du *Plébiscite*, s'adressait à lui pour éviter la disparition de son journal ; le prince répondit qu'il n'était pas en mesure de l'aider [19]. Quelques mois plus tard, les imprimeurs Baratier et Dardelet réclamaient en vain une compensation financière à leur soutien lors des élections de 1898 [20].

Les caisses du parti étant inexistantes, les candidats assumaient eux-mêmes les frais des campagnes électorales, d'où la multiplication des défections. Berger, placé à la tête du nouveau « comité national plébiscitaire » chargé de la préparation des élections, s'inquiétait. Il donnait au prince Victor l'exemple du marquis de Montebello, qui ne se présentait pas aux élections par manque d'argent : « il lui faudrait entre 19 et 20 000 francs [21] ». En 1903, Berger mourut subitement ; son remplacement soulevait la difficulté de trouver quelqu'un prêt à travailler gratuitement, chez lui. D'après Edmond-Blanc, c'était impossible, d'où de futures dépenses à envisager : « Il me paraît aujourd'hui difficile qu'on ne soit pas amené à constituer un bureau [...]. Mais comment financer un traitement et payer un local [22] ? » Les noms de bonapartistes connus circulèrent pour remplacer Berger : Théophile Gautier ou encore Arthur Legrand, pilier du parti depuis le début. Député de la Manche de 1871 à 1885, il fut de nouveau élu en 1889 jusqu'à sa mort, en 1916. Il faisait parti des membres fondateurs du groupe de l'Appel au peuple et en représentait la tendance démocratique. Tout au long de sa carrière politique, il resta membre des différents comités politiques mis en place par le prince Victor, avant de devenir, à partir de 1903, chef du bureau politique du prince. Malgré cette position, le marquis de Dion lui fut préféré pour prendre la direction du comité central de l'Appel au peuple, non en raison de ses attaches bonapartistes, mais bien pour sa fortune. Il faut avouer que ce choix eut des répercussions sur la propagande bonapartiste, qui connut un renouveau sous son impulsion. Ainsi, on s'aperçoit à quel point le manque de ressources a été un frein à l'activité du parti bonapartiste. Par manque de moyens, le parti ne disposait plus de structures partisanes (bureaux, presse, propagande), d'où le déclin de son activité et de son audience. Face à cette situation, les partisans, découragés, multipliaient les demandes à Bruxelles, mais les réponses étaient toujours négatives. En fait, on peut se demander si le prince Victor se sentait concerné. Essaya-t-il vraiment de remédier à cette situation ?

Les sommes dont il disposait demeuraient insuffisantes pour avoir la moindre influence sur la politique du parti. Le prince aurait éventuellement pu fournir une aide ponctuelle, mais en aucun cas entretenir un parti ; on peut dire qu'il ne semble pas avoir été prêt à se sacrifier pour des questions politiques. En outre, le manque d'argent n'est pas une raison suffisante pour ne pas agir. Louis Napoléon Bonaparte s'était-il arrêté à des considérations matérielles ? Certainement pas, comme il l'écrivait en 1842 à son ancien précepteur Vieillard, pour lui c'était un devoir sacré de soutenir tous ceux qui s'étaient dévoués à sa cause. Il en vint à vendre son cheval, le château d'Arenenberg et des souvenirs de famille[23]. En aucun cas, le prince Victor ne se montra prêt à de tels sacrifices pour soutenir ses hommes. On en vient à penser que la politique n'était pas sa priorité. En fait, la situation personnelle du prince ne lui permettait, en aucun cas, de débloquer des fonds susceptibles de remédier au déficit permanent du parti, ce qui expliquerait en partie sa réserve politique et son manque d'autorité sur ses hommes. Cette version est celle de la Sûreté générale, qui estime : « Le prince Victor est très perplexe car les fonds lui manquent, et ce manque de fonds l'oblige à rester inactif. L'impératrice, qui devait le soutenir, ne fait rien pour lui ; dans ces conditions la situation du prince est très précaire pour organiser sa propagande ; il faut donc que les comités s'organisent et vivent par eux-mêmes [24]. » Le fait d'avoir à s'organiser sans le concours du prétendant favorisa la persistance des fiefs électoraux détenus par des hommes appartenant à la grande bourgeoisie locale, seuls capables de subvenir à leurs frais de campagne. Exilé, sans ressources personnelles à offrir à ses fidèles, à quoi servait le prince Victor ? Ne se cantonnait-il pas à un simple rôle d'arbitre ? Il est vrai que les hommes du parti comptaient beaucoup sur lui pour rétablir l'ordre entre eux, alors que lui se voyait plus comme un guide.

CHAPITRE 26

La solution bonapartiste selon Victor

Le déclin du parti bonapartiste n'a fait que se confirmer sous le règne politique du prince Victor. Pourtant, il semble qu'il ait cherché à assumer son rôle du mieux qu'il pouvait. Dans un premier temps, il se montre soucieux d'acquérir les connaissances nécessaires à l'exercice de sa fonction. Celles-ci assimilées, il établit un programme politique qui vise à adapter le message bonapartiste à la France du début du XXᵉ siècle, tout en respectant le cadre napoléonien, imposé par son patronyme. Avant de nous pencher sur le programme du prince Victor, rappelons grossièrement ce que l'on entend par « bonapartisme ».

Sans remonter à la genèse du bonapartisme et pour simplifier, le bonapartisme est une notion qui permet de regrouper les idées formulées par les deux titulaires du trône impérial, et principalement par Napoléon III. En effet, le premier bonapartisme, celui du fondateur de la dynastie, ne constitue pas à proprement parler un corps de doctrine organisé. Il est davantage une « praxis », une pratique de gouvernement, vaguement théorisée après coup, et dans les conditions très particulières que sont celles de la captivité, qui plus est par un ancien général jacobin, devenu le maître tout-puissant de la France et le conquérant de l'Europe[1]. Les idées de Napoléon ont d'ailleurs fortement évolué entre l'époque de son accession au Consulat et celles des ultimes réflexions consignées par Las Cases dans le *Mémorial de Sainte-Hélène*[2].

Homme d'action, le premier des Napoléonides s'est toujours adapté aux nécessités de l'heure. Consul « éclairé », puis empereur autoritaire et fondateur d'une dynastie se réclamant de la légitimité providentielle, il a voulu, pour en finir et dans un contexte de crise, orienter son pouvoir dans le sens du jacobinisme et du libéralisme.

Ce « cocktail » idéologique allie des références jusqu'alors contradictoires dans la vie politique française. En fait, Napoléon Ier a tenté de réconcilier la foi dans le rationalisme administratif et le culte de la souveraineté du peuple (l'ordre et la démocratie) dans une logique qui visait à clore l'épisode révolutionnaire. Il l'a fait dans l'action, avec la compréhension intuitive qu'il avait des choses, mais sans qu'une véritable théorie accompagnât et éclairât son entreprise. Toutefois, on trouve déjà dans la façon de gouverner de Napoléon Ier les piliers constants qui fondent la tradition politique bonapartiste. En premier lieu, les principes de 1789 (l'égalité civile, la liberté politique et la souveraineté populaire, même si elle est déformée[3]), auxquels s'ajoutent les notions d'autorité et d'ordre (le système napoléonien repose sur une sorte de religion de l'ordre)[4]. Par ailleurs, tous les pouvoirs sont confiés à un guide agissant au nom de la communauté des citoyens et qui a pour mission de fondre les différentes parties du corps social en vue de la réconciliation nationale. Si Napoléon Ier, accaparé par l'action, n'a pas eu le temps de construire une véritable doctrine, il n'en est pas de même pour Louis Napoléon, le futur Napoléon III.

Dès 1830, il tente d'affirmer un courant politique dont l'objectif et de renouveler l'expérience de l'Empire en confiant le pouvoir à un Napoléon. En effet, Louis Napoléon comprend très tôt la nécessité de se poser en prétendant afin de maintenir possible l'alternative de l'Empire. Pour cela, il cherche à inscrire le bonapartisme dans une théorie élaborée de la démocratie moderne, qui permet de réaffirmer le modèle originel tout en insistant sur le lien unissant les Bonaparte au peuple. Il place au cœur de sa philosophie politique la souveraineté populaire : « Issu d'une famille qui a dû son élévation au suffrage de la nation, je mentirais à mon origine, à ma nature, et qui plus est au sens commun, si je n'admettais pas la souveraineté du peuple comme base fondamentale de toute organisation politique[5]. » Il défend la mise en place d'une démocratie plébiscitaire reposant sur l'appel au peuple. Le plébiscite devient l'institution politique centrale du modèle bonapartiste, par opposition aux oligarchies parlementaires. De là provient la critique du parlementarisme, qui deviendra l'un des thèmes majeurs du bonapartisme après le Second Empire.

L'autre pilier du système napoléonien mis en avant par Louis Napoléon est le besoin de faire appel à un chef responsable, garant des volontés du peuple. D'où la formule célèbre de La Guéronnière, l'un des seuls théoriciens du Second Empire : « L'Empereur n'est pas un homme, c'est un peuple », qui résume à merveille le principe bonapartiste d'incarnation politique. Persigny – dévoué à Louis Napoléon et défenseur de l'Empire autoritaire – préfère parler d'un « homme-peuple[6] » : le peuple confie le pouvoir à un chef, à la fois puissant et responsable, qui gouverne en son nom et incarne ses aspirations. De là découle le lien sentimental entre le peuple et son guide. Dans cette perspective, la survie du bonapartisme implique un attachement sentimental aux héritiers de la dynastie, obligés d'être des « Napoléon du peuple », selon l'expression consacrée de Bernard Ménager.

En définitive, Louis Napoléon Bonaparte ne renie aucun des principes de son oncle (ordre, autorité, égalité), mais les adapte aux besoins contemporains. Il fait une lecture « de gauche » du *Mémorial de Sainte-Hélène*, pour doter le bonapartisme d'une teinte sociale et humanitaire conforme à la vulgate socialisante du temps. Louis Napoléon va plus loin en préconisant des solutions au paupérisme, solutions utopiques mais qui constituent un excellent outil de propagande. La réorientation des principes du premier bonapartisme est justifiée par la notion de progrès, revendiquée par les Bonaparte. Une fois au pouvoir, Louis Napoléon se trouve cependant vite face à la contradiction posée par l'alliance de la souveraineté populaire et de l'hérédité, qui le pousse à s'enfermer dans la double légitimité populaire et dynastique[7].

En somme, le bonapartisme renvoie à des principes généraux, mais peut-on le considérer comme une véritable doctrine ? Si l'on se réfère à René Rémond, l'adhésion à un petit nombre de thèmes, constituant un tout plus ou moins cohérent, ne fait pas une doctrine, pas plus que le ralliement d'individualités éparses à un vocable commun ne constitue une force[8]. D'ailleurs, en 1848, l'élection de Louis Napoléon Bonaparte s'est faite sans programme[9]. Il se pose comme un recours, en dehors des clivages politiques habituels, même s'il doit, malgré tout, son élection au soutien du parti de l'ordre – ralliement qui aura de lourdes conséquences sur le bonapartisme. D'autre part, le coup d'État du 2 décembre 1851 instaure une rupture irrémédiable entre le prince-président et le parti républicain, qui se place désormais dans l'opposition. L'idée d'un bonapartisme républicain n'étant plus crédible, le nouveau régime se trouve poussé vers les forces conservatrices. Dès lors, il se trouve tiraillé entre l'élément conservateur et l'élément populaire. Les notables bourgeois ralliés à l'Empire vont chercher à faire du bonapartisme une force de conservation sociale. De son côté, Napoléon III cherche avant tout à garder le contact avec l'élément populaire, d'où l'adoption de mesures en faveur du monde ouvrier. Or celles-ci n'arrivent pas à lui attacher cet électorat. Par la suite, le désastre de Sedan met en cause l'image de guerrier d'un Napoléon, contraint de capituler ; la légende impériale se retourne contre l'Empire. C'est un coup fatal porté à l'idéologie bonapartiste. Les républicains en profitent pour faire le procès du pouvoir personnel et s'attachent à détruire l'image du sauveur. Comme Napoléon III avait régné sans partage pendant plus de vingt ans, il est rendu principal responsable de cette humiliation qui ampute le territoire français. Ce mouvement d'opinion explique le vote à l'Assemblée de la déchéance de la dynastie. On comprend ainsi la difficulté pour le courant bonapartiste à surmonter une condamnation officielle du régime qui s'accompagne de réactions hostiles contre tout ce qui se rapporte à l'empereur et à son entourage.

Au lendemain du Second Empire, cette réaction républicaine oblige les bonapartistes à rejeter la République, d'où leur union avec les conservateurs par haine des républicains. Cette tactique les amène à mettre en veilleuse l'Empire, afin de rallier les suffrages royalistes contre les républicains. Dès lors, les bonapartistes perdent leur spécificité pour devenir une composante du parti de l'ordre, dont ils partagent le sort sans en avoir la direction. Toutefois, s'ils n'arrivent pas à prendre l'avantage au sein de la droite, c'est en grande partie à cause de leurs trop nombreuses divisions internes liées à l'absence d'une doctrine fédératrice. En effet, après Sedan, il y a ceux qui cherchent un nouveau consul capable de relever les principes de 1789, ceux qui sont hostiles aux parlementaires créateurs d'impôts, les lassés des désordres qui souhaitent un « gouverneur », d'autres encore... John Rothney distingue quatre tendances : « Brumaire », incarnée par Rouher, « Coblence », proche des monarchistes et incarnée par Cassagnac, l'Empire libéral d'Émile Ollivier et la « Montagne » du prince Napoléon. La « Plaine », c'est-à-dire les députés, ne fait qu'osciller entre ces sensibilités. Néanmoins, la tendance conservatrice, soutenue par une clientèle de bourgeois bien-pensants, finit par l'emporter. Comme on l'a vu, après la disparition des derniers partisans d'un bonapartisme populaire, les bonapartistes deviennent conservateurs et cléricaux. Privé de son caractère populaire, ce courant n'est plus qu'une variété de la droite en France. Le signe révélateur de cette perte d'identité ne réside-t-il pas dans le fait que certains bonapartistes aient rêvé d'une adoption du prince impérial par le comte de Chambord[10] ?

Ce survol du courant bonapartiste permet deux constats. La première remarque qui s'impose, c'est que le parti bonapartiste en tant que groupe homogène, organisé et rassemblé autour d'une doctrine cohérente n'a jamais vraiment existé, ni avant le Second Empire, ni sous Napoléon III, ni après. Pour s'en convaincre, il suffit de se fier à cette phrase attribuée à Napoléon III : « L'impératrice est légitimiste ; mon cousin est républicain ; Morny est orléaniste ; je suis moi-même socialiste. Il n'y a de bonapartiste que Persigny, mais il est fou[11]. » Ainsi, sauf pour quelques militants convaincus, le bonapartisme révèle davantage un attachement à un homme ou à un type de gouvernement, mais en s'appuyant sur l'imaginaire plutôt que sur une vraie idéologie. Même si de grands principes se dégagent, le bonapartisme reste vague et génère de multiples interprétations, liées au contexte très différent dans lequel il se met en œuvre. Rien que pour le Second Empire, on peut observer trois phases : l'Empire autoritaire, l'Empire libéral et l'ultime tentation de l'Empire parlementaire. Ces fluctuations sont favorisées par le fait que le régime bonapartiste n'ait pas été théorisé, ou que très tardivement et partiellement, avec la formulation de la doctrine de l'appel au peuple. De là découle la seconde remarque : en ne réussissant pas à remédier à son dilemme originel (concilier ordre et démocratie), le bonapartisme conserve une ambiguïté permanente qui se trouve au cœur de la division du mouvement après 1870. En effet, si, pour les uns, le principe plébiscitaire était compatible avec la forme républicaine, pour les autres, la forme impériale constituait l'élément indispensable. En 1875, un opposant virulent à l'Empire remarque : « Pour combattre les bonapartistes, il suffit de les opposer les uns aux autres [12]. »

D'un côté, le flou de la définition du bonapartisme est un handicap : l'harmonie est difficile à trouver au sein d'un groupe hétéroclite. D'un autre côté, il laisse une marge de manœuvre permettant d'adapter le bonapartisme aux besoins de l'époque. Le bonapartisme de Napoléon Ier et celui de Napoléon III ont existé, car ils apportaient des solutions aux problèmes de leur époque – sauvegarder les acquis de la Révolution dans un cas ; adapter l'économie à la révolution industrielle et générer de nouveaux rapports sociaux dans l'autre. Qu'en est-il sous la Troisième République ? Le bonapartisme parvient-il à se trouver une nouvelle mission ?

L'avènement politique du prince Victor avait été préparé par des hommes attachés à l'Empire, soit par la position qu'ils y avaient, soit par attachement familial ou sentimental, ce qui explique leur souhait de voir un Troisième Empire se former. Cette revendication les obligeait à repousser le prince Napoléon – qui, du vivant du prince impérial, s'était détaché de la forme de l'Empire pour lui préférer la République – au profit de son fils Victor, d'ailleurs choisi par le prince impérial. Convaincu par les impérialistes que la politique du prince Napoléon ne respecte pas les héritages de Napoléon Ier et de Napoléon III, le prince Victor finit par accepter de se placer dans la continuité des deux empereurs. Lors de sa première déclaration politique importante, il énonce clairement : « Le but souhaité, le but certain est le relèvement de la

France par le rétablissement de l'Empire[13].» Deux ans plus tard, il n'a pas changé de position « Mon programme, tout le monde le connaît, c'est l'Empire[14].» On observe une première évolution au lendemain de l'épisode boulangiste, à la suite duquel Victor commence à s'orienter vers le principe d'un gouvernement choisi directement par le peuple. Après la victoire républicaine de 1893, la forme du régime n'est plus discutable. Dès lors, le prince ne se prétend plus dynaste. Il aspire désormais au pouvoir sur désignation du pays – le point central de son programme demeurant toujours l'appel au peuple. Il se détache alors de ses mentors pour se forger sa propre ligne politique.

C'est en exil, éloigné du parti et libre de consacrer une large place à l'étude, que le prince Victor élabore peu à peu sa pensée politique. C'est un esprit curieux : il lit énormément, sa bibliothèque est colossale. Avenue Louise, la principale pièce du premier étage est réservée au cabinet de travail et à la bibliothèque du maître de maison, usage d'ailleurs courant dans la seconde moitié du XIXe siècle, où la bibliothèque est partie obligée de toute bonne maison[15]. Toutefois, chez le prince Victor elle va jusqu'à constituer un ensemble exceptionnel, tant par la quantité que par la qualité des volumes réunis. La composition de la bibliothèque du prince Victor nous est connue grâce à son fichier, conservé à Cendrieux, en Dordogne[16]. Ce fichier, qui ressemble à celui d'une bibliothèque publique ou savante, se divise en deux parties : le classement par auteurs et le classement par matières. L'ensemble rassemble plus de dix mille volumes. Une place prédominante est accordée à l'histoire, et en particulier à l'histoire des Bonaparte. Deux cents volumes environ se rapportent à la Première République et au Consulat, quatre cents au Premier Empire, une centaine à sa chute et à Sainte-Hélène, une centaine encore à la famille impériale jusqu'en 1848, une autre centaine à la famille impériale

279

depuis 1848. On y trouve les grands mémorialistes du Premier Empire, dont Marbot, Rapp, O'Meara, Montholon, Las Cases. Les grands historiens napoléoniens sont bien représentés eux aussi : Masson, Thiers, Guizot, Thibaudeau, le marquis de Girardin, l'Italien Lumbroso. Il est intéressant de constater que la Deuxième République et le Second Empire occupent une place plus restreinte (une centaine de volumes). Même si l'histoire ayant trait aux Bonaparte domine, elle coexiste avec le thème « Histoire générale antérieure à 1789 », qui regroupe des ouvrages sur l'histoire de France, mais aussi sur les Grecs, les Romains ou encore l'*Histoire de l'Angleterre* (Guizot) et l'*Histoire de la Belgique* (Pirenne). On y trouve aussi plusieurs monographies en italien, en allemand ou en anglais. Bon nombre de ces ouvrages historiques proviennent d'héritages familiaux. *Clotilde, reine de France* par Victorine Maugirard (1809) appartenait à la reine Hortense ; l'*Histoire de l'Amérique* par Robertson (1778) faisait partie de la bibliothèque de l'Empereur à Sainte-Hélène ; les *Commentaires* de Montluc sont issus de la bibliothèque du prince impérial ; l'*Histoire de Charles XII, roi de Suède* par Nordberg (1748), chiffré P.B., se trouvait dans la bibliothèque de la Malmaison [17]. En dehors de ces livres anciens, on trouve de nombreux ouvrages rédigés par des proches de Victor. À titre d'exemple, citons l'*Histoire de France* par l'abbé Baudrillart (1926) et l'*Histoire des Grecs,* l'*Histoire des Romains,* l'*Histoire du Moyen Âge* par Victor Duruy.

Dans cette « Histoire générale », une large place est réservée à l'histoire de la Troisième République depuis la guerre de 1870. Environ quatre cents volumes s'y rapportent, dont un bon nombre concernent la Première Guerre mondiale. L'autre thème prédominant dans la bibliothèque du prince Victor est la question militaire, abordée sous différents aspects : « Costumes militaires »,

« Histoire de l'armée » et « Sciences militaires », l'ensemble totalisant plus de cinq cents titres. Viennent ensuite les « Sciences politiques », qui composent un ensemble original d'environ deux cents volumes. Ce thème regroupe des œuvres disparates traitant de politique et des affaires sociales. À côté des grands classiques comme les *Mémoires* de Saint-Simon, Tocqueville (*De la démocratie en Amérique*), Chateaubriand et ses *Mémoires d'outre-tombe*, les *Œuvres complètes* de Montesquieu et même Proudhon et ses *Confessions d'un révolutionnaire*, on trouve des auteurs plus contemporains, comme Augustin Rey ou Jules Roche. L'autre catégorie importante rassemble les « Œuvres de la famille du prince Napoléon ». C'est là que figure l'édition originale du Code Napoléon ainsi que les œuvres complètes de Napoléon Ier et de Napoléon III. D'autres auteurs familiaux sont représentés : le prince Napoléon, la princesse Mathilde, mais aussi Lucien Bonaparte et le prince Roland Bonaparte. Pour le reste de la bibliothèque, il s'agit d'un ensemble contemporain composé de titres de littérature française ou étrangère allant de Racine à Flaubert en passant par La Fontaine, Bossuet, Cervantès ou encore François Coppée et même Déroulède (*Chants du soldat*). Une petite place est laissée aux livres sur les beaux-arts, les arts d'agrément et le sport, ces ouvrages faisant plûtôt office d'outils de travail, tout comme les livres de généalogie, d'héraldique, de numismatique, de géographie, de sciences naturelles ou les dictionnaires, annuaires et almanachs.

La bibliothèque du prince Victor est intéressante dans la mesure où elle se rapproche à la fois de celle de l'aristocrate et de celle de l'érudit. Si on la rapproche de la bibliothèque du comte de Caen, exemple pris par Dominique Varry dans son étude sur les bibliothèques, on constate dans les deux cas qu'une très faible place est réservée aux titres scientifiques. Cette place secondaire s'explique par « un détachement supposé aristocratique qui est de règle à l'égard de la science proprement dite, et de toute forme de savoir pédante[18] ». En outre on remarque, chez le prince Victor, une absence totale de manuscrits anciens et de livres de raison, ouvrages familiaux et précieux pour la noblesse. Tout comme la bibliothèque de l'écrivain Ernest Renan[19], constituée pour l'essentiel d'ouvrages de travail ou d'exégèse (littéraire, politique ou historique) lui ayant servi dans ses recherches, la bibliothèque du prince Victor est une bibliothèque d'étude. Elle se rapproche aussi de celle de Flaubert, dont le fonds lui venait de son père : composé au fil des années, il traduisait la position sociale de son possesseur. Dans le cas du prince Victor, c'est plus que cela. Sa bibliothèque reflète son statut d'héritier de la maison impériale et suit l'évolution classique des bibliothèques privées de la seconde moitié du XIXe siècle, qui deviennent plus utilitaires et politiques. L'imprimé est désormais perçu comme un outil qui permet de se cultiver, de s'informer et dont on espère tirer un profit immédiat[20]. Par sa composition, la bibliothèque du prince révèle un homme intelligent et cultivé dont les intérêts sont ceux de son temps, avec une préférence, liée à sa position, pour tout ce qui touche les Bonaparte et l'armée. D'autre part, cette passion pour les livres n'est pas sans rappeler celle de Napoléon Ier. En effet, l'Empereur a toujours beaucoup lu, et de tout (ouvrages d'histoire, de politique, de droit, de religion mais aussi pièces de théâtre, poésie...). D'où le soin qu'il apportait à ses bibliothèques : il en avait dans toutes ses résidences et, en campagne, faisait emporter des centaines d'ouvrages. Après Waterloo, songeant à sa retraite, Napoléon avait chargé son bibliothécaire de composer un grand ensemble de plus de dix mille ouvrages. Le 3 juillet 1815, la Chambre donnait son accord pour que l'Empereur emportât en captivité la bibliothèque de Trianon. Blücher revint sur cette tolérance ; seuls cinq cent cinquante-huit ouvrages sont finalement parvenus à Sainte-Hélène. Dans son testament, Napoléon confia le soin à Ali, son valet de chambre, de transmettre à son fils les quatre cents ouvrages auxquels il était le plus attaché. C'est ainsi que certains de ces volumes se retrouvent dans la bibliothèque de son petit-neveu. En somme, la bibliothèque du prince Victor traduit son goût pour l'étude ; il s'intéresse à tout, avec une préférence pour les sujets sérieux. Le prince annote les marges de ses livres, même les plus rares, qu'il appelle ses « outils ». En fait, la lecture constitue pour lui un moyen d'acquérir les compétences qui lui seraient indispensables si la France venait à l'appeler. C'est aussi un moyen de tromper le découragement et l'inaction.

La bibliothèque du prince permet également de se faire une idée sur le climat intellectuel dans lequel il évolue, et ainsi de comprendre sa formation politique. Tout d'abord, le prince Victor estime que sa position lui impose une excellente connaissance des œuvres des deux empereurs ; elles étaient sa source principale d'inspiration en matière politique[21]. Crayon à la main, il entreprend la lecture des trente-deux volumes de la correspondance de Napoléon Ier avant de se plonger dans l'œuvre de Napoléon III. *Études sur le passé et l'avenir de l'artillerie* (1846-1863) lui permet de compléter ses connaissances en matière militaire ; *Des idées napoléoniennes* (1839) lui livre l'énonciation des principes fondateurs du bonapartisme et la défense et illustration d'une République consulaire et plébiscitaire. Mais l'ouvrage qui retient toute l'attention du jeune prince est bien entendu *L'Extinction du paupérisme* (1844). Œuvre majeure du futur Napoléon III, elle intègre déjà des préoccupations socialisantes. Un projet d'organisation agricole visant à défendre les intérêts des travailleurs y est développé et, au niveau industriel, le but souhaité est l'intégration des prolétaires à la société. Le prince Victor ne se limite pas aux œuvres de ses illustres parents, il étudie aussi les grands économistes du passé comme Turgot et Saint-Simon, dont l'influence sur Napoléon III est évidente. D'autre part, soucieux d'être un homme de son temps, il ne néglige pas la lecture de Proudhon ou de Karl Marx [22], de Renan ou de Taine, sans pour autant qu'ils paraissent avoir influencé sa pensée politique. En fait, les textes des deux empereurs restent prédominants dans la formation intellectuelle du prince à un moment où Maurice Barrès – contemporain de Victor – est fasciné par Baudelaire, Wagner, Dostoïevski, Nietzsche et Gobineau [23].

Si la vie du prince Victor à Bruxelles est largement consacrée à l'étude, il ne se contente toutefois pas de ce travail théorique. Il prend soin de solliciter son entourage pour avoir une perception plus concrète des problèmes courants. Dans cette perspective, il accueille très volontiers les « visiteurs », souvent venus de France le consulter ou l'éclairer sur un point précis. Le prince se renseigne, par l'intermédiaire des élus du parti, sur les conditions de vie dans leur département : le prix des denrées, l'organisation de l'administration, la place occupée par le clergé [24]. En 1895, Gabriel Blanchet, ancien rédacteur au *Petit Caporal*, devient « informateur » du prince Victor en province [25]. Un autre aspect intéresse particulièrement le prince : la question militaire. Il attache beaucoup d'importance à ses contacts avec des officiers de l'armée française. Son respect pour l'esprit militaire l'incite à faire plus confiance à ces hommes qu'aux politiques. Il leur confie des missions d'information qui lui permettent de prendre connaissance des problèmes militaires et de l'état d'esprit de l'armée. Si le général Thomassin et le lieutenant-colonel Nitot font partie des proches que le prince consulte régulièrement, d'autres, comme le capitaine Bissuel, officier basé en Algérie, le renseignent sur les conditions de l'armée en Afrique et, en 1904, sur la convention militaire relative au Maroc[26]. Le prince Victor aime utiliser ce système d'enquête sur le terrain. En 1906, un an après la loi de séparation de l'Église et de l'État, il charge Gauthier de Clagny de prendre contact avec plusieurs évêques français pour connaître leur position sur la question. Ainsi, malgré l'exil, le prince Victor suit de près ce qui se passe en France et s'en inspire pour ses déclarations politiques, mais aussi pour constituer des dossiers devant servir à l'élaboration de projets de loi. Lors d'une de ses visites à Bruxelles, le colonel Villot est étonné de découvrir dans le cabinet de travail du prince des projets de loi sur la justice, la presse, les cultes, l'enseignement et l'armée, rédigés de sa main[27]. Il est dommage que nous ne possédions aucune trace de tels documents.

À défaut, il faut se fier aux déclarations du prince Victor à ses fidèles pour avoir un premier éclairage sur la politique qu'il défend. Un opuscule édité par le comité central de l'Appel au peuple rassemble les principales déclarations du prince entre 1886 et 1902. Dans chacune d'entre elles est exaltée la toute-puissance de la souveraineté populaire, point central du programme bonapartiste après le Second Empire. Le prince Victor ne cesse de revendiquer les droits du peuple français à décider sous quelle forme de gouvernement et sous quelle Constitution il entend vivre, ainsi que la possibilité de désigner le chef de l'État. Après 1893, s'apercevant que le débat national ne se porte plus sur la forme du régime, le prince Victor adopte définitivement le principe d'une république consulaire et plébiscitaire, sur le modèle de celle installée par Bonaparte en Brumaire. Son discours est toujours axé sur la souveraineté populaire, désormais considérée comme instrument de paix et de progrès social, ce qui lui permet d'intégrer l'œuvre sociale de Napoléon III. En définitive, trois thèmes majeurs se dégagent des diverses déclarations du prince : la souveraineté populaire, la réconciliation nationale et la question sociale.

Vers 1900, le prince Victor, alors proche de la quarantaine, rédige l'ébauche d'un programme politique, plus complet qu'une simple déclaration à ses fidèles. Ce document, non publié mais distribué à quelques intimes – dont la comtesse Ghislaine de Caraman-Chimay –, nous éclaire sur la pensée politique du prince dans sa maturité. Il s'agit d'un tapuscrit d'une centaine de pages, annoté de la main de Victor. Il se divise en sept parties : I – De la Constitution. II – Organisation militaire. III – Questions sociales. IV – Organisation financière. V – Instruction publique. VI – Organisation administrative. VII – Organisation judiciaire – Législation civile et criminelle.

Ces titres explicites correspondent bien aux piliers de l'institution napoléonienne. Par ces quelques chapitres, le prince Victor cherche à relier le système napoléonien à son projet politique : « Mon nom rappelle un système dont il résume les gloires. C'est de ce système que je veux parler. » Dans la préface, l'auteur revendique la notion de progrès, chère aux Bonaparte : « La marche des temps impose une évolution vers le progrès. » Le bon gouvernement est celui qui, accompagnant le mouvement de l'Histoire, répond aux besoins de l'époque. Le prince Victor ne réclame plus un plébiscite préalable sur la nature du régime, « qui n'a plus lieu d'être après trente ans de République », et insiste sur l'élection du chef de l'État au suffrage universel. En fait, il veut adapter la pensée napoléonienne aux nécessités de son temps. Mais, pour espérer un retour sur la scène politique française, il faut d'abord assumer le passé récent et répondre aux accusations portées contre le Second Empire. Rappelons que si, à l'aube du XXe siècle, la France est d'un côté animée par la volonté d'une revanche militaire sur la puissance prussienne et, dans ce but, utilise Napoléon Ier comme symbole de cette cause nationaliste, d'un autre, les accusations formulées par l'essentiel de la classe politique contre Napoléon III quant aux responsabilités du désastre de 1870 et la cession forcée de l'Alsace-Lorraine à la puissance prussienne sont lourdes à porter pour un parti bonapartiste qui tente de retrouver une image crédible dans l'opinion publique. Dans son introduction, le prince Victor commence donc par dédouaner Napoléon III et le régime impérial : « L'empereur ne voulait pas la guerre. Des documents aujourd'hui publiés et des aveux tardifs de nos adversaires ont enfin appris à tous ce qui se passa. » Puis il reprend la citation de Gambetta : « Ce n'est pas votre parti bonapartiste que je redoute, c'est le bonapartisme latent du pays », pour affirmer que l'idée napoléonienne n'est pas morte mais en sommeil. Voilà pourquoi le prince Victor propose l'alternative bonapartiste.

Dans la première partie, intitulée « De la Constitution », le prince Victor réclame une « Constitution dont les bases sont votées par le peuple [...], un chef du pouvoir élu au suffrage universel et une Chambre élue ». Il ne fait que reprendre les principes napoléoniens axés sur la souveraineté populaire et le système représentatif en la personne du chef. Le prince Victor poursuit par une vive critique du parlementarisme : « Les ministres aux Chambres, c'est le gouvernement transporté dans les Assemblées, la lutte pour les portefeuilles, les crises ministérielles permanentes, incompatibles avec tout travail sérieux. » Ce rejet du parlementarisme aboutit à la mise en valeur du régime représentatif, qui repose sur la séparation nécessaire entre l'exécutif et le législatif. Le prince développe en déterminant le rôle de chacun et conclut : « À l'exécutif l'action, au législatif le contrôle. » Il appuie son argumentation en faveur du régime représentatif en prenant l'exemple des États-Unis, dont le « président ne tient pas ses pouvoirs des assemblées législatives ; les ministres dépendent uniquement de lui et sont soustraits à l'autorité des Chambres ». Il en profite pour se démarquer de l'Empire libéral, dont il repousse l'aspect parlementaire, entre autres dans le rôle réservé au Sénat qui, « dans les Constitutions parlementaires, révise l'œuvre législative, signale les défectuosités de dispositions votées souvent sans étude préalable. Et arrête les mesures de circonstances arrachées à la Chambre sous le coup d'une émotion de séance. Ce contrôle illusoire devient superflu quand la loi émane du gouvernement ». En réalité, le prince Victor pense que le Sénat devrait retrouver son rôle de garant de la Constitution. Néanmoins, dans un souci d'adapter la pensée impériale aux nécessités de son temps, il lui attribue de nouvelles prérogatives. Le Sénat pourrait en plus « statuer sur les conflits entre l'autorité judiciaire et l'autorité administrative ». On devrait aussi lui confier « les jugements des conflits avec l'Église » et « les problèmes avec les colonies », sans qu'il puisse trancher en dernier ressort. D'ailleurs, le prince Victor se montre favorable au rétablissement d'une Haute Cour de justice, seule capable d'officier dans ce genre d'affaires. Quant au recrutement des membres du Sénat, le prince revient à une nomination par le chef de l'État « d'une centaine de membres choisis parmi les plus éminents et les plus anciens serviteurs du pays ». Pour clore le chapitre, le prince Victor se résume clairement : « au régime parlementaire, nous substituons le régime représentatif ». Il précise, toutefois, que le régime représentatif s'inscrit dans la tradition des principes de 1789 et non dans la tradition impériale.

Dans la deuxième partie de son programme, le prince se penche sur l'organisation militaire. Il ne faut pas oublier que, depuis l'épisode boulangiste, le sentiment patriotique n'a cessé de se développer autour de l'idée de

Le prince Napoléon
et la princesse Clotilde peu de temps
après leur mariage.

La princesse Clotilde
tenant Victor dans ses bras.

La princesse Clotilde entourée
de ses trois enfants, Louis (à sa gauche),
Victor et Laetitia (à sa droite).

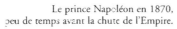

Le prince Napoléon en 1870,
peu de temps avant la chute de l'Empire.

Le prince Louis (1864-1932),
frère de Victor.

23 juin 1903, le prince Victor (de dos)
accompagné de sa sœur (au centre), la princesse Laetitia,
assiste à la revue de l'école de cavalerie italienne.

1893, séjour du prince Victor
à Farnborough.
De gauche à droite :
Mme Lebreton, M. Chevreau,
l'impératrice (de dos),
Mlle Conneau, Mme Conneau ;
le prince Victor, Mme Chevreau,
Mlle d'Allonville (assis).

1893, Farnborough : le prince Victor s'essaie au golf.

Victor à son bureau, dans son cabinet
de travail de l'avenue Louise.
La vitrine derrière lui regroupe
les souvenirs personnels de Napoléon Ier

Février 1905.
Le prince Victor montant son cheval Ali
dans la cour de l'avenue Louise.

Venise, 8 juillet 1903.
Le prince Victor
et l'impératrice Eugénie
visitent le palais des Doges.

Venise, place Saint-Marc.
De gauche à droite, le prince Victor,
Franceschini Pietri et l'impératrice.

Chasse en Italie.
Au premier plan,
Victor-Emmanuel III,
roi d'Italie ; derrière lui,
le prince Arthur d'Angleterre
avec, à ses côtés,
le prince Victor
qui se dirige vers
le prince de Monténégro.

Belgique. Chasse à courre chez le duc d'Arenberg (à la gauche du prince Victor).

Victor au volant de son automobile avec son secrétaire,
et le cocher à l'arrière.

Séjour en Italie, promenade en automobile.
Victor et sa sœur, la princesse Laetitia, sont à l'arrière.

La princesse Clémentine avenue Louise.

Pastel du prince Victor Napoléon
par la comtesse Ghislaine
de Caraman-Chinay (1899).

Le prince Victor Napoléon et la princesse Clémentine de Belgique
peu après leur mariage.

Le prince Victor
et la princesse Clémentine
au champ de course de Boisfort,
15 mai 1912.

Château de Ronchinne, près de Nam.ur.
Le prince et la princesse Napoléon
firent l'acquisition de cette propriété en 1913.

Louis et Marie-Clotilde,
les deux enfants du prince,
peu après la mort de leur père.

Port de Nice, 17 juin 1955. Cérémonie du transbordement
des corps du prince Victor et de la princesse Clémentine.
L'archevêque de Nice prononce l'absoute finale
devant le prince Louis Napoléon et sa sœur,
la princesse Marie-Clotilde (à droite sur la photo).

Ajaccio, 18 juin 1955. Le cortège funèbre traverse la ville
pour rejoindre la chapelle Impériale.

revanche. Dans ce contexte, Napoléon Ier incarne la gloire d'une France forte et il est logique que, en descendant de l'Empereur glorieux, le prince Victor revendique cet héritage et commence par affirmer le besoin d'une armée forte et solide, gage d'indépendance : « tout peuple doit être en mesure de se défendre. Avoir une armée puissante est à l'heure présente le plus sûr moyen de prévenir une attaque ». Il reconnaît que de gros efforts ont été réalisés par la République dans cette direction, mais surtout dans le but de développer les effectifs et non l'efficacité de l'armée : « on croit encore que tout homme armé est un soldat ». Le prince se prononce en faveur d'un service obligatoire, mais pas forcément identique pour tous. Il estime qu'il faut tenir compte de la position de chacun : « De quel profit, par exemple, exercer pendant un an au maniement d'armes le chirurgien tout comme le séminariste qui ne sera requis que pour un service d'ambulance ? » D'autre part, pour le prince Victor, il serait primordial d'améliorer l'encadrement et l'instruction et pour cela augmenter le nombre de sous-officiers et d'anciens soldats qui « forment à la pratique du métier et donnent l'exemple de l'endurance et de la discipline ». Pour garder ces hommes dans l'armée, l'héritier impérial prévoit un système complexe fondé sur l'avancement pour les meilleurs, des primes de rengagement pour d'autres et la garantie d'un emploi à leur sortie de l'armée. Dans son exposé, le prince Victor aborde aussi la question du recrutement des officiers de la réserve et de l'armée territoriale. Mais le point central concerne les rapports entre l'armée et le politique : « l'armée doit rester indépendante du politique ». Au sein de l'armée, il est nécessaire de distinguer l'administration et le commandement : « Au ministre de la Guerre incombe uniquement l'administration de l'armée, pas autre chose. Quant au commandement, c'est au chef de l'État qu'il appartient de l'exercer. » Cependant,

289

étant donné que l'« on n'est pas en droit d'exiger du chef de l'État qu'il ait en lui le génie de l'empereur Napoléon », il doit se reposer sur un chef d'état-major, même deux : un pour l'armée, un pour la marine. En effet, « le chef de l'État doit personnellement faire concorder l'action de deux forces, qui, dans des conditions tactiques différentes, poursuivent un même but et ont à se prêter un mutuel secours ». Le prince Victor en vient à s'interroger sur la nécessité de deux départements ministériels séparés pour la Guerre et la Marine. Il serait favorable au regroupement de ces deux corps au sein d'un même ministère, dit de la « Défense nationale ». « Délivré de tous les soucis du commandement, n'ayant à s'occuper ni du personnel ni de l'instruction des troupes, le ministre de la Défense nationale se consacrerait exclusivement à l'administration, ce qui est en réalité la mission propre et essentielle d'un ministre. Chargé de lever les hommes, il les remettrait à chacun des deux chefs d'état-major. » Le prince Victor clôt le chapitre militaire en précisant qu'il n'a dévoilé que les bases de l'organisation militaire qu'il juge souhaitable, mais ajoute : « Bien des réformes, bien des modifications devraient être introduites dans l'organisation de nos armées de terre et de mer. Ce sont des questions spéciales et techniques que je ne traiterai pas ici. » En bon héritier des Napoléon, le prince Victor s'est concentré sur la question militaire, d'où ses idées sur l'organisation et l'administration des troupes mais aussi sur le recrutement, l'avancement, la discipline, la tactique et même les écoles militaires. Ne pouvant développer tous ces aspects, il insiste sur ce qui lui paraît le plus important : le besoin de distinguer l'administration (qui peut être confiée à un ministre civil) du commandement, assuré par le chef de l'État, assisté de chefs d'état-major.

Dans le domaine social, le prince Victor se réfère bien entendu à l'œuvre de Napoléon III, auquel il rend hommage : « Avec le Second Empire, les questions ouvrières prirent place dans notre législation. Napoléon III a été l'initiateur et le promoteur du mouvement qui s'est développé dans la seconde moitié du XIXᵉ siècle. Ce sera là son honneur et l'un de ses titres devant la postérité. » Après cette introduction, le prince Victor dénonce les méfaits du parlementarisme qui fait de la question sociale un outil politique : « Le droit de coalition est devenu une arme de guerre entre les mains des politiciens. Les syndicats que créait la loi de 1884 ne sont que des cadres permanents destinés à tenir unis et toujours prêts à la lutte les électeurs dont ils entendaient disposer. » Pourtant, il reconnaît la coalition et le syndicat, mais seulement « si la discussion des intérêts est légitime ». En fait, d'après lui, il faut limiter l'accès des syndicats et l'immixtion dans les conflits de quiconque de l'extérieur pour éviter de transformer la lutte sociale en enjeu politique. Mais, en cas de grève, le rôle du gouvernement devrait être avant tout de protéger le droit au travail de l'ouvrier non gréviste. Par ailleurs, le prince se montre partisan d'une organisation du droit de grève, entre autres par la mise en place d'un préavis d'au moins huit jours. L'autre thème développé par le prince Victor se rapporte à la protection de l'ouvrier. Il se montre favorable à la constitution de retraites ouvrières. Pour répondre à la question du financement, il prend l'exemple de l'Allemagne et propose une retraite composée d'une retenue sur le salaire, d'une contribution patronale et d'une subvention de l'État, dans le cas où la retraite serait inférieure à trois cents francs. Ainsi, le prince Victor apparaît comme un homme de son temps qui ne considère plus les problèmes sociaux en termes de charité mais bien de justice, sans pour autant adhérer au concept de lutte des classes. En fait, il se place dans la continuité de Napoléon III, partisan du progrès industriel mais à la condition qu'il s'accompagne d'un bien-être social. En conclusion, le prince rappelle que le Premier consul a fait le Code Napoléon, « véritable code de la propriété », et « qu'il appartient au XXᵉ siècle de faire le code du travail » dans le but d'éviter la guerre des classes.

Dans le domaine de l'organisation administrative, autre pilier du système napoléonien, le prince Victor s'appuie sur l'œuvre considérable de Napoléon Iᵉʳ : « mais il faut reconnaître que lorsque l'Empereur pétrissait de sa main puissante cette œuvre si bien appropriée à nos besoins, à nos instincts, à notre caractère national, les conditions économiques et matérielles du pays étaient tout autres qu'elles ne sont aujourd'hui [...] les besoins se sont modifiés, l'instrument doit s'approprier aux besoins ». Quelles sont les modifications que le prince Victor compte apporter à l'œuvre du premier Napoléonide ? Tout d'abord, le prince n'entend nullement remettre en cause l'organisation administrative mise en place par Napoléon, qui repose sur le département et le préfet : « le département est la base de notre organisation administrative, le préfet en est la cheville ouvrière » ; seulement en simplifier le fonctionnement. Pour cela, il préconise la suppression du sous-préfet, devenu superflu avec le développement de la voirie, du chemin de fer et du télégraphe. Désormais, le chef-lieu de canton n'est qu'à quelques heures de la préfecture ; aussi les liens qu'assuraient les sous-préfets entre la préfecture et les administrés pourraient-ils être assumés par les conseillers de préfecture, qui deviendraient de véritables inspecteurs dans les départements. Le prince Victor aborde ensuite la question de la décentralisation : « Il serait bon de détruire l'intervention prépondérante et inopportune de Paris dans les affaires locales. » Le prince Victor propose la création de régions qui regrouperaient cinq ou six départements. Chaque région aurait à sa tête un gouverneur régional : sorte de « délégué du Ministre, il serait investi des attributions d'administration locale qui incombent aujourd'hui aux ministres de l'Intérieur, de l'Agriculture, du Commerce, des Travaux publics ». Ainsi, le gouverneur régional déchargerait les administrations centrales et permettrait aux ministres de se consacrer à leur rôle politique et législatif. Les préfets seraient les auxiliaires du gouverneur régional, mais « ils disposeraient de la gendarmerie et [auraient] la haute main sur la police ». La région serait une circonscription administrative, en aucun cas elle ne disposerait d'un budget : « elle serait une sorte de Ministère transporté hors de Paris pour expédier les affaires sur place, sans les longs délais qu'entraînent nos transmissions multiples et nos formes compliquées ». Cette réorganisation devrait permettre une réduction du personnel : « l'administration générale serait reportée de Paris dans des centres régionaux, d'où réduction du personnel si exagéré qui encombre les bureaux des ministres ». Il est intéressant de noter que ce projet témoigne d'une certaine méfiance à l'égard de Paris – le souvenir du 4 septembre 1870 en est-il la cause ? – au profit des campagnes, traditionnel soutien des Bonaparte.

En ce qui concerne l'organisation financière, le prince Victor commence par constater que le budget de l'État augmente à une vitesse inquiétante depuis la chute de l'Empire. D'où une dette extérieure croissante, qui atteint trente milliards de francs, alors que le commerce extérieur ne suit pas la même évolution. « Les dépenses s'augmentent, la dette s'accroît, la prospérité s'arrête. Voilà le triste bilan de notre situation économique et financière. » Cette hausse incontrôlée du budget s'explique en partie par le développement des services publics et en particulier de l'instruction publique. Le prince ne dénonce pas ce choix, mais le juge disproportionné par rapport aux recettes de l'État et annonce sa critique de la politique scolaire républicaine. En outre, il condamne le fait que le député prenne part au budget : « créer des emplois, augmenter

293

tels ou tels traitements, doter son arrondissement d'un canal ou d'un chemin de fer, pousser aux constructions... c'est donner satisfaction à mille individualités qui au jour du scrutin se retrouvent remuantes, agissantes ». Le prince Victor accuse le parlementarisme d'être à l'origine de l'exagération des dépenses : « le mal qui ronge nos finances tient à une cause profonde : l'omnipotence parlementaire ». Voilà pourquoi il faut rendre au gouvernement la proposition des crédits et laisser le contrôle au corps législatif. En fait, le prince rejette toute possibilité de déficit budgétaire. D'autre part, il relève deux problèmes majeurs : la hausse de la dette publique et l'augmentation continue des dépôts des caisses d'épargne. Pour tenter de diminuer la dette publique, le prince Victor pense qu'il faut faciliter le crédit et développer l'amortissement. Pour freiner les dépôts des caisses d'épargne, il préconise de rompre les liens qui unissent ces dernières au Trésor : « Sous une législation qui leur concéderait plus de latitude dans l'emploi de leurs fonds, les caisses d'épargne ne tarderaient pas à se transformer en banques populaires de la nature de celles qui ont rendu tant de services aux classes laborieuses en Lombardie et en Allemagne. » Le prince poursuit son étude des finances de la France en abordant le problème de l'impôt. Pour lui, il n'est possible de toucher à l'impôt « qu'en temps de pleine prospérité, quand de larges excédents budgétaires viennent garantir le Trésor contre les déceptions que risque toujours d'entraîner la réforme même la plus sérieusement étudiée ». Le prince Victor s'élève néanmoins contre de nouvelles contributions ; il estime qu'il faut au contraire chercher à diminuer les charges pesant sur le contribuable mais que « cette œuvre demande, avant d'être entreprise, de longues années de sévères économies ». En effet, le prince est persuadé que la réforme administrative (réduction du personnel...) doit précéder la réforme fiscale. Il achève son analyse en donnant son avis sur l'impôt sur le revenu, qu'il juge inacceptable, tout en admettant le principe d'une surtaxe à la vue de signes incontestables de richesse, dans le but d'un rééquilibrage. Mais il repousse vivement le principe d'un impôt progressif : « l'impôt doit être proportionnel et non progressif : c'est là encore un des principes posés par la Constituante de 1789 ». Même s'il défend le système issu de la Révolution, le prince Victor a conscience que certaines modifications sont nécessaires. La contribution mobilière pourrait être simplifiée en incluant la contribution sur les portes et fenêtres, sur les voitures, les chevaux, les domestiques... Il est également convaincu de la nécessité de supprimer les droits d'octroi. Pour résumer : « Il faut maintenir intacts les deux principes fondamentaux de la grande transformation financière de 1789. L'impôt doit être proportionnel aux facultés des contribuables : il doit être assis sur des signes matériels et apparents. C'est la base de notre ordre public et de notre ordre social. »

Dans la partie IV de son programme, le prince Victor traite de l'instruction publique. Il ne faut pas oublier que l'enseignement est le domaine privilégié de l'affrontement entre les républicains et les catholiques ou, plus largement, les conservateurs. Il faut dire que l'enjeu est de taille, car l'éducation conditionne l'avenir, celui du catholicisme comme celui de la République. Or lorsque les républicains finissent, à partir de 1879, par occuper tous les postes clés des institutions politiques, la puissance catholique exerce encore son influence dans le domaine scolaire, avec une place prédominante accordée aux congrégations. Aussi, à son arrivée à l'Instruction publique, Jules Ferry, même s'il est modéré, se révèle convaincu de la nécessité d'arracher l'École à l'influence catholique pour asseoir la République[28]. Il commence par s'attaquer aux congrégations (décret contre les congrégations non autorisées, 1880). En moins de deux ans, il arrive à poser les fondements des lois scolaires républicaines en constituant l'enseignement primaire en service public. Dès lors, l'école laïque, gratuite et obligatoire (1881-1882) devient le principal instrument idéologique de la République et ce en dépit de la vive résistance montrée par les milieux catholiques. Lorsque le prince Victor rédige son programme, la France de l'affaire Dreyfus voit ressortir les anciennes luttes. Dans ce contexte, les catholiques apparaissent de nouveau comme un danger pour la République et la démocratie. De là découlera la seconde étape de laïcisation.

Pour l'heure, le prince Victor se méfie de la place grandissante acquise par l'instruction publique sous la Troisième République. L'enseignement primaire, gratuit et obligatoire coûte cher à l'État. Le prince se demande si les résultats obtenus valent un tel sacrifice, ce qui le conduit de nouveau à la critique du parlementarisme. D'après lui, la réforme scolaire est devenue une œuvre de parti ; l'instituteur n'est plus l'« éducateur du peuple », mais un agent électoral. Pour éviter cette dérive, le prince Victor conseille la liberté de l'enseignement et une ingérence limitée de l'État dans ce domaine : « l'État ne doit exercer qu'un droit de contrôle et de surveillance ». Il estime donc nécessaire de soustraire l'Université au ministère pour la placer sous l'autorité d'un grand maître : « L'Université doit être constituée à côté du ministère et en dehors de lui. Gouvernée par un grand maître assisté d'un conseil, elle aurait son existence propre. » D'autre part, il se montre favorable à l'instauration d'un enseignement « moyen » qui permettrait à l'enfant obligé de quitter l'école vers quinze ans, « de s'essayer à la pratique des affaires ». Cet enseignement se composerait d'une partie théorique et d'une partie pratique. Au sujet de l'enseignement technique, qui dépend encore des ministères concernés (par exemple, l'enseignement industriel et commercial dépend du ministère de l'Industrie et du Commerce), le prince Victor juge opportun de l'intégrer au ministère de l'Instruction publique. Enfin, pour ce qui est de l'instruction primaire, il propose de « briser la centralisation exagérée qui la rattache à Paris. L'instruction primaire est chose essentiellement communale ». En fait, par ces différentes mesures, le prince cherche avant tout à soustraire l'instruction au politique. Par ailleurs, il institue la pratique du référendum à l'échelon local, qui permettrait aux pères de famille de choisir entre laïcs et congréganistes ; il reviendrait au maire d'assurer l'exécution de leur décision : « l'instituteur cesserait d'être un fonctionnaire d'État pour ne plus relever que des autorités académiques et municipales ». Le prince Victor résume son programme en matière d'instruction dans les deux dernières phrases consacrées à ce chapitre : « Maintenir fermement le principe de la liberté de l'enseignement, constituer fortement l'autonomie de l'Université, mettre fin à cette situation anormale d'un ministre à la fois surveillant de tous les établissements d'instruction et le chef d'une corporation enseignante ; tel est le programme que je voudrais voir adopter. Reposant sur le principe de la liberté et sur le respect des droits de chacun, il se présente à mes yeux comme un nouvel élément de paix et de concorde. »

Le prince, dans le domaine de l'organisation judiciaire, se montre partisan d'une réduction des effectifs, comme il a été fait pour les régions : « L'organisation judiciaire concorderait facilement avec notre organisation régionale. » Il y aurait autant de cours d'appel que de régions. Il se montre favorable également à la réduction du nombre des tribunaux établis en 1800 : l'amélioration des communications a rapproché le centre judiciaire. Parallèlement à cette restructuration, il conviendrait de rendre

297

au commissaire de police un caractère de magistrat. Puis, le prince détaille les problèmes liés au recrutement de la magistrature, ainsi qu'à la nomination et à l'avancement dans l'ordre judiciaire. Il estime que le juge de paix ne doit pas être un fonctionnaire révocable et se prononce en faveur d'un retour au système établi par le Premier Empire, qui instituait les juges de paix pour dix ans. Le gouvernement continuerait à nommer les juges de première instance, mais les postes de conseiller aux cours d'appel et de cassation reviendraient « à la Cour dans laquelle se serait produite la vacance ». Le prince poursuit toujours le même objectif : dégager les magistrats du politique. Au niveau de la législation criminelle, il réclame une réforme urgente du Code pénal, afin de remédier à la lenteur de l'instruction, qui entraîne trop souvent une détention préventive prolongée : « Il faut activer l'expédition des procès, et les débarrasser des formalités surannées qui entravent la solution. » D'autre part, le prince Victor propose la mise en place d'un président du jury, qui pourrait être un ancien magistrat ou un ancien avocat, et qui aurait vocation de guide et de conseil auprès des jurés : « Son rôle devrait être de renseigner exactement le jury sur la portée de son verdict. » Quant aux peines, le prince estime nécessaire de les adapter aux besoins de l'époque : « Il faut graduer les peines aux délits. » Un emprisonnement d'un à cinq jours en matière de simple police, c'est-à-dire pour des contraventions ou pour des délits de minime importance, est injustifié. Il serait plus judicieux de le remplacer par un système d'amendes qui ne porterait pas atteinte à l'individu. En matière de législation civile, le prince Victor ne peut que se référer au Code Napoléon – « le code Napoléon est une œuvre maîtresse » –, mais il reconnaît le besoin de l'adapter aux nécessités nouvelles qui découlent du développement industriel et de l'importance prise par la fortune mobilière. « Une révision s'impose. Mais une pareille œuvre, d'une logique et d'une suite aussi serrées doit être considérée dans son ensemble. Les retouches partielles risquent de troubler l'harmonie de l'édifice. » Trois remarques s'imposent à la lecture du programme politique du prince Victor. Tout d'abord, ce texte s'appuie bien sur les principes napoléoniens communs aux deux empereurs. La souveraineté populaire et une meilleure organisation en sont les fils conducteurs. Cependant, s'apercevant des séquelles laissées par Sedan, le prince se rallie plus volontiers au bonapartisme du fondateur de la dynastie, considéré comme l'organisateur et le défenseur des acquis de la Révolution. Tout au long de son programme, on perçoit un profond attachement aux principes de 1789 et un souci constant de faire cohabiter, grâce à une meilleure organisation, liberté et autorité. Ici, l'ordre acquiert une dimension sacrée de garant de la démocratie. Cependant, voulant apparaître comme un homme de progrès, le prince Victor reprend la tradition inaugurée par Napoléon III pour apporter une dimension sociale à son programme. Toutefois, les solutions visant à améliorer les conditions ouvrières restent timides. En aucun cas le prince n'essaie d'intégrer certaines idées socialistes relatives aux congés payés ou au risque maladie. Par ailleurs, il est étonnant qu'il n'évoque à aucun moment la politique étrangère et la question coloniale.

La deuxième remarque concerne l'antiparlementarisme farouche perceptible tout au long de son programme. Rappelons-nous qu'il n'hésite pas à prendre ses distances avec l'Empire libéral. En fait, au regard des événements, le prince Victor s'aperçoit que l'abandon des attributs autoritaires et personnels du pouvoir a poussé Napoléon III à la catastrophe. Constatant l'incapacité de l'Empire à être parlementaire, le prince insiste sur la tradition bonapartiste originelle, qui institue un lien direct entre le chef et le peuple par le biais du plébiscite.

La dernière remarque se rapporte au soin constant du prince Victor à adapter la pensée impériale aux nécessités de son temps. Que ce soit au sujet de l'organisation de l'armée, du Sénat, du système des retraites, de l'éducation ou dans les domaines financier et judiciaire, le prince Victor cherche à proposer de nouvelles solutions. Mais, exilé, vivant dans un monde consacré au passé, il finit par être, malgré lui, décalé par rapport à son siècle, et si les solutions qu'il préconise reflètent une bonne perception des problèmes contemporains, elles sont malgré tout empreintes d'un matérialisme un peu pesant. Son monde est ordonné et plutôt conservateur. En fait, il manque à ce programme la mise en avant d'un idéal. En définitive, on a l'impression que, soucieux d'apparaître concret, le prince Victor rédige un programme technique dans lequel le peu d'envolées lyriques révèle un enthousiasme mitigé. Ce programme ne fut jamais diffusé, mais il témoigne de la réflexion du prince à un moment où la cause bonapartiste montre de légers signes de réveil.

CHAPITRE 27

Sursaut politique

L'affaire Dreyfus a bouleversé la France tant sur le
plan politique que sur celui des mentalités. À l'orée du
XXᵉ siècle, de nouveaux éléments sont à prendre en
compte : la montée du nationalisme, une certaine usure
du parlementarisme, un réveil des royalistes, l'exacer-
bation des luttes entre le politique et le religieux. Ce
contexte politique nouveau offre une chance au parti
bonapartiste de regagner une place sur la scène politique
nationale. De plus, l'engouement pour les ligues s'estompe dès 1900 à la suite de la politique de défense républicaine menée par Waldeck-Rousseau, qui se concentre
sur leur démantèlement et sur la lutte contre les nationalistes[1]. De leur côté, les bonapartistes se retournent vers
leur propre parti[2]. Dès le début de l'année 1900, le prince
Victor se montre plus optimiste sur l'avenir : « Sachant
que mon parti s'est ressaisi, je vais me consacrer avec
l'énergie que me donne la certitude du triomphe à la
défense de ma politique[3]. » En juillet 1901, il pousse Berger et Legrand à transformer le comité central en comité
national plébiscitaire, composé d'un comité directeur
(sept personnalités du parti) et d'un comité électoral (dont
la mission est de développer la propagande en vue des
élections de mai 1902). Cette réorganisation coïncide avec
l'arrivée d'hommes nouveaux au sein du groupe bonapartiste.

En 1902, Chandon remplace Legoux à la direction des
comités. Au cours des réunions des comités, il n'hésite pas

à se positionner officiellement contre les nationalistes en prononçant de vives diatribes contre Déroulède et en faisant applaudir les théories plébiscitaires par le public[4]. De son côté, le prince, conscient qu'une des grandes difficultés du parti réside dans ses cadres, continue d'insister auprès de Berger pour placer à la Chambre « des jeunes hardis, batailleurs[5] ». L'autre grand changement survient en février 1903, à la suite du décès de Berger. Le prince Victor nomme le marquis de Dion pour le remplacer à la direction du comité central de l'Appel au peuple. Le marquis de Dion, riche industriel, cofondateur des usines automobiles de Dion-Bouton, n'est pas choisi au hasard. Sa fortune et sa position en vue – il est fondateur et vice-président de l'Automobile Club de France – comptent plus que son engagement politique. En 1902, il avait été élu député en Loire-Inférieure sous l'étiquette conservatrice. En le nommant à la tête du comité central de l'Appel au peuple, le prince Victor espère qu'il mettra sa fortune au service de la politique plébiscitaire. Son arrivée dans le parti est suivie de celles de Moro-Giafferi et du comte Branicki, qui en seront désormais les hommes importants.

Ce changement de personnel intervient à un moment où les bonapartistes sortent de leur torpeur et s'avisent que la cause plébiscitaire, déboussolée par la montée du nationalisme, a besoin d'être rénovée pour s'adapter au nouveau contexte politique. On assiste alors à un réel effort de réflexion doctrinale, déjà commencé par Cunéo d'Ornano en 1894, dans *La République des Napoléon*[6]. Désormais, les bonapartistes se présentent avant tout comme plébiscitaires, ils acceptent le régime républicain, à la condition qu'il se donne un gouvernement fort[7]. Cette position est également défendue par Jules Delafosse, en 1901, dans *La Théorie de l'ordre*. Le prince Victor et les leaders du parti perçoivent ce renouveau avec joie.

Dans cet élan, le prince Victor sort de son silence par une lettre ouverte au général Thomassin, datée du 2 février 1902, du château d'Arenenberg. Le général Thomassin était un proche du prince Victor qui avait commencé une carrière militaire sous le Second Empire avant d'être inspecteur général des armées sous la République. Le choix de ce personnage est significatif, à un moment où l'armée française est en pleine crise après l'affaire Dreyfus. On remarque aussi le soin du prince d'antidater sa lettre d'Arenenberg, en Suisse, pour ne pas causer d'ennuis au gouvernement belge. Par sa lettre, le prince Victor fait enfin acte de chef de parti en affirmant son programme politique. Il s'agit presque d'une sorte de guide pour le futur candidat aux élections de 1902. Le prince commence par conseiller aux candidats plébiscitaires d'axer leur programme sur les acquis de la Révolution : « Rappelez-vous que vous êtes les défenseurs de la Révolution de 1789. Napoléon, suivant sa propre expression, a "dessouillé la Révolution". Il en a maintenu fermement les principes. En vous déclarant les adversaires du système parlementaire, vous ne vous ralliez pas, comme on pourrait le croire, à une doctrine impériale. Vous rentrez dans la tradition et les doctrines de 1789. » Puis il aborde les sujets d'actualité et s'oppose aux réformes fiscales réclamées par les radicaux-socialistes : « Vous devez vous prononcer contre tout projet d'impôt progressif et global sur le revenu. [...] Notre régime fiscal est une des plus admirables créations des assemblées de la Révolution et du génie de l'Empereur. Aucune nation n'en possède un aussi juste et équilibré. » Ensuite, il critique le service militaire obligatoire de longue durée : « il entrave les carrières, détache les populations du travail des champs, dépeuple les campagnes. Il désorganise la société, sans organiser une armée ». Pour terminer, Victor s'intéresse aux luttes religieuses et sociales. Pour les questions

religieuses, il préconise tout simplement le Concordat :
« Dans les difficultés soulevées par les rapports de l'Église
et de l'État, que le Concordat soit votre règle » ; au sujet
de l'instruction publique, il défend la liberté d'enseignement, « plus sûr moyen de répandre l'instruction ». Il
donne aussi à son discours une touche socialisante :
« Tout gouvernement doit chercher à améliorer le sort des
classes les plus pauvres et les plus nombreuses de la
nation. En se préoccupant de protéger l'ouvrier, il ne faut
point, cependant, attenter à sa liberté », et met l'accent
sur l'œuvre de Louis Napoléon, président de la République, puis sur son œuvre une fois l'Empire rétabli. Il
détaille aussi la question militaire, les prérogatives du chef
de l'État. Son discours s'achève par un dernier conseil
aux candidats : « Qu'ils ne se considèrent pas comme les
défenseurs des Napoléons, ils sont les défenseurs du
peuple. Qu'ils s'associent à toute demande de révision
ayant pour but de restituer au peuple son pouvoir constituant. » Cette déclaration capitale montre bien que le
prince Victor a pris conscience des préoccupations de son
époque. La campagne électorale de 1902 est dominée par
la question religieuse face à la laïcité, mais les autres
inquiétudes du moment, liées à la mise en place d'un
impôt sur le revenu et à la montée du socialisme, sont
également présentes.

Cette lettre ouverte est largement diffusée par la presse
bonapartiste et soulève l'enthousiasme au sein du parti.
Le Petit Caporal déclare : « Ce programme doit devenir
notre credo [...]. À ceux qui attendaient le signal de l'action et qui s'impatientaient devant la prudence du Prince,
de s'appuyer sur sa manifestation épistolaire et d'y découvrir la preuve d'une volonté prudente, guidée par des
facultés supérieures et orientée vers ce but unique : la
prospérité matérielle, la dignité morale de la patrie française [8]. »

Ce discours ranime la bonne volonté des troupes bonapartistes, qui se lancent dans la préparation des législatives de mai 1902. En outre, dans son intervention, le prince conseillait de s'associer à toute demande de révision, ce qui permet de s'allier à tout candidat partisan de la révision ou de le soutenir. Au total, 117 candidats se présentent sous la vaste étiquette d'« antiministériels ». Des sensibilités se distinguent au sein du groupe : on y trouve des conservateurs mais antiparlementaristes ; des nationalistes et, au centre, les plus nombreux, des partisans d'une République conservatrice. En fait, le seul lien qui unit ces candidats d'horizons différents est d'avoir pour adversaire commun « le collectiviste, jacobin et sectaire[9] ». Certes, les bonapartistes par ce moyen s'associent à un groupe plus fort par son hétérogénéité, mais dans lequel ils se retrouvent éparpillés et ne constituent, encore et toujours, qu'une minorité. Les résultats électoraux confortent toutefois la mouvance plébiscitaire, qui gagne une vingtaine de sièges, même si c'est sous des étiquettes très diverses. À Paris, Paul Pugliesi-Conti se veut nationaliste. Dans le Calvados, les trois élus bénéficient de l'aide de la Patrie française : Flandin, progressiste et fils d'un député bonapartiste, en tant que candidat officiel, Delafosse et Engerand, à qui elle apporte juste un soutien[10]. Grâce à ces résultats, le parti plébiscitaire sort de sa torpeur.

Ce nouvel élan est encouragé par l'atmosphère bouillonnante qui règne en ce début de siècle, où l'usure du régime parlementaire conjuguée à la psychose d'une guerre avive les luttes politico-religieuses[11]. En fait, depuis l'affaire Dreyfus, il existe une véritable cassure entre l'armée et le gouvernement. Le parti plébiscitaire en profite et reprend à son compte le thème de la réconciliation nationale, où l'armée retrouverait sa place de protectrice de la nation. Cet élément redynamise la propagande bonapartiste, qui peut compter sur de nouveaux comités, en particulier en province. En 1902, le journal républicain *Le Jour* s'intéresse à la reprise du parti bonapartiste : « Il est certain qu'il y a là un symptôme de réveil apparent d'un parti qui ne donnait plus signe d'existence [12]. » En 1903, c'est au tour de la police de s'étonner que « le parti bonapartiste, sans explication apparente plausible, relève la tête. Tout est contre lui et cependant il reprend courage et parle d'un tout autre ton qu'il y a quelques années [13] ».

En fait, l'arrivée du marquis de Dion à la tête du comité central lui insuffle une énergie nouvelle : il décide de rassembler les forces en fusionnant les anciens comités de propagande au comité central. La première assemblée de ce comité agrandi se tient le 5 janvier 1904. Au cours de la réunion, on détermine de constituer un « comité central de propagande de l'Appel au peuple » et d'élire un comité directeur. Albert de Dion en est le président, Legrand le président d'honneur et Flandin le vice-président ; ils sont assistés d'un bureau de neuf personnes [14]. Ce comité directeur rassemble les hommes nouveaux du parti, avec lesquels il faut désormais compter. Au total, le comité central de Dion rassemble à ses débuts cent cinquante personnes, mais, dès août 1904, le nombre des membres du comité passe à trois cents [15]. Cette croissance est le fruit de l'impulsion donnée par le marquis de Dion, qui redynamise le comité autour de quatre missions : la relance de la propagande, la création d'un bulletin hebdomadaire, la multiplication des échanges avec les organes du parti (*Le Petit Caporal*, *L'Appel au peuple*) et le réveil des anciens comités en province. Les résultats sont immédiats. Un rapport de police de 1904 s'émeut de la persistance du danger bonapartiste et souligne la lassitude des Français à l'égard de la politique ; ils seraient prêts à accepter « sans trop de répugnance l'avènement du prince Victor ou de son frère, le prince Louis [16] ».

En 1904-1905, l'activité du parti est relancée. Une cinquantaine de comités devant servir de relais à la propagande ont été relevés en province. Et, fait significatif, leur auditoire s'élargit enfin. Frédéric Chalaron remarque la démocratisation des comités plébiscitaires dans le Puy-de-Dôme, où un comité est présidé par un restaurateur, assisté de deux vice-présidents, un cordonnier et un comptable [17]. L'ouverture du parti vers les classes moyennes est alors un réel signe d'espoir, même s'il demeure très local. D'autres efforts sont également menés vers l'électorat ouvrier [18]. Le 27 juillet 1904, Lasies participe, avec le républicain Gérault-Richard, à une polémique sur le plébiscite et le socialisme diffusée par le journal républicain *La Petite République*, dans le but de rattacher l'électorat ouvrier à l'idée plébiscitaire [19].

Ces actions inquiétant la police, une surveillance accrue du parti bonapartiste et de son prétendant est mise en place en 1904-1905. Les bruits les plus fous arrivent de Bruxelles : deux officiers en non-activité auraient été chargés par le prince Victor de faire une enquête sur les officiers des régiments des garnisons de Paris et de Versailles [20]. À Paris, un mouchard s'alarme : « dans le parti bonapartiste tout le monde a l'air d'attendre quelque chose [21] ». Quelques jours plus tard, l'espion placé devant le domicile du prince Victor constate une « animation inusitée. Il reste tous les jours à travailler avec monsieur Blanc. On reçoit et on expédie un nombre très grand de lettres ». Cette agitation soudaine confirme le regain d'activité des hommes du parti, qui souhaitent aussi relancer la propagande. Le bureau du comité central estimant que le prince Victor demeure méconnu des Français, il est prévu pour y remédier d'inonder la province de ses portraits [22]. Dans ce but, « le prince Victor s'est fait photographier dans son parc à Bruxelles en tenue de général français avec l'intention de faire agrandir et imprimer cette photographie pour illustrer les murs de Paris, lors de la prochaine campagne électorale [23] ». Au même moment, en France, le

307

SURSAUT POLITIQUE

climat politique se durcit. Le syndicalisme, mieux organisé, prend conscience de ses forces et vise la révolution sociale, le désordre général, avec comme moyen d'action, la grève. Le parti bonapartiste considère cette agitation comme une chance et espère en profiter. Sa position ne cesse d'inquiéter la police : « Je répète qu'il y a là un mouvement politique que le gouvernement ne saurait surveiller de trop près. À un nationalisme grossier, on est en train de substituer une politique aussi perfide, mais plus raffinée, mieux organisée, possédant de grandes ressources financières, et qui peut devenir beaucoup plus dangereuse[24]. »

Le parti, en effet, poursuit son œuvre de réorganisation. En vue des élections de 1906, le marquis de Dion remet en place le comité électoral de l'Appel au peuple, chargé de seconder le comité central dans la préparation des élections et plus particulièrement dans les investitures[25]. En dépit de l'effort fourni, les résultats des élections de 1906 sont comparables à ceux de 1904 : le parti obtient de nouveau une vingtaine de députés, mais sous des étiquettes hétéroclites – républicains libéraux, conservateurs, nationalistes et plébiscitaires. Ces résultats ne convainquent pas le prince Victor, qui émet quelques critiques sur la politique pratiquée par Dion. En fait, les élections de mai 1906 déçoivent l'ensemble des opposants au régime. Ils assistent au renforcement du bloc formé par les radicaux et les socialistes, qui gagnent soixante sièges sur les conservateurs et les nationalistes et obtiennent ainsi la majorité à la Chambre. Cette situation a pour conséquence de stopper l'élan qui s'était répandu dans le parti bonapartiste, même si quelques effets persistent jusqu'en 1907.

Après la déception électorale de 1906, les querelles de personnes ressurgissent au sein du parti, fragilisé par les rapports tendus entre le prince Victor et l'homme fort du

308

bonapartisme, le marquis de Dion. Celui-ci ne tient pas compte des directives de Bruxelles et ne prend pas toujours soin de consulter le prétendant, contrairement à Chandon, président des comités plébiscitaires, auquel le prince accorde toute sa confiance. En réalité, on assiste une nouvelle fois à la formation de deux clans, celui d'Albert de Dion et celui de Chandon[26]. Pourtant, à la suite des élections de 1906 et des remontrances du prince, le marquis prend conscience que l'effort de propagande demeure insuffisant et qu'un organe faisant le lien entre le comité central et les comités plébiscitaires fait fortement défaut. Au début de l'année 1907, le marquis de Dion réussit à lancer un journal hebdomadaire, *La Volonté nationale*, dont le but essentiel est de diffuser la ligne du parti. Il convient ici de noter que ce journal se fait l'écho d'un programme simplifié : les bonapartistes ne réclament plus un plébiscite sur la forme du régime, devenu obsolète après trente ans de République, mais concentrent leur message sur l'élection du chef de l'État au suffrage universel, qui ouvrirait la voie à une révision ultérieure. Le prince Victor se montre satisfait que le parti dispose de nouveau d'un journal et laisse le champ libre à Albert de Dion[27]. L'activité de celui-ci se concentre alors vers les jeunesses plébiscitaires, dont il cherche à unir les forces. Pour cela, il favorise le rassemblement des divers groupements de jeunes existant au sein de la mouvance plébiscitaire en un congrès qui se déroule à Bordeaux les 14 et 15 décembre 1907. À l'issue de ce congrès, une « fédération nationale des jeunesses plébiscitaires de France » est créée, mais, d'après *La Volonté nationale*, seule une dizaine de départements y est représentée. En fait, en dépit des efforts du début du siècle, le courant plébiscitaire n'arrive pas à être représenté dans tous les départements. En outre, dans sa remontée, le parti bonapartiste se trouve en butte à la politique de démantèlement des réseaux conservateurs lancée par Émile Combes[28]. Politique d'épuration poursuivie par le ministère Clemenceau qui, en 1906, ordonne une série de perquisitions chez plusieurs bonapartistes : Faure-Biguet, Branicki et Beauregard sont en tête de liste, mais on trouve aussi Lepic et Thouvenel[29]. Si ces menées ne donnent aucun résultat, elles ont comme inconvénient de freiner l'ardeur de ces hommes. D'autre part, des dissensions internes affectent de nouveau le parti et remettent en cause l'autorité du marquis de Dion.

La discorde qui couve est due aux fils de Cassagnac, Guy et Julien. À la mort de leur père, ils deviennent codirecteurs de *L'Autorité* de 1905 à 1914. Guy de Cassagnac meurt à la guerre, alors que son frère poursuit une carrière politique. En mai 1918, il entre au cabinet de Clemenceau comme chef de la mission de presse auprès du grand quartier général. En 1919, il est élu député du Gers sur la liste d'union républicaine et s'inscrit au groupe indépendant comme plébiscitaire[30]. Toujours est-il que, lors de leur entrée sur la scène politique, les deux frères se présentent comme les parfaits successeurs de leur père. Ils se disent impérialistes conservateurs et animent un courant dissident par rapport au prince Victor. En 1906, ils vont jusqu'à fonder la Ligue de résistance des catholiques français, dont l'échec est immédiat mais qui révèle leurs opinions fortement conservatrices et cléricales. À la suite de l'échec de leur ligue, cherchant à gagner de l'influence dans les comités plébiscitaires, ils profitent du renouvellement des présidents des comités plébiscitaires de la Seine pour tenter d'y placer un de leurs proches, le marquis de Montebello. Le 14 décembre 1907, lors de l'élection, Montebello et son équipe arrivent en tête, à la grande surprise de Chandon, qui avait été réélu en 1904 à l'unanimité et qui cette fois-ci se trouve battu. Chandon conteste le scrutin, accuse Montebello « de double jeu[31] ». Les

Cassagnac profitent de leur succès pour publier dans *L'Autorité* un article applaudissant la victoire de « gens qui sont catholiques et français avant d'être bonapartistes[32] ». Cet article déclenche la mobilisation des présidents des comités plébiscitaires – avec en tête leur doyen, Érasme Turpaud –, qui protestent contre une élection qu'ils jugent frauduleuse. Le 2 janvier 1908, dix-neuf présidents sur vingt-six votent une motion réclamant l'annulation du vote ; leur démarche provoque la démission de Montebello. Le prince Victor se trouve alors obligé d'entrer dans la bataille : il convoque Chandon et Montebello à Bruxelles pour tenter de résoudre l'affaire[33]. Le 21 février, il décide d'annuler les élections et nomme Turpaud président par intérim. Finalement, pour éviter les luttes d'influences, il en revient à la méthode précédente, c'est-à-dire nommer lui-même le président des comités. Après une longue réflexion, son choix s'arrête sur Guillaumin, déjà vice-président des comités de la Seine en 1893-1894 ; il le nomme d'abord pour une durée d'un an, mais le reconduit l'année suivante. En même temps, il redéfinit le règlement des comités plébiscitaires de la Seine et se place directement à leur tête, afin de minimiser leur marge de manœuvre[34].

Cette crise montre que le parti, souffrant encore une fois d'un manque d'autorité et d'une grande indiscipline, a besoin de l'intervention directe du prince Victor. Ce dernier, las de devoir servir d'arbitre dans des luttes de personnes, reproche à Albert de Dion son incapacité à faire régner l'ordre dans le parti. D'après la police, il se sert de ce prétexte pour manœuvrer discrètement contre Dion, qu'il ne supporte plus[35] ; le considérant comme inefficace, il souhaite prendre sa place à la tête du comité central – ce qui ne fait qu'accentuer les luttes existantes. De son côté, *L'Appel au peuple* en profite pour se lancer dans une campagne de dénigrement à l'égard du marquis de Dion, campagne d'une telle violence que le prince, à la fin de l'année 1909, doit de nouveau intervenir. Il rappelle à l'ordre le parti en exigeant qu'il mette fin à ces attaques. Par une lettre ouverte à Legrand, vice-président du comité central, il assure Dion de sa sympathie et de sa confiance [36].

Victor souhaite, par cette attitude, montrer l'exemple et passer outre des dissensions personnelles ; il choisit de s'accommoder de Dion pour l'instant, la priorité étant selon lui de remettre de l'ordre dans le parti en vue des législatives de 1910. Legrand se rend à Bruxelles, au début de janvier, pour recevoir les directives du prince. À son retour, il rédige un communiqué pour annoncer la relance du comité électoral, dont il prend la présidence et qui devient permanent sous le nom de « comité politique de l'Appel au peuple ». La mission du comité est élargie, il « est appelé à résoudre toutes les questions concernant le parti de l'Appel au peuple ». D'autre part, le prince Victor y fait entrer un groupe de jeunes hommes issus de la conférence Molé-Tocqueville, connus pour leurs talents oratoires. Trois d'entre eux se révèlent spécialement dynamiques : Moro-Giafferi, ancien président des comités des étudiants impérialistes, Poitou-Duplessy et Fougère, tous deux vice-président des jeunesses plébiscitaires. Ces deux derniers arrivent à se faire élire quelques mois plus tard : Poitou-Duplessy en Charente et Fougère dans l'Indre. Toutefois, l'action de ces jeunes gens est vite atténuée par la prudence de Legrand, dont le but est, avant tout, de conserver les sièges déjà acquis. Quant au comité central d'Albert de Dion, il ne perdure que comme organe de propagande, d'où son changement de dénomination en « comité central de propagande plébiscitaire [37] ». Pour encadrer le marquis de Dion, le prince Victor lui adjoint deux parlementaires connus pour leur dynamisme : Joseph Lasies, député du Gers, et Napoléon Magne, sénateur de la Dordogne. En dépit de ces efforts de restructuration, les élections de 1910 sont décevantes. Le parti subit des pertes, même s'il parvient à sauver les principaux bastions, qui se concentrent encore dans l'Ouest. Ces résultats affectent le prince Victor. Ce n'est que sous l'impulsion de la princesse Clémentine qu'il s'impliquera de nouveau en politique. En fait, on en vient à se demander si la politique était au cœur de ses préoccupations ou si elle n'était pas seulement une des obligations liées à sa position de prétendant. Cette interrogation s'impose lorsqu'on se penche sur le mode de vie du prince Victor, qui s'apparente plus à celui d'un aristocrate de son temps qu'à celui d'un chef politique.

CHAPITRE 28

Vivre comme un aristocrate
avant tout

L'essentiel des revenus du prince Victor, comme nous l'avons vu, provenait de la rente versée par les hommes du parti bonapartiste, puis par l'impératrice. En fait, la mère de Victor, la princesse Clotilde, lui en versait également une. Tout comme Eugénie, elle était soucieuse que son fils entretînt un train de vie en rapport avec son rang. Vivre noblement, n'est-ce pas avant tout être indépendant des contingences matérielles [1] ? Selon les sources, les sommes les plus diverses sont avancées. En définitive, il semble qu'au début l'impératrice versait à Victor une rente de 25 000 francs par an, portée à 50 000 francs au début du siècle. À cela, s'ajoutaient les 15 000 francs annuels que le prince recevait de sa mère « pour participer à ses besoins personnels [2] ». Ces montants devaient servir en premier lieu au fonctionnement de sa maison. Toutefois, ces rentes étant souvent insuffisantes, le besoin récurrent de subsides supplémentaires explique en partie ses voyages auprès d'Eugénie, « pour se ménager l'impératrice et ses millions [3] », ou auprès de la princesse Clotilde.

On connaît la composition de la maison du prince Victor grâce à un rapport de surveillance de 1901 : « Victor, le cocher ; Cyprien, valet de pied ; Joseph Blondeau, premier valet de chambre ; Athanase Coleneau et Charles Lesage, eux aussi valets de chambre [4] ». Du nombre de personnes à son service, on conclut que le prince Victor avait les moyens d'entretenir un train de maison qui, sans être luxueux, pouvait suffire à son rang. Lors de son installation à Bruxelles, le prince s'était vite décidé pour l'achat de l'hôtel de l'avenue Louise, demeure sans prétention mais qui disposait tout de même d'écuries et de dépendances. On apprend, dans un rapport de juin 1887, que le prince Victor possède six chevaux : « Zouave, Aramis, d'Artagnan, Athos, Porthos, Favorite. Les deux premiers servent à l'attelage, les autres sont des chevaux de selle [5] ». Quant aux remises, elles contiennent quatre voitures : « une victoria, un coupé, un phaéton et une charrette, le tout venant de chez Bail fils, à Paris [6] ». Le prince Victor non seulement prenait soin de sa garde-robe, mais attachait beaucoup d'importance au mobilier et à la décoration de son intérieur. Grand amateur d'antiquités, il aimait chiner dans les boutiques et assister à des ventes publiques. Dans son ouvrage sur les Bonaparte, Théo Aronson ne s'y trompe pas : « Le prince Victor vivait discrètement mais il vivait, comme avaient fait tous les Bonaparte, dans un grand style [7]. »

En réalité, l'essentiel de la vie du prince Victor était rempli par les occupations d'un aristocrate de son époque. En premier lieu, le cadre de vie du prince, c'est-à-dire son hôtel particulier, témoigne bien d'un mode de vie aristocratique [8]. Avenue Louise, le prince Victor se consacre avant tout à la lecture et à ses collections, activités intellectuelles prisées par les élites. Mais des réceptions, plus ou moins imposantes, viennent rompre la monotonie de son quotidien et permettent d'ouvrir aux visiteurs les pièces d'apparat. Lorsque le prince sort de chez lui, c'est pour des promenades citadines et, le soir, pour se rendre au théâtre, véritable divertissement mondain où l'élégance des toilettes importe autant que le spectacle lui-même. Les autres manifestations mondaines auxquelles le prince

Victor assiste volontiers sont les courses hippiques ; chacun y affirme son rang par la distinction de sa tenue ou par le luxe de son attelage[9]. Il faut dire que les sports équestres et bien entendu la chasse – à tir et à courre – ont toujours été des activités aristocratiques par excellence. Au XIVᵉ siècle Gaston Phébus, dans son *Livre de la chasse*, parlait déjà de « remède souverain contre l'oisiveté ». En effet, chez les aristocrates, qui disposent de leur temps, la paresse est conspuée car gage d'ennui, de spleen[10]. Il est donc important d'organiser son temps et son repos afin de parfaire sa culture, de jouir de ses collections mais aussi de pratiquer l'art de la chasse. La chasse allie nature et sociabilité. Elle est souvent prétexte aux voyages et permet de se retrouver entre amis. Temps de convivialité, elle se clôt par un souper au cours duquel on évoque les moments forts de la journée. Le prince Victor chasse principalement en Belgique et en Italie, quelquefois à l'étranger. Tous les ans il est invité à chasser en Écosse par Charles-Achille Fould. Petit-fils du ministre de Napoléon III et député des Hautes-Pyrénées, ce dernier figure au nombre des hommes importants du parti de l'Appel au peuple[11]. Le prince Victor était également très attaché à son rendez-vous annuel chez la comtesse Edmond de Pourtalès, près de Strasbourg, en Alsace. La comtesse était connue dans toute l'Europe pour son savoir-vivre et sa beauté. Elle avait hérité de son père, le banquier Paul Athanase de Bussières, le château familial de la Robertsau, dont elle fit une plaque tournante de la diplomatie et de la culture françaises durant l'occupation allemande, y recevant de nombreuses personnalités. Tout le gotha se rencontrait là, au milieu de compositeurs, d'écrivains ou de savants. Tous les ans, la comtesse de Pourtalès invitait le prince Victor, vers la fin du mois d'octobre, pour trois ou quatre jours de chasse[12]. Une autorisation du gouvernement allemand était nécessaire pour que le prince pût se rendre en Alsace. Avec la détérioration des relations franco-allemandes, d'abord en 1908, au sujet de la politique française au Maroc, puis surtout à partir de 1912, le gouvernement allemand interdit la présence du prince Victor en Alsace [13]. *L'Action française* s'empara de l'affaire en donnant au refus allemand une connotation politique. Thouvenel et Gauthier de Clagny furent obligés d'intervenir auprès des directeurs de la presse pour arrêter la polémique : « Le prince va chez des amis, ce qui est un droit ; ce déplacement qui n'a rien de politique n'a pas besoin d'être enregistré par la presse [14]. » Avant d'accueillir le prince chez elle, la comtesse de Pourtalès lui faisait toujours parvenir la liste des invités. Parmi les habitués figurent le prince et la princesse Poniatowski, le comte et la comtesse Roland du Luart, Gauthier de Clagny, auxquels s'ajoutaient un général, les deux filles de la comtesse de Pourtalès ainsi que ses petits-enfants Watteville. On est bien loin d'une assistance politique. Excepté Gauthier de Clagny, personne n'était affilié au parti bonapartiste.

Très attaché à son rang, le prince veille aussi à entretenir ses liens avec le gotha européen. Par sa grand-mère paternelle Wurtemberg et sa grand-mère maternelle Habsbourg, Victor est allié à la majorité des familles régnantes ; les rois d'Italie et de Portugal sont ses cousins germains [15]. Grâce à de nombreux déplacements, il prend soin de rester en contact avec cette large parenté. En outre, chaque année, il effectue un voyage « d'étude » à travers un pays d'Europe, pour en observer l'administration et surtout l'armée [16]. Ces voyages à l'étranger – Suisse, Allemagne, Autriche, Pays-Bas [17] – répondent à un souci d'ouverture d'esprit. Cette curiosité le mena jusqu'en Russie, séjour qui le marqua particulièrement et dont il se plaisait à faire le récit [18].

Le prince Victor quitta Bruxelles en février 1894 pour rejoindre son frère Louis à Saint-Pétersbourg, où le tsar

Alexandre III leur réserva un accueil exceptionnel. Était-ce dû au climat d'euphorie qui accompagnait la conclusion de l'alliance franco-russe, accord qui mettait fin à de longues années de négociations entre la Russie et la France[19] ? Pendant longtemps, Alexandre III avait répugné à se rapprocher d'une République qu'il assimilait à la Commune, alors qu'une partie de son entourage estimait qu'une alliance avec la France pouvait être utile face à l'Allemagne et à l'Autriche-Hongrie. En France, se développait, entre autres avec Déroulède, l'idée que l'entente avec la Russie était le prélude nécessaire à la revanche et à la réappropriation des provinces perdues. Cette conviction, reprise par Boulanger, s'était accompagnée d'un vaste courant russophile en France. Pourtant, le rapprochement entre les deux pays était loin d'être aisé. En France, les républicains au pouvoir étaient choqués par le régime autocratique russe. En Russie, on jugeait impossible de conclure un accord stable avec un État rongé par l'instabilité ministérielle. Il fallut attendre le départ de Bismarck de la scène diplomatique, à la suite de l'avènement de Guillaume II en Allemagne, pour voir le processus s'accélérer. En 1890, Guillaume II ne renouvela pas le pacte entre l'Allemagne et la Russie. Dès lors, cette dernière répondit favorablement à la politique cordiale de la France : visite à Paris du grand-duc Nicolas, visite à Saint-Pétersbourg du général de Boisdeffre, sous-chef de l'état-major de l'Armée française. Une première entente cordiale fut conclue en 1891, mais aucun acte ne fut signé ; les éclaboussures du scandale de Panamá sur le gouvernement français ne contribuant pas à rassurer le tsar, ce ne fut qu'en décembre 1893 qu'Alexandre III se décida à signer la convention militaire qui fit sortir la France de l'isolement diplomatique où elle se trouvait depuis la défaite de Sedan. Cet accord s'accompagna, de part et d'autre, d'effusions de joie et de nombreuses festivités. C'est dans ce contexte que le prince Victor arriva à Saint-Pétersbourg.

Le mouvement favorable à la France et les liens familiaux entre le prince et le tsar – tous deux avaient des ascendances wurtembergeoises – assurèrent au prince Victor un séjour grandiose. Il assista à de grands bals au palais d'Hiver, fut même convié à l'anniversaire du tsar, où on le plaça à la droite de l'impératrice Marie Fedorovna. Il passa quinze jours dans la capitale, pendant lesquels il visita tous les musées impériaux et les collections de l'Ermitage. Surtout – chose qui le toucha beaucoup –, il fut invité au mess de la Garde, honneur normalement réservé aux souverains en exercice. En signe de reconnaissance de cet accueil, il alla déposer une couronne sur le tombeau d'Alexandre II, assassiné par les nihilistes. Après ces quinze jours à Saint-Pétersbourg, Victor et Louis séjournèrent à Moscou deux journées, et y furent reçus par le grand-duc Serge et son épouse Ella. Avant de rentrer à Bruxelles, le prince Victor repassa par Saint-Pétersbourg afin de prendre congé du tsar et de le remercier. Le prince resta marqué par l'enthousiasme et l'hospitalité russes.

En France, les bonapartistes tentèrent d'exploiter le bénéfice de ce voyage en lui conférant un caractère politique. Les rapports de la surveillance insistent sur l'excellente réception réservée au prince Victor : « Le tsar a reçu le prince Victor avec une faveur sans précédent. Il a accordé à Son Altesse un entretien particulier, intime, tête à tête, de longue durée. Trois déjeuners et un dîner ont été donnés en l'honneur du prince Victor, et toujours la place de droite lui a été déférée [20]. » En fait, les bonapartistes, prenant soin de rappeler la méfiance que le tsar avait toujours manifestée à l'égard de la République française, faisaient valoir du même coup la réception spontanée qu'il avait réservée au prince Victor. Les hommes du parti affirmèrent que si l'on ne parlait pas du voyage du prince Victor en France, c'est que « lorsque le gouvernement français a appris que Victor était reçu par le tsar, la déception fut grande. Car le tsar avait répandu une légende d'amitié exclusive à l'égard de la République. Aussi, le mot d'ordre fut vite donné : faire le silence autour de l'arrivée de Victor-Napoléon à Saint-Pétersbourg[21] ». Ce n'est que lors de son retour à Bruxelles que le prince Victor apprit qu'on avait voulu donner une connotation politique à son voyage. Or ce déplacement faisait bien partie de ces voyages d'étude au cours desquels il alternait visites studieuses et vie mondaine. Cette fois-ci, il y avait ajouté le plaisir de revoir son frère.

Le prince Victor entreprit également un circuit en Turquie, Roumanie, Bulgarie et Serbie en 1908. Il était accompagné du prince de Lucinge et du colonel Nitot, assurant les fonctions d'aides de camp. Le colonel Nitot était chargé de correspondre régulièrement avec Thouvenel et Girardin pour leur transmettre les informations à communiquer aux journaux bonapartistes. Le prince était soucieux que l'on parlât de son voyage, que l'on relatât l'accueil qui lui avait été réservé. D'autres détails devaient rester confidentiels : « Le prince a reçu le grand cordon de l'Osmanie avec plaque en diamants mais *désire que ce ne soit pas mis dans les journaux*[22]. » Le prince Victor portait en outre un intérêt particulier à ces pays « qui seront mêlés, forcément, à de grands événements [...]. La poussée en avant de ces peuples est frappante et comme elle ne se produit pas dans le même sens, ils se heurteront forcément[23] ». Quant à l'accueil que la haute société réserva au prince Victor, le compte rendu est très positif : « Le prince a été reçu on ne peut mieux et c'était à qui serait le plus aimable. »

Lorsqu'on appartenait à la haute société, il était de bon ton de fréquenter une élite européenne. Éric Mension-Rigau y voit le besoin de l'aristocratie à affirmer son « appartenance à un même monde par-delà les frontières[24] ».

Le prince Victor est un bon exemple de grand aristocrate européen : allemand et autrichien par ses grands-mères, italien par sa mère, français par son père et par sa langue maternelle, mais empreint d'une réserve et d'une pudeur très anglo-saxonnes. Ghislain de Diesbach illustre à merveille ce genre de l'aristocrate voyageur à travers la personne de Ferdinand Bac[25]. Celui-ci, amateur d'art et de belles-lettres, se révéla un excellent chroniqueur de son temps, en particulier par ses nombreux récits de voyages. « Voyageur modèle », il a su rendre le charme de la vieille Europe grâce à une méthode d'observation conciliant l'étude des grands et celle du peuple[26]. Cette conception du voyage, caractéristique de l'époque, était aussi celle du prince Victor.

En dehors de ces voyages dits d'étude, le prince Victor avait deux destinations annuelles : l'Italie, chez sa mère, et l'Angleterre, chez l'impératrice Eugénie. Le prince avait l'habitude d'aller à Farnborough pendant l'été ou l'automne. Un appartement lui était réservé au premier étage, « une immense chambre, située à gauche au premier étage, au fond de détours compliqués[27] ». Nous pouvons nous faire une idée de la vie chez l'impératrice grâce au témoignage de Lucien Daudet. Un semblant d'étiquette impériale, associé aux restes d'une cour (autour de Piétri, Clary, mais aussi de la princesse de la Moskowa, du duc et de la duchesse de Bassano, des cousins espagnols...), donnait, pour reprendre l'expression de Daudet, un côté très « exil », parfois pesant. À Farnborough, le prince Victor aimait partager son temps entre de longues conversations avec l'impératrice et de nombreuses réceptions sur place ou dans les alentours. Voici un exemple de séjour du prince à Farnborough : « J'ai été passé deux jours à Windsor [...]. La reine est venue ici, il y a eu une grande retraite aux flambeaux au camp et le lendemain une revue des troupes à laquelle j'ai assisté. C'est le duc de

Connaught qui commande à Aldershot, je le vois souvent. Dimanche, j'étais invité chez le prince de Galles. Cette semaine, je vais chez le duc de [*illisible*], mon cousin. Je pense que j'irai lundi et mardi à l'île de Wight voir courir le *Britannia*, yacht du prince de Galles. Je suis ici le 25, ayant ce jour-là un déjeuner militaire, et le 26 un grand dîner à l'ambassade d'Italie[28]. »

L'autre déplacement annuel du prince le menait chez sa mère, le plus souvent à la fin de l'année. La princesse Clotilde vivait retirée dans son château de Moncalieri, situé près de Turin. Les séjours du prince Victor étaient beaucoup plus calmes qu'à Farnborough, néanmoins, il en profitait pour se rapprocher de sa famille italienne, entre autres au cours de chasses avec son cousin Victor-Emmanuel. Celui-ci s'était pris de passion pour l'automobilisme et possédait une dizaine de véhicules, qu'il sortait volontiers pour se rendre à son pavillon de chasse de Montecristo. Sans pour autant vivre aussi largement que son entourage, le prince Victor appartenait bien à cette aristocratie internationale et cosmopolite. Il ne faut pas oublier que, à la fin du XIXᵉ siècle, l'ouverture progressive des loisirs au milieu bourgeois eut des répercussions sur l'aristocratie, qui s'orienta vers un hédonisme extravagant et onéreux[29]. Les chasses se déroulaient dans des contrées toujours plus exotiques, comme l'Inde et l'Afrique. Les voyages, sortant du cadre européen, menaient jusqu'au bout du monde ! Le symbole de cette nouvelle mobilité était le yacht ou le paquebot, véritables îles artificielles, accessibles seulement aux grands fortunes. Le prince Victor n'avait pas les moyens d'un tel train de vie et se contentait de profiter des occasions offertes par son entourage. En août 1901 par exemple, il accompagna l'impératrice pour une croisière en Écosse sur son yacht, le *Thistle*.

Le prince donc, attaché au maintien de son rang, ne vivait pas somptueusement. Son hôtel de l'avenue Louise en imposait par son décor napoléonien, mais n'était pas luxueux. Le théâtre, la chasse, les voyages n'étaient que les occupations naturelles d'un aristocrate de son époque. La rente qu'il recevait lui suffisait tout juste. Si sa maigre fortune suffisait à un particulier, elle ne lui permettait pas d'aider, comme prétendant, le parti bonapartiste. Cette incapacité du prince Victor à être un soutien financier pour son parti attira l'attention. Lorsqu'on demandait au baron de Mackau, un ancien bonapartiste devenu royaliste après la mort du prince impérial, ce qu'il pensait du prince Victor, il répondait : « C'est un polisson qui mange tout son argent avec des grues[30]. » Il est vrai que, dans les rangs bonapartistes, l'information se répandit que le prince Victor consacrait des sommes considérables à l'entretien de ses nombreuses maîtresses. Un rapport de 1888 indique que si le duc de Padoue prenait encore le prince Victor pour un saint et lui accordait toute sa confiance, ce n'était plus le cas de Robert Mitchell, qui « sait à quoi s'en tenir au sujet de la vie privée du prince[31] ». L'idée se propagea que, dans la vie du prince Victor, la politique n'occupait qu'une place secondaire après les femmes.

D'autres rapports attestent que, avant son départ en exil, le prince Victor fréquentait une certaine Mme de Norty. Ancienne maîtresse du duc Amédée d'Aoste – c'est-à-dire le propre oncle de Victor, dont elle avait peut-être eu un enfant –, elle aurait exercé une certaine influence politique sur le jeune prince, allant jusqu'à être une auxiliaire financière de l'Appel au peuple grâce à la rente qu'elle recevait du duc d'Aoste ; elle aurait aidé le prince Victor lors de sa séparation d'avec son père[32]. Par la suite, le prince Victor entretint une relation suivie avec une certaine Alice Biot, ancienne danseuse à l'Opéra, qui demeurait rue de Billancourt, à Paris. Il la fit venir à Bruxelles et l'installa non loin de l'avenue Louise, bien que la jeune femme gardât toujours son domicile parisien.

C'est probablement à Alice Biot que se rapporte cet article de *L'Étoile belge*, en octobre 1886 : « Le monde où l'on potine est en émoi, non seulement à Bruxelles, mais encore à Paris. Il paraît que... on raconte que... bref, Bruxelles compterait depuis mardi un petit habitant de plus. Le père qui se porte bien, serait un jeune Français très en vue. On dit que la layette est ornée d'abeilles symboliques [33]. » D'après la Sûreté, Alice Biot aurait été faite comtesse de Beauclair [34] par le roi d'Italie, Humbert Ier, à la demande du prince Victor. Il semblerait aussi qu'elle ait eu deux fils du prince Victor : Pierre et Eugène [35]. Le nom de Mme de Beauclair apparaît régulièrement dans les rapports de police, presque jusqu'à l'époque du mariage de Victor avec la princesse Clémentine. Toujours selon les sources policières, Alice Biot n'aurait pas été la seule conquête du prince. Un rapport du 4 février 1901 évoque les escapades de Victor à Bruxelles avec une certaine Berthe Cerny, actrice à l'Alcazar [36]. Un autre compte rendu fait mention d'une actrice qui aurait été remarquée par le prétendant impérial, Mme de Villiers, qui, tout comme Berthe Cerny, fut reçue avenue Louise [37]. Un dossier entier est consacré à une certaine Mme Gillard, dite baronne Gillard de Wellin, une femme de chambre [38]... Ce n'est qu'un échantillon de ce que l'on trouve dans les dossiers de la Sûreté. Quelques années plus tard, d'autres rumeurs attribuèrent au prince une liaison suivie et quatre enfants. Le prince a-t-il donc mené « joyeuse vie » ?

On dispose de peu d'éléments sur la vie amoureuse du prince Victor. Les seuls indices se trouvent dans les rapports de surveillance et ne permettent aucune certitude. On peut tout de même admettre que le prince Victor eut plusieurs liaisons. Alice Biot a certainement occupé une place importante dans sa vie, sans qu'il y ait eu de quoi soulever l'émotion du parti bonapartiste. Il semble que l'accusation de « vie dissolue » soit excessive. D'autre part, il convient de rester prudent dans la mesure où les liaisons du prince Victor furent exagérées et utilisées par la presse républicaine et royaliste dans le but de le discréditer. Ces bruits portèrent atteinte à son image et contribuèrent, sans grand fondement, à lui donner une réputation sulfureuse. L'impératrice Eugénie, informée, fit aussitôt des remontrances à son neveu. Étaient-ce les mauvais souvenirs laissés par les nombreuses infidélités de son époux qui la poussaient à intervenir auprès de Victor ? De leur côté, les membres du parti réclamaient que le prince prît soin de ne pas défrayer la chronique. Pour couper court à ces ragots qui présentaient le prince Victor comme un libertin, on esquissait des projets de mariage, qui permettraient en même temps de renflouer les caisses du parti. En avril 1893, on évoquait une union avec une riche Brésilienne, prête à apporter cent millions à la cause bonapartiste ; le prince refusa en raison de ses origines roturières[39]. Dès lors, on parla d'une princesse russe, d'une Habsbourg, enfin d'une princesse de la famille de Belgique. Comment Victor a-t-il pris ses projets et contre-projets ? Il est temps de se pencher sur la longue question du mariage du chef de la maison impériale.

CHAPITRE 29

Se marier ?

À la mort de son père, en 1891, le prince Victor, désormais chef unique de la maison impériale, approche de la trentaine. Si la question de son mariage commence à préoccuper son entourage, lui ne semble guère pressé de convoler. L'impératrice est la première à s'en soucier. L'affaire n'est pas simple. Compte tenu de la position du prince Victor, il faut que l'heureuse élue soit titrée et de préférence convenablement dotée. On parle d'abord d'une princesse allemande, puis d'une grande-duchesse russe. Des démarches sont même effectuées dans cette direction, mais le prince repousse le projet, ce dont il s'explique à la duchesse de Mouchy, que l'impératrice avait missionnée dans cette affaire : « Une princesse de bonne Maison alliée à la famille de Russie, belle dit-on, d'une culture d'esprit remarquable [...]. À première vue l'alliance semble bien séduisante, mais il est deux points capitaux ; l'âge et la religion. Je suis obligé de dire que cinq ans de différence en sens inverse, c'est énorme et qu'il faudrait une beauté, un charme et même une véritable vénération pour diminuer la profondeur du fossé [...]. La princesse est protestante et non orthodoxe ; son frère s'est marié morganatiquement. Non, ma chère Anna, il n'y a ni parti pris, ni entêtement de ma part. Je crois qu'il serait bon de faire cesser, vis-à-vis de la grande-duchesse Marie, un malentendu si flatteur [1]. » Jugeant l'affaire importante, le prince Victor est bien décidé à ne consentir qu'à une union digne de sa position. Son entourage le trouve bien difficile, mais, malgré ses réticences, on s'obstine à vouloir le marier. L'année suivante, on veut lui faire épouser une princesse de Monténégro[2] ; Mme de Bourgoing rencontre le père de la princesse à ce sujet. Le projet est abandonné, mais il donne à Victor l'occasion de mettre les choses au clair : « Mais là où nous ne nous entendons plus, c'est lorsque vous paraissez convaincue qu'il y a quelque chose d'immédiat à faire. [...] J'ai passé la trentaine et on a toujours l'habitude de me traiter en enfant[3]. » Les rumeurs suivantes se rapportent à une éventuelle union du prince avec la princesse Clémentine de Belgique[4]. Nous sommes au début du siècle ; le prince ne se mariera qu'en 1910.

La princesse Clémentine est la dernière fille de Léopold II, roi des Belges de 1865 à 1909, et de Marie-Henriette[5], archiduchesse d'Autriche. Le mariage de Léopold II avec l'archiduchesse Marie-Henriette avait été arrangé en 1853 par Léopold Ier dans un but purement politique. Par cette union, le roi des Belges cherchait à établir de bonnes relations avec l'Autriche afin de renforcer la position de la Belgique vis-à-vis de la France de Napoléon III. Léopold II s'était incliné devant la volonté paternelle, mais les époux, aux caractères et aux goûts très différents, eurent du mal à s'entendre. Leur premier enfant, Louise, naît en 1858. L'année suivante, ils ont un fils, Léopold, et au printemps de 1864 une nouvelle fille, Stéphanie. Une certaine harmonie familiale s'installe alors chez les souverains, Léopold II se consacrant pleinement à son fils. Tout s'écroule en 1869 : le jeune Léopold meurt subitement d'une maladie du cœur. Le roi est désespéré ; il se devait d'assurer le futur de la dynastie[6]. Aussi, à la fin de 1871, c'est avec soulagement qu'on apprend que la reine est enceinte. Tout le monde espère un fils... Clémentine naît le 30 juillet 1872. La déception est immense pour le roi et la reine. Léopold II voit anéantie sa dernière chance de donner un héritier à la couronne ; Marie-Henriette, à bientôt trente-six ans, n'a plus le courage d'une nouvelle maternité. Cette déception des parents se répercute sur la jeune Clémentine, à laquelle ils n'offrent qu'une attention limitée. Le roi, désabusé, préfère se consacrer à la politique, par la réalisation de grands projets expansionnistes. Quant à Marie-Henriette, elle fait preuve d'indifférence à l'égard de sa dernière ille[7]. L'éducation de Clémentine, d'une grande sévérité, manque de chaleur, surtout de la part de sa mère. Seule sa sœur Stéphanie, de huit ans son aînée, s'occupe d'elle. Les deux sœurs deviennent très liées, ce qui permet à Clémentine de compenser le vide maternel. Mais cet équilibre est rompu soudainement, en 1881, lors du mariage de Stéphanie avec Rodolphe, héritier de la double couronne d'Autriche et de Hongrie. Stéphanie quitte la Belgique ; Clémentine tente de combler son absence par une correspondance suivie avec elle, qui s'intensifie après le drame de Mayerling, en 1889[8]. En attendant, Clémentine se retrouve seule face à cette mère de plus en plus difficile, exaspérée par le bonheur d'autrui. Ainsi, privée de l'affection parentale, la princesse Clémentine reçut une éducation sévère et conventionnelle visant à transmettre des valeurs conservatrices axées sur l'attachement à la religion et à la monarchie. Toute sa vie, Clémentine conserva une conscience aiguë de sa mission monarchique, puis « impériale ».

D'autre part, l'univers de Clémentine n'est constitué que d'adultes. Ses seuls amis sont ses cousins germains, les enfants du comte de Flandres : Baudouin, Henriette, Joséphine et Albert. Des liens particuliers se nouent avec Baudouin, considéré comme l'héritier de la Couronne depuis la mort du fils de Léopold II. Ses fréquentes visites à Laeken réjouissent Clémentine qui, dans son désert affectif, finit par s'amouracher de son cousin. De son côté, Léopold II, plus concret, parle déjà de fiançailles en 1890. Baudouin meurt d'une pneumonie le 23 janvier 1891 ; c'est un drame pour la jeune fille mais aussi pour la famille royale, qui se sent maudite. L'atmosphère à la Cour devient insupportable. Clémentine décide de souffrir en silence et voue en privé un véritable culte à son cousin. Sublimant cet amour, se détournant progressivement d'une vie normale, elle décide d'ignorer les hommes susceptibles de s'intéresser à elle et s'enferme dans sa solitude. À l'âge de dix-neuf ans, elle vit encore auprès de sa mère qui, de plus en plus acariâtre et jalouse de sa relation avec Stéphanie, empêche Clémentine de sortir, de voyager, de faire la moindre rencontre. Clémentine évolue dans l'atmosphère morose du palais avec résignation, s'appliquant à respecter ce qu'elle considère comme la volonté de Dieu. Léopold II, prenant toutefois conscience que sa fille n'est plus une enfant et qu'il devient nécessaire de l'éloigner de sa mère, favorise son entrée officielle dans le monde. La jeune princesse assiste aux cérémonies officielles (théâtre, bals...). Elle reprend le rôle refusé par sa mère ; la Belgique commence à s'attacher à cette jeune princesse que l'on plaint, dont on apprécie le profond patriotisme. À chacune de ses apparitions en public, on admire aussi son élégance. Elle qui n'est pas vraiment belle femme sait attirer les regards par sa distinction : « Sans être une beauté, la princesse plaît [...]. Grande (plus d'un mètre soixante-quinze), la fille de Léopold II en impose. Clémentine a reçu en héritage de son père une taille élevée et le nez long et fin des Orléans [9]. »

Libérée de la tutelle de sa mère – elle jouit désormais d'un appartement séparé à Laeken –, Clémentine se consacre pleinement à ses devoirs de princesse royale. En 1895, elle accompagne son père en visite officielle. Léopold II se met à apprécier de plus en plus sa fille pour

« son plaisir manifeste de la découverte, son élégance et surtout la bonne volonté qu'elle met à toujours vouloir le satisfaire[10] ». Dans les salons, dans la presse, les avis sont unanimes : Clémentine remplit ses obligations à merveille, on en vient à la surnommer la « petite reine ». Comme le précise Jo Gérard, elle est à bonne école : « Léopold II apprend lui-même à Clémentine comment elle doit se comporter lors des réceptions officielles[11]. » Clémentine demeure pourtant dans une grande solitude morale, tiraillée entre la liberté délicieuse accordée par son père et la tyrannie qu'exerce toujours sa mère. Le roi, conscient de cet état de fait, pense à la marier. À l'automne de 1896, il esquisse un projet de mariage avec le prince allemand Rupprecht de Bavière, fils aîné de Louis III. Clémentine refuse tout net, rétive à l'idée d'un mariage arrangé qui aurait comme inconvénient majeur de l'obliger à quitter son pays natal. En outre, les mariages désastreux imposés à ses sœurs la confortent dans sa conviction[12]. Elle s'en explique à sa sœur Stéphanie : « Je veux jouir de ma jeunesse, rester le soutien, malgré bien des peines, de mes vieux parents. Dans quelques années, si Dieu me les accorde et s'il bénit mes vœux et mes intentions, peut-être alors trouverai-je, moins loin de moi que tu ne le penses, un être qui m'aimera pour moi-même, et que j'estimerai, qui me sera plutôt un guide, un soutien qu'un époux, que je connaîtrai et qui connaîtra mon cœur que je lui donnerai tout entier[13]. » Clémentine réussit à convaincre son père d'abandonner ce projet de mariage. Le roi reste néanmoins soucieux de voir sa fille établie avant de disparaître et, en 1901, l'ambassadeur de France à Bruxelles note que « le Roi aurait pensé à donner comme époux à la princesse Clémentine le comte de Turin. On doit reconnaître que le choix des princes catholiques, déjà particulièrement restreint, se trouve encore diminué en ce qui concerne la princesse Clémentine par ce fait que les malheurs conjugaux de ses sœurs, toutes deux mariées en Autriche, semblent exclure la possibilité d'une nouvelle alliance avec un Habsbourg [14] ». Le roi se heurte de nouveau à sa fille.

Les choix de vie de la princesse Clémentine – rester célibataire, jouir d'une certaine liberté et assumer ses obligations officielles – la maintiennent donc dans sa grande solitude. D'autant plus que ses parents, qui n'acceptent pas le remariage de Stéphanie avec le comte Lonyay, interdisent tout contact entre les deux sœurs. En fait, la liberté de la princesse n'est qu'abstraite : elle n'a ni sa propre maison ni une liste civile et dépend entièrement du roi, qui menace de « la jeter dans la rue » s'il apprend qu'elle correspond avec Stéphanie [15]. D'autre part, la mort de la reine, en 1902, ne fait qu'accentuer son sentiment d'isolement. Clémentine se reproche de ne pas avoir su améliorer sa relation avec sa mère, considère cela comme un échec affectif, tout en continuant à souffrir d'avoir été une enfant injustement rejetée. En outre, la mort de Marie-Henriette laisse Léopold II libre de vivre ouvertement sa liaison avec Blanche Delacroix. Il ne consacre plus que peu de temps à sa fille. Celle-ci, malgré les épreuves, continue à faire bonne figure dans ses nombreuses apparitions publiques et bonnes œuvres. Sa popularité grandit de jour en jour ; mais est-ce suffisant pour combler le vide de son existence ? C'est à cette époque que Clémentine fait part de son désir d'épouser le prince Victor, un homme répondant enfin à ses critères dynastiques et sentimentaux.

CHAPITRE 30

Le veto royal

Lorsque le prince Victor et la princesse Clémentine décident d'unir leurs vies, lui a dépassé la quarantaine et elle la trentaine. On se serait attendu à ce que l'affaire fût réglée rapidement, mais la position de prétendant du prince Victor complique le projet. Le prince Victor et la princesse Clémentine se connaissent depuis déjà longtemps. À ses débuts à Bruxelles, Victor avait été reçu au palais royal. Clémentine mentionne sa venue dans une lettre à sa sœur le 14 janvier 1888 : « Nous avons eu le prince Victor Bonaparte au déjeuner. Il est assez aimable [1]. » Précisons que, à cette date, l'attention de la princesse Clémentine, âgée seulement de quinze ans et demi, était entièrement concentrée sur son cousin Baudouin. Il faut attendre sept ans pour que le nom du prince Victor apparaisse de nouveau dans sa correspondance. Toujours dans une lettre à sa sœur, elle fait allusion à un dimanche après-midi, où elle était allée aux courses : « Il paraît que nous avons eu, ma dame, mes chevaux et moi beaucoup de succès, même auprès de l'aimable prince Bonaparte, dont je suis une fidèle admiratrice. » L'intensification de la vie officielle de Clémentine lui fournit de fréquentes occasions de croiser le prince Victor. Dans ce contexte officiel, la discrétion et la douceur du prince sont remarquées par Clémentine ; leurs relations restent, néanmoins, distantes. On ne retrouve le nom du prince Napoléon dans la correspondance de Clémentine qu'en 1904, au moment de la demande en mariage.

Victor, de son côté, ne semble pas s'être intéressé à la princesse Clémentine avant qu'un projet d'union soit envisagé. L'impératrice l'approuve d'emblée, à en croire la princesse Clotilde qui, le 5 octobre 1900, fait part de sa satisfaction à Eugénie : « Ma sœur, après la mort de notre cher frère, m'a dit vous avoir vue à Paris et que vous lui aviez parlé d'une possibilité d'une idée de mariage de Victor avec la princesse Clémentine de Belgique. Vous pouvez comprendre combien je serais heureuse de voir mon fils établi et en même temps que cela fût selon vos vues. Personne ne sait de la lettre que je vous écris, ma chère cousine ; je vous l'adresse dans le désir de savoir, de vous à moi, ce que vous penseriez ou trouveriez à ce sujet[2]. »

Depuis plusieurs années, l'impératrice se souciait de trouver une épouse à son neveu. Clémentine, princesse royale, catholique, fait l'unanimité. À partir de 1900, Victor cherche à multiplier les rencontres avec la princesse belge ; toutes les occasions sont bonnes à saisir. Au printemps de 1901, la baronne Lambert convie le prince Victor à un concert donné au profit d'une bonne œuvre ; elle utilise comme argument que « S.A.R. la Comtesse de Flandres et S.A.R. la Princesse Clémentine ont promis d'y assister[3] ». Le prince s'y précipite. De leur côté, les rapports de police notent que, « depuis quelque temps, le prince Victor et la princesse Clémentine se rencontrent plus souvent qu'autrefois[4] ». Cette fois-ci, le prince ne se montre pas hostile à ce projet de mariage. Mais comment procéder ?

Bien entendu, tout doit se dérouler dans le plus grand secret. Seuls les plus intimes sont informés, comme le baron Durrieu, d'ailleurs accusé d'avoir trop parlé à ce sujet : « J'ai été désolé à la pensée que Votre Altesse Impériale pouvait croire que j'avais parlé et mis dans la circulation des choses qui n'ont, pour le moment, qu'un caractère très intime et très délicat. [...] Je n'en ai dit mot qu'à la comtesse Ghislaine, sur le dévouement *éclairé* de qui Votre Altesse Impériale sait bien pouvoir compter[5] ! » En effet, tout au long de l'affaire, le prince Victor bénéficie de l'aide de la comtesse Ghislaine de Caraman-Chimay, qui sert, en quelque sorte, d'entremetteuse grâce à ses liens avec la famille royale et à la vieille amitié – peut-être amoureuse – qui la liait au prince Victor. Elle se charge de faire passer des lettres, d'arranger des rendez-vous, de favoriser des rencontres. En 1902, les choses se précisent, l'hypothèse d'un mariage devient réelle. D'ailleurs, la sœur de Victor s'étonne d'une visite de la princesse Clémentine à l'impératrice : « Avez-vous vu que Clémentine a été chez l'impératrice pour déjeuner[6] ? »

Mais la mort de la reine Marie-Henriette et le scandale qui suit obligent Clémentine et Victor à différer leur projet. Une fois de plus, Léopold se montre cruel à l'égard d'une de ses filles. Stéphanie, veuve de l'archiduc Rodolphe, s'était remariée avec le comte Lonyay sans l'assentiment de ses parents, qui, depuis, avaient refusé tout contact. Apprenant la mort de sa mère, Stéphanie se précipite à Spa. Non seulement Léopold II ne la reçoit pas, mais il la fait chasser de Belgique et lui interdit d'assister aux obsèques de sa mère. Cette attitude soulève la désapprobation générale, aussi bien de la part des maisons royales – Édouard VII signifie officiellement sa réprobation – que du peuple belge. Deux ans plus tard, le scandale resurgit au sujet de la succession de Marie-Henriette : Stéphanie, estimant les sommes perçues largement insuffisantes, intente un procès à son père. Ce contexte familial houleux ne favorise pas les projets de Victor et Clémentine. D'ailleurs, l'impératrice est d'avis d'attendre : « Je crois, précisément à cause de la mort de la mère de la personne désirée, qu'il serait imprudent de compromettre, par une démarche directe et sans appel, la position de celui que les circonstances obligent à vivre à Bruxelles. Le père de la jeune personne va lui organiser sa vie ou bien il gardera sa fille pour lui faire faire tous les devoirs de société auxquels il aime se dérober. [...] Il faut donc attendre et voir se dessiner les événements, contre la volonté du père, c'est impossible de rien tenter[7].»

Or, dès 1903, les intéressés sont prêts à s'engager. La présence du prince Victor dans l'entourage royal est remarquée : « Le concours hippique de Bruxelles s'est ouvert sous la présidence du prince Albert, de la princesse Clémentine et du prince Victor[8].» De son côté, Clémentine éprouve un besoin grandissant de quitter le giron paternel. Dans une lettre à son amie Ghislaine, Victor fait allusion à l'impatience de Clémentine : « Votre amie m'écrit des lettres impatientes et m'accuse de ne pas en faire autant (ce qui est inexact)[9].» Cette accusation surprend en effet un peu, au regard des sentiments du prince Victor, car si cette union, au départ, ne faisait que répondre à sa position de prétendant, elle s'est transformée en un désir spontané, comme en témoigne cette confidence : « Le devoir que je remplis, et qui m'avait paru être un grand sacrifice, me devient très doux, pourquoi ne pas l'avouer ? Je crois avoir trouvé tout ce que je désirais[10].» Aussi, au début de l'année 1904, Clémentine et Victor décident-ils d'un commun accord que Victor fera enfin sa demande à Léopold II. Néanmoins, se doutant des mauvaises dispositions du roi, le prince Victor demeure partagé entre prudence et action. Une partie de son entourage le pousse à affronter le roi afin d'être fixé sur son sort – telle est la position de la princesse Clotilde et surtout de la princesse Laetitia, incapable de comprendre les hésitations de son frère : « Cette année est réellement trop triste. Maman est d'avis de *se décider* à B. mais on ne semble guère de cet avis. Moi, je crois qu'*il* ne veut pas marcher et vous verrez que nous ne ferons rien. Chaque jour de perdu est une probabilité de moins de réussite[11]. » Mais un autre groupe, l'impératrice en tête, est persuadé qu'il ne faut rien tenter sans être assuré de l'assentiment du roi car, une fois la démarche effectuée, il serait impossible de revenir en arrière. Il est intéressant de constater que, comme en politique, le prince Victor ne semble pas vraiment maître de son destin. Là encore, il se retrouve dans une situation où, acculé, il a du mal à faire son choix.

Après maintes hésitations, une solution est trouvée qui contente à la fois l'impératrice, opposée à une démarche directe, et ceux qui pensent qu'il est nécessaire d'agir, dont les intéressés et la princesse Clotilde. Le roi d'Italie est appelé à la rescousse, on espère que, recevant la demande par l'intermédiaire de Victor-Emmanuel III, Léopold II se montrera plus compréhensif. Le roi d'Italie missionne son cousin, le duc d'Aoste, auprès de Léopold II pour demander officiellement la main de la princesse Clémentine au nom du prince Victor : « Certain du bienveillant accueil que le duc d'Aoste recevra de Votre Majesté, j'ose espérer aussi que la proposition qui lui sera formulée obtiendra son approbation – car je serais très heureux de voir se former un lien plus étroit entre la famille de Votre Majesté et la mienne, et de voir assuré le bonheur de mon cher cousin Victor Napoléon[12]. » L'entrevue se clôt sur un refus catégorique du roi, que les arguments de Victor-Emmanuel n'ont pas suffi à infléchir. Léopold II répond en ces termes au duc d'Aoste : « Mon devoir, à quatre heures de Paris, est de vivre en bons termes avec la République française[13]. »

Les arguments politiques interviennent certainement en bonne part dans le refus du roi. Il ne faut pas oublier qu'il existait un contentieux entre la Belgique et la France de Napoléon III[14] : Léopold II, qui avait succédé à son père en 1865, avait eu à cœur, comme l'un des axes majeurs de sa politique lors de son accession au trône, de contre-carrer les ambitions de Napoléon III sur la Belgique. Depuis 1865, l'Europe entière avait compris qu'une lutte entre la Prusse et l'Autriche devenait inévitable[15]. C'est dans ce contexte que Bismarck avait accepté l'invitation de Napoléon III à Biarritz, en octobre 1865. Le chancelier voulait par là s'assurer de la neutralité française en cas de conflit avec l'Autriche. Quant à l'empereur, il cherchait des compensations à cette neutralité, d'où l'appellation de « politique des pourboires ». Celle-ci comprenait deux volets : d'abord la Vénétie, puis une compensation pour la France en territoire allemand. Tous ces projets furent rejetés ; la victoire prussienne de Sadowa bouleversa les plans de Napoléon III qui, condamné à une médiation « amiable », dut accepter la constitution d'une confédéra-tion de l'Allemagne du Nord qui offrait plus de quatre millions de nouveaux sujets au roi de Prusse. En France, cette Allemagne unifiée commençait à faire peur, ce qui poussa Napoléon III à reprendre sa demande de compen-sations. Bismarck découragea aussitôt toute velléité fran-çaise sur le territoire allemand, obligeant ainsi Napoléon III à orienter ses revendications sur des terri-toires non allemands, c'est-à-dire la Belgique et le Luxem-bourg. Bismarck affecta d'être d'accord, un traité fut même ébauché, mais le chancelier laissa les négociations s'enliser jusqu'en 1870, où il dévoila ce projet à la Bel-gique et à l'Angleterre. Entre-temps, les négociations avaient été ébruitées et avaient déclenché l'hostilité du gouvernement belge. La rancœur de Léopold II envers le régime impérial explique ainsi en partie sa volonté de préserver à tout prix sa bonne entente avec la République française.

En outre, la politique de Napoléon III n'avait-elle pas été aussi à l'origine du malheur de Charlotte, la sœur de Léopold II ? C'est bien le régime impérial qui avait installé l'archiduc Maximilien et Charlotte sur le trône du Mexique, pour les abandonner par la suite : Napoléon III s'était trouvé dans l'incapacité de céder aux supplications violentes de Charlotte et avait été obligé de rappeler le corps expéditionnaire français. Quelques mois après, Maximilien était capturé et fusillé par les Mexicains. Charlotte avait sombré dans la folie. On comprend mieux les réticences de Léopold II à allier sa fille à un Bonaparte. Toutefois, il avait agi de même vis-à-vis de la famille Orléans. Quelques années auparavant, en 1898, Léopold II avait exclu, également pour des raisons politiques, une union entre le prince Albert – destiné à lui succéder – et Isabelle d'Orléans, fille du comte de Paris. Léopold II craignait que l'empereur d'Allemagne y vît une expression d'amitié envers le prétendant au trône de France[16]. Le père d'Albert, le comte de Flandres, était intervenu auprès du roi pour le faire revenir sur sa décision, mais il s'était heurté à un refus catégorique[17]. Finalement, en 1900, le prince Albert avait épousé Élisabeth de Wittelsbach. En 1904, lorsque le prince Victor fait sa demande, la situation politique de la Belgique a évolué. Pour protéger sa politique au Congo, Léopold II avait tout intérêt à entretenir de bons rapports avec la République française. Après une période difficile lors de la conquête du pays, où l'État indépendant du Congo et le Congo français avaient eu du mal à s'entendre sur leurs frontières, ils avaient fini par devenir solidaires face à l'Angleterre, qui voyait d'un mauvais œil les expansions coloniales belge et française. Mais l'union de la princesse Clémentine avec le prince Victor pouvait-elle mettre en jeu les relations de la Belgique et de la République française ? Ce serait accorder trop d'importance à l'attention portée par la République aux affaires privées du prince Victor[18].

En réalité, dans le refus de Léopold, il n'est pas impossible que soit intervenu le souvenir de la rupture de Victor avec son père, contribuant à donner au roi une mauvaise image de l'héritier des deux empereurs. La correspondance échangée entre Léopold II et Plon-Plon montre que le roi des Belges entretenait de bonnes relations avec le prince Napoléon. En 1853, il lui écrivait déjà : « j'ai eu l'occasion d'apprendre que Votre Altesse Impériale s'était exprimée favorablement sur les relations de bon voisinage qu'il est si désirable de maintenir entre la France et la Belgique [19] ». La pensée libérale de Plon-Plon l'opposait à tout projet expansionniste. Tout au long de l'Empire, il soutint le principe des nationalités et accusa Napoléon III de l'abandonner au profit de visées expansionnistes. L'amitié avec Léopold II ne pouvait qu'en être favorisée : « Je suis très heureux d'apprendre que, de retour à Paris, vous avez bien voulu continuer votre rôle de défenseur des intérêts belges [20]. » Cette amitié dura en dépit des revendications de Napoléon III sur la Belgique, dont Plon-Plon d'ailleurs se désolidarisa. En 1869, le roi terminait une lettre au prince Napoléon en ces termes : « Je désire vivement pouvoir toujours compter sur les sentiments affectueux de Votre Altesse Impériale qui sont bien réciproques [21]. » Léopold II, gardant de la rancune au régime impérial, se montrait plus favorable aux idées républicaines du prince Napoléon. Or le prince Victor avait rompu avec son père soutenu par les hommes qui représentaient la tradition impériale. En outre, Léopold II, qui avait tant souffert d'avoir perdu son fils, déplorait la rupture entre Victor et son père. Il avait tenté de rapprocher les deux hommes, mais il s'était heurté à un échec. En définitive, le roi des Belges, même s'il réservait au prince Victor un accueil courtois, ne souhaitait en aucun cas entretenir de relations régulières avec lui. Il ne pouvait donc que lui refuser la main de sa dernière fille. Surtout si l'on ajoute à ces raisons les diverses rumeurs que le roi avait pu entendre sur la vie légère du prétendant impérial et sur son envie de contracter une union fructueuse [22].

En dépit du refus catégorique du roi, Clémentine est bien décidée à se marier, mais Victor pas plus qu'elle ne désirant rompre avec Léopold II, ils gardent l'espoir de le convaincre. Clémentine, pensant bénéficier de leur connivence passée, estime qu'elle a intérêt à défendre elle-même sa cause auprès de son père. Lors d'une entrevue avec lui, elle commence par utiliser l'argument majeur à ses yeux, celui de son bonheur, arguant que, après s'être sacrifiée durant de longues années, elle a enfin le droit de s'occuper d'elle. Le roi reste de marbre, le cœur n'ayant aucun poids face à la raison d'État : « il ne peut pas admettre un prétendant étranger dans la famille régnante de Belgique[23] ». Devant l'obstination de son père, Clémentine s'emporte, une scène terrible s'ensuit : le roi, furieux, la menace, se prétend prêt à accepter tout autre mariage. Rien n'ébranle la détermination de Clémentine, qui le défie en prétendant se passer de son consentement. Retrouvant sa sérénité, elle rappelle qu'elle a toujours agi avec respect à son égard, mais qu'elle ne peut, cette fois, obtempérer. L'entrevue n'a fait qu'aggraver la situation. Clémentine est pourtant persuadée qu'à long terme et avec de la douceur elle arrivera à imposer son choix. À sa sœur, elle écrit : « j'agis de concert avec le jeune homme et les siens, mais très prudemment et doucement. Il faut tout tenter auprès du père avant de passer outre ; le respect avant tout. C'est aussi le désir du jeune homme[24] ». Dorénavant, les rapports sont très tendus entre Léopold II et sa dernière fille ; il craint qu'elle passe outre à son interdiction. L'atmosphère à Laeken s'en ressent vivement : « Depuis ce jour, on ne se voit, on ne se parle plus et je dîne seule ! [...] Je soutiens des assauts de tous genres pour m'ébranler mais reste ferme[25]. »
De son côté, le prince Victor livre le même son de cloche à Thouvenel : « On vous donnera *le peu* de nouvelles que nous avons. Elles ne sont pas bonnes. La fille

ne voit plus personne ni matin, ni soir. Ici, on surveille. Il est évident aujourd'hui plus que *jamais* [que l']on n'aura un consentement, même arraché. Il faut penser à passer outre ou à se retirer. Telles sont les deux *seules* alternatives[26]. » Que faire ? A-t-il réellement envisagé de ne pas tenir compte du refus royal ? Il est probable que le prince Victor et la princesse Clémentine n'ont jamais réellement envisagé de contrecarrer la décision du roi, tous deux ont des caractères trop respectueux. En outre, le prince Victor a déjà connu les affres de la rupture paternelle et ne veut pas être la cause d'une séparation entre le père et sa fille. D'ailleurs, il s'inquiète de la dégradation de leurs rapports depuis leur conversation : « Silvestre est toujours dans les mêmes dispositions. Il n'a pas redit un mot (quelconque). Ils ne se voient même plus[27]. » À Bruxelles aussi on s'étonne de « l'absence de la princesse Clémentine dans plusieurs solennités récentes [...]. On dit que la princesse serait fâchée avec son père en raison de certains projets de mariage[28] ».

Le prince Victor fait preuve d'une grande modération et veut tout tenter pour éviter la rupture. Blessé dans sa dignité de prince et d'homme, il préfère garder le silence. Cette position en retrait donne lieu à de nombreux commentaires. Pour beaucoup, son engagement flou reflète son caractère mou et irrésolu. Ils craignent qu'il lui faille des années pour prendre une décision. Cet avis est celui de la princesse Laetitia, convaincue de la nécessité d'une action rapide : « Je crois inutile et imprudent (vu l'enthousiasme de Gérard au mariage) d'attendre ! Plus nous attendons, plus nous perdons de chances. [...] Je crois ou qu'il se trompe ou qu'il est mal conseillé. [...] Vous croyez que Silvestre changera d'idée, *jamais* ! [...] *Tout, tout* au fond de son cœur et de sa pensée [de Victor], mais il n'ose même se l'avouer *à lui*, qui sait si toutes ces difficultés ne lui plaisent pas ! Elles élèvent une barrière *contre sa volonté*... Je ne sais rien, mais j'ai des doutes ! [...] Ma mère est en tout et pour tout de mon avis. Elle déplore qu'on ne marche pas[29]. » Laetitia et sa mère pensent que le mariage doit se faire en dépit de la volonté de Léopold II. Le fait que Victor n'ose pas s'engager, mal interprété par sa sœur, l'amène à douter de la détermination de son frère et à craindre que Clémentine prenne cela pour de l'indifférence : « Elle ne doit pas être flattée car lui gagne du temps et qui sait si tout cela ne tournera pas autrement[30]. »

Pour d'autres, les intentions du prince Victor ne sont pas désintéressées : il convoiterait, par cette union avec Clémentine, une alliance royale et un héritage important. Or, si Victor et Clémentine contrecarrent la décision de Léopold, la princesse risque de perdre tous les avantages liés à sa position. Une chose est certaine : Victor et Clémentine veulent tout tenter pour obtenir l'autorisation du roi. En outre, le prince Victor est obligé de prendre en compte la position de l'impératrice, partisane de la prudence. Elle est la première à trouver que rien n'est possible sans l'accord de Léopold II, comme elle l'explique à Ghislaine de Caraman-Chimay : « Je sais votre jugement et le besoin qu'il a quelques fois d'être stimulé, mais dans ce cas la prudence me semble être indiquée[31]. » L'impératrice, qui avait soutenu cette union, estime que, du moment que le roi le désapprouve, il faut peu abandonner le projet. D'après elle, le prince Victor, condamné à vivre en Belgique, doit se plier à la décision royale. Où vivraient-ils si le roi décidait de les chasser de son territoire ? Lors d'un passage de l'impératrice à Paris, elle fait part de sa désapprobation à Henriette – fille aînée du comte de Flandres, devenue duchesse de Vendôme – qui s'empresse de répéter à sa mère qu'« elle [l'impératrice] a parlé avec animation, mais lorsque nous avons prononcé le nom de Victor, elle a interrompu avec un visible déplaisir. Cela prouve combien elle doit être contraire à un certain projet maintenant qu'il a été rejeté[32] ».

Victor, partagé entre ceux qui l'accusent de faiblesse et ceux qui s'opposent à toute démarche en dehors du consentement royal, tergiverse. Il n'exclut pas l'hypothèse de passer outre, mais seulement s'il y est obligé : « toutefois, pour moi il n'y a pas encore assez de temps écoulé pour envisager cette hypothèse. Il est facile d'en arriver là. Il faudrait avant avoir épuisé tous les moyens et on [n']en a épuisé aucun. Je maintiens ma manière de voir et trouverais fort regrettable d'être obligé d'en arriver là[33] ». Clémentine, elle, continue à espérer, tout en étant impatiente. Elle explique à sa sœur qu'elle ne veut rien brusquer et n'agit que « d'accord avec le jeune homme et l'impératrice ». Leur patience étant mise à rude épreuve, ils envisagent plusieurs tactiques pour obtenir gain de cause.

Ils songent par exemple à solliciter l'intervention de proches pouvant influencer Léopold II, comme Beatrice de Battenberg, la plus jeune fille de la reine Victoria, et le roi de Portugal. Ils finissent par renoncer à recourir à elle sans avoir le soutien de l'impératrice qui s'abstient prudemment. Le cousin germain de Victor, le duc d'Aoste, et son épouse Hélène continuent d'œuvrer en leur faveur. Un rapport d'août 1904 indique que Victor rencontre Léopold II à l'hippodrome et qu'ils discutent en présence du duc d'Aoste. Toutefois, à la fin de la conversation, le prince Victor part mécontent[34]. Une dépêche de l'ambassade de Vienne adressée à l'ambassadeur de France à Bruxelles atteste que « le prince Victor Napoléon est arrivé à Vienne où il doit passer quatre jours. Le but de son voyage est d'intéresser l'Empereur à son mariage avec la princesse Clémentine de Belgique et de le prier de faire une démarche en sa faveur auprès du roi Léopold. Il a été reçu hier en audience privée par Sa Majesté qui lui a promis son concours[35] ». On n'a pas d'autre trace d'une éventuelle intervention de François-Joseph ; elle paraît peu probable, compte tenu du refroidissement des relations entre lui et Léopold II au moment de la mort de la reine Marie-Henriette.

Les seules chances de Victor et Clémentine se situent du côté de la comtesse de Flandres. Or celle-ci a une position fort ambiguë. Au début, par affection pour sa nièce et par amitié pour le prince Victor, elle se montre favorable. Le refus du roi la fait changer d'opinion et elle se rallie à l'avis du souverain, décidé à ne jamais consentir au mariage de Clémentine avec un Bonaparte. En mai 1904, elle fait part de son inquiétude à la reine Carola de Saxe : « Je suis heureuse que Clémentine t'ait plue, elle est très gentille mais montre parfois peu de jugement comme dans la circonstance dont P. N. t'a parlé. C'est une triste histoire qui me tracasse beaucoup et est absolument sans espoir. *Jamais* le roi ne cédera. Il serait à désirer que les intéressés s'enlèvent cette idée de la tête et cherchent d'autres unions. Ce sera plus facile pour lui que pour elle[36]. » Néanmoins, par pitié pour le chagrin de Clémentine, la comtesse de Flandres continue à assurer le lien entre les soupirants et conserve son rôle de confidente : « Les confidences de P. N. me donnent grand souci, et tout en plaignant beaucoup ma nièce, je trouve qu'elle doit se plier à la volonté de son père. Du reste l'intention de P. N. était d'obtenir le consentement du roi et celui-ci ne cédera pas[37]. » Dans cette affaire, on a l'impression que la comtesse de Flandres joue sur les deux tableaux. Elle est la première à critiquer Victor et s'empresse de rapporter un commentaire fait par un proche du prince : « Il a de la tenue et du vernis, est intelligent mais tellement mou et irrésolu qu'il lui faudrait des années pour se décider à agir, et au fond il ne veut rien faire. » Ajoutant même : « cela m'a amusée, car c'est la même impression qu'il m'a faite[38] ». Elle semble pourtant

344

prendre très à cœur son rôle de conciliatrice, engageant le roi à la prudence avec Clémentine, « pour ne pas la monter dans ses idées avec le prince Napoléon »... Au fond d'elle-même, la comtesse de Flandres est sans doute dans le camp de Léopold II. Si elle conserve sa position d'intermédiaire, ce doit être pour tenter de dissuader Clémentine plutôt que pour faire le mariage. D'ailleurs, elle s'inquiète de l'entêtement de sa nièce : « Je crains qu'Hélène d'Aoste ne monte encore la pauvre Clémentine et ne la soutienne dans ses illusions, ce qui serait malheureux et maladroit[39]. » Les manœuvres de la comtesse de Flandres sont démasquées par la princesse Laetitia : « Vous voyez que la belle-sœur si enthousiaste, si *décidée*, on aurait dit qu'elle allait faire Dieu sait quoi, ne bouge plus et ne veut plus rien faire, cela est certain, elle veut la paix. [...] Et le bon Gérard qui y croyait ! Mais moi, je suis étonnée de le voir si ingénu en certaines circonstances ! Ce n'est presque pas croyable, à son âge et dans le milieu dans lequel il vit[40]. » Laetitia déplore que son frère se serve d'une telle intermédiaire, pour elle le meilleur moyen pour que rien n'aboutisse. Il est vrai que six mois se sont écoulés depuis le refus du roi et qu'aucune évolution n'est constatée. Même la comtesse de Flandres remarque l'inutilité de ses démarches : « Ça va très mal entre le roi et Clémentine, les deux têtes étant dures comme des socs[41]. » Il faut attendre que la presse s'empare de l'affaire pour modifier la donne.

Jusqu'à présent, on était parvenu à garder secrète la question du mariage. À l'été de 1904, certains journaux belges commencent à parler de l'éventualité d'une union entre Clémentine et Victor. Les bruits se propagent rapidement, jusqu'à atteindre Paris. André Martinet fait part au prince Victor de son inquiétude : « Depuis le jour où, daignant m'entretenir des bruits qui couraient à Bruxelles, vous me recommandiez le secret, j'ai gardé le silence le plus absolu. La même discrétion n'a pas été observée par tout le monde. Déjà, cet été, la baronne Decazes-Stackelberg avait lu à un de ses amis une lettre reçue de Bruxelles, parlant des projets de mariage, de la mauvaise volonté du roi. L'autre jour, chez elle encore, [...] quelqu'un racontait que le mariage du prince avec madame la princesse Clémentine était absolument résolu, qu'elle était prête à toutes les sommations, mais que le grand obstacle venait de l'impératrice qui ne voulait pas consentir à cette union, tant que le roi s'y opposait [...]. Il n'y aurait rien de surprenant à ce que ces bruits parviennent aux oreilles des royalistes – ce qui serait pire encore – c'est qu'ils fussent reproduits dans une certaine presse [42]. » Les craintes d'André Martinet se trouvent confirmées. Dès la fin de l'année, la presse donne un caractère politique à cet éventuel mariage. À peine la princesse Clémentine a-t-elle pris ses quartiers d'hiver à Saint-Raphaël que *L'Action*, journal belge, révèle que les fiançailles entre la princesse Clémentine et le prince Victor Napoléon sont la conséquence d'une conspiration bonapartiste. Dès lors, la presse française se passionne pour l'événement, parle de fiançailles non officielles en raison du désaccord du roi. Que ce soit *L'Écho de Paris* ou *Le Matin*, ils prennent tous parti pour la princesse : « Très charmante, la princesse Clémentine est une énergique, cachant sous la grâce du geste très doux et du sourire exquis une volonté de fer. Elle adore la France [43]. » De son côté, *Le Figaro* loue son sens du devoir et son dévouement filial. En fait, les journaux français, tous bords politiques confondus, adoptent la cause de la princesse. Nombre d'anecdotes sur son enfance ressortent pour montrer qu'elle a toujours été victime des souverains belges. En revanche, la presse belge se montre hostile à l'égard du prince Victor. *L'Action* traite le prince « d'aigle déplumé, de héros désuet et presque bouffon ». Le journal n'hésite pas à

parler, sans le moindre ménagement, de sa maîtresse :
« On annonce que sa Joséphine avant la lettre, Mme B...
[Mme de Beauclair], a émigré de Bruxelles à Paris, avec
sa smala d'enfants de la main gauche. » Dans un autre
numéro, on peut lire : « Napoléon se propose de lâcher
sa femme et ses enfants pour accaparer la fille du roi et
sa fortune[44]. »

La campagne de presse s'intensifie en janvier-
février 1905 : les journaux annoncent une réunion de la
famille Bonaparte, à Moncalieri, pour examiner l'éventualité de l'abdication du prince Victor en faveur de son frère
le prince Louis, dans le but de réaliser son mariage. De
son côté, Léopold II, convaincu que sa fille est sur le point
de lui désobéir, exigerait un mariage dans l'intimité, à
l'étranger, et que le couple quitte la Belgique[45]. Au même
moment, on parle d'une intervention du roi Victor-
Emmanuel III auprès du gouvernement français pour
qu'il donne son accord au mariage. Le président de la
République, Loubet, et le ministre des Affaires étrangères,
Delcassé, auraient répondu qu'« aucun mariage ne peut
inquiéter la République ». Cette publicité fait espérer à
la princesse Laetitia un dénouement : « Vous ne pouvez
croire combien ici on s'occupe du roman de Clémentine,
on ne parle que de cela. [...] Je crois qu'il va réellement
falloir se décider ou alors démentir, car cette situation est
impossible. Que savez-vous ? Que pensez-vous ? Puisque
Clémentine est à Saint-Raphaël, qu'elle ne rentre plus à
Bruxelles, qu'il se décide : alors tout serait enfin arrangé.
Mais le fera-t-il ? ? Voilà ce dont je doute beaucoup[46]. »
Pourtant, le 16 février, la presse titre : « Le mariage est
annoncé ! » L'article est aussitôt démenti. On explique
aussi que la réunion de Moncalieri était purement familiale, que le prince Victor n'a jamais envisagé d'abdiquer
en faveur de son frère Louis. La princesse Laetitia avait
raison de douter d'une action énergique. Le prince Victor,

toujours décidé à ne pas agir contre la volonté du roi, cherche à étouffer l'affaire.

Le quotidien bruxellois *Le Petit Bleu* est le premier à rappeler que le roi peut utiliser contre le prince Victor l'article 1er de la loi du 12 février 1897 selon laquelle « l'étranger résidant en Belgique qui par sa conduite compromet la tranquillité publique [...] peut être contraint par le gouvernement à s'éloigner d'un certain lieu, d'habiter dans un lieu déterminé, ou même de sortir du royaume [47] ». Le journal précise que si le prince Victor épouse la princesse Clémentine, il prend le risque de se voir appliquer cet article. En outre, le prétendant impérial est tenu de ménager l'impératrice, puisque dépendant toujours d'elle financièrement. Or, depuis la réponse officielle de Léopold II, Eugénie est hostile au mariage et refuse d'intervenir, attitude critiquée par Laetitia : « et l'impératrice qui voyage et ne s'occupe de rien. C'est réellement une drôle de situation qui ne s'annonce pas facile [48] »...

Commencée début février, la campagne de presse tourne vite court. *Le Matin* du 9 mars clôt le chapitre : « On reparle ici des fiançailles de la princesse Clémentine et du prince Victor-Napoléon. À en croire ce qui se dit, les projets d'union seraient à peu près abandonnés. En effet, l'ex-impératrice Eugénie, après avoir tenté des démarches en vue de faire aboutir le mariage, se serait ravisée et elle aurait fait savoir au prince Victor qu'elle n'admettrait pas qu'il allât à l'encontre de la volonté du roi Léopold. » La situation est claire : sans l'assentiment du roi et de l'impératrice, rien n'est possible. D'autant plus que, entre-temps, conforté par la campagne de presse, le roi a durci sa position : en raison de l'image peu flatteuse et du genre de vie que les articles attribuent à Victor, et parce que Léopold II croit à une conspiration bonapartiste. Il est vrai que les nombreux articles sur Victor et Clémentine ont réveillé les militants [49]. Cette théorie est aussi avancée par la comtesse de Flandres, qui en est venue à penser que le prince Victor, soutenu par ses partisans, use du pouvoir de la presse pour faire céder le roi et fait de Clémentine un atout contre la royauté belge. La comtesse condamne le détournement politique de l'affaire : « Napoléon est plus responsable du scandale [...]. Il a ses espions qui le renseignent sur tout [...]. C'est une réelle conspiration bonapartiste : tâcher de faire du bruit autour du nom, exciter contre le roi. Napoléon joue un rôle très faux. Les Italiens et les Anglais poussent tant qu'ils peuvent, par dépit contre le roi [...]. Toutes les Cours étrangères approuvent, en tant que cela contrarie le roi ; on lui rend la monnaie de sa pièce en criant à l'injustice et au despotisme [50]. » Il faut avouer que Léopold II est très impopulaire à l'étranger depuis la mort de Marie-Henriette ; l'empereur d'Autriche ne lui a pas pardonné son attitude vis-à-vis de Stéphanie ; quant aux rapports avec l'Allemagne et la Grande-Bretagne, ils sont compliqués par la politique belge au Congo. C'est pourquoi Léopold II reste très sensible au bon accueil qu'il trouve en France lors de ses nombreux séjours sur la Côte d'Azur [51].

Soucieux des conséquences de l'affaire, le roi multiplie les démarches de dissuasion auprès de sa fille. À Saint-Raphaël, la princesse reçoit de nombreuses lettres de proches cherchant à la détourner définitivement de projet matrimonial. Les arguments utilisés font appel à son patriotisme, à son sens du devoir et insistent sur le fait qu'elle serait obligée de quitter le pays qu'elle aime tant. Léopold II va jusqu'à faire paraître un article dans *L'Indépendance belge*, le 8 février, pour rappeler qu'une princesse ne peut pas laisser parler son cœur. Les différentes pressions exercées de part et d'autre finissent par porter leurs fruits. D'après sa cousine Henriette, Clémentine revient à la raison, du moins en apparence : « Clémentine, désolée, a renoncé par patriotisme à se marier avec le prince Napoléon[52]. » À la suite d'une démarche de Victor, Clémentine pourtant retrouve l'espoir : « Clémentine a changé radicalement. Elle m'a envoyé une mauvaise lettre, un défi, à cause d'une certaine visite du prince Napoléon. Elle lui a rendu sa parole, mais lui a refusé et il intrigue et insiste avec ses agents pour faire le mariage, affirmant des éléments qui ne sont pas vrais (sympathie du public et des Cours)[53]. »

Toujours est-il que la crise finit par s'estomper ; à la fin de 1905, on ne parle plus du mariage. Déjà, en avril 1905, l'ambassadeur de France écrivait à son ministre : « Il semble établi que le projet de mariage auquel je faisais allusion est tout à fait abandonné[54]. » La famille de Victor, déçue, met en doute la détermination des intéressés : « De Bruxelles, je ne sais rien, mais je suppose que ce mariage est une chose complètement abandonnée ! Plus personne ne semble le désirer, même Clémentine car si elle l'avait voulu il serait fait à l'heure qu'il est[55]. » Cette accusation affecte Victor, vexé qu'on puisse mettre en doute ses intentions. Les rapports entre lui et sa famille se détériorent, comme l'indique Edmond-Blanc à Thouvenel : « L'interlocuteur est froissé de l'attitude des siens vis-à-vis de lui. Quand je parle des siens, il convient d'en excepter absolument sa mère, qui, elle, est on ne peut mieux. Au moment du jour de l'an, il y avait plus de six mois que sa sœur ne lui avait pas écrit. De juin à janvier, elle n'avait pas donné signe de vie : c'est la première fois qu'il a constaté un silence aussi prolongé[56]. » En fait, l'agitation suscitée par cette affaire est une véritable épreuve pour le prince Victor, lui qui avait toujours souhaité rester discret vis-à-vis de son pays d'accueil.

Pour l'heure, Victor et Clémentine ont choisi la résignation, même si, d'après la police : « Les fiancés n'ont pas rompu, mais ont décidé d'attendre[57]. » La retraite de la princesse à Saint-Raphaël met fin aux potins : « La personne partie, le silence viendra naturellement et l'accalmie se produira[58]. » En outre, au cours de son séjour, Clémentine se rend à Antibes pour retrouver son père. Tout le monde y voit la première étape de la réconciliation. À son retour à Bruxelles, Léopold lui permet d'aménager au Belvédère et ainsi de quitter Laeken. Désormais libre, la princesse reprend ses fonctions officielles. Il est intéressant de noter que la correspondance avec Stéphanie est brutalement interrompue de 1905 à 1909. Clémentine juge-t-elle qu'on a déjà trop parlé de ce mariage avorté ? Ou cherche-t-elle à se préserver ainsi que le prince Victor ?

Une fois l'affaire étouffée, Clémentine et Victor reprennent leur vie. On ne peut retrouver aucune trace de leurs relations durant les années suivantes, mais il est quasi certain qu'ils sont restés en contact par écrit, et même probable qu'ils se sont rencontrés : le roi est très souvent absent de Belgique, et Clémentine plus indépendante au Belvédère. On peut penser que la princesse Clémentine, au fond d'elle-même, n'abandonne à aucun moment son projet initial, même persuadée qu'elle n'obtiendra jamais le consentement de son père ; d'où son choix de patienter. Cette détermination est confirmée par le fait que ni Clémentine ni Victor, tous deux pourtant en âge de se marier, n'envisagent de le faire au cours des années suivantes.

Toute cette histoire est loin et oubliée lorsque Léopold II montre les premiers signes de faiblesse. En novembre 1908, déjà, un rapport de police faisait allusion à la santé précaire du roi et précisait que, en cas de décès, le mariage du prince Victor avec la princesse Clémentine « aurait lieu dans les délais les plus courts admis par les convenances[59] ». Il faut attendre le 1er décembre 1909 pour que l'état de santé du roi devienne vraiment inquiétant[60]. Quelques jours plus tard, il est pris de violentes douleurs abdominales ; il s'agit d'une obstruction intestinale, que l'on décide d'opérer. Le 15, l'intervention est pratiquée avec succès. Le 16, il amorce un commencement de convalescence, mais dans la nuit suivante un brusque étouffement le saisit ; une embolie l'emporte. Le souverain est enterré le 22 décembre.

Pour Clémentine, le choc est énorme ; mais elle peut enfin envisager d'épouser le prince Victor. Elle n'est plus la fille de Léopold II, elle est la cousine germaine d'Albert Ier.

CHAPITRE 31

Tout finit par arriver !

À peine Léopold II enterré, le projet de mariage entre Clémentine et Victor refait surface. Un rapport du 15 janvier 1910 indique que le prince Victor est venu, le 12, présenter ses condoléances au nouveau roi ; « ils eurent une longue conversation pendant laquelle, sans doute, ils évoquèrent la prochaine union[1] ». *L'Étoile belge* du 19 janvier annonce le prochain mariage de la princesse Clémentine avec le prince Victor, ce qu'une lettre de la princesse Laetitia de la fin du mois confirme : « L'impératrice en écrivant à ma mère lui dit qu'elle croit que le mariage est chose certaine, mais voilà tout. Je suppose qu'il aura lieu en octobre ! Mais où et comment[2] ? » Même si le mariage est décidé, il est encore tenu secret, pour respecter la période de deuil officiel et à cause de la succession de Léopold II qui risque d'être houleuse, compte tenu des dernières dispositions prises par le roi pour réduire l'héritage de ses filles.

D'un côté, Léopold II avait créé la donation royale regroupant ses propriétés personnelles afin d'en faire don à la Belgique. D'un autre côté, dans son testament, il ne laissait à ses filles que les quinze millions qu'il avait reçus de ses parents, leur refusant les fruits de ses multiples enrichissements, destinés à Blanche Delacroix. Louise attaque la succession ; elle perd son procès contre « la Delacroix ». L'état d'esprit de Clémentine diffère de celui de ses sœurs. Elle cherche avant tout à ne pas faire de vagues, pour différentes raisons : elle veut éviter le même déballage que celui qui a entouré la succession de sa mère et surtout elle espère, par sa discrétion, préserver ses projets personnels. Sa priorité est de rester en bons termes avec le roi, afin qu'il accepte son union avec le prince Victor. Toujours est-il que, pour l'instant, même Stéphanie n'est pas informée du mariage. Il faut attendre le mois d'avril et un projet de voyage de Clémentine chez sa sœur pour qu'elle dévoile son secret : « Tu m'excuseras de n'avoir pu te confier ces choses plus tôt, mais je ne le pouvais, le roi et ma tante ne le désirant pas [3]. » Que s'est-il passé entre-temps ? On ne sait rien. Victor et Clémentine se sont-ils vus ? C'est probable, Clémentine allant souvent se promener dans le bois de la Cambre... Mais aucune trace de ces rencontres n'apparaît ni dans leurs correspondances ni dans d'autres papiers. Comment ont-ils échafaudé leurs plans ? Sans doute de nouveau par l'intermédiaire de la comtesse de Flandres. Le 7 avril 1910, Clémentine prend la direction de la Hongrie pour se rendre chez sa sœur. Au passage elle fait escale à Lucerne, où la comtesse et le prince Victor doivent la rejoindre. Enfin, Victor et Clémentine se retrouvent. Clémentine écrit aussitôt à sa sœur : « L'entrevue a été exquise, bonne, gentille, favorisée par un temps idéal [4]. » Maintenant, le mariage ne fait plus aucun doute. Il ne reste qu'à en régler les modalités. Comblée, Clémentine quitte Lucerne, pour aller retrouver sa sœur.

À son retour, Clémentine fait cette fois-ci escale à Turin pour rencontrer sa future belle-mère. Le prince Victor était arrivé avant pour convaincre sa mère, qui ne trouvait pas convenable que les fiancés se rencontrassent chez elle avant leur mariage. Malgré quelques réticences, le séjour de Clémentine se déroule à merveille ; elle remporte un grand succès auprès de la famille régnante d'Italie. Le lieutenant-colonel Nitot donne quelques détails à Thouvenel :

« Nous sommes arrivés ici [Moncalieri] il y a dimanche huit jours. La princesse Clémentine fut descendue le lendemain à Turin, à l'hôtel de l'Europe et est venue le lendemain voir la princesse Clotilde. Elle a été reçue à bras ouverts par tout le monde : le roi et la reine l'ont traitée de cousine, la reine même de nièce. Enfin, dans toutes les réunions auxquelles elle a assisté, [ils] l'ont considérée comme de la famille. Tous les jours, elle a pris au moins un repas à Moncalieri et les tête-à-tête ont été prolongés et fréquents. On attend, pour rendre les fiançailles officielles et fixer la date et le lieu du mariage, le retour de l'impératrice, probable dans le courant de juillet[5]. » La mère de Victor confirme cet écho : « Cet été, Clémentine, passant par Turin, avait désiré me voir, et dès lors l'impression qu'elle me laissa avait été toute à son avantage[6]. » À l'issue de ce séjour, le mariage est fixé à l'automne. En attendant, Clémentine poursuit ses pérégrinations et ne prévoit de rentrer à Bruxelles qu'à la fin de l'été, pour l'annonce officielle des fiançailles et pour la préparation de la cérémonie nuptiale.

Pendant ce temps, à Paris, des bruits courent selon lesquels Victor montrerait des lettres enflammées de Clémentine à des membres du parti bonapartiste, provoquant l'hilarité de ses lecteurs. On dit le prince forcé à ce mariage en raison de sa situation financière précaire. D'autres rumeurs attestent que cette union n'obtient pas l'unanimité dans les rangs bonapartistes, car « Clémentine est trop âgée et a des idées trop archaïques[7] », rumeurs colportées en majorité par le milieu royaliste, défavorable à l'union d'une princesse royale avec le prétendant impérial. Peu importe, ces potins n'atteignent pas les oreilles de Clémentine et s'essoufflent aussitôt que les fiançailles sont rendues officielles, c'est-à-dire en septembre.

Au même moment, Victor se rend en Angleterre chez l'impératrice Eugénie, où il est rejoint par Clémentine pour régler les détails se rapportant au mariage. L'organisation n'est pas simple. La cérémonie ne pouvant, pour diverses raisons, se dérouler en Belgique, il est d'abord question de Farnborough, mais l'état de santé de la princesse Clotilde ne le permet pas[8] ; il est finalement décidé qu'il sera célébré à Moncalieri. Après que Victor-Emmanuel III a donné son accord, la date du mariage est arrêtée au 14 novembre. La cérémonie doit être célébrée dans la plus stricte intimité. Victor n'est pas encore rentré de Farnborough que sa sœur l'attend déjà à Bruxelles et donne à Thouvenel les derniers détails qu'elle a pu obtenir : « Je suis à Bruxelles, mais mon frère n'arrive que demain. J'ai vu Clémentine ! Le mariage paraît-il se fera le 14 novembre à Moncalieri *sans personne* : les deux mères, quatre témoins et moi et mon fils. Il y aura de grosses difficultés. Le roi ne s'occupe de rien, n'invite pas et ne *fera rien*. Moi, je déplore le choix de Moncalieri pour la santé de ma mère qui est très vieillie, très très changée et on ne peut rien faire à Moncalieri. [...] Je sais qu'il n'y aura même pas de déjeuner ! Ce sera une maigre noce[9]. »

Les craintes de Laetitia sont fondées. Victor recourant au roi d'Italie pour assouplir la disposition de sa mère, lui écrit le 22 octobre pour connaître ses souhaits : « Étant donné que le mariage a lieu dans tes États et connaissant tes sentiments d'amitié pour moi, je désirerais savoir comment tu envisages la question[10] ? » Le lendemain, Thouvenel s'adresse au grand maître de la maison du roi d'Italie : « S.A.I. le prince Napoléon, malgré tout son désir de se conformer aux intentions de sa mère, verrait avec un vif regret que les invitations ne fussent pas étendues à S.M. la reine mère, aux princes des Maisons d'Aoste et de Gênes, ainsi qu'aux membres de son service d'honneur et à ceux du service d'honneur de S.A.R. la princesse Clémentine. » Jusqu'au dernier moment, on ne sait pas s'il est prévu un déjeuner ou non, ni qui y assistera. À quelques jours de la cérémonie, le marquis de Girardin écrit à Thouvenel pour l'informer des derniers rebondissements : « Ce matin est arrivée une lettre de la mère du prince déclarant qu'au déjeuner, il n'y aurait que la comtesse de Flandres et les témoins, pas même la princesse Laetitia. » Les souverains de Belgique et d'Italie s'abstiendront, pour des questions politiques.

Le prince Victor arrive quelques jours avant la cérémonie avec son service d'honneur, composé du marquis de Girardin, de Thouvenel, du baron de Serlay, du prince de Lucinge et du lieutenant-colonel Nitot. La journée du 14 novembre 1910 débute par le mariage civil, qui a lieu dans le salon Jaune du château de Moncalieri. Puis les invités passent dans la chapelle. C'est Philippe de Saxe-Cobourg-Gotha, l'ex-époux de la princesse Louise, qui conduit Clémentine à l'autel. La princesse Clotilde ne peut assister à la cérémonie que portée, tant elle est fatiguée. Elle est habillée, aussi sobrement que d'ordinaire, d'une sévère robe de velours noir. Aux côtés de la princesse Clotilde se trouvent la comtesse de Flandres, la reine mère Marguerite d'Italie et la princesse Laetitia. C'est le chapelain de la mère de Victor, Mgr Masera, évêque de Biella, qui donne la bénédiction nuptiale. Les témoins de Clémentine sont le prince de Ligne, représentant le roi Albert Ier, et le prince Philippe de Saxe-Cobourg-Gotha. Le prince Victor a choisi son frère Louis et le duc d'Aoste, son cousin. Deux autres membres de la famille royale italienne se sont joints à l'assistance, le comte de Salemi, fils de Laetitia, et le comte de Turin, frère cadet du duc d'Aoste. On remarque l'absence de l'impératrice Eugénie sans en connaître la raison. On sait seulement qu'elle a offert le collier de diamants que Clémentine portait le jour du mariage.

Après la cérémonie n'assistent au déjeuner que la comtesse de Flandres, la princesse Clotilde et les quatre témoins. Au total, quatorze personnes dont le chargé d'affaires de Belgique, M. de Borchgrave, et les membres des différentes suites. On connaît le menu, qui s'il paraît copieux aujourd'hui est normal pour l'époque :

Risotto à la financière – chablis
Filet de bœuf sauce madère – Château Lafite
Galantine de foie gras
Salade de truffes blanches – G.H. Mumm (Cordon rouge)
Glace à la dominicaine
Gâteau ananas – Pedro Ximenes
Dessert

Le déjeuner est suivi d'un concert donné aux mariés par l'Antica Filarmonica et l'Unione Filarmonica. On leur joue *La Marche royale*, *La Brabançonne*, la *Marche du couronnement du prophète* de Meyerbeer, un extrait de *La Muette de Portici* (opéra d'Auber) et enfin du Gounod, avec un passage de *Faust*. On est loin des fastes habituels d'un mariage princier. Les mariés se retirent en fin de journée mais reviennent le lendemain, pour un déjeuner auquel assistent les membres de leur service d'honneur.

Après ces festivités, Victor et Clémentine restent quelques jours auprès de la princesse Clotilde avant d'entreprendre un voyage de noces qui les conduit de Rome en Bohême, en passant par Vienne et la Hongrie. Ce voyage dure tout le mois de décembre 1910. C'est l'occasion pour Victor de présenter officiellement Clémentine en Italie et, pour lui, de faire la connaissance de Stéphanie et de sa fille Erzi. Au début de janvier, les nouveaux époux sont de retour à Bruxelles.

CHAPITRE 32

Dernière tentative politique

Depuis qu'il est installé à Bruxelles, le prince Victor a toujours cherché à préserver ses relations avec le gouvernement belge. Cette attitude n'est qu'accentuée par son union avec la princesse Clémentine. Lors de son union, le prétendant impérial promet de ne pas gêner le nouveau souverain : « En montant sur le trône, tu as bien voulu assurer mon bonheur ; j'en conserve une reconnaissance que je ne saurais assez t'exprimer[1]. » L'attitude discrète du prince Victor est appréciée par la société belge, désormais attachée à ce prince qui fait figure de solitaire et de philosophe. Les Bruxellois l'appellent affectueusement « le prétendant sans prétentions[2] ». Sa position en retrait est particulièrement remarquée lors de la succession de Léopold II. En effet, le prince déconseille à son épouse d'attaquer la succession de son père : « J'agis ainsi de parfaite communion avec mon cher prince qui a exposé au roi mon désir de voir enfin se terminer les pourparlers de la succession[3]. » On peut alors penser que le mariage avec la princesse Clémentine ne fait qu'accentuer la discrétion politique du prétendant impérial, en raison des nouveaux liens familiaux l'unissant à la famille royale de Belgique, mais aussi par goût d'un mode de vie bourgeois. Dominique Paoli rappelle que le bonheur du couple réside en de longues et tranquilles soirées au coin du feu.

Pourtant, le mariage avec la princesse Clémentine a pour effet de faire renaître l'espoir dans le parti bonapartiste. Tout d'abord, comme le note la police, les partisans y voient une issue aux problèmes financiers de leur prétendant. Sans assurer au prince Victor une fortune aussi considérable que prévu, cette union met fin à son instabilité financière chronique. Selon la police, la propagande électorale aurait été reprise en 1911 grâce à un don de la princesse Clémentine[4]. Le rapport suivant mentionne que la princesse aurait obtenu de la haute banque un crédit en faveur du prince Victor[5]. Ces rumeurs quant à la nouvelle fortune du prince déclenchent l'euphorie dans le parti bonapartiste. Les demandes d'argent accourent avenue Louise. Le prince Victor est obligé de mettre les choses au clair : « Nous n'avons nullement la fortune qu'on nous prête, nous sommes accablés de charges de toutes sortes. Tout le monde demande, et une liste civile suffirait à peine à contenter chacun[6]. » En effet, les sommes dont dispose le couple suffisent juste à leur train de vie. En fait, au-delà de l'aspect financier, l'idée commence à naître que la princesse Clémentine, en vertu de son sens du devoir, pourrait s'investir dans la cause de son époux. D'autre part, Patrick André souligne que, une fois marié, le prince Victor acquiert de l'assurance et que, poussé par son épouse, il semble convaincu de la nécessité de s'impliquer directement dans son parti[7]. Effectivement il se lance dans une importante réorganisation de ses troupes, par laquelle il espère recueillir les fruits de son ouverture à gauche.

Le but visé par le prince Victor est de recentrer le parti autour de lui et il décide pour cela de simplifier l'organisation des comités. En fait, comme il l'explique à Thouvenel, il cherche à reprendre de l'ascendant dans le parti pour ne plus être à la botte de ses dirigeants : « Je devais tout d'abord être aux ordres de chacun. Quand je suis leurs conseils, ils se plaignent ; c'est un comble. Je vous prie [...] au besoin de les envoyer au diable de *ma* part.

Je suis leur chef[8]. » Pour ce remaniement, le prince Victor fait principalement appel à Gauthier de Clagny. En mai 1911, il décide de dissoudre le comité central de propagande plébiscitaire pour le fusionner avec celui de Legrand : il ne veut plus qu'un seul comité pour gérer les affaires du parti, qui prend le nom de « comité politique plébiscitaire ». Le prince Victor en offre la présidence à Legrand, qui la refuse, alléguant l'âge, la fatigue et la crainte qu'il éprouve de « l'orientation un peu nouvelle, vers la gauche, que prendrait votre nouveau comité politique[9] ». Gauthier de Clagny conseille alors au prince d'assumer lui-même la présidence, assisté de quatre vice-présidents : le prince Joachim Murat, Chassaigne-Goyon[10], ainsi que Legrand et Dion pour ménager les susceptibilités. Par ailleurs, Rudelle est chargé du secrétariat général et Chandon des finances. Henri Rudelle, qui s'implique de plus en plus dans les affaires du parti, est avocat de formation. Entré en politique en 1902, à la suite de la mort de son ami Georges Haussmann, neveu du ministre de Napoléon III et député de Versailles, dont il reprend le siège, Rudelle reste député de Versailles jusqu'en 1910 et siège avec le groupe de l'action libérale, même s'il se dit plébiscitaire avant tout. N'ayant pas été réélu, il consacre désormais tout son temps à la cause bonapartiste, jusqu'à sa mort en 1926.

Le prince Victor prend contact avec Frédéric Masson pour le faire lui aussi entrer dans le nouveau comité : « Pour donner une impulsion plus vigoureuse à l'organisation de notre parti, j'ai fusionné le comité politique de l'Appel au peuple et le comité de propagande plébiscitaire en un comité unique. Le nouveau comité porte le titre de comité politique plébiscitaire. J'ai voulu m'en réserver la haute direction et je n'ai pas désigné de président. Je connais vos sentiments et votre dévouement, je vous demande de prendre place parmi les membres du nouveau comité auquel votre concours sera précieux[11]. » Présenté aux membres du parti par un communiqué bref et directif publié dans *La Volonté nationale* du 24 juin, le nouveau comité entre en activité dès la fin du mois de juin avec pour principale mission d'essayer de dynamiser l'implantation locale, qui reste aléatoire et insuffisante[12]. Émile Baboin applique les directives du prince. Entré dans le nouveau comité politique à la suite de la mort de son père, Henri (ancien député bonapartiste de l'Isère), il s'efforce de lancer un organe plébiscitaire dans la région de Lyon. Lorsqu'il l'annonce au prince Victor, il précise qu'il est « pour le moment hebdomadaire[13] ».

Sur sa lancée, le prince Victor décide de s'adresser directement à ses troupes en accordant une interview au *Figaro*, datée du 12 juin 1911 de Londres. On remarque ici le soin du prince Victor de ne pas causer d'ennui à son pays d'accueil. Le prétexte de l'interview est la remise en route du parti : « On prétend, Monseigneur, que toutes vos forces vont se mobiliser contre le régime actuel. » La réponse du prince est claire, il s'oppose à un recours à la force : « On se trompe si on me prête un esprit d'opposition aveugle et systématique. Je ne suis pas un fauteur de désordres, je ne veux pas pratiquer la politique du pire [...]. Je place au-dessus de tout le souci du bonheur et de la tranquillité de la France. » Il poursuit son argumentation en partant de la situation actuelle. Il souligne d'abord l'échec du parlementarisme : « Nous mourons d'autorité absente et de fausse démocratie. » Il continue en annonçant son ralliement à une république consulaire dirigée par « une autorité nationale et forte, soustraite aux intrigues et aux caprices parlementaires ». Puis il expose sa perception des nouveaux enjeux politiques : « ce sont les problèmes sociaux, les seuls qui intéressent le suffrage universel [...]. Il faut établir le code du travail, le code de l'usine, le code de la vie ouvrière, le code de ces employés publics dont le nombre s'élève à près de neuf cent mille et à qui on promet un statut qui ne vient jamais ». En fait, il insiste sur la nécessité d'une politique sociale concentrée sur la défense des intérêts des classes laborieuses. Le prince cherche à assimiler la montée du socialisme tout en protégeant les intérêts conservateurs, et prône « l'organisation de la démocratie, œuvre séculaire des Napoléon ». Mais, surtout, il accentue son virage à gauche : « Je ne me réclame pas d'un droit dynastique, je suis un fils de la France moderne. Je reste fidèle aux traditions qu'incarne la Révolution française : souveraineté de la nation, égalité civique, liberté de conscience, progrès social. Je me sépare autant du jacobinisme de droite que de celui de gauche. » S'il revendique les principes de 1789, ce n'est que parce qu'ils ont été organisés et adaptés par les Napoléon, ce qui lui permet de conclure sur cette phrase : « Je ne suis pas partisan d'une révolution mais d'une évolution. »

Les effets de l'intervention du prince sont faibles. Les républicains n'y prêtent aucune attention. En définitive, elle n'intéresse que le parti bonapartiste, au sein duquel se distinguent de nouveau les satisfaits et les insatisfaits. D'après la police, les deux tiers des militants subsistants sont des impérialistes de droite, interprétant les instructions princières comme une dérobade à une politique active[14]. Ils attendent une solution forte contre l'ennemi républicain. D'autre part, dans son discours, une phrase sème la discorde dans le parti : « Je n'ai pas autour de moi un état-major avide de places et de faveurs [...] et si jamais la démocratie française m'appelait à sa tête, c'est avec des hommes d'honnêteté et d'expérience, avec beaucoup de républicains qui, depuis trente ans, dans des postes multiples, ont rendu des services à leur pays, que je voudrais gouverner. » Les cadres du parti sont outrés par une telle déclaration ; pour eux, cela revient à nier leur existence. S'ils soutiennent le prince Victor, c'est dans l'espoir qu'un jour il sera à la tête de la France et qu'il leur confiera une fonction dans son gouvernement. En fait, lassé des luttes au sein de son parti, le prétendant impérial se place dans la continuité du Premier consul, qui affirmait : « gouverner avec un parti, c'est se mettre sous sa dépendance ».

Cependant, les proches du prince Victor, comme Gauthier de Clagny ou Le Provost de Launay – sénateur des Côtes-du-Nord et fils d'un préfet de l'Empire –, se montrent, au contraire, satisfaits de l'évolution du prince. Ils soutiennent la revendication des acquis de la Révolution française et de l'œuvre d'apaisement du Consulat. Tout comme leur chef, ils sont persuadés que la seule chance de survie pour le courant bonapartiste est de relancer le thème du bonapartisme populaire. À la suite de son intervention, ils éditent une plaquette destinée aux comités, intitulée « Un gouvernement qui gouverne... Comment l'obtenir [15] ? » Il s'agit d'une sorte de commentaire de l'interview. La brochure commence ainsi : « Les causes du mal ont été nettement aperçues par le Prince Napoléon ; examinons la valeur du remède présenté. » Leur but est d'expliquer et de défendre la politique du prince : « Il est fidèle aux origines vraies du bonapartisme : il se pose comme le chef et le modérateur de l'évolution politique et sociale, non comme l'instrument d'une entreprise de réaction. »

Pour compléter son œuvre de réorganisation du parti, le prince Victor s'attaque aussi aux comités plébiscitaires de la Seine. En juillet 1911, il confie leur direction à Le Provost de Launay, avec mission de les discipliner et de les redynamiser. Il est assisté de trois vice-présidents : Liautaud, Ottaviani et Maybon. Le choix de ces trois personnes est significatif de l'orientation du prince : Liautaud est un vétéran de la presse plébiscitaire, d'inspiration jérômiste ; Ottaviani est choisi pour ses origines corses, et Maybon est un jeune avocat issu de la conférence Molé-Tocqueville, président de la Fédération des jeunesses plébiscitaires de France. D'ailleurs, celle-ci est dissoute sur ordre du prince Victor lors de son quatrième congrès, qui se tient à Nîmes, du 13 au 15 août 1911[16]. Le prince la remplace par l'Union de la jeunesse plébiscitaire, purifiée des éléments gênants et qui accueille Pierre Taittinger, personnalité montante dans le parti bonapartiste. Celui-ci était d'abord entré, en 1906, à l'Union des jeunesses plébiscitaires de la Seine avant d'intégrer le nouveau comité en 1911. Il en deviendra vice-président en 1912 et président en 1913. Soldat pendant la guerre, il s'établit ensuite en Charente-Inférieure, où il sera élu de 1919 à 1924 comme candidat plébiscitaire d'union républicaine nationale. En 1924, il poursuit sa carrière politique à Paris mais, au même moment, prend ses distances avec le bonapartisme pour fonder les Jeunesses patriotes, qu'il présidera jusqu'à la dissolution des ligues nationalistes en 1936[17].

La première élection à avoir lieu depuis la réorganisation lancée par prince Victor se déroule à Paris au printemps de 1912. Elle repose en grande partie sur Le Provost de Launay, chargé de la relance de la propagande dans la capitale. Ne pouvant compter sur la presse bonapartiste, quasi inexistante à Paris, il prévoit l'envoi d'émissaires chargés de prêcher la bonne parole, en particulier en direction des milieux ouvriers[18]. La relance de la propagande est étendue à l'ensemble du pays : la France est divisée en vingt-deux provinces, dont chacune doit avoir à sa tête un délégué. Une évolution du message plébiscitaire est à noter, désormais centré sur l'abrogation des lois d'exil, ce qui doit permettre au prince Victor de briguer un mandat législatif, premier pas vers une révision des lois constitutionnelles, dont le but ultime reste l'élection du chef de l'État au suffrage universel direct. L'organe officiel reste *La Volonté nationale* mais, compte tenu de sa faible audience, les bonapartistes cherchent à s'assurer le soutien de journaux à grand tirage. À Paris, ils peuvent compter sur *L'Intransigeant*, *La Liberté* et *L'Écho de Paris*, à l'échelon national sur *Le Temps* et *Le Figaro*.

À la suite de cette campagne, un léger soubresaut est observé. Au début de 1912, les bonapartistes inquiètent de nouveau la police. En fait, un courant de sympathie en faveur de la princesse Clémentine naît à Paris à l'annonce de sa prochaine venue dans la capitale. En effet, il est prévu que la princesse s'y rende pour établir un contact direct avec les personnalités importantes du parti. Un dîner sera donné en son honneur chez le prince Murat, qui réunira les membres de la famille, mais aussi les dirigeants du parti, comme Legrand et Dion. Les journaux bonapartistes s'emballent : « deux dîners sont prévus en son honneur chez la princesse Murat et chez la comtesse de Pourtalès. On dit la princesse plus ambitieuse que son époux [19] ». Le prince Victor est contraint de clarifier la situation : « Je vois d'après votre lettre qu'on n'a pas compris ce que désirait la Princesse : séjour à Paris pour voir mon frère, puis accepter peu d'invitations et recevoir quelques personnes. » Il insiste de nouveau quelques jours plus tard : « La princesse a accepté chez Murat, mais elle désire ne pas voir trop de monde. Son séjour à Paris ne doit donner lieu à aucune manifestation d'aucune sorte [20]. » Soucieux des effets de ce séjour, le prince en arrête le programme : premier jour, déjeuner chez la princesse de la Moskowa ; le lendemain, un autre chez Frédéric Masson, puis un grand dîner chez les Murat. Au dernier moment, la princesse Clémentine est obligée d'annuler sa venue en raison de l'aggravation soudaine de l'état de santé de la princesse Clotilde. Le voyage est reporté à l'automne, mais c'est alors la grossesse de la princesse

Clémentine qui empêche la réalisation du projet, finalement abandonné. Toujours est-il que ce projet, même avorté, déclenche un mouvement favorable à la princesse. Gauthier de Clagny écrit au prince pour demander qu'elle rédige une lettre par laquelle elle exprimerait son soutien aux candidats bonapartistes. Le prince Victor, scandalisé, charge Thouvenel de communiquer sa réponse : « La princesse ne veut pas écrire la lettre proposée et je lui conseille vivement de ne pas le faire. On ne veut déjà que trop lui prêter un rôle politique, en dehors duquel elle tient à rester. Faites bien comprendre à Mr G. que jamais la princesse n'écrira une lettre destinée à la presse [...]. Je vous le répète, moi je fais de la politique, la princesse ne *doit pas* et *ne veut pas* en faire. Ceci doit être entendu une fois pour toutes[21]. » Les choses sont claires : Victor ne veut en aucune façon que son épouse soit utilisée politiquement. Pourtant, dans les rangs plébiscitaires, on espère qu'elle se montrera entreprenante et donnera l'impulsion nécessaire à son mari. Un rapport du 11 mars 1912 note une recrudescence de l'activité bonapartiste en France, où l'on prétend que « Clémentine avait juré de faire de son époux un empereur des Français ». Le rapport précise que « voir prochainement la fille de Léopold II s'asseoir sur un trône impérial n'est pas désagréable à la grande majorité des Belges[22] ». Plusieurs journaux belges reprennent l'information. *Le Petit Bleu* aurait même envoyé l'un de ses journalistes à Paris pour enquêter sur le mouvement impérialiste. Parallèlement, une série de portraits de la princesse Clémentine inonde la capitale, en dépit de l'annulation de son voyage[23]. Mais ce mouvement, qui n'est qu'un élan de sympathie en faveur de la princesse, ne peut compenser un contexte politique difficile.

En effet, l'élection parisienne de 1912 se déroule dans un contexte belliqueux qui plonge la capitale et le parti bonapariste dans l'émoi [24]. Dans ce contexte, les bonapartistes ne tiennent pas compte des directives princières et vont jusqu'à nouer des contacts avec certains membres de l'Action libérale populaire, groupe réunissant la droite catholique ralliée. La nouvelle structure mise en place par le prince Victor se révèle inefficace : les bonapartistes continuent à chercher des alliances et le font toujours en fonction de leur propre intérêt, non dans le cadre d'une politique d'ensemble. Les résultats des élections sont décevants et entraînent de nouvelles luttes internes. La tentative de réconciliation entreprise par le prince Victor a échoué, ainsi que sa volonté d'utiliser la question sociale pour éviter un positionnement trop conservateur du parti. Découragé, il se détache de son parti tout en poursuivant son rêve d'ouverture à gauche.

La poursuite de la montée du syndicalisme finit par le convaincre de la pertinence d'un discours axé sur la question sociale si l'on veut séduire le milieu ouvrier. En 1910, le prince se souciait déjà de la condition ouvrière, et, confiait à un journaliste venu l'interroger sur sa politique : « Les temps ont changé... Les besoins sociaux sont multiples. J'aime le progrès et je ne voudrais pas que l'on pût s'imaginer que je nourris l'arrière-pensée de faire revenir la France en arrière. La question ouvrière est celle qui me tient le plus à cœur. Je voudrais que le peuple soit tranquille, je voudrais que tous puissent jouir de la plus grande liberté et du plus grand bien-être [25]. » Ce désir d'ouverture à gauche pousse le prince Victor à nouer des contacts avec plusieurs députés républicains.

Depuis 1902, le prince Victor entretenait des relations avec le député Jules Roche, fraîchement rallié au révisionnisme, alors qu'il avait commencé sa carrière politique sous l'étiquette radicale-socialiste. Anticlérical militant, il se sépara de l'extrême gauche dès 1884 pour devenir le chef de l'union républicaine avant d'adhérer au parti progressiste. Opportuniste, il fut nommé par Freycinet au poste de ministre de l'Industrie et des Colonies en 1890, où il mena une politique d'apaisement social axée sur la réglementation du travail des femmes et des enfants dans l'industrie, sur les conseils de prud'hommes et sur la conciliation entre employés et salariés. Après son départ du gouvernement, il continua à s'intéresser aux problèmes économiques et sociaux et contribua à la création de la Ligue des contribuables au cours de l'hiver de 1898-1899. Par la suite, il intervint lors du projet de loi relatif à l'impôt sur le revenu (1904), contre lequel il prendrait publiquement position en 1909. Cet impôt lui paraissait comme une immixtion insupportable dans les affaires privées des citoyens, et comme la destruction des principes essentiels de 1789[26]. La correspondance entre le prince Victor et le député républicain débute en 1902, au sujet d'un projet de journal révisionniste[27]. Roche fait part au prince de l'impossibilité de mettre en place un tel journal en raison du coût disproportionné par rapport à son audience éventuelle : « plusieurs millions seraient nécessaires ». Aussi, il conseille d'exploiter au maximum les sympathies des autres journaux, en particulier celles du *Figaro*. Une partie de cette correspondance est adressée à Ghislaine de Caraman-Chimay. Avait-elle mis les deux hommes en relation ? Servait-elle d'intermédiaire ? Toujours est-il que, dans une de ses lettres de 1910, Roche lui confirme son positionnement révisionniste : « Je suis plus que jamais convaincu de l'impossibilité de rien faire chez nous sans révision constitutionnelle *préalable* [...]. Le gouvernement parlementaire classique avec responsabilité ministérielle est matériellement impraticable. » Jules Roche finit par être embarrassé par ses liens avec le prince Victor. Henry Vaïsse[28], depuis longtemps lié avec le prince mais nouvellement engagé en politique, en informe aussitôt le prince : « Ses relations avec vous ont acquis une telle notoriété que son influence s'en trouve atteinte[29]. »

D'un autre côté, Henry Vaïsse multiplie les démarches, entre 1912 et 1914, auprès de socialistes ralliés au mouvement révisionniste, soi-disant prêts à soutenir le prince. L'un d'entre eux, Auguste Bouge, s'est même rendu à Bruxelles : « Monsieur Bouge vient trouver Votre Altesse pour l'écouter, connaître ses intentions et appeler ensuite son attention sur quelques personnalités d'une honorabilité indiscutable qui seraient prêtes à entrer dans des voies différentes de celles suivies jusqu'ici[30]. » Auguste Bouge est député des Bouches-du-Rhône de 1889 à 1898 puis de 1910 à 1919. En 1889, il s'était fait élire sous l'étiquette radicale-socialiste sur un programme simple : « ni réaction ni dictature ». Sa ligne politique devient plus modérée par la suite. En 1919, il se présentera comme tête de liste de l'« Union nationale des groupements républicains et libéraux », mais il ne sera pas réélu. En fait, il se rapproche du groupe de la gauche démocratique et lutte contre le collectivisme. Ses revendications se portent sur les réformes sociales et sur l'amélioration des conditions de vie des classes populaires. La démarche de Bouge auprès du prince Victor est à replacer dans le contexte politique de 1912. Les négociations avec l'Allemagne ont effrayé et réveillé le sentiment patriotique[31]. D'après Bouge, les députés « cherchent une orientation à ce sentiment populaire, de là leur flottement ». Il estime donc qu'il faut profiter de ce contexte pour faire progresser l'idée révisionniste, d'où son souhait de rencontrer le prince. Quels sont les résultats de cette entrevue ? La visite de Bouge avait été organisée dans le plus grand secret et ne devait aboutir à aucun accord électoral. Les deux hommes ont plutôt échangé leur vision de la situation politique française. Néanmoins, Victor et Bouge sont tombés d'accord sur l'homme qu'il serait judicieux de soutenir à la présidence de la République, Charles Dupuy : « Le 23 juin, mon interlocuteur m'a dit qu'il avait pressenti la personne dont il avait parlé à Votre Altesse et dont elle avait approuvé le choix. Ch. D. hésite à poser sa candidature à la présidence de la République, à cause de raisons de famille [...]. L'idée de cette candidature a été très sympathiquement accueillie partout, tant dans le monde politique que dans les milieux financiers [32]. » Charles Dupuy, ancien ministre de l'Intérieur, avait été à plusieurs reprises président du Conseil. Il appartenait au groupe de l'union républicaine avant de se ranger aux côtés des républicains progressistes. Le premier gouvernement qu'il constitua, en 1893, était à tendance radicale. Pourtant, aux élections de 1893, il chercha à se rallier les monarchistes, ce que les républicains virent d'un mauvais œil. Son second ministère, en 1894, rassemblait des hommes nouveaux comme Poincaré et Delcassé. Ses préoccupations se portaient sur les conflits sociaux et les réformes fiscales. Il avait été candidat à la présidence de la République après l'assassinat de Sadi Carnot en juin 1894, mais il avait échoué face à Casimir-Perier. Il est intéressant de constater que les hommes avec lesquels le prince Victor entre en contact ont en commun d'avoir été radicaux au début de leur carrière politique, avant de s'orienter vers la modération. D'autre part, tous placent la question sociale et les réformes fiscales au cœur de leurs préoccupations.

Bouge a dû être séduit par le discours du prince Victor. Pendant les deux années suivantes, il entretient des relations régulières avec Bruxelles. Il en vient à entrer en contact avec Gauthier de Clagny pour tenter d'établir une politique commune, mais aussi pour trouver de nouveaux soutiens. Le 3 avril 1913, il fait dire au prince que « Piou [Jacques Piou, député conservateur à la tête de l'Action libérale populaire], lui-même, ne se révolte plus quand devant lui on parle de Votre Altesse Impériale. Il accepte d'envisager cette éventualité et se demande si dans ce parti il y a une organisation, une force suffisante pour faire face aux éventualités qui pourraient survenir[33] ». En fait, face aux dangers – il est persuadé de la chute prochaine du gouvernement –, Bouge se montre partisan d'un régime fort, capable d'assurer l'ordre tout en présentant des garanties sociales. Voilà pourquoi il se met à soutenir le prince Victor. Cependant, conscient de la faiblesse du parti plébiscitaire, il tente d'y rallier diverses familles politiques, d'où ses contacts avec Piou[34] ou, plus tard, avec le député socialiste Marcel Sembat[35], que la police considérait déjà en 1911 comme un « ami assez intime du prince Victor[36] ». L'entrée en guerre, mais aussi l'inaction princière[37] interrompent ces approches, quelque peu énigmatiques et surprenantes. D'ailleurs, on peut se demander si les rapports entre Bouge et le prince Victor résultent d'une ouverture du prince à gauche ou du glissement vers la droite du député républicain. Toujours est-il qu'ils répondaient au rêve d'ouverture sociale du prince. Ainsi, politiquement, le prétendant impérial se rapproche de ces hommes de centre droit ou de centre gauche, avant tout des républicains ayant pris conscience de la nécessité du progès social.

En dépit de ces prises de contacts, l'activité politique du prince Victor demeure quasi nulle. Elle se limite à de rares interventions dans la presse et à l'accueil de ceux qui sollicitent encore ses conseils. Cette attitude est vivement critiquée par ses derniers fidèles. Face au désarroi général, une délégation se rend à Bruxelles pour informer le prince que les hommes qui restent ont besoin d'objectifs concrets pour tenir[38]. Il accepte alors le principe d'un grand rassemblement des comités parisiens et des comités provinciaux. Cette manifestation est prévue les 13 et 14 juin, à Paris, sous le nom de Congrès national plébiscitaire. Cent vingt-cinq délégués représentant quarante départements y assistent. Ils y écoutent les dirigeants du parti défendre les thèmes habituels que sont l'élection du chef de l'État au suffrage universel et la révision, auxquels ils ajoutent l'abrogation des lois d'exil de 1886, nouveau point phare de leur propagande[39]. Autre nouveauté, Querenet y présente la politique sociale du prince Victor en insistant sur sa proposition de participation des salariés aux bénéfices de leurs entreprises. Malgré tout, les militants repartent déçus et ne croient plus à une éventuelle chance de succès aux élections de 1914, qui permettrait de ressusciter un groupe bonapartiste à la Chambre[40].

Dans ce contexte morose, la naissance du prince Louis Napoléon le 23 janvier 1914 apparaît comme la seule nouvelle positive. À quelques jours des élections, la propagande s'active autour du nouvel héritier : chansons, photographies et gravures idolâtrent le jeune prince[41]. Mais cet élan ne peut tout de même pas remplacer une campagne électorale ; or celle-ci se révèle presque inexistante. La Volonté nationale reprend les principaux thèmes du congrès plébiscitaire de 1913 pour élaborer un message simple susceptible de marquer les esprits : « Autorité, réconciliation nationale, pacification religieuse et progrès social ». C'est insuffisant pour masquer le pessimisme ambiant. Seuls Le Provost de Launay et Taittinger, pas découragés, mènent une campagne active. Malgré leurs efforts, ils sont confrontés à un électorat peu réceptif, plus intéressé par le débat suscité par la loi instaurant le service militaire à trois ans[42]. En fait, la campagne électorale de 1914 est morne. La prédominance de la question militaire limite le débat. En dehors des socialistes, qui se positionnent franchement contre la loi des trois ans et de la Fédération des gauches qui la défend à tous crins, les autres restent discrets. Les différents partis de droite ne semblent pas croire que les élections de 1914 leur offriront l'« admirable tremplin électoral » que leur avait promis Déroulède peu avant sa mort[43]. Ils soulignent l'intangibilité de la loi militaire, sans la défendre ouvertement.

Conscient du désarroi de ses derniers partisans, le prince Victor se décide à prendre la parole quelques jours avant le scrutin. Le 12 avril, par une lettre ouverte au général Thomassin, alors vice-président du comité politique plébiscitaire, il dénonce le parlementarisme : « Il faut mettre la volonté du peuple au-dessus des caprices parlementaires pour placer à la tête de notre démocratie une autorité forte, durable et libre d'agir[44]. » Sa critique va plus loin lorsqu'il rend la bureaucratie parlementaire responsable du déficit de l'État : « Les taxes oppressives et vexatoires, proposées comme remède à une situation angoissante, alarment tous les intérêts au lieu de les rassurer [...]. Le budget, qui dépasse cinq milliards, s'est accru de plus d'un milliard depuis cinq ans. La nouvelle loi militaire n'entre que pour une part relativement faible dans cet accroissement formidable de dépenses. » Le prince Victor a trouvé le prétexte pour donner son avis sur la loi militaire. Il y ajoute une caution militaire en utilisant le statut de militaire du général Thomassin : « Vous êtes, mon cher général, un des doyens respectés de l'armée française. Votre cœur de soldat s'est réjoui du vote de la dernière loi militaire. Dans les circonstances actuelles, seul le retour au service de trois ans pouvait donner à l'armée la force et la cohésion qui lui sont nécessaires pour assurer la grandeur de la France[45]. » Pour clore, le prince Victor prône de nouveau « la révision de la Constitution et l'élection directe du chef de l'État ». Son intervention n'a aucun effet. Les plébiscitaires arrivent encore à perdre une dizaine d'élus, même si ce mauvais résultat s'inscrit dans un recul général des droites[46]. En fait, ces élections marquent surtout le succès du Parti socialiste, qui obtient une centaine d'élus. Sur le moment, cette progression est interprétée comme hostile à la loi de trois ans ; sentiment renforcé avec l'arrivée à la présidence du Conseil du socialiste René Viviani, qui avait voté contre la loi. Du côté du parti plébiscitaire, c'est la désolation. Trop faible, il avait été incapable de présenter suffisamment de candidats et avait apporté son soutien aux partisans de la loi militaire. Ce positionnement, conseillé par le prince Victor, avait accéléré l'hécatombe.

En définitive, à la veille de la guerre, une dizaine de députés seulement subsiste sous l'étiquette plébiscitaire. Pour la majorité, il s'agit de notables comme Legrand, dans la Manche, ou Binder, à Paris. Comme le souligne Bernard Ménager, le parti bonapartiste a sensiblement évolué. Même s'il dispose encore d'un électorat rural, principalement dans le Calvados, celui-ci ne constitue plus l'essentiel de ses troupes. En revanche, il profite d'une meilleure implantation urbaine (en banlieue parisienne et dans quelques grandes villes de province), non pas auprès des milieux ouvriers, mais dans la petite bourgeoisie des commerçants et des employés. En réalité, il s'agit d'électeurs conservateurs, attachés à l'idée d'autorité et qui éprouvent encore le besoin d'être protégés[47]. Cette clientèle n'est pas celle souhaitée par le prétendant qui, de son côté, rêve toujours de faire glisser son parti sur la gauche.

Ainsi, lorsque la guerre éclate, le mouvement bonapartiste poursuit son irrémédiable agonie. La dernière tentative politique du prince Victor se solde par un échec et marque son retrait de la vie de son parti. La déception du prince est compréhensible. Au cours de toutes ces années passées à la tête du parti bonapartiste, il s'est toujours montré soucieux d'assumer son rôle, s'attachant pour cela à suivre les évolutions importantes de la société française. Ce souhait de saisir la modernité l'a amené à prendre en considération les problèmes sociaux et plus particulièrement la question ouvrière. Son acceptation de la forme républicaine, comme en témoignent ses contacts avec plusieurs députés républicains, se place dans la même perspective. Toutefois, en dépit de cette aptitude à suivre l'évolution de son temps, on a l'impression que le prince Victor reste en dehors du mouvement. Lorsqu'il consigne ses revendications politiques, c'est dans un programme théorique qui, même s'il adapte l'héritage impérial aux mutations de la société française, ne convainc pas les fidèles. En fait, le prince Victor est incapable de fédérer les quelques hommes encore attachés à la cause bonapartiste. On en vient à se demander si le prince a manœuvré comme il convenait. Était-il vraiment à la conquête du pouvoir ? Possédait-il le charisme et la personnalité nécessaires ?

CHAPITRE 33

« Je n'ai jamais voulu troubler mon pays[1] »

Il faut revenir à la nature même du bonapartisme. Comme on l'a vu précédemment, sa définition, floue, nécessite l'entrée en scène d'un homme fort, seul capable d'opérer en sa personne la réunion des deux principes contraires que sont l'autorité et la démocratie[2]. Cela explique la part d'improvisation laissée au chef, qui prend figure d'homme providentiel. D'où le fait que le bonapartisme dépend en grande partie des circonstances et d'un homme d'exception. D'ailleurs, ceux qui sont encore attachés à l'Empire sous la Troisième République sont pour la majorité des nostalgiques des « sauveurs » qu'ont été Napoléon Ier et Napoléon III. Le prince Victor était-il en mesure d'incarner le type de l'homme providentiel ?

Tout d'abord, la notion d'homme providentiel implique un lien affectif entre le peuple et celui qui doit le sauver. Le prince Victor, projeté d'une manière si inattendue dans la situation de prétendant, souffre d'un manque de notoriété ; il est même totalement inconnu. Pour y remédier, les comités font appel à l'imagerie populaire, pilier de la propagande bonapartiste. De nombreuses images d'Épinal et photographies sont distribuées. Le prince Victor est représenté de diverses manières : à sa table de travail, en tenue militaire, à cheval ou encore vêtu de la fameuse redingote grise, pour faire le lien avec le premier empereur. Ces portraits sont assez largement diffusés lors de l'avènement politique de Victor, grâce au soutien financier des notables du parti et de l'impératrice. L'effort est-il de trop courte durée ? Toujours est-il que l'image du prétendant à un éventuel empire n'a pas réussi à pénétrer dans les foyers. Personne ne sait à quoi il ressemble et rares sont ceux capables de le situer dans la généalogie napoléonienne. Ce fait est d'autant plus remarquable que sa prestance aurait dû être un atout pour une propagande qui utilise essentiellement l'image. Sur le plan physique, le prince Victor aurait fait un excellent empereur... Mais, pour capter l'intérêt du public, il aurait fallu associer la diffusion des portraits à une action personnelle du prince. Or, non seulement sa situation d'exilé ne lui en offre guère la possibilité, mais, surtout, c'est contraire à son tempérament. Rappelons que le prince est d'une grande timidité et d'une grande discrétion. Les bonapartistes n'y voient qu'indolence et manque de caractère. Incapable de faire régner l'ordre au sein même du parti bonapartiste, le prince Victor est critiqué pour sa difficulté à agir et à s'imposer. Il faut reconnaître que la discrétion, la timidité, l'indolence, le manque d'autorité sont autant d'aspects contraires à ceux que l'on attend d'un meneur d'hommes. En 1885, la police notait déjà que « la personnalité du prince n'est pas assez puissante pour inspirer des dévouements [3] ».

La réponse faite à un journaliste venu l'interroger sur ses projets est révélatrice de l'état d'esprit du prince : « Il faut attendre une occasion, je déteste les complots, je ne veux pas que ma cause provoque des troubles. J'attends [4]. » Ce genre de discours est récurrent chez Victor et n'est pas fait pour déclencher l'enthousiasme. En fait, le prince n'est pas machiavélique, pour lui la fin ne justifie pas les moyens. Ne voulant surtout pas passer pour un aventurier, il n'est pas prêt à mener de médiocres intrigues. Pourtant, ne sont-ce pas leurs manœuvres, même grotesques, qui ont permis à Louis Napoléon, mais aussi au général Boulanger, de se faire connaître ? Chez Victor, la peur du ridicule l'emporte sur le reste. Il nourrit un profond dégoût pour tout aventurisme qui pourrait mettre en péril la quiétude de son exil bruxellois[5] : le prince n'est pas dans une situation où il n'a plus rien à perdre. Au contraire, il s'agit d'un homme intègre, attaché de plus à son confort personnel. Pour d'autres, c'est son manque d'ambition qui lui faisait préférer la résignation au coup de force.

En réalité, le prince Victor n'a tout simplement pas le tempérament d'un meneur d'hommes. L'exil et l'organisation d'une vie bourgeoise en Belgique ne contribuent évidemment pas à lui insuffler le goût du risque. Or ce sont les initiatives personnelles qui ont permis au bonapartisme d'exister, que ce soit l'audace de Napoléon Ier, lors du retour de l'île d'Elbe, ou l'entêtement de Louis Napoléon dans ses diverses tentatives. D'ailleurs, si la doctrine bonapartiste comporte des zones d'ombre, n'est-ce pas pour laisser une place à l'initiative individuelle ? Telle n'est pas la vision du prince Victor. Lui défend une conception passive de la reprise du pouvoir. Il dit vouloir agir dans le respect de la légalité : « Il ne faut jamais précipiter les événements » ; il insiste sur cette notion de légalité, pourtant absente de la tradition napoléonienne. En fait, le prince pense que, dans une nation moderne, l'armée ne peut plus amener un changement de régime sans l'assentiment du pays. Il justifie son attitude en affirmant que le temps des coups d'État est révolu et que cette pratique n'est qu'une persistance d'un romantisme révolutionnaire de l'action violente et individuelle. Les temps ont changé et, comme il est un homme de progrès, ne vivant pas dans le passé, avec des sentiments démodés, il refuse un procédé obsolète. Ainsi, il remplace l'action par la raison, ce qui est perçu comme un manque de résolution. De toute évidence, cette inaction princière pèse fortement sur le parti bonapartiste qui y voit la cause de tous ses maux. Au-delà du caractère, le prince Victor ne réussit pas à renouveler le lien affectif qui unissait le peuple à la dynastie napoléonienne, lien brisé par la mort du prince impérial. D'autre part, Bernard Ménager a raison d'insister sur le fait que le prince Victor souffre d'un autre handicap : celui d'un fils en rébellion contre son père[6]. Au lendemain de la mort du prince Napoléon, Dugué de La Fauconnerie parle de « la raison de sentiment » qui empêche le ralliement au prince Victor : « Jamais les braves gens ne se regrouperont autour d'un enfant révolté et jamais le peuple n'ira chercher, pour en faire un Empereur, le fils qui a été cloué par une malédiction au seuil de la chambre où son père était en train de mourir[7]. » Le prétendant proposé à l'affection des foules ne peut que se réclamer du modèle familial d'une société encore fondée sur l'autorité paternelle. En outre, la division familiale est contraire au thème de l'union et à la volonté de transcender les querelles de partis, véhiculés par les Bonaparte. Se fait jour une nouvelle contradiction entre la position du prétendant et le concept qu'il représente. Comment croire à l'avènement d'un empire dont le père même du souverain conteste la légitimité ?

Cette sorte d'illégitimité dynastique oblige le prince Victor à se détacher de la conception héréditaire du pouvoir. Or le caractère monarchique du bonapartisme – le peuple confie ses pouvoirs à un homme providentiel choisi dans la famille Bonaparte – implique que le prince se pose en prétendant. Mais il ne l'a jamais voulu : « démocrate convaincu, pénétré des traditions napoléoniennes, il n'a jamais revendiqué que les droits du peuple français[8] ». Le prince lui-même reconnaît désirer avant tout que le peuple retrouve son pouvoir constituant :

« Quand il aura retrouvé ce droit, s'il juge que mon nom peut contribuer à la grandeur de la France et à l'union de tous les Français, toute mon énergie et tout mon dévouement lui appartiendront. S'il croit, au contraire, qu'un autre mieux que moi peut présider à cette régénération, je m'inclinerai [9].» Ces mots ne sont pas ceux d'un homme à la conquête du pouvoir. C'est clair, le prince Victor n'espère et n'attend rien. À la comtesse de Béarn qui le lui reproche, il répond : « J'ai pu faire ainsi "acte d'existence" mais certainement pas "acte de prétendant" [10].»

En somme, le prince Victor est loin d'incarner le type de l'homme providentiel. Or, jusqu'à présent, à travers les Napoléon, le peuple se cherchait un père, un sauveur. Il voulait de l'irrationnel, du sacré, du divin. Napoléon Ier comme Napoléon III avaient su faire rêver en incarnant l'avenir du peuple à un moment donné, contrairement au prince Victor, englué dans son exil bruxellois. On touche ici à l'une des raisons susceptibles d'expliquer en partie la position du prince Victor. La popularité d'un Boulanger ou d'un Déroulède renvoie à leur culture romantique. Par leur aspect théâtral, leur physique, leurs ridicules, leurs références intellectuelles et sentimentales, ils sont romantiques. Dans son portrait de Déroulède, Bertrand Joly souligne cette inclination : « Déroulède est un romantique : hiatus hugoliens, fièvres sacrées, exaltation des soirs de batailles, cela seul parle à son âme et peut, croit-il, frapper les foules [11].» Un Déroulède ne craint pas le ridicule, comme en témoignent ses vers ou ses tirades patriotardes ainsi que son goût de la mise en scène et son allure. Il cherche à attirer l'attention, d'où son choix d'être toujours représenté vêtu de sa redingote vert pomme. Déroulède est bien un « quarante-huitard », plus proche de Louis Napoléon que de son neveu Victor. Au romantisme de Déroulède, on peut opposer le rationalisme du prince Victor, parfait homme de son époque, sceptique et découragé. Scepticisme qui s'exprime dans son souci de modération et surtout dans le peu de chances de succès qu'il prête aux tentatives insurrectionnelles. À trop chercher la discrétion et la tranquillité, le prince Victor récolte l'oubli. D'autre part, dans ces années d'installation de la République, la culture politique évolue. De romantique, elle devient démocratique. Sur ce plan aussi, le prince Victor est un homme de sa génération, marqué par cette culture démocratique républicaine qui diabolise le coup de force, dont le dernier exemple reste le 2 décembre [12]. De là découle son aversion pour toute action musclée et le fait que, en homme sensé et non sentimental, il ne croit pas à sa chance.

Pourtant, à la même époque, Gustave Le Bon, qui explore la psychologie des foules, observe que « les sociétés sont guidées par la logique des sentiments et que la logique rationnelle ne saurait guère les influencer et encore moins les transformer [13] ». D'ailleurs, la République du dernier quart du XIXᵉ siècle se consolide grâce à la psychose du césarisme, sans parvenir pour autant à éradiquer le « défaut d'incarnation » dont souffrent les Français [14]. En effet, ils se révèlent sentimentalement attachés à l'incarnation de l'autorité de l'État dans un seul individu, ne serait-ce que pour savoir à qui s'en prendre. De ce besoin d'autorité, voire de paternité, résulte la culture antiparlementariste française. L'unité nationale semble se décomposer dans les compétitions électorales, le clientélisme... On rêve alors de placer les politiciens querelleurs sous la férule d'un vrai chef, d'où le besoin de recourir à un homme providentiel. La logique rationnelle conteste ce besoin d'incarnation – les hommes forts sont dangereux –, mais la logique émotionnelle le transcende – Boulanger en est un bon exemple. Dans un pamphlet de janvier 1889, Jules Simon compare Boulanger à Louis Napoléon Bonaparte et déplore le goût des Français pour

les « idoles ». Or cette particularité nationale n'est-elle pas
à l'origine du succès de Napoléon Iᵉʳ et de Napoléon III ?
Et n'aurait-elle pas été la seule chance du prince Victor,
surtout à une époque où la France se cherchait un autre
Napoléon, pour prendre sa revanche sur la Prusse et
reconquérir l'Alsace-Lorraine [15] ?
On en revient à la nature même du prince Victor.
Parachuté en politique trop jeune et non préparé, il n'arrive pas à s'imposer dans son propre parti. Comment
pourrait-il alors incarner un principe d'autorité à l'échelle
nationale ? Bien loin de symboliser le type de l'homme
providentiel, le dernier prétendant napoléonien se rapproche plutôt de l'anti-héros. En réalité, il manque de
panache. Isolé dans son exil bruxellois, dénué de charisme, il s'enferme dans une logique rationnelle opposée
à l'aventurisme romantique de ses aïeuls. Son scepticisme
chronique, renforcé par le déclin de la cause bonapartiste,
le détourne peu à peu de la politique au profit de la vie de
famille. Toutefois, face au déclin politique, son aptitude à
saisir la modernité conjuguée à son souci de raviver la
flamme impériale l'amènent à s'intéresser au nouveau
succès que connaît la légende napoléonienne. Désormais,
il préférera s'attacher à faire revivre l'épopée napoléonienne par l'Histoire plutôt que par la politique.

CHAPITRE 34

Un paisible bonheur privé

Les obstacles surmontés par Victor et Clémentine pour réussir à unir leurs destins ont contribué à renforcer leurs liens et furent, sans doute, un des facteurs de réussite de leur vie conjugale, dans laquelle ils donnèrent l'impression de s'épanouir. Malgré leurs habitudes assez solitaires, l'adaptation à la vie commune se passa bien. Pour favoriser l'installation de Clémentine avenue Louise, le prince Victor avait acheté le 241 de l'avenue pour agrandir le 239 qu'il possédait déjà. Il acquit également deux petites maisons derrière le bâtiment, séparées par un jardin ; elles seront occupées par les deux enfants du couple. Lors de son installation, la princesse prend soin de respecter ce qu'elle appelle « le reliquaire historique » et ne pas trop bouleverser l'emploi du temps de son époux. Pour lui plaire, Clémentine s'applique aussi à combler ses lacunes historiques : « Je tâche de lire beaucoup pour arriver à la hauteur, et c'est un travail. » Elle met la meilleure volonté possible à apprendre son rôle de princesse Napoléon en s'attachant à acquérir une culture napoléonienne qui lui permette de recevoir dignement les « amis » de France. Clémentine prend très à cœur son nouveau rôle de femme de prétendant et d'épouse. Quelques mois après leur mariage, l'aggravation de l'état de santé de la mère du prince Victor donne à Clémentine la première occasion de soutenir son époux.

Le 20 juin 1911, Victor et Clémentine quittent précipitamment Bruxelles pour Moncalieri. On sait les jours de la princesse Clotilde comptés. À leur arrivée, la mère de Victor les reconnaît à peine : « Arrivés ici ce matin, nous avons trouvé la princesse Clotilde dans un état navrant et désespéré [1]. » Entourée de ses trois enfants, la princesse se montre résignée et sereine, prête à quitter ce monde. Pour Victor, l'agonie de cette mère qui lui avait toujours manifesté compréhension et tendresse est pénible : il est décontenancé devant ce corps décharné, la princesse ayant quasiment cessé de s'alimenter. Elle s'éteint quatre jours plus tard, le 25 juin 1911.

De retour en Belgique, le prince Victor s'attache à un nouveau projet. La princesse Clémentine se sentant un peu à l'étroit avenue Louise et partageant avec son époux un goût pour la nature, le prince se met à la recherche d'une propriété de campagne. Autre perspective heureuse : Clémentine est enceinte. Le prince Victor attend septembre pour l'annoncer officiellement à Thouvenel : « Les bruits qui circulent à propos de l'état de la princesse, sont exacts [...]. La princesse va très bien, mais le médecin lui interdira fort probablement tout déplacement en ce moment [2]. » La naissance est prévue pour le mois de mars ou avril. Aussi bien Clémentine et Victor que le parti bonapartiste espèrent la venue d'un garçon pour assurer la pérennité des princes Napoléon. En attendant la naissance, le prince Victor, très préoccupé par la dégradation des relations franco-allemandes, partage son temps entre son cabinet de travail et son épouse, à laquelle il porte la plus grande attention. La grossesse de la princesse se déroule sans problème : « Ma belle-sœur m'écrit qu'elle se porte bien et que la cérémonie aura lieu dans *leur chapelle* [3]. »

La princesse Clémentine accouche un peu avant le terme, le 20 mars, d'une fille, appelée Marie-Clotilde en souvenir de sa grand-mère. L'accouchement s'est bien passé, mais pour Clémentine la déception d'avoir une fille est forte : « La princesse Marie-Clotilde et moi nous portons à ravir ; la naissance a été une *cruelle* déception dont je reste désolée [4]. » Elle se console en remarquant qu'elle est née le même jour que le roi de Rome, dont elle portera la robe de baptême. De son côté, le prince Victor prend les choses avec philosophie, même s'il ne peut nier que la désillusion causée par la naissance de Marie-Clotilde se répercute aussitôt dans les rangs bonapartistes [5]. Pour beaucoup, un garçon aurait offert la possibilité de réunir les royalistes hostiles à l'Action française. En effet, la thèse du rattachement des royalistes dissidents est avancée par certains bonapartistes qui voient dans l'enfant qui vient de naître à la fois l'arrière-petite-nièce de Napoléon [er] et l'arrière-arrière-petite-fille de Louis-Philippe. Avec un garçon, ils espéraient utiliser la filiation Bonaparte-Orléans pour rallier les monarchistes partisans de l'hérédité. Il est d'ailleurs intéressant de noter que, de leur côté, les orléanistes sont soulagés que la princesse Clémentine ait accouché d'une fille, toujours pour les mêmes raisons : un garçon aurait pu réaliser la fusion [6].

Le fait que ce soit une fille facilite l'organisation du baptême, auquel il n'est pas nécessaire de donner un caractère politique. Le prince Victor souhaite néanmoins que son enfant soit baptisée par une personnalité du clergé français et, de préférence, de sympathie bonapartiste. Il demande à Gauthier de Clagny de se renseigner pour savoir si Mgr Baudrillart pourrait venir célébrer le baptême. Ce dernier était, depuis 1907, recteur de l'Institut catholique de Paris. Parallèlement à sa carrière ecclésiastique – il fut élevé au cardinalat en 1935 –, il fut reconnu pour ses travaux historiques et entra à l'Académie française en 1918. Il était lié avec plusieurs personnalités du parti bonapartiste, dont Querenet et Frédéric Masson, qui préfaça l'un de ses ouvrages. Toujours est-il que sa réponse est négative : « Monseigneur Baudrillart n'est pas dans une situation assez indépendante pour accepter. » Gauthier de Clagny conseille « monseigneur Augouard, évêque du Congo, très bonapartiste [...]. Il est décoratif et sa qualité d'évêque du Congo, voisin de l'État du Congo belge, justifierait votre choix [...]. Monseigneur Augouard est d'ailleurs en relation personnelle avec S.A.R. [sic] le roi des Belges ; sa désignation semblera donc toute naturelle[7]. » En fait, Mgr Augouard craint lui aussi de se compromettre et pose comme condition d'avoir l'accord préalable du ministre des Colonies. Question réglée seulement le 4 mai : « Enfin, c'est fait. Après avoir vu jeudi le ministre des Colonies, j'ai vu ce matin monseigneur Augouard, il a accepté[8]. » En définitive, la date du 25 mai est arrêtée. Le roi Albert a accepté d'être le parrain et l'impératrice Eugénie, la marraine. La cérémonie a lieu dans la petite chapelle de l'avenue Louise. Victor et Clémentine tiennent à ce qu'elle conserve un caractère de stricte intimité ; aucune personnalité du parti n'est conviée, seulement la famille proche : le roi Albert, la reine Élisabeth, la comtesse de Flandres. L'impératrice s'est fait représenter par la duchesse de Mouchy, née Murat. Quant aux frères et sœurs de Victor et Clémentine, ils ne se sont pas déplacés pour l'occasion.

C'est à peu près à cette période que Victor et Clémentine s'installent à Ronchinne. Après de longues recherches, ils acquièrent cette propriété située dans la province de Namur, dans une région où la campagne est connue pour sa beauté. Le château – un peu austère – en briques rouges est entouré d'un grand domaine rassemblant plusieurs fermes sur plus de deux cents hectares. L'aménagement de Ronchinne prend beaucoup de temps à Victor et à son épouse : lui s'occupe plutôt de la décoration intérieure, en particulier de l'ameublement, elle se passionne pour le jardin. Dorénavant, Victor et Clémentine partagent leur temps entre Bruxelles et Ronchinne, où ils s'installent pendant plusieurs mois. Ils aiment y recevoir parents et amis pour partager les joies de la campagne : la journée, on se retrouve pour de longues promenades à travers bois, à pied ou à cheval ; les soirées sont consacrées aux distractions d'intérieur.

À l'été de 1913, la rumeur d'une nouvelle grossesse de la princesse Clémentine se propage. Le prince Victor la confirme à Thouvenel dès juillet : « Les bruits qui ont couru sur l'état de la princesse se sont changés en certitude. L'événement est attendu pour le mois de janvier. » Cette grossesse se montre plus éprouvante que la précédente ; la princesse est obligée de rester alitée. Elle arrive tout de même à accompagner son époux à Farnborough vers la fin de l'année. La naissance a lieu le 23 janvier 1914, après un accouchement pénible. Grand soulagement, il s'agit d'un garçon, que l'on prénomme Louis. La princesse Clémentine est comblée d'avoir donné un héritier aux Napoléon : « Que Dieu est bon d'avoir couronné notre bonheur[9] ! » La venue d'un fils complique la question du baptême, surtout à un moment où le parti bonapartiste montre de légers signes de réveil. La naissance du prince Louis est considérée comme un nouveau facteur d'espoir : « Il y a là un véritable mouvement et c'est l'occasion unique de l'encourager et d'apprendre à beaucoup de gens ce joyeux événement[10]. » *La Volonté nationale* consacre toute sa première page au jeune prince qui porte « le plus grand nom des temps modernes[11] ». En fait, la naissance du prince Louis constitue le dernier effort de propagande entrepris par le parti, qui met en circulation photographies, gravures et chansons. Est-ce pour soutenir l'entrain de ses troupes que le prince Victor sort de son silence et réclame « la révision de la Constitution et l'élection directe du chef de l'État[12] » ? Toujours est-il que, célébré quelques jours après, le 23 mai, le baptême prend une résonance politique.

Le 7 mars, le prince Victor s'adresse à Thouvenel pour qu'il tente de nouveau des démarches auprès de Mgr Baudrillart en vue du baptême de Louis. Compte tenu de l'aspect politique, celui-ci refuse net. Se pose alors le problème de trouver un évêque de sensibilité bonapartiste qui accepterait de se déplacer à Bruxelles. Le choix s'arrête sur Mgr Herscher, ancien évêque de Langres et « actuellement évêque de Laodicée (*in partibus*) [13] ». La princesse Clémentine communique alors à Thouvenel une première liste d'invités : la duchesse de Mouchy, les Murat, Rudelle, Legrand, Piétri, l'amiral Duperré et les membres de leur maison. Ces personnes sont connues pour leurs attaches bonapartistes tout en étant des proches du couple impérial. Quelques jours après, la princesse écrit de nouveau à Thouvenel pour lui avouer qu'elle espère rallier son époux à une liste plus importante : « que penseriez-vous de Masson ? Pour lui faire écrire un article après. Ne pourrait-on pas aussi suggérer à Mr Babin [photographe] l'occasion unique [14] » ? Ainsi, c'est à la suite d'une initiative de la princesse que le baptême se transforme en réunion bonapartiste [15].

Le 8 mai, Frédéric Masson reçoit son invitation, ainsi que le programme de la journée du 23 mai : « Le baptême sera célébré à 3 h de l'après-midi. Le parrain est le prince Louis Napoléon, la marraine, la reine mère d'Italie, représentée par la princesse Laetitia. La réunion aura lieu à 3 h avenue Louise, en redingote. » Frédéric Masson fait partie de la cinquantaine de personnes venues de France pour l'occasion. Dans les rangs bonapartistes, une souscription avait été lancée pour le cadeau de baptême. Le petit prince reçoit une croix en cristal ornée de motifs d'or, surmontée d'une aigle en or massif ; le tout est réalisé par l'orfèvre Falize. Comme pour Marie-Clotilde, la cérémonie se déroule dans la chapelle de l'avenue Louise. Le jeune Louis porte lui aussi la robe de baptême du roi de Rome.

L'enthousiasme soulevé par la naissance du prince Louis et par son baptême mi-familial, mi-politique n'est qu'une parenthèse. Le parti bonapartiste retombe sur la voie du déclin, tandis que le prince Victor assiste, impuissant, à la montée de la guerre.

CHAPITRE 35

La guerre : fini la politique

Le 28 juin 1914, l'archiduc François-Ferdinand et sa
femme sont assassinés par un étudiant serbe à Sarajevo.
Viennent ensuite l'ultimatum de l'Autriche à la Serbie, les
déclarations de guerre et l'invasion de la Belgique par l'Allemagne. Au début, le prince et la princesse Napoléon
envisagent de rester à Bruxelles, mais, les bombardements
se multipliant, ils finissent par accepter la proposition de
l'impératrice Eugénie de les accueillir chez elle, à Farnborough Hill.

Cette propriété avait été acquise par l'impératrice en
1880 alors qu'elle cherchait un endroit où installer un
mausolée pour son mari et son fils. Farnborough se situe
à quarante kilomètres au sud de Londres, non loin de
Windsor. La propriété de Farnborough Hill se répartit
sur deux collines. Sur l'une des deux existait déjà la maison ; sur l'autre l'impératrice fit construire le « sanctuaire
impérial ». L'ensemble comprendra une abbaye, placée
sous le patronage de Saint-Michel, et une vaste chapelle
pourvue d'une crypte. Eugénie confia le chantier à l'archi-
tecte Hippolyte Alexandre Destailleur, qui avait restauré
plusieurs châteaux de la vallée de la Loire. Le résultat
est étonnant : la « basilique impériale » – comme aimait
l'appeler l'impératrice – est travaillée à l'extérieur dans
le style gothique flamboyant. Son dôme rappelle celui de
Saint-Augustin. L'intérieur est plus sobre, avec des arcs
d'une grande pureté. On y retrouve tout de même des
décors d'aigles et d'abeilles sur les murs. En raison du

retard des travaux de construction, ce ne fut que le 9 janvier 1888 que les corps de Napoléon III et du prince impérial furent installés dans leur emplacement définitif. La crypte de l'abbaye Saint-Michel réunit la sérénité d'un mausolée à l'intimité d'une chapelle privée. Les deux sarcophages de granit gris, cadeaux de la reine Victoria, rapellent la forme du tombeau de Napoléon Ier aux Invalides, de même que le sol en marbre, au centre duquel figure une immense étoile[1]. La demeure, en elle-même, est avant tout confortable. Lucien Daudet, lors de son premier séjour chez l'impératrice, précise : « Farnborough est un bel endroit, très agrandi par l'impératrice[2]. » En effet, le manoir initial – style pavillon de chasse en brique rouge – avait été construit en 1860 par un célèbre éditeur londonien. Lors de son installation, en 1881, l'impératrice y entreprit d'immenses travaux. Elle fit ajouter des tourelles, des clochetons et des pignons. L'ensemble donne une impression de surcharge.

La famille du prince Victor s'installe à la fin d'août 1914 à Farnborough. Ce troisième exil rouvre, chez le prince, les plaies causées par l'exil et l'inaction. Désorienté, il cherche à occuper ses journées et s'organise peu à peu une nouvelle vie en Angleterre. La cohabitation entre l'impératrice Eugénie et la famille du prince est un peu difficile : il faut s'adapter au fonctionnement de sa maison avec deux enfants en bas âge. Malgré ses quatre-vingt-huit ans, l'impératrice possède encore une grande énergie. Pendant la guerre, elle veut à tout prix se rendre utile. Son idée initiale a été d'envoyer en France des ambulances équipées, mais le gouvernement français repousse cette proposition. À défaut, elle décide de mettre à la disposition de l'Amirauté britannique son yacht privé, le *Thistle*. Par la suite, elle reprend la tradition des souveraines d'Europe en ouvrant à Farnborough un hôpital pour officiers. Une aile de sa maison est alors transformée en centre de soins. Le prince Victor participe activement à la tâche entreprise par sa « tante »[3].

De son côté, la princesse Clémentine a été profondément affectée de devoir quitter son pays et de le savoir occupé par l'ennemi. Installée outre-Manche, elle cherche à s'activer en faveur de la cause belge, essayant d'aider moralement et financièrement les réfugiés belges en Angleterre. Elle anime une multitude d'œuvres de bienfaisance : centre d'accueil pour les invalides de guerre belges, Ligue des patriotes belges, cercle pour les Belges, association pour les enfants des soldats belges[4]... Elle se montre également concernée par les pertes qui surviennent parmi les partisans de la cause de son époux et se fait tenir au courant des décès, des prisonniers, des blessés dans le camp bonapartiste[5]. Le couple prend soin que l'un ou l'autre écrive quelques lignes de soutien et de réconfort aux familles. En dehors de ces obligations, le prince Victor et son épouse participent à un semblant de vie officielle : ils inaugurent ensemble, le 24 avril 1915, une exposition d'art moderne belge placée sous le patronage d'Albert Ier ; ils assistent aussi à de nombreuses manifestations sportives militaires, seules distractions que se permet Victor en ces temps de guerre. Malgré tout, cet exil lui pèse ainsi qu'à son épouse : le conflit s'amplifie, l'issue semble s'éloigner. Déjà, en 1916, le prince Victor se plaignait : « le temps nous semble si long ici [...]. Dieu veuille que 1917 nous apporte la victoire et la paix[6] ! » Seul l'équilibre de la vie familiale parvient par moments à atténuer son humeur mélancolique.

Lors de la déclaration de guerre, la première réaction du prince Victor avait été de demander à servir dans l'armée française ; le gouvernement de la République avait refusé en vertu de la loi d'exil de 1886. La déception du prince avait été forte : « Je n'ai pu obtenir l'autorisation de servir, hélas[7] ! ! » Tout au long du conflit, Victor regrette de ne pouvoir participer à cette guerre ; la princesse Clémentine s'en soucie : « Le prince souffre beaucoup de ne pouvoir servir son pays. J'ai peine à le distraire[8]. » Pour compenser son inaction, le prince tient à suivre la tournure des événements dans les moindre détails : « Réfugié en Angleterre, il suivait heure par heure les péripéties de ce long et sanglant drame. Mais, penché sur une carte de la France, il ne pouvait, hélas, que partager de vives angoisses[9]. » Sur le plan militaire, ses principaux informateurs sont Maurice Levert et le lieutenant-colonel Nitot, qui ont tous deux des contacts dans l'état-major français. Par leur intermédiaire, le prince est informé des forces en présence, du moral des troupes et du mouvement des armées. Sur le plan politique, Henri Rudelle, resté à Paris comme secrétaire général du comité politique plébiscitaire, l'informe du climat de la capitale et des différentes rumeurs qui y circulent. Il est intéressant de noter que leur correspondance n'évoque que de loin les affaires de ce qu'il reste du parti plébiscitaire. Depuis son exil en Angleterre, le prince Victor se soucie avant tout de l'avenir de la France et non de celui de sa cause, qu'il sait désespérée.

En France, en effet, la déclaration de guerre déclenche quasi instantanément un mouvement d'union. La conviction que la France était pacifique et qu'elle avait subi les agressions d'un empire autoritaire est à l'origine de ce mouvement unitaire[10]. Dès le 6 août, Rudelle adresse un communiqué aux électeurs des comités plébiscitaires provinciaux pour les appeler à se rallier à l'Union sacrée[11]. En fait, déjà profondément déstabilisé, le parti bonapartiste est vite obligé de cesser son activité : à la fin d'août, *La Volonté nationale* n'est plus publiée, en octobre c'est au tour de *L'Autorité* de s'éteindre[12]. Au même moment, le comité politique plébiscitaire cesse de se réunir. En quelques jours, le parti bonapartiste sombre dans un silence total et ne dispose plus des moyens d'en sortir. Les quelques partisans non mobilisés s'imposent tout de même une permanence hebdomadaire au bureau de la rue de Surène [13]. En fait, les membres du parti bonapartiste sont, en grande majorité, mobilisables, aussi les effectifs diminuent-ils rapidement. En décembre 1916, Pierre Taittinger écrit au prince Victor pour l'informer de la « dramatique hécatombe qui frappe ses camarades mobilisés des Jeunesse plébiscitaires [14] ». L'enlisement du combat non seulement décime les rangs du parti, mais de plus appelle avant tout à l'union nationale. À la fin de l'année 1915, les trente-trois comités qui survivaient encore disparaissent ; la permanence de la rue de Surène est remise en cause par manque d'argent [15]. Ce contexte de crise et le silence des organes bonapartistes font oublier les quelques événements fédérateurs qui avaient le mérite de garder l'Empire présent dans les esprits. La messe du 9 janvier 1915 célébrée à Saint-Augustin en mémoire de Napoléon III réunit encore une centaine de fidèles, alors que celle du 1ᵉʳ juin, à la mémoire de son fils, n'en rassemble plus qu'une soixantaine. En juillet 1916, Mgr Baudrillart est frappé par le pessimisme de Querenet concernant les bonapartistes : « Il ne croit pas que le prince Napoléon, n'ayant pu jouer aucun rôle pendant la guerre, puisse en jouer un au lendemain de la guerre. Alors, comme d'autres, Querenet et de nombreux bonapartistes se rabattent sur une république consulaire ou autoritaire, avec un général à la tête du gouvernement [...]. Dans ce but, ils veulent fonder une ligue de salut public [16]. »

Pourtant, certains continuent à y croire, tel Charles Le François, secrétaire du XIIᵉ arrondissement, qui maintient des banquets plébiscitaires au Salon des familles à Saint-Mandé. Il organise aussi les « groupes des plébiscitaires militants », auxquels il veut fournir un bulletin sous le nom de *Revue plébiscitaire*, mais son audience reste confidentielle. L'entrée en guerre des États-Unis en 1917 ravive certes l'ardeur de certains bonapartistes, dont Gauthier de Clagny. D'après lui, il faut préparer l'avenir. Il écrit au prince Victor pour lui conseiller de sortir de son silence afin de demander la réforme des institutions sur le modèle américain [17]. Mais le prince ne bronche pas. Cette idée lui semble bien loin de la réalité, lui souhaite avant tout la fin du conflit : « Si la guerre se prolongeait encore longtemps, si les souffrances de toute sorte allaient encore augmentant, qu'adviendrait-il ? » Quelques mois plus tard, il ne voit toujours pas la paix arriver : « Espérons que cette terrible guerre aura une fin [18]. » Or Gauthier de Clagny avait déjà rédigé un projet de réforme avec l'aide de Rudelle, de Georges Poignant et de Querenet : ils s'appuyaient sur l'efficacité du modèle américain, dont le président est élu au suffrage quasi direct et unique responsable de l'exécutif. Navrés par la réaction du prince, ils tentent tout de même de ranimer le comité plébiscitaire de la Seine. Bien que leur action soit éloignée des préoccupations des combattants bonapartistes, ils arrivent à organiser un déjeuner, le 15 août 1918 [19]. Cette initiative, limitée à la capitale, ne contrebalance pas le mouvement général d'union qui se forme dans les tranchées, derrière Clemenceau et Poincaré. En fait, la guerre porte le coup de grâce à la cause bonapartiste, plongée dans un profond désarroi. Par ailleurs, elle consolide les institutions républicaines qui reçoivent le baptême du feu. Il est intéressant de noter que le prince Victor ne s'émeut pas de cet état de fait. Dès le début du conflit, il avait tenu à préciser qu'il soutenait la République française durant les hostilités et qu'il attendait le retour de la paix pour redemander l'abrogation de la loi d'exil [20]. Le prince Victor, donc, abandonnait ses derniers fidèles.

L'armistice est signé le 11 novembre 1918. Le prince Victor, soulagé, ne peut cependant pas pour autant envisager un retour immédiat en Belgique : « Nous comptons rentrer à Bruxelles vers le mois de mai, autant qu'on peut faire des projets à l'époque actuelle. Les communications avec la Belgique sont encore très difficiles et nos installations doivent être rétablies. La main-d'œuvre et beaucoup de choses manquent là-bas, il faut avoir de la patience. Bruxelles n'a pas souffert. La campagne a été occupée et il y a bien des dégâts à réparer bien qu'ils ne soient pas graves [21]. » Content de préparer son retour en Belgique, le prince Victor ne cache pas son inquiétude sur les termes du traité de Versailles : « Espérons que la Paix qui va être discutée sera digne de la France et de ses douloureux sacrifices. » Le prince Victor suit de près les négociations, prend connaissance des quatorze points constituant la doctrine du président Wilson et comprend vite que le président américain veut jouer un rôle d'arbitre suprême dans les négociations, position qu'il déplore. En réalité, le prince Victor est méfiant à l'égard du traité. Lorsqu'il assiste, le 19 juillet 1919, à Londres, aux célébrations nationales de paix, il pressent que ces accords sont porteurs des germes d'un nouveau conflit. Finalement, le prince Victor et sa famille ne rentrent en Belgique qu'en août 1919. Cet exil de cinq ans a vieilli le prince. Désormais, sa préoccupation est de se réinstaller chez lui, absolument plus de faire de la politique. De toute façon, pourquoi s'opposerait-il à un régime qui a apporté la victoire à la France ? Il préfère rendre hommage à la patrie victorieuse : « La France s'est montrée digne de son passé. Nos soldats ont fait revivre les exploits de leurs aînés sous un chef admirable que "l'épopée" a inspiré. Dieu veuille, à présent, que la concorde et l'union règnent entre tous, permettant à la France de récolter les fruits de la victoire si douloureusement achetée [22]. » Telle n'est pas la position de ses derniers fidèles, pour qui la fraîche victoire les délie de leur devoir de loyauté envers la République [23]. La guerre marque le désengagement politique du prince Victor et l'entrée en scène de la princesse Clémentine.

CHAPITRE 36

Victor passe le relais

Lorsque Victor et Clémentine rentrent en Belgique, le
pays est encore marqué par l'occupation allemande. La
réinstallation avenue Louise ne pose tout de même pas
trop de problèmes, la ville ayant été épargnée. Tel n'est
pas le cas de Ronchinne, où la région a été particulièrement touchée ; le prince est obligé d'entreprendre d'importants travaux de remise en état, ce qui contribue à
éloigner de ses préoccupations la reconstruction d'un
mouvement bonapartiste en France. Il constate lucide-
ment que la République est sortie renforcée de la guerre,
à la différence du Second Empire, emporté par Sedan. Le
retrait du prince Victor est officiel. Mgr Baudrillart note
dans son journal : « Querenet me dit que le prince Victor
renonce décidément à la politique[1]. » Pourtant, en
France, l'après-guerre favorise le redémarrage de la vie
politique.

Les consultations électorales ayant été suspendues pendant la durée du conflit, il faut renouveler tous les corps
élus avant l'échéance de l'élection à la présidence, en janvier 1920. Se pose alors la question de la réforme du mode
d'élection à la Chambre des députés. En définitive, la loi
du 12 juillet 1919 – fruit d'un compromis – établit le scrutin de liste à la proportionnelle avec une prime majoritaire. Les législatives sont alors fixées au 16 novembre, les
municipales aux 30 novembre et 7 décembre, les élections
aux conseils généraux et d'arrondissement aux 14 et

21 décembre et les élections des deux tiers sortants du Sénat au 11 janvier. L'élection du président de la République aura lieu après le renouvellement des deux assemblées. Le mode de scrutin et la prime majoritaire imposent des listes d'union aussi larges que possible. Les socialistes décident néanmoins de faire leurs propres listes – le Parti socialiste se situant dans l'opposition systématique depuis 1917, il ne pouvait plus s'allier aux radicaux. L'Alliance démocratique, au centre, prend l'initiative de former un Bloc national. Sur le vieux mot d'ordre « ni réaction ni révolution » s'esquisse une conjonction des centres, dominée par le souci d'éviter la reprise de la querelle religieuse et la volonté de lutter contre le bolchevisme. Apparu en Russie en 1917, ce dernier effraie toute l'Europe. L'appel des partisans du Bloc national est donc axé sur le respect de la laïcité qui « doit se concilier avec les droits et les libertés de tous les citoyens, à quelque croyance qu'ils appartiennent[2] ». Cette acception d'une laïcité ouverte rend alors possible l'union des hommes du centre. Le 4 novembre, Clemenceau appelle à la constitution d'une « majorité cohérente ». Cette formation, soucieuse de déborder les clivages traditionnels, réussit à amalgamer des courants divers, rassemblant aussi bien des hommes influencés par le courant jeune radical que des proches de la Fédération républicaine ou encore d'anciens bonapartistes et d'authentiques libéraux. Il s'agit donc d'une coalition hétéroclite et non d'un groupe lié par des alliances électorales. Ce bloc, souvent qualifié de droite, est vraiment hétérogène ; la droite n'en est qu'une composante et l'extrême droite n'y figure pas. En réalité, la disparition des anciens partis au profit de nouveaux et le rejet du bolchevisme russe, qui sert d'élément fédérateur, donnent l'impression que la guerre a interrompu le glissement du pays vers la gauche. Existe-t-il une place pour les bonapartistes ou plébiscitaires dans ce nouveau contexte politique ?

En fait, la majorité d'entre eux suit le Bloc national. Le regroupement des forces de droite leur permet de présenter une trentaine de candidats aux législatives. En même temps, la presse plébiscitaire tente de réapparaître. *Le Petit Caporal* commence par diffuser deux numéros en janvier 1919, puis, à partir d'avril, sa publication devient régulière jusqu'en 1923. La presse plébiscitaire départementale refait elle aussi surface. À quelques jours des élections, Rudelle envoie une circulaire aux comités restants pour les appeler à voter, à défaut de candidats plébiscitaires, pour « ceux qui défendent l'autorité et l'ordre afin de déjouer le péril bolchevique[3] ».

Les élections législatives du 16 novembre 1919 marquent le succès des modérés et des conservateurs. La gauche réussit à rassembler 3 500 000 voix, mais elle est largement devancée par le Bloc national et ses 4 300 000 voix. Les plébiscitaires en profitent et réussissent à se préserver une vingtaine d'élus à la Chambre, éparpillés sur différentes listes de la droite républicaine mais siégeant non loin des royalistes. Parmi les élus, on retrouve quelques rescapés de l'avant-guerre : Le Provost de Launay et Taittinger, qui siègent aux côtés d'hommes nouveaux ; le prince Murat est de ceux-là. La Chambre se compose à 59 % de nouveaux élus, pour la plupart anciens combattants, d'où l'appellation de « Chambre bleu horizon » par référence à la couleur des uniformes portés par les fantassins à la fin de la guerre. Cette fois encore, le groupe bonapartiste n'est pas suffisamment homogène pour constituer un parti. D'ailleurs, depuis 1915, il ne dispose plus de structure. D'après la police, le prince Victor aurait convoqué les présidents des comités de la Seine pour leur annoncer qu'il mettait fin au comité politique plébiscitaire[4]. Début 1919, après s'être concerté avec Rudelle et Gauthier de Clagny, le prince Murat écrit au prince Victor pour le prévenir de la fermeture du bureau de la rue de Surène, qui permettait encore de réunir le dernier noyau[5]. Au même moment, plusieurs plébiscitaires ayant fait la guerre passent sur les bancs républicains. Tel est le cas de Galpin, qui explique au prince Victor son ralliement à la République parce que, « dans l'union, [elle] sauve la France de l'anarchie, de la Révolution et de la ruine financière[6] ». Julien de Cassagnac également s'éloigne du bonapartisme pour rallier la République, grâce à Clemenceau qui incarne le régime autoritaire dont il a toujours rêvé[7]. Le prince Victor comprend ce mouvement de ralliement, qui le confirme dans son choix d'abandonner la lutte politique. Or la princesse Clémentine ne l'entend pas ainsi, qui veut se battre pour l'avenir de leur fils. Face au désengagement de son époux, elle s'estime responsable de la sauvegarde de l'héritage politique de Louis.

L'éducation de Clémentine, confortée par le rôle qu'elle a exercé durant de longues années aux côtés de son père, fait d'elle une vraie femme de devoir, particulièrement attachée au devoir dynastique, d'où sa grande déception lors de la naissance de Marie-Clotilde et sa joie, deux ans plus tard, avec l'arrivée au monde de Louis. Soulagée d'avoir assuré la continuité de la lignée des Bonaparte, Clémentine s'estime désormais investie d'une nouvelle mission : le soutien de la cause de son fils. N'est-ce pas pour remobiliser les troupes bonapartistes que la princesse a donné un caractère politique au baptême de Louis ? À partir de cette date, sa correspondance se rapporte régulièrement à des invitations à caractère politique. En juin 1914, elle croyait à un léger réveil bonapartiste et avait voulu le soutenir par l'intermédiaire de Thouvenel : « Quant à Jules Roche, ce serait parfait s'il venait, mais l'osera-t-il ouvertement ? Tâtez le terrain, de même pour Joseph Reinach, Étienne, etc. Je suis de votre avis, l'heure est propice ! Si vous voyez d'autres personnes *utiles*, envoyez-les. [...] Nous avons du monde chaque jour, le mouvement est très à encourager[8]. » La princesse s'investit dans les affaires du parti et applique à la cause impériale son savoir-faire de « petite reine ». Accoutumée à tenir son rang dans des manifestations officielles, Clémentine souhaite assister aux grands événements napoléoniens. En 1913, elle se rend à Paris pour suivre une visite officielle des Invalides aux côtés de son beau-frère, le prince Louis. En 1920, elle est présente au service parisien célébré à la mémoire de l'impératrice[9]. L'année suivante est celle du centenaire de la mort de Napoléon Ier ; des commémorations officielles sont organisées, auxquelles Clémentine compte bien assister, seul le veto du gouvernement français l'en empêche[10].

Toujours est-il que, si la princesse s'immisce dans les affaires du parti bonapartiste, ce n'est que dans le but de sauvegarder l'héritage politique de son fils. Cette attitude rappelle – toutes proportions gardées – celle de l'impératrice Eugénie en 1870. Pour Pierre Milza, si en 1870 les partisans de l'Empire autoritaire poussent à la guerre, c'est qu'ils y voient une occasion de revenir au pouvoir en faisant chuter Émile Ollivier. Voilà pourquoi ils se groupent autour d'Eugénie, elle aussi hostile à Émile Ollivier depuis qu'il l'avait exclue du Conseil. D'ailleurs, après le retrait de la candidature Hohenzollern, c'est l'impératrice et Gramont qui parviennent à convaincre l'empereur de demander les garanties qui déclenchent la guerre. Ainsi, Eugénie est à l'origine d'une décision cruciale, qui aurait du être prise par le Conseil[11]. Puis, vient la déclaration de guerre et le départ de l'empereur. Malgré son état, Napoléon III avait décidé de prendre lui-même le commandement de ses troupes. La responsabilité de l'impératrice est là encore immense : elle pousse son mari à partir. Pour elle, il y va de son prestige et de celui de la dynastie. En fait, cette position est motivée par le souci de transmettre un pouvoir intact à son fils. Le départ de l'empereur est pathétique ; il tient à peine debout. Seuls le devoir, l'honneur du nom et l'avenir de la dynastie donnent à Eugénie le courage de supporter cette cérémonie des adieux. « Je me dis, écrit l'impératrice à sa mère, qu'il vaut mieux le voir mort que sans honneur. » La chute de l'Empire détache Eugénie du pouvoir, mais la cause de son fils subsiste. Et c'est une nouvelle fois le devoir de défendre cet héritage qui l'engage, d'autant plus après la mort de Napoléon III, à soutenir la reconstruction du parti bonapartiste. Elle accepte même une tentative d'entente avec le prince Napoléon afin d'éviter des divisions néfastes à la cause impériale. La mort prématurée du prince impérial mettra seule un terme définitif à l'engagement de l'impératrice. On a souvent qualifié Eugénie d'ambitieuse ; mais elle ne voulait rien pour elle, agissant pour l'honneur de la dynastie, comme en témoigne cette lettre à sa mère : « Je me résumerai par ces mots : pour le devoir et l'honneur, tout, même la vie ; par ambition, pas même l'effort le plus mince quand on est écœurée comme je suis [12]. » Dans un contexte différent, on retrouve des motivations semblables chez la princesse Clémentine : le devoir, l'honneur du nom et l'avenir de la dynastie. On comprend ainsi que la princesse n'ait pas consenti, au lendemain de la guerre, à lâcher ceux qui espèrent encore relever le drapeau impérial.

En effet, quelques jeunes plébiscitaires n'acceptent pas de voir leur cause disparaître. En 1919, Desmarets essaye de fonder la Ligue d'action républicaine révisionniste, sans succès. D'autre part, l'année 1921 est celle du centenaire de la mort de Napoléon Ier, célébré avec faste par la République. Les jeunes plébiscitaires y voient l'occasion rêvée pour sortir de leur silence : ils remettent sur pied l'organisation des « étudiants plébiscitaires », arrivent même à relancer *La Revue plébiscitaire*, partisane d'une « solution napoléonienne » qui serait un grand rassemblement au-dessus des partis. Ils réclament une république plébiscitaire ou consulaire, avec à sa tête un chef de l'exécutif fort. Ils se rendent à Bruxelles pour recevoir le soutien du prince Victor. Il se montre sceptique, eux déçus. De leur côté, Blondel et Le François cherchent à recréer un groupe de plébiscitaires de la Seine. Ils partent eux aussi pour Bruxelles afin d'informer le prince de leur projet ; l'attitude réservée de Victor laisse la démarche sans suite[13]. En juillet 1920, l'impératrice Eugénie s'éteint. Le prince Victor décide de se consacrer entièrement à la gestion de ses affaires et se montre pessimiste sur les chances bonapartistes : « Sa mort [de l'impératrice] survient à un moment où l'avenir de notre parti semble fortement compromis[14]. »

En dépit de la réserve du prince, les étudiants plébiscitaires ne se découragent pas. Au contraire, *La Revue plébiscitaire* fait part de l'organisation de réunions électorales et de dîners-débats[15]. De quatre ou cinq membres en décembre 1921, ils arrivent à former un groupe d'une cinquantaine d'étudiants en juillet 1922, nombre donné par l'éditorial de *La Revue plébiscitaire* du 6 juillet 1922. Leur entrain pousse Rudelle à intervenir de nouveau auprès du prince Victor pour qu'il favorise la reconstitution d'un comité de la Seine, en particulier pour contrebalancer les menées de l'Action française, très présente sur le terrain avec ses camelots du roi, mais aussi pour disposer d'un organe en vue des prochaines élections. À la fin de l'année 1922, les pressions sur Victor s'intensifient : le prince Murat présente ses vœux à son cousin et en profite pour le supplier d'agir, car « le peuple cherche un chef et il en a besoin[16] ». Leurs nombreuses sollicitations, soutenues par la princesse qui ne se résigne pas à abandonner ceux qui tentent de reconstruire un semblant de parti, finissent par faire fléchir le prince Victor. Il charge Rudelle de mettre en place la nouvelle organisation. Après presque dix ans d'interruption, celui-ci regroupe les restes des anciens comités lors d'un grand banquet plébiscitaire le 9 décembre 1923, où est annoncée officiellement la reconstitution du comité politique plébiscitaire[17] et la résurgence de *La Volonté nationale*, même si sa parution n'est pas régulière. En mars 1924, le comité directeur est constitué sur le modèle de celui de 1911 : le prince Victor en assure la présidence, le prince Murat la vice-présidence et Rudelle le secrétariat général[18]. Le comité siège au 39 de la rue de Châteaudun, dans les mêmes locaux que *La Volonté nationale*. Le but du comité est de pouvoir reconstruire, après les élections de 1924, un parti de l'Appel au peuple capable de siéger à la Chambre.

Le nouveau comité se heurte toujours aux mêmes problèmes : pénurie d'argent, absence de message politique. Le programme n'a pas évolué, se limitant à proposer « une autorité dans la République [et] un chef à la tête de la Nation devant être désigné par le peuple[19] ». De ce fait, ils n'arrivent pas à séduire un nouvel auditoire et ne peuvent compter que sur les quelques fidèles restants[20]. Dans ce contexte, peu de candidats plébiscitaires se lancent dans la bataille. Les élections de 1924 se soldent par un échec cuisant. Subordonnés aux listes d'union nationale, les bonapartistes subissent de plein fouet la victoire du Cartel des gauches. Moins de dix députés sont élus, chiffre le plus bas depuis 1871. En réalité, les résultats corrects de 1919, prolongés par les effets des célébrations du centenaire de la mort de Napoléon Ier, ont trompé les hommes du parti sur un éventuel regain bonapartiste. En fait, on assiste à la fin de la représentation parlementaire de la cause bonapartiste. Les notables comme Binder, les jeunes espoirs du parti comme Le Provost de Launay aussi bien que les grandes figures comme Cassagnac et le prince Murat sont battus. Les quelques rescapés, dont le principal est Taittinger, élu dans la Seine, abandonnent l'étiquette plébiscitaire, devenue trop encombrante[21].

Conforté dans son pessimisme par le résultat catastrophique des élections, le prince Victor abandonne définitivement sa cause et demeure insensible aux supplications des derniers vétérans. La princesse Clémentine, qui y croit encore, confie alors la réorganisation des troupes bonapartistes à Jean Régnier, duc de Massa, arrière-petit-fils du ministre de la Justice de Napoléon Ier [22]. De ce but chimérique naît une nouvelle structure, le « parti de l'Appel au peuple », dirigée par un triumvirat composé de Massa, Rudelle et Joachim Murat. Dorénavant, leur interlocuteur n'est plus le prince Victor, mais la princesse Clémentine [23]. Toujours en proie au manque d'adhérents, d'argent et de discipline, ils se trouvent dans l'incapacité de mettre en place une activité militante. À quelques jours de la mort du prince Victor, le duc de Massa, gagné par le découragement, s'adresse à la princesse Clémentine pour l'informer que Georges Valois, fondateur du Faisceau, premier parti français d'inspiration fasciste, est prêt à intégrer les derniers partisans de la cause plébiscitaire [24]. Que peut conseiller la princesse Clémentine ? En réalité, pas grand-chose. Le prince Victor meurt subitement le 3 mai 1926, d'une crise cardiaque. Sa mort met fin aux espoirs de ceux qui y croyaient encore. Avec lui disparaît le parti plébiscitaire qui, concurrencé par les Jeunesses patriotes de Taittinger, ne rassemble plus que quelques vétérans, admirateurs avant tout de l'épopée impériale, condamnés à se préoccuper de souvenirs plus que de politique.

Le prince Victor a-t-il été le fossoyeur du bonapartisme ? Que l'on convienne de 1884 ou de 1891 comme date de son avènement politique, le nombre de parlementaires bonapartistes au Sénat et à la Chambre n'a fait que diminuer pour aboutir en 1924, deux ans avant la mort du prince, à leur disparition totale. C'est donc bien sous le règne politique du prince Victor que s'arrête l'histoire parlementaire du bonapartisme. Mais les dés n'étaient-ils pas déjà lancés lorsqu'il prit la direction du parti ? Ne faut-il pas plutôt lire son action comme celle d'un homme qui fit admettre au parti bonapartiste l'impossibilité de la restauration de l'Empire ? Comme on l'a vu, le prince Victor s'est montré soucieux de raviver le drapeau impérial, mais, au regard du nouveau contexte politique et moral, il a compris la nécessité de faire vivre l'idée bonapartiste sans chercher à l'incarner dans un projet de restauration. C'est dans cette perspective qu'il développa le goût de l'histoire de l'épopée napoléonienne, dont il devint le héraut.

CHAPITRE 37

De la doctrine à la légende

Au début du XXe siècle, le prince Victor constate à la fois l'échec politique du bonapartisme et l'effervescence de la légende impériale. Il se détache alors de la politique pour participer à cette nouvelle tendance. Il y trouve le moyen de maintenir présente la famille imp^é riale dans l'esprit des Français et d'enraciner le bonapartisme dans le passé.

L'orientation historique prise par le prince Victor s'explique par l'essor de la légende impériale, particulièrement marqué à partir des années 1890. Tout d'abord, il est important de différencier bonapartisme et légende impériale [1]. Le bonapartisme ne doit être entendu que dans un sens politique ; la légende impériale recouvre deux autres notions : mythe et napoléonisme [2]. Pour simplifier, on peut dire que Napoléon a créé l'essentiel du mythe de son vivant en Italie (*Courrier de l'armée d'Italie*), sur son trône, et après, sur le rocher de Sainte-Hélène (*Mémorial de Sainte-Hélène*). En revanche, le napoléonisme est, par sa nature, spontané. Il naît et se développe dans l'esprit populaire et chez les écrivains. Il renvoie au culte de Napoléon, à une forme d'amour pour le personnage, sans connotation politique : « le napoléonisme n'est pas une opinion mais un sentiment – populaire – ; la France va contempler le tombeau de l'Empereur [3] ».

D'autre part, comme le rappelle Frédéric Bluche, les deux phénomènes que sont le bonapartisme et la légende sont indépendants. Différents par leur nature et leurs applications, ils sont rarement concomitants, l'un se développant souvent au détriment de l'autre[4]. Entre 1821 et 1848, le regain de la légende s'installe au détriment du bonapartisme et, après la disparition du groupe parlementaire de l'Appel au peuple en 1893, on observe le même phénomène[5]. À ce moment, le bonapartisme cesse d'être une véritable force politique pour devenir un courant marginal de la vie politique française dont la représentation parlementaire oscille autour d'une dizaine de députés. Et c'est sans doute parce que le bonapartisme cesse de constituer une menace pour la République que la légende impériale resurgit dans un climat intellectuel nouveau, marqué par les débuts du nationalisme face à la puissance allemande[6].

En 1893, *Madame Sans-Gêne*, véritable apologie du bonapartisme populaire, triomphe à Paris. Ce succès est à placer dans le prolongement d'une nouvelle historiographie préoccupée de l'intimité de l'Empereur[7]. En effet, avec Arthur Lévy, en 1893, on se rapproche du personnage de Napoléon pour l'aborder dans son intimité[8]. Cette méthode vise à revivifier la légende, à déifier Napoléon en le dotant de toutes les qualités morales. Le terrain est désormais préparé pour ériger l'Empereur en héros. En fait, la légende, après avoir atteint son apogée en 1840 lors du retour des Cendres, favorise le retour de Louis Napoléon, avant d'être anéantie par la défaite de Sedan. Toutefois, cette interruption est brève : Sedan s'estompe rapidement face au désir de revanche. Vers quel exemple la France, humiliée par la Prusse qui l'a amputée de l'Alsace-Lorraine, peut-elle se tourner pour préparer sa « revanche » ? Barrès apporte la réponse dans *Les Déracinés* : c'est le vainqueur d'Iéna, Napoléon[9]. Ainsi, la légende ressuscite par le mythe du conquérant et par l'exaltation de la patrie.

Berger, député bonapartiste non réélu en 1893, remarque alors « la curiosité passionnée qui s'attache aux souvenirs de Napoléon Ier [...]. La renaissance napoléonienne s'est principalement manifestée jusqu'ici dans le monde cultivé, lettré, volontiers sceptique et frondeur, mais maintenant elle s'étend aussi à la bourgeoisie [10] ». Les membres du parti bonapartiste y voient un mouvement favorable à leur cause ; pourtant, le cadre dans lequel s'inscrit la renaissance de la légende confirme bien le déclin politique du bonapartisme. L'historiographie officielle de la République condamne le despotisme napoléonien, celui dont Louis Napoléon s'est fait l'héritier, tandis qu'elle glorifie l'Empereur victorieux. Ernest Lavisse met en garde les Français contre le danger de confier le pouvoir à un seul homme : annexer la gloire de l'Empire ne doit pas empêcher de tirer les leçons des plébiscites bonapartistes [11]. Même si les républicains n'hésitent pas à utiliser la gloire du premier Bonaparte, ils conservent leur haine au second. Ils ne lui ont jamais pardonné le coup d'État du 2 décembre 1851, par lequel le président de la République, inéligible, s'était maintenu à la tête du pays, avant de restaurer un Empire dynastique tout en réprimant ses anciens alliés républicains. Le bonapartisme, doctrine développée par Napoléon III, est à proscrire, alors que l'évocation de Napoléon Ier permet de prendre des accents revanchards. D'ailleurs, Barrès ne fait-il pas de Napoléon le professeur d'énergie dont le pays a besoin ? Au même moment, on se presse pour voir *Le Rêve*, toile épique de Detaille montrant les soldats français rêvant à la gloire de la Grande Armée. En fait, Napoléon est partout, comme le note amèrement Louise Bodin : « La napoléonite sévissait alors à l'état aigu, à l'école, au théâtre, dans les rues et dans les salons, dans les journaux et dans les livres, par la parole et par l'image [12]. »

En 1900, la saison théâtrale est marquée par *L'Aiglon* d'Edmond Rostand, dont la première représentation a lieu à la date symbolique du 2 décembre. Sarah Bernhardt y triomphe dans le rôle-titre. Rôle qu'elle avait tenu à jouer : le 1ᵉʳ février 1899, elle écrivait déjà au prince Victor pour lui demander de faire pression sur Edmond Rostand afin qu'il achevât enfin la rédaction de la pièce et qu'il lui confiât le rôle[13]. La pièce montre un Napoléon héros romantique, à la fois héritier de la Révolution et guerrier victorieux aimé de ses soldats. Le mythe est plus présent que jamais. Les comités politiques s'effacent au profit des associations historiques. En 1910, le premier Souvenir napoléonien est créé. Cette association à vocation historique se veut apolitique et son but est simple : « faire revivre les fastes napoléoniennes par le livre, l'image, le théâtre, les conférences[14] ». D'autre part, en 1912, une revue scientifique se consacre pour la première fois à l'étude de l'Empire. Il s'agit de la *Revue des études napoléoniennes*, qui souhaite « cultiver la mémoire des temps héroïques qui, en consacrant et sacrant la Révolution, ont inauguré l'ère nouvelle de l'humanité ». Son initiateur, Édouard Driault, insiste sur l'aspect scientifique de sa démarche, qui vise à dégager l'historiographie napoléonienne des passions adverses. Il ne s'y tiendra qu'en partie, détourné de son entreprise par la commémoration du centenaire de la mort de Napoléon. Le 5 mai 1921 est l'occasion de la première cérémonie officiellement consacrée à Napoléon depuis le retour des Cendres. La France victorieuse se plaît à célébrer Napoléon, génie de la guerre.

Quelques années plus tard, en 1927, Napoléon se transforme en héros de cinéma. Le mythe se renouvelle avec le film d'Abel Gance. Le projet prévoyait six films ; seule la première partie a vu le jour. Abel Gance, qui voulait faire œuvre d'historien, succombe à la tentation de traiter l'Histoire en poète épique. Dans l'introduction au synopsis qu'il envoie au prince Victor, il avoue : « Je me suis permis cependant de dresser dans l'ombre de l'Empereur une histoire touchante et obscure pour donner encore plus de relief et d'éclat par contrastes à mon film, et lui éviter la froideur et la raideur des tableaux de David[15]. » Un mouvement extraordinaire porte le film, grâce à une admirable interprétation et aux innovations techniques d'Abel Gance[16]. Le regain d'intérêt que connaît Napoléon est vraiment général et utilise des supports différents en fonction de l'époque. Depuis le dernier quart du XIXe siècle, livres, gravures, pièces de théâtre, films ne cessent de s'intéresser au premier Napoléonide. Constatant cette effervescence, Jean Tulard parle de « Brumaire artistique et littéraire[17] ».

Le prince Victor assiste avec joie à l'explosion de la légende impériale. Déçu par la politique, il se montre décidé à soutenir ce mouvement, qui correspond davantage à sa sensibilité et auquel il consacre la majeure partie de son temps. En fait, le prince ne se retrouve-t-il pas, tout comme nombre de ses contemporains, envoûté par le mythe napoléonien ?

CHAPITRE 38

Le devoir de mémoire

Comme nous l'avons vu précédemment, le prince Victor avait été élevé dans le culte napoléonien, omniprésent dans son enfance. Chez son père, tout évoquait le fondateur de la dynastie, qui était aussi au cœur de toutes les conversations. Ces récits ont exercé une véritable fascination sur le jeune garçon qu'était Victor. On comprend ainsi sa passion pour l'histoire de sa famille, pour l'évocation de son irrésistible essor. On comprend aussi pourquoi, face à l'usure politique du bonapartisme, il se persuade que le meilleur moyen de faire revivre l'Empire est d'entretenir sa mémoire. Dans cette perspective, il se sent investi d'une sorte de mission, visant à entretenir le souvenir des deux empires dont il est l'héritier. De là naît son culte pour l'histoire de sa dynastie, à laquelle il consacre la majeure partie de son temps. De là aussi provient sa passion pour les objets napoléoniens, qu'il met au service de l'histoire. Dans cette perspective, l'œuvre de sa vie a été la constitution d'une collection napoléonienne hors du commun. Son action culturelle et historique dépasse ce cadre et s'est manifestée sous d'autres formes. Arrêtons-nous d'abord sur la collection du prince, avant de nous intéresser à ses autres initiatives.

Nous avons déjà décrit l'hôtel particulier dans lequel vivait le prince Victor, à Bruxelles. En fait, il avait transformé l'avenue Louise en un véritable musée qui retraçait, avec émotion, la gloire de la maison impériale. Cette mise en scène reflétait la passion du prince pour l'épopée de sa famille : « L'histoire, l'histoire des Bonaparte, il en avait le culte. Tableaux, bibelots, livres, tout y était consacré[1]. » La partie la plus impressionnante de sa collection rassemble les objets personnels des différents membres de la famille impériale. Dans le cabinet du prince, deux vitrines sont particulièrement touchantes. La première renferme des souvenirs de Napoléon Ier : on peut citer sa redingote grise, son chapeau, ses décorations parmi tant d'objets familiers dont l'Empereur se servit aux Tuileries ou pendant ses campagnes[2]. L'autre vitrine regroupe les souvenirs du roi de Rome. Certains objets étaient plus émouvants que d'autres, comme le hochet d'or à manche de cristal, cadeau de l'empereur François Ier d'Autriche à son petit-fils. Dans la même vitrine, on pouvait aussi admirer des souvenirs des frères de Napoléon Ier. Au-delà des souvenirs personnels, l'ensemble du décor était constitué d'objets napoléoniens. Les murs étaient ornés de casques, de cuirasses, de portraits de famille : le roi Jérôme et la reine Catherine par Kinson, Napoléon Ier par Girodet, Madame Mère par Gérard, tant d'autres encore. Dans la salle à manger, le visiteur découvrait deux œuvres rappelant le triste destin du prince impérial : le transbordement du cercueil du prince impérial par Lepic et son buste par d'Épinay.

Dans les papiers du prince Victor aux Archives nationales, deux albums de photographies se rapportent à sa collection ; on y retrouve les pièces majeures. Le premier album est intitulé « Meubles, tableaux, miniatures », le second « Souvenirs personnels, armes, divers ». À travers ces documents, on s'aperçoit de la diversité et de la qualité des objets réunis. Peintures, sculptures, mobilier et objets d'art, pièces d'ameublement, armes et décorations rappellent la famille impériale autant qu'ils témoignent de la richesse et de la diversité des arts décoratifs du Premier et du Second Empire. Les œuvres rassemblées évoquent tour à tour Napoléon empereur des Français et roi d'Italie, les fastes de la table impériale, les cadeaux faits à l'Empereur, sa vie en campagne et sa vie quotidienne, tandis que les membres de la famille impériale sont représentés par des portraits ou des objets leur ayant appartenu. On comprend ainsi que l'hôtel du prince fasse figure de véritable musée napoléonien : « Le petit chapeau légendaire, dit Jean Hanoteau, y voisinait avec le modeste couvre-chef de Sainte-Hélène, évocation d'un autre exil non moins mortel ; l'épée de Marengo s'y tenait auprès du manteau du sacre ; le masque funèbre pris par Antommarchi reposait à côté du Christ qui avait recueilli le dernier soupir de l'autre. C'est avec émotion, amour et érudition que le prince montrait ses souvenirs à certains visiteurs privilégiés. Quotidiennement, il lisait, étudiait, commentait ses admirables archives[3]. » Mais comment le prince Victor était-il parvenu à réunir un tel ensemble ?

Les premiers souvenirs que récupéra le prince Victor provenaient du prince impérial. À la fin de l'été 1879, l'impératrice Eugénie avait chargé Mathilde de transmettre les « souvenirs de famille » que le prince impérial voulait léguer à son cousin. Il y avait le grand cordon de la Légion d'honneur que l'Empereur portait sur son lit de mort à Sainte-Hélène, des tabatières et le coupe-papier qui était toujours sur le bureau du prince impérial. Il convient de noter que, lors de son installation rue de Monceau, en 1884, le prince Victor possédait déjà un certain nombre d'objets napoléoniens. Parmi les hommes qui avaient favorisé la séparation d'avec son père se trouvait des descendants de familles du Premier Empire, dont le duc de Padoue. Celui-ci conservait des objets ayant appartenu à Napoléon Ier ou à l'impératrice Joséphine. Ces objets étaient entrés dans sa famille, soit par des dons directs de l'Empereur à son aïeul (le général Arrighi de

Casanova, fait duc de Padoue, était le cousin germain de Letizia Bonaparte), soit par achat. Lorsque le prince Victor quitta le domicile paternel, le duc de Padoue jugea légitime de faire hommage au jeune prétendant de ces souvenirs qui permettaient d'évoquer l'épopée impériale. Parmi eux, on retrouve beaucoup des objets que l'Empereur avait emportés avec lui à Sainte-Hélène : des tabatières, un bougeoir, des livres... Mais aussi des souvenirs provenant de Joséphine : une montre, une miniature représentant la reine Hortense et de nombreuses tabatières[4]. En fait, tout au long de sa vie, le prince Victor bénéficia de dons de personnes issues de familles attachées à l'Empire et qui estimaient de leur devoir de remettre ces souvenirs familiaux à l'héritier des deux empereurs, dans le but d'entretenir la gloire impériale. En 1885, quelques temps après la mort de Rouher, sa fille, Léonie, qui avait épousé Samuel Welles de La Valette, donna au prince Victor les souvenirs que Napoléon III avait laissés à son ministre, dont une statuette de Napoléon III en buste sur une colonne de jaspe, signée « Maurice Mayer, joaillier de l'Empereur[5] ». Quant au marquis de Girardin, dont l'aïeul, comte de Girardin, avait été le premier écuyer du roi Joseph, il laissa au prince Victor des souvenirs venant du roi Joseph : une montre, des armes... Certains dons étaient plus importants que d'autres. Le prince devait ainsi la partie militaire de sa collection à un seul homme : l'amiral Clément de La Roncière Le Noury, dont l'épouse avait été dame d'honneur de la princesse Clotilde, mère de Victor. Cet ancien dignitaire du Second Empire transmit au prétendant des centaines de casques, cuirasses, armes blanches, uniformes, pièces d'équipement qui constituèrent les premières pièces de sa collection. Ainsi, avant même d'hériter de sa propre famille, le prince Victor avait eu la chance de réunir de nombreux objets se rapportant aux deux Empires. En 1891, contrairement aux dispositions testamentaires laissées par son père, il récupéra avenue Louise une partie des souvenirs impériaux provenant du roi Jérôme, parmi lesquels figuraient aussi du mobilier et des tableaux. À cet ensemble déjà exceptionnel s'ajouta, à la mort de l'impératrice Eugénie, une partie des collections conservées à Farnborough, regroupant les souvenirs des Tuileries et ceux du prince impérial. En dernier lieu, il ne faut pas oublier les dons épars de simples fidèles qui avaient l'impression de participer à l'entretien de la légende impériale en complétant la collection du prince. C'est ainsi que, en 1921, M. Ambruster confiait au prince Victor quelques objets relatifs au prince impérial : un buste de Carpeaux et diverses aquarelles de Viollet-le-Duc[6].

La passion du prince pour l'histoire de sa famille, conjuguée au renouveau de la légende impériale, l'amena à élargir son champ d'action. Il se mit à collectionner les objets issus de la légende populaire de l'Empire. Ces pièces illicites, apparues sous la Restauration, servaient de support à la légende napoléonienne, d'où leur grande diversité et leur profusion. Il s'agissait pour beaucoup de petites compositions funéraires ou historiques, aux silhouettes de Napoléon Ier et parfois de son fils, le roi de Rome, ou à l'effigie d'autres membres de la famille impériale. Leur image ornait aussi des bibelots de toutes sortes, vases, encriers, jouets, flacons... Les matières étaient également très variées, marbre, bronze, cuivre, bois, porcelaine, terre cuite, plâtre. Ces objets, patiemment réunis et pieusement conservés par le prince, formaient un émouvant « musée populaire », dont il est difficile d'estimer le nombre de pièces. Afin de composer cet ensemble, le prince Victor avait chargé plusieurs personnes de prospecter pour lui. Frédéric Masson faisait partie des hommes auxquels le prince confiait ce type de mission. Une bonne part de leur correspondance concerne d'éventuels achats du prétendant : un petit buste du roi de Rome en plâtre bronzé, un sabre de Mustapha pacha, ou même des pièces plus importantes comme une cantine de voyage de l'Empereur, signée Biennais[7]. La collection du prince Victor était vraiment extraordinaire, tant par la variété des pièces rassemblées que par leur qualité. Compte tenu du nombre d'objets et de leur diversité, le prince avait pris soin de distinguer les souvenirs familiaux, qu'il avait rassemblés dans ce qu'il appelait la « collection Napoléon ». Chaque pièce de cette collection était numérotée ; le numéro renvoyait à une fiche établissant l'historique de l'œuvre. La constitution de ce fichier fut une des passions du prince. En définitive, étant le seul héritier des deux empereurs, le prince Victor s'était mué en gardien du trésor impérial, mission qu'il prit très à cœur. Les pièces de cette collection qui se trouvent encore chez les descendants du prince Victor portent toujours les numéros soigneusement apposés par le prince.

Pour se convaincre du caractère exceptionnel de cette collection, il faut savoir qu'elle est à l'origine du musée Napoléon-Ier du château de Fontainebleau. Quant aux pièces de la collection du prince Victor se rapportant au Second Empire, elles ont rejoint le musée du Second Empire du château de Compiègne, et celles concernant Joséphine ou Bonaparte (général ou Premier consul) sont exposées au château de Malmaison. Après la mort du prince Victor, une fondation avait été créée par la princesse Clémentine et ses enfants, pour préserver l'unité de la collection Napoléon. Appelée « fondation Prince-Napoléon », elle n'a été divisée par les deux enfants du prince Victor qu'en 1977. C'est deux ans plus tard que les pièces majeures ont intégré les collections nationales. C'est aussi à cette époque que les Archives nationales ont acquis les papiers classés sous la série 400 AP. La collection militaire et celle d'objets populaires ont été en grande partie vendues aux enchères. Néanmoins, certains des objets relatifs à Sainte-Hélène ou à la légende napoléonienne sont encore visibles au château de Bois-Préau. Une partie non négligeable de la collection du prince Victor est toujours en possession de ses descendants, entre autres dans la résidence de la famille impériale, à Prangins, ou encore au musée Napoléon de la Pommerie (Dordogne)[8]. Ce musée privé, ouvert en 1999 par un petit-fils du prince Victor, peut être placé dans la continuité de l'œuvre du prince, soucieux de présenter sa collection au public.

En effet, conscient de l'intérêt patrimonial de ses souvenirs, le prince Victor acceptait volontiers d'en confier une partie pour des expositions. Il y voyait un moyen de participer au rayonnement de la légende napoléonienne. Il le fit en 1895, pour la première grande exposition historique sur la Révolution et l'Empire organisée à Paris et qui se déroula à la Galerie des Champs-Élysées. Germain Bapst, historien et responsable de cette exposition, s'était entendu avec le prince pour que les pièces les plus marquantes de sa collection fussent présentées[9]. Ainsi furent exposés pour la première fois les souvenirs personnels de Napoléon Ier. La seconde grande exposition à laquelle le prince consentit des prêts importants fut celle organisée à l'occasion du centenaire de la mort de l'Empereur, en 1921[10]. Dans le cadre des cérémonies officielles liées à la commémoration de la mort de Napoléon Ier, il avait été décidé qu'une exposition consacrée à l'Empereur constituerait la toile de fond des festivités. La France victorieuse choisit le lieu symbolique des Invalides pour célébrer un Napoléon guerrier. M. Bourguignon, conservateur de la Malmaison, s'adressa alors au prince Victor pour lui demander les pièces numérotées de 149 à 167. Ces numéros correspondaient aux objets personnels de l'Empereur, allant de l'habit du Premier consul aux souvenirs de Sainte-Hélène. Le prince accepta sans hésitation[11]. En

419

fait, il souhaitait que ces objets fussent montrés au public français, parce qu'il estimait qu'ils retraçaient de façon concrète une page de la gloire nationale. C'est donc avec plaisir qu'il acceptait de prêter ces objets dont il était si fier.

En 1892, Théophile Gautier, fils de l'écrivain, voulait illustrer un article qu'il préparait sur Napoléon Iᵉʳ avec des photographies d'objets de la collection du prince Victor. Le prince donna aussitôt son accord par cette lettre : « Vous m'avez demandé l'autorisation de faire reproduire les souvenirs de Sainte-Hélène que j'ai en ma possession. Je ne pouvais qu'être très touché de cette pensée [...]. Devant la grande image de Napoléon, les discussions s'oublient, les partis s'effacent ; car en dehors et au-dessus des partis, il est et restera toujours la plus haute expression du sentiment national. Ces échos de France viennent me retrouver à l'étranger, comme, il y a cinquante ans, ils parvenaient à l'Empereur, mon oncle, au fond de sa prison de Ham. Le culte rendu à la mémoire de Napoléon est mon unique consolation, à moi qui paye de l'exil la gloire de porter son nom et le périlleux honneur d'être appelé à recueillir le lourd fardeau de son héritage. Aux heures sombres que je traverse, je vis au milieu des souvenirs du premier Empereur : chacun, en me retraçant une période de sa vie, m'apporte une leçon. Si les objets dont il s'entourait à Sainte-Hélène m'enseignent à supporter patiemment l'injustice, sa glorieuse épée m'apprend aussi comment on maîtrise la fortune. La violence m'a écarté du berceau et de la tombe du grand Empereur ; je me réfugie dans sa pensée. À lui seul, je veux demander mes inspirations. L'évoquer sans cesse, n'est-ce pas évoquer la patrie absente ? [...] On peut m'arracher le présent ; on ne peut m'interdire ni le passé ni l'avenir, c'est-à-dire le souvenir et l'espérance [12]. » À travers ces quelques lignes du prince Victor, on s'aperçoit que sa relation avec ses objets dépassait l'attachement familial, pour se transformer en un véritable culte.

Dans son étude sur les aristocrates, Éric Mension-Rigau distingue trois grandes caractéristiques pour les définir. Il place en premier le culte des ancêtres, qui repose en grande partie sur les vieilles pierres et les vieux objets[13]. Le rapport du prince Victor avec ses collections peut être placé dans la continuité du comportement aristocratique vis-à-vis du patrimoine familial : les objets sont perçus comme des relais du passé. En invitant sans cesse à porter un regard sur le passé, ils compensent les remous du temps et offrent le réconfort de la stabilité et de la pérennité familiales. Cet attachement invétéré au passé impose, néanmoins, des contraintes, dont la sauvegarde des biens reçus en héritage. L'héritier n'est qu'un dépositaire. D'ailleurs, n'est-ce pas dans cette perspective que le prince Victor constitua sa collection ?

D'autre part, si l'on se fie à la définition que donne Krzysztof Pomian de la collection – « un ensemble d'objets naturels ou artificiels, maintenus temporairement ou définitivement hors du circuit d'activités économiques, soumis à une protection spéciale dans un lieu clos, aménagé à cet effet, et exposés au regard[14] » –, force est de constater que le prince Victor en avait bien constitué une. Ses objets étaient soustraits à toute transaction, rassemblés avenue Louise, conservés dans des vitrines ou dans des espaces aménagés à cet effet. Ils étaient montrés à l'occasion aux familiers et prêtés à des expositions. Toutefois, la démarche du prince ne s'inscrit pas uniquement dans l'optique de sauvegarde et de transmission du patrimoine. Elle constitue aussi un moyen d'évasion dans le temps. Dans une collection, l'objet perd son rôle d'instrument pour acquérir de nouvelles fonctions. Il devient intercesseur symbolique, c'est-à-dire « intermédiaire entre les spectateurs et l'invisible ». Par invisible, il faut comprendre « ce qui est très loin dans le temps, dans le passé, dans l'avenir[15] ». Jean Baudrillard met aussi en valeur ce lien de l'objet avec l'invisible, percevant la collection comme un moyen d'évasion dans le temps – une temporalité éludée, imaginairement maîtrisée. Le collectionneur refoule le temps réel, qui irréversiblement conduit à la mort ; ainsi, « la consolation des consolations devient la mythologie quotidienne qui absorbe l'angoisse du temps et de la mort[16] ». À ce rapport avec le temps s'ajoute une ouverture au monde. En effet, la collection ressortit à la culture, dans la mesure où elle se compose d'« objets » de conservation, souvent assortis d'un projet. Dès lors, elle implique une extériorité sociale, des relations humaines – le collectionneur aime faire partager son amour pour ses objets[17]. La collection finit par devenir un but de vie. Le collectionneur poursuit la constitution d'un ensemble jamais clos, il est toujours à la recherche de la pièce qui lui manque. Cette approche de la collection s'applique parfaitement au prince Victor. Comme il l'avoue à Théophile Gautier, c'est auprès de ses souvenirs qu'il puisait la force de supporter le présent. Condamné à l'inactivité, il trouvait dans sa collection la seule entreprise à travers laquelle il pût se réaliser. Mais, surtout, cette manière de vivre dans le passé, dans la remémoration, fait apparaître le peu d'espoir que le prince Victor avait d'incarner lui-même la gloire de sa famille, à la tête de l'État.

Cette démarche du prince s'inscrit aussi, encore une fois, dans l'esprit du temps. Il était de bon ton de collectionner les objets d'art. C'est ainsi que de grandes collections particulières de cette époque sont à l'origine d'institutions, comme le musée Jacquemart-André. Néanmoins, le choix du prétendant de rassembler ses objets en une collection traduit avant tout son évolution vers le « napoléonisme ». Autant le coup de force est étranger à son tempérament, autant l'adhésion à un courant historique correspond à son caractère et à son mode de vie. Il prend naturellement part à ce mouvement, se tient informé de tout événement se rapportant aux Bonaparte et à l'épopée impériale. Chaque fois qu'un ouvrage paraît sur ces sujets, il se le procure et n'hésite pas à féliciter l'auteur si bon lui semble, ou, au contraire, lui fait parvenir ses critiques. En fait, l'histoire napoléonienne est la véritable passion du prince Victor. Il s'y consacre tout d'abord à travers sa collection, qui devient l'œuvre de sa vie ; mais l'essor flagrant de la légende impériale le pousse à trouver d'autres voies pour soutenir et développer le culte napoléonien. L'exécution des dernières volontés de l'impératrice Eugénie lui en fournit l'occasion.

Eugénie meurt subitement le 11 juillet 1920, à l'âge de quatre-vingt-quatorze ans, alors qu'elle séjournait à Madrid chez son petit-neveu, le duc d'Albe[18]. Son corps, réclamé par le duc d'Albe, repose quatre jours dans la chapelle du palais de Liria avant d'être transporté vers l'Angleterre. La dépouille de l'impératrice arrive le 18 juillet à Southampton, où attendent le prince Victor et la princesse Clémentine, placés à la tête du cortège chargé d'accompagner le cercueil jusqu'à l'église de l'abbaye de Farnborough[19]. La messe de requiem est célébrée le 20 juillet en présence du roi et de la reine d'Angleterre, du roi Alphonse XIII et de son épouse. Sur le parvis de l'église, le prince Victor reçoit les condoléances de ceux qui étaient venus rendre hommage à la dernière souveraine des Français. La mort de l'impératrice marque la fin d'une époque, comme le note Clémentine : « Avec l'impératrice, le dernier lien rattachant au passé disparaît. La mort a tourné une page d'histoire. Les funérailles ont été nobles, simples, dignes de ce que ma tante incarnait, touchantes aussi, très françaises. Je suis heureuse que Sa Majesté ait connu et aimé nos enfants, c'est pour eux un précieux souvenir[20]. »

Une fois les cérémonies terminées, le testament de l'impératrice est ouvert. Le prince Victor figure parmi de nombreux légataires, mais il reste son principal héritier. Les deux enfants du prince sont également mentionnés. Louis reçoit trois propriétés en Italie et Marie-Clotilde, filleule de l'impératrice, hérite les biens qu'elle possédait en France. De son côté, le prince Victor récupère la quasi-totalité de ses biens, alors que la propriété de Farnborough est constituée en majorat. L'impératrice précise dans son testament qu'elle souhaite que la maison « soit habitée une partie de l'année, soit par ceux qui jouiront du majorat, soit par d'autres à qui elle serait prêtée et louée telle qu'elle sera au moment de mon décès[21] ». Prévoyante, l'impératrice laisse une somme importante permettant d'entretenir la propriété.

La disparition de l'impératrice a de lourdes conséquences pour le prince Victor et sa famille. À aucun moment, ils n'envisagent de s'installer en Angleterre, mais ils décident d'aller à Farnborough au moins une fois par an, pour y passer la seconde partie de l'été et le début de l'automne. Lors de leur installation, à l'automne de 1920, Victor et Clémentine entreprennent des travaux de réaménagement[22]. En fait, il s'agit surtout d'une rénovation, les nouveaux occupants étant soucieux de sauvegarder le souvenir de l'impératrice. Le prince Victor se plaît à superviser les travaux et laisse libre cours à son goût pour la décoration intérieure. D'autre part, grand amateur d'antiquités, il complète le mobilier par l'achat de meubles anciens. Lucien Daudet, habitué à résider auprès de l'impératrice, constate avec soulagement que « les princes qui succédaient à l'impératrice avaient tout respecté[23] ». Outre l'héritage matériel, le prince Victor recueille l'héritage spirituel de l'impératrice. Très attachée à la défense de la mémoire de son époux et de son fils, elle laisse des consignes visant à entretenir le culte impérial.

Ainsi, le prince Victor se doit de continuer l'entreprise d'Eugénie relative à l'élévation d'un mausolée dédié au prince impérial, dans le parc de Malmaison. « Le monument érigé à la mémoire de mon fils, par souscription, rue [*sic*] de La Bourdonnais et transporté par moi à Rueil (parc de la Malmaison), doit être fini après la guerre d'après les plans approuvés par moi. Le terrain de la rue de La Bourdonnais sera vendu dans de bonnes conditions et fournira les fonds nécessaires à l'entretien du monument et du jardin, si toutefois je ne l'ai déjà fait de mon vivant. » Ces lignes, extraites du testament d'Eugénie, engagent le prince Victor à mener à bien le projet.

L'affaire remonte à 1881, année où, à la suite d'une souscription lancée par un comité bonapartiste, un petit mausolée à la mémoire du prince impérial est offert à l'impératrice, qui choisit alors de l'implanter sur le Champ-de-Mars. Or, en 1912, la construction d'importants immeubles l'oblige à vendre ce terrain et à déplacer le monument. Elle décide de racheter une parcelle du parc de Malmaison pour y installer le mausolée. Commencés en 1913, les travaux sont interrompus par la guerre. Ils ne reprendront qu'après la mort de l'impératrice et sous l'impulsion du prince Victor, guidé par Frédéric Masson : « Je suis peu au courant de la question du monument de Malmaison dont vous me parlez. Sa Majesté m'avait dit qu'elle avait l'intention de vendre un terrain avenue de La Bourdonnais pour élever un souvenir au Prince Impérial à Malmaison. Le testament ne sera enregistré qu'en octobre ou novembre. Il est donc difficile de prendre une décision avant cette époque[24]. » Le prince Victor modifie le projet initial en plaçant au centre du monument une épreuve en bronze du célèbre groupe de Carpeaux représentant le prince impérial enfant avec son chien Néro. Initialement, il avait été prévu de présenter une statue du prince impérial en uniforme anglais. Attentif à tout détail lorsqu'il s'agit de la mémoire des Bonaparte, le prince Victor trouve peu patriotique de présenter le prince impérial en uniforme étranger : « Je n'étais pas partisan de mettre le buste en uniforme étranger et j'ai fait faire une réplique de la statue de Carpeaux en bronze[25]. » Les travaux achevés, le prince Victor fait don à l'État du monument ainsi que de la parcelle d'un hectare et demi sur lequel il s'élève.

L'autre acte significatif accompli par le prince Victor dans le but de favoriser le culte impérial concerne le don à l'État de la maison Bonaparte et de la chapelle Impériale, à Ajaccio. L'impératrice Eugénie avait légué au prince Victor, hors partage, la maison Bonaparte, les terrains qui l'entouraient et la chapelle Impériale, en lui conseillant d'en faire donation à l'État. Par respect pour la mémoire de l'impératrice, le prince entame des pourparlers en ce sens avec le gouvernement français. La donation consentie par le prince regroupe les biens d'Ajaccio, auxquels il ajoute le mausolée de Malmaison. L'État français n'a pu accepter cette libéralité que sur autorisation du président de la République, notifiée par un décret au Conseil d'État. En outre, l'acte de donation – daté du 15 janvier 1924 – fixe des conditions particulières : « Les immeubles faisant l'objet de la présente donation devront être à perpétuité entretenus aux frais de l'État en bon état de conservation [...]. L'État ne pourra en changer la destination, ni y apporter aucune modification [...]. Il devra y maintenir un gardien et y laisser gratuitement le libre accès aux visiteurs, au moins trois jours par semaine. » La chapelle Impériale est, elle aussi, soumise à des clauses spéciales : « La crypte de la chapelle Bonaparte est affectée à perpétuité à la sépulture des membres de la famille impériale. Toutes réserves sont faites au profit des membres de la famille impériale pour qu'ils puissent y être inhumés s'ils en expriment le désir ou sur le désir exprimé

soit par l'époux survivant, soit par leurs descendants. »
L'État accepte finalement la donation par un décret
publié au *Journal officiel* le 23 février 1924. Ainsi, le
prince Victor cède la maison de ses aïeux, mais dans le
but très précis qu'elle soit ouverte à la visite. La même
condition se rapporte à la chapelle Impériale : le public
pourra aller se recueillir sur les tombes de la famille Bonaparte, même si elle demeure le lieu de sépulture des
membres de la famille impériale. À sa mort, en 1926, la
dépouille du prince Victor ne peut rejoindre le mausolée
des Bonaparte, la loi d'exil étant encore d'actualité. Il est
alors inhumé dans le caveau de la maison de Savoie, à
la Superga. En revanche, lors du décès de la princesse
Clémentine, en 1955, la loi d'exil étant abrogée depuis
cinq ans et en vertu des dernières volontés de celle-ci, le
corps du prince Victor est rapatrié pour être enfin placé
dans le caveau des Bonaparte, à Ajaccio, en même temps
que celui de son épouse[26]. Leur fils, le prince Louis,
décédé en 1997, est lui aussi inhumé dans la chapelle
Impériale.

En somme, ces entreprises du prince Victor, même si
elles répondent à un souhait initial de l'impératrice, sont
significatives ; elles permettent de mettre en lumière son
patriotisme. Il considère en effet qu'il est de son devoir, à
un moment où la France se plaît à commémorer Napoléon, de mettre le patrimoine de sa famille au service de
la nation. Ce contexte le pousse à développer un véritable
devoir de mémoire.

C'est dans cette optique que le prince Victor décide
de publier les Mémoires de la reine Hortense. Les divers
manuscrits faisaient partie des papiers que le prince avait
hérités à la mort de l'impératrice. Il les fait d'abord
paraître par extraits dans *La Revue des Deux Mondes,* en
demandant que certains passages jugés trop personnels
soient censurés : « il me semble qu'il n'y a plus rien là

qui puisse être indiscret : il ne reste que ce qu'est dit de l'histoire[27] ». Quelques mois après, l'historien Jean Hanoteau réussit à convaincre le prince de les publier en plusieurs volumes et dans leur intégralité. En novembre 1925, il obtient du prince Victor la responsabilité de la publication : « Monsieur le colonel Nitot a bien voulu m'apprendre le grand honneur que Votre Altesse daigne me faire en me confiant la publication des précieux Mémoires de la Reine Hortense[28]. » L'ensemble du travail est tout de même supervisé par le prince : avant chaque publication, le manuscrit lui est préalablement soumis. Le projet ne sera pas terminé avant sa mort. Il faut attendre 1927 pour que paraisse la totalité de ces Mémoires. Dans sa préface, Jean Hanoteau rend un dernier hommage à celui qui a « apporté à cette tâche ses éminentes qualités d'ordre et de méthode, la passion dont son cœur vibrait pour tout ce qui touchait à la gloire de la France[29] ».

Encouragé par son travail avec Jean Hanoteau, le prince Victor veut rendre publiques les lettres personnelles des souverains européens adressées à Napoléon Ier. Si cette entreprise n'est qu'ébauchée par le prince, il a tout de même eu le temps de montrer les documents à Jean Hanoteau, qui s'occupera entièrement de l'édition, dont la publication n'a cessé d'être repoussée jusqu'en 1939. Ces projets éditoriaux confirment, si besoin était, la haute conscience que le prince Victor avait de sa mission historique. Celle-ci est aussi à l'origine d'autres engagements du prince, même s'ils sont de moindre importance. Toujours dans le but d'encourager les travaux sur l'histoire impériale, le prétendant fait don à la bibliothèque de l'Opéra de Paris de documents concernant l'Opéra sous le Second Empire[30]. Dans un autre domaine, il se montre également soucieux que la mémoire de Napoléon III soit évoquée par le musée du Souvenir national alsacien à Strasbourg et donne deux décorations portées par l'empe-

428

reur. Le prince Victor apporte aussi son soutien à de plus petites entreprises. M. Badel, membre du comité bonapartiste de Nancy, avait pris contact avec lui au sujet d'un projet concernant l'élévation, dans son village de Basserville, d'un monument dédié aux morts de 1793 à 1814. Non seulement le prince donne son accord, mais il souscrit au projet[31]. Et il ne s'agit que d'exemples parmi tant d'autres. Derrière ces gestes, le but demeure toujours le même : maintenir vivant le souvenir des deux Empires dont il est l'héritier.

Il est clair que le grand œuvre du prince Victor a été de favoriser le renouveau de la légende napoléonienne. Néanmoins on peut se demander si, comme nombre de bonapartistes, il n'apporta pas son soutien à ce réveil de l'idée napoléonienne dans l'espoir inconscient qu'il s'étendît à la politique. La question se pose à la lecture de la lettre qu'il écrivit à Frédéric Masson pour lui demander de réserver un bon accueil à Gauthier de Clagny – alors directeur du comité politique plébiscitaire –, missionné « pour vous parler d'un sujet qui me semble intéressant. Il se produit dans la jeunesse un mouvement vers les idées napoléoniennes que nous devons chercher à favoriser. Vous avez largement contribué au développement de ce mouvement. Pourriez-vous, grâce à vos relations dans le monde littéraire, découvrir quelques personnes capables de propager l'idée napoléonienne dans des conférences, notamment au Quartier latin[32] ? » En fait, le prince Victor était persuadé que la popularité du premier empereur auprès des jeunes devait être utilisée pour toucher l'électorat étudiant. Il espérait ainsi renforcer les rangs des Jeunesses plébiscitaires par le biais de la légende napoléonienne. En conclure que le prince utilisait la mémoire napoléonienne à des fins partisanes serait un peu rapide.

Certes, le prince Victor ne s'est consacré au souvenir napoléonien que face au déclin politique du bonapartisme. Néanmoins, l'intérêt grandissant du prince pour l'épopée impériale n'a-t-il pas eu pour effet de l'éloigner d'une politique active ? Tel est l'avis de Clément Vautel qui, dans son portrait du prétendant, regrette cette évolution : « Le bonapartisme devenait pour son représentant un "napoléonisme" de plus en plus rétrospectif. Trop de sabretaches, de bonnets à poils, d'aigles, trop de reliques [...]. Ce ne sont plus que des fétiches de la religion du Petit Caporal, sans foi agissante : le programme et l'espoir du parti ont été mis sous vitrine [...]. Le prétendant ne prétend plus qu'à la tranquillité personnelle[33]. » Ce glissement vers la mémoire napoléonienne est aussi remarqué par les partisans du prince, qui le déplorent. La comtesse de Béarn constate avec désolation que les discours de Victor ne se résument qu'à d'excellents hommages au génie multiple de Napoléon Ier et Napoléon III : « Pas un mot sur lui, même sur son espoir de revenir, sur son indignation de ce que l'on fait de la France[34]. » Un fascicule, intitulé *Le Prince Napoléon et son programme*, reprend les principales déclarations du prince entre 1886 et 1906. On constate, en effet, que la majorité de ses discours n'ont été rédigés que pour rendre hommage à l'héritage impérial ou le défendre. En 1887, le prince Victor félicitait Albert Duruy pour son étude sur Napoléon Ier : « Vous avez montré une fois de plus que vous savez comprendre l'œuvre du génie qui domine notre âge. » En 1904, le prince ne s'adressait à ses fidèles que pour commémorer le Code civil : « Le nom de Napoléon a pu être effacé du Code ; celui-ci n'en demeure pas moins l'œuvre du Premier Consul. [...] Célébrer le centenaire du Code, c'est quand même glorifier dans son œuvre la plus complète le Napoléon de la paix[35]. » Entre-temps, le prince s'était exprimé en 1892, lors du centenaire de la proclamation de la République, en 1895 pour défendre la mémoire du maréchal Canrobert, en 1899 lors du centenaire du

Consulat... Ses interventions prennent un aspect commémoratif en rupture avec la réalité politique. Or une commémoration n'étant déjà plus idéologique[36], ces interventions du prince Victor doivent être comprises comme sa participation à l'entretien de la flamme impériale, à un moment où le parti bonapartiste est déconnecté d'un quelconque mouvement d'opinion.

D'autre part, dans sa démarche de mémorialiste, le prétendant impérial se heurte, comme nombre d'historiens, au mythe napoléonien. En effet, la particularité de l'épopée napoléonienne réside dans l'emprise de la mythologie sur son histoire[37]. Chez le prince Victor, le mythe doré l'emporte et se rapporte aussi au second empereur, d'où son soin à restituer une présence quasi physique des deux empereurs par ses divers projets liés à la défense de leur mémoire et surtout par sa collection. Ces entreprises ont comme corollaire de le détacher d'une vie concrète. D'ailleurs, Jean Baudrillard conclut son analyse de la collection en insistant sur le fait que, même si la collection se fait discours aux autres, elle est toujours d'abord un discours à soi-même. Et, « quel que soit le degré d'ouverture de la collection, il y a en elle un élément irréductible de non-relation au monde. C'est parce qu'il se sent aliéné et volatilisé dans le discours social dont les règles lui échappent que le collectionneur cherche à reconstituer un discours qui lui soit transparent, puisqu'il en détient les signifiants et que le signifié dernier en est au fond lui-même[38] ».

Ainsi, la collection du prince Victor, qui a la particularité d'être imprégnée du mythe napoléonien, le détache d'un présent morose pour l'amener vers un passé glorieux. D'ailleurs, ne représente-t-elle pas la seule part de rêve dans sa vie ? Dans sa brillante étude sur le mythe du héros, Luigi Mascilli Migliorini rappelle que « c'est dans la mémoire que l'héroïsme, tout en échappant à des définitions précises, révèle toute sa valeur cachée. Il permet aux individus et aux peuples de supporter la conscience de leur insuffisance[39] ». On en vient à se demander, dans le cas du prince Victor, s'il n'a pas été écrasé par le mythe napoléonien, trop lourd ; ou, au contraire, si le culte qu'il vouait à ses ancêtres n'était pas son seul réconfort, face aux obligations imposées par son statut d'héritier impérial. Sans doute y eut-il un peu des deux.

Épilogue

« Le 1ᵉʳ mai 1926, écrit Albert Cahuet, le prince, en excellente santé apparente, avait été faire la promenade qui lui était habituelle dans le bois de la Cambre. Le lendemain, avec deux de ses familiers, le duc de Massa et le duc d'Albufera, il s'entretenait des chances que pouvait rencontrer au Parlement le projet, récemment déposé, de M. Édouard Soulier, en faveur de l'abrogation des lois d'exil. Le prince interrompit la conversation pour passer dans la bibliothèque. Une heure après, on le trouvait gisant inanimé dans un couloir au pied d'un escalier intérieur[1]. »

Le prince Victor n'a pas soixante-quatre ans lorsqu'il est frappé d'une crise cardiaque. Pendant deux jours, il est entre la vie et la mort. La princesse Clémentine, totalement désemparée, prie jour et nuit au chevet de celui auquel elle reste si attachée. À l'aube du 3 mai, le prince Victor rend son dernier soupir. Son corps est alors placé dans la bibliothèque, transformée en chapelle ardente. À l'annonce de la triste nouvelle, le roi Albert et sa femme Élisabeth se précipitent avenue Louise, accompagnés de leur fils Léopold, pour rendre hommage à ce prince qui avait adopté leur pays et dont ils avaient toujours apprécié la discrétion. De son côté, la princesse Clémentine trouve assez de force pour assumer son devoir. C'est avec bienveillance qu'elle reçoit les personnalités, les fidèles et les amis qui se pressent avenue Louise pour s'incliner une

dernière fois devant leur prince. Dans son testament, le
prince Victor ne fait aucune allusion à la cérémonie
funèbre et à son lieu de sépulture. La princesse Clémentine obtient l'accord du roi pour qu'une messe solennelle
soit célébrée à Bruxelles avant le départ du corps pour la
Superga, où il reposera aux côtés de ses parents jusqu'en
1955. Les funérailles se déroulent le 6 mai en la cathédrale
Saint-Michel de Bruxelles. Le cercueil est simplement
recouvert du drapeau français. Le roi des Belges, en tenue
militaire, est assis au premier rang aux côtés du prince
Louis, âgé de douze ans, qui devient le nouveau chef de
la maison impériale. La princesse Clémentine, très digne
dans sa douleur, est assise de l'autre côté de Louis. Au
deuxième rang se trouve le prince Léopold, entouré de
son frère Charles et du frère du prince Victor, le prince
Louis, désormais tuteur de son neveu.

Aussi bien en Belgique qu'en France, personne ne se
soucie de la mort du prince Victor. En dehors de quelques
feuilles bonapartistes qui en profitent pour rendre un dernier hommage à leur prince, l'événement passe inaperçu.
À Paris, une messe est célébrée à Saint-Augustin le 29 mai
à sa mémoire. Seuls quelques rares vétérans s'y retrouvent.
On est bien loin des grands rassemblements provoqués
par les décès de Napoléon III et du prince impérial. En
fait, personne ne s'est soucié de ce jeune prince, fils du
cousin germain de l'empereur à sa naissance, destiné à
n'occuper qu'une place secondaire dans l'État. Devenu
prétendant au trône impérial par hasard, il ne suscite pas
davantage d'intérêt. Du jour au lendemain, on lui
demande de se présenter comme tel et de s'imposer à la
tête d'un parti bonapartiste déjà en crise d'identité. Cette
nouvelle position, à laquelle le prince Victor n'était pas
préparé, aurait nécessité une personnalité forte, capable
de se faire connaître non seulement par son nom, mais
aussi par des actions frappantes, destinées à rompre l'ano-

nymat afin de rétablir un lien sentimental entre le prétendant et le peuple. Or le prince Victor, englué dans une
situation difficile, d'abord avec son père puis avec le parti
bonapartiste, ne passe pas à l'action. Dans ces conditions,
il se trouve incapable de renouveler le lien affectif, rompu
par la mort du prince impérial, qui unissait la dynastie
napoléonienne aux Français. En aucun cas il ne parvien-
dra à représenter un nouveau « Napoléon du peuple ». La
loi d'exil de 1886, en l'éloignant de France, ne lui en a
pas laissé l'occasion.

Sur le plan politique, la disparition du prince Victor
entérine la fin du parti bonapartiste. Après la mort de
son époux, la princesse Clémentine, devenue « régente »
jusqu'à la majorité de son fils, fixée à vingt et un ans, se
sent investie du devoir d'entretenir la cause impériale.
Sans chef et suivant l'inclination de la princesse, les bonapartistes se détachent de la réalité politique. Les quelques
rassemblements prennent l'allure de réunions du gotha
napoléonien, sorte de « noyau entretenant la flamme [2] ».
En janvier 1935, le prince Louis devient majeur. Sa mère
lui confie alors ce qu'il reste de la cause. L'héritage reçu
par le jeune prince ne se résume plus qu'à un regroupement d'anciens pratiquant l'autocélébration. En définitive,
à la veille de la Seconde Guerre mondiale, le prince Louis
décide de stopper les interminables sursauts d'une lente
agonie par la dissolution du groupe de l'Appel au peuple
et de l'ensemble des groupements et organes de presse
bonapartistes [3].

Décidément, le prince Victor semble bien avoir été le
fossoyeur du bonapartisme en tant que force politique.
Pourtant, il est évident que Sedan avait déjà fortement
abîmé la cause. Cette défaite a laissé l'image d'un Napoléon obligé de capituler. La légende s'inverse, « Napoléon
le Petit » apparaît. Les républicains en profitent pour faire
le procès du pouvoir personnel qui a seul abouti à un

435

conflit désastreux, oubliant leur part de responsabilité dans l'exhortation à la guerre et dans l'impréparation militaire française. Il faut y ajouter l'humiliation supplémentaire qu'a été le vote de la déchéance de la dynastie par l'Assemblée. Pour la première fois, l'opinion condamne directement celui qu'elle rend responsable de la défaite. Au-delà de ce handicap, le parti bonapartiste porte en lui-même une lourde responsabilité dans le déclin de son audience. La rupture entre jerômistes et victoriens est fatale au parti. Elle entraîne une division entre le bonapartisme « rouge » et le bonapartisme « blanc ». Cette séparation en deux tendances opposées atteint directement l'idéologie. Une fois le jérômisme disparu, le bonapartisme populaire n'est plus représenté. Or le maintien de l'aspect populaire semble une condition impérative de la survie du courant bonapartiste. Dès lors, les notables du parti, devenus majoritaires, optent pour une stratégie d'union avec les conservateurs, dans le but de se débarrasser des républicains. En devenant partie intégrante de la droite, le parti bonapartiste perd sa raison d'être. Le prince Victor finit par percevoir les méfaits de l'union conservatrice et surtout la nécessité de renouer avec le bonapartisme populaire. Pour marquer son évolution, il adopte l'étiquette plébiscitaire. Il n'est pas suivi par les cadres du parti dans sa démarche. Dès lors, le décalage ne cesse de se creuser entre le prétendant et ses hommes. D'exil, il a du mal à s'imposer comme chef.

En outre, l'abandon du régime impérial se révèle être une mauvaise tactique. Si Louis Napoléon Bonaparte est devenu Napoléon III, c'est parce qu'il a compris très tôt la nécessité de se poser en prétendant afin de maintenir l'Empire comme une alternative possible entre la monarchie et la République. En fait, le bonapartisme, même s'il est fondé sur l'appel au peuple, demeure un système héréditaire. L'existence d'un prétendant est vitale. La République pourrait appliquer le programme bonapartiste quant à l'organisation des pouvoirs, mais en aucun cas elle ne serait en mesure d'endosser la dimension d'une mission historique de la famille Bonaparte. Pourtant, comment ne pas comprendre le ralliement du prince Victor à la République, à un moment où, dans les mentalités, la conception monarchique du pouvoir s'efface au profit de la démocratie républicaine ? La formation civique et le développement d'une liturgie républicaine, dont le succès se manifeste par la fête du 14 Juillet et par la vocation retrouvée du Panthéon à accueillir les grands hommes, font que la République n'est plus à remettre en cause. D'ailleurs, pour le prince Victor, empreint de ce « spirituel républicain » – selon l'expression de Pierre Nora –, il apparaît peu naturel de s'opposer à un régime qu'il juge légitime. En outre, le ralliement à la République ne lui permettait-il pas de se démarquer des Orléans et, en même temps, de freiner la dérive droitière de son propre parti ?

Toujours est-il que, après le vote des lois constitutionnelles de 1875, une restauration impériale par la voie légale est devenue impossible. Seul le coup de force serait susceptible de rétablir la dynastie napoléonienne et le prince Victor s'y oppose catégoriquement. Il est trop timide et discret pour se lancer dans une telle aventure ; surtout, il n'y croit pas. Dans le portrait qu'il dresse, le colonel Villot ne s'y trompe pas en relevant qu'il avait une « foi ardente dans le prestige du grand nom de Napoléon, mais au fond de lui-même, il ne croyait pas à son étoile[4] ». En fait, le prince Victor n'est pas un créateur d'événements. Il dit attendre les circonstances favorables, où son intervention dans la politique ne risquerait point de provoquer d'embarras à l'ordre de la France. Il n'a tout simplement pas l'âme d'un chef. Il ne manque pas de qualités personnelles, mais il n'a pas la témérité propre aux hommes de pouvoir. En outre, la vie en exil, sorte de monde fictif dans lequel se côtoient pouvoir probable et devoir sans responsabilité, n'est pas faite pour générer l'énergie et l'audace. Or la conquête du pouvoir ne nécessite-t-elle pas un mélange d'audace et d'intrépidité ? N'est-ce pas ces qualités qui sont à l'origine du succès d'un Bonaparte, puis, quelques années plus tard, de son neveu, Louis Napoléon ? Reste à savoir si, pour ce qui relève du caractère, le prince Victor est de la même nature. En définitive, on ne trouve chez lui ni l'âpreté des Bonaparte, ni leur ambition, ni leur besoin d'occuper toujours le devant de la scène. Mais « si la flamme des Bonaparte ne faisait que clignoter chez le prince Victor, il avait du moins quelque chose des manières d'un grand seigneur [5] ». En effet, on trouve chez lui l'élégance de l'Ancien Régime, alliée aux goûts des grands aristocrates européens. N'ayant rien d'un arriviste, il n'est pas homme à se révolter, ni à se pousser pour réussir, trop grand seigneur pour s'abaisser à ce jeu. Son éducation l'empêche de se mettre en avant, d'où son refus de passer pour un aventurier.

Le prince Victor aurait-il vraiment pu adopter une autre attitude ? Ses modestes ressources personnelles ne lui permettaient guère de soutenir matériellement l'activité d'un parti politique. Or, à ses yeux, le nom qu'il portait lui imposait de maintenir très haut le souvenir de la gloire impériale. Ne pouvant le faire par la politique, le prince décida d'entretenir le souvenir des deux empires par l'intermédiaire de la mémoire. Par la mise en valeur de l'histoire de la dynastie et par ses activités de collectionneur de souvenirs familiaux, le prince Victor eut donc le mérite de contribuer au maintien de la légende napoléonienne et à la persistance d'une présence bonapartiste dans l'idéologie politique de la France. En outre, l'évocation d'un passé glorieux n'était-elle pas surtout un moyen de supporter les contraintes liées à son nom, dont la principale et la plus pénible était, sans conteste, l'exil. Le prince Victor conserva toute sa vie une grande amertume de sa situation d'exilé : « Il ne s'est jamais plaint, mais il a toujours souffert en silence de ce mal dont il devait mourir : la proscription[6]. »

Voilà quatre-vingts ans que le prince Victor est mort. Ceux qui l'ont connu ne sont plus de ce monde. Il est désormais entré dans l'histoire. En définitive, lui, dont la vie a été hantée par la mémoire de ses aïeux, qu'a-t-il laissé ? À première vue pas grand-chose ; il n'a posé aucun acte fondateur, n'a rédigé aucun écrit significatif et son nom ne figure nulle part. Certains des objets qu'il avait patiemment réunis et ordonnés ont beau être exposés dans des musées, son nom n'y est jamais associé. En fait, son héritage est à chercher ailleurs. Il faut considérer le prince Victor comme le relais entre le politique et l'historien. Réaliste, il comprend que la disparition de l'enjeu politique est indispensable à l'explosion de la légende napoléonienne. Pour que les Bonaparte continuent à rester présents dans l'esprit des Français, il mise sur l'histoire. Il lui suffit de s'effacer pour laisser le champ libre à la légende. À constater la production bibliographique incessante sur Napoléon Ier et son époque, mais aussi le renouveau de l'intérêt des historiens pour Napoléon III et le Second Empire, le prince Victor ne s'était pas trompé sur la capacité de ses ancêtres à continuer d'occuper le devant de la scène historique.

La psychogénéalogiste Anne Ancelin-Schützenberger explique que « notre destinée individuelle peut être guidée par l'histoire des générations antérieures. Ce qui signifie qu'un événement vécu par un ancêtre cinquante ou cent ans auparavant peut orienter des choix de vie, déterminer les vocations, déclencher une maladie ». Lorsque j'entamai des études d'histoire, je ne pensais à aucun moment m'inscrire dans une tradition familiale. Je croyais à ma vocation et refusais de m'intéresser à mes ancêtres, un peu encombrants à mon goût. Qu'évoquaient-ils pour moi ? Quelques moqueries à l'école, les rares fois où j'avais confié que ma grand-mère était née princesse Napoléon, et surtout d'interminables récits de mon grand-père sur tel ou tel objet qui avait appartenu au roi Jérôme, au roi de Rome, à Joseph, à Eugène, à Joséphine, à Catherine, au prince impérial, à Hortense... Il y avait vraiment de quoi s'y perdre. En 1996, ma grand-mère, la princesse Marie-Clotilde Napoléon, comtesse de Witt, mourut. Avec elle disparaissait le lien concret qui m'unissait aux Napoléon. Je commençai alors à m'interroger sur cette famille dont ma grand-mère parlait si peu. La même année, je suivis le cours de licence de Jean Tulard à la Sorbonne et abordai, enfin avec enthousiasme, l'histoire napoléonienne. Je ne la quitterais plus vraiment. En poursuivant ma maîtrise, toujours sous la direction du Pr. Tulard, je me destinais à travailler sur le Premier Empire et si possible sur un sujet qui permettrait la mise en valeur de sources familiales et inédites. L'absence de tels documents m'entraîna vers la bibliothèque de la maison, dont la tradition familiale vantait la richesse. Bien évidemment, la quantité et la qualité des ouvrages n'étaient pas à mettre en doute, mais je ne découvris rien d'inédit. Peu à peu, me vint le sentiment que l'intérêt était à chercher au-delà des livres. Le fichier de cette bibliothèque laissait supposer qu'il s'agissait d'un outil de travail. Pour qui et pourquoi ? Dès lors, je commençai à m'interroger sur celui qui en était à l'origine, le prince Victor Napoléon. En partant ainsi à la découverte de mon arrière-grand-père, je reconnais avoir obéi, en toute innocence, à mon inconscient. Aujourd'hui, j'estime à mon tour avoir rempli mon devoir en honorant la mémoire de celui qui mit sa vie au service de ses ancêtres.

Notes

Avant-propos

1. John Rothney, *Bonapartism after Sedan*. New York, Cornell University Press, 1969. Bernard Ménager, *Les Napoléon du peuple*. Paris, Aubier, 1988. Patrick André, *Les Parlementaires bonapartistes de la Troisième République (1871-1940)*, thèse de doctorat sous la direction de Jean-Marie Mayeur, 1995, université de Paris-IV.
2. André Martinet, *Le Prince Victor Napoléon*, Paris, Léon Chaillez, 1895.

1. Naître Napoléonide

1. AN 400 AP 163.
2. François René de Chateaubriand, *Mémoires d'outre-tombe*, rééd. Le Livre de Poche, 1973, tome 2, p. 44.
3. Jacques Bainville, *Napoléon*, Paris, Arthème Fayard et Cie, 1931, p. 13.
4. Theo Aronson, *Les Bonaparte, histoire d'une famille*, Paris, Fayard, 1968, p. 47.
5. Jean-Pierre Rioux, *Les Bonaparte*, Paris, Éd. Complexe, 1982, t. 1, p. 269.
6. *Ibid.*, p. 276.
7. Theo Aronson, *op. cit.*, p. 241.
8. Jean-Claude Lachnitt, « Note sur le patronyme et les titres dans la famille Bonaparte », in *La Revue du Souvenir napoléonien*, n° 422, février-mars-avril 1999, p. 37-39.

2. L'alliance italienne

1. Gilles Pécout, *Naissance de l'Italie contemporaine (1770-1922)*. Paris, Nathan, 1997, p. 138 et suiv., et Jean-Claude Yon, *Le Second Empire. Politique, société, culture*, Paris, Armand Colin, 2005, p. 84-87.
2. Pierre Milza, *Napoléon III*. Paris, Perrin, 2004, p. 305.
3. Gilles Pécout, *op. cit.*, p. 138.
4. Lettre de Cavour à La Marmora, 24 juillet 1858, *in* Paul Matter, *Cavour et l'Unité italienne*, tome III, 1856-1861, p. 127.

5. Pierre Milza, *op. cit.*, p. 345 et AN 400 AP 53, lettre de Napoléon III au prince Napoléon, 29 mars 1863. Plusieurs années après le mariage, exaspéré par les incessantes récriminations du prince Napoléon, l'empereur en vient à régler ses comptes sur l'affaire du mariage de son cousin : « Ton mariage a manqué nuire grandement à l'indépendance de ma politique, en tendant à faire croire à Mr Cavour (ce qui était complètement opposé à mon intention) que ton union avec la fille du roi de Sardaigne était une condition sine qua non de mon traité avec lui. »

6. Lettre de Cavour à Victor-Emmanuel citée par le comte de Reiset, *Mes souvenirs*, Paris, Plon-Nourit, 1901-1913, tome II, p. 369.

7. AN 400 AP 53, lettre du prince Napoléon à Napoléon III, 17 janvier 1859.

8. AN 400 AP 160, lettre de la reine Sophie des Pays-Bas au prince Napoléon, 9 janvier 1859 : « Je lis dans les journaux vos fiançailles avec la princesse de Piémont. Est-ce oui ? »

9. AN 400 AP 90, copie de la lettre de la reine d'Angleterre à Napoléon III au sujet du mariage du prince Napoléon avec la princesse Clotilde, 12 janvier 1859.

10. AN 400 AP 53, lettre du prince Napoléon à Napoléon III, 18 janvier 1859.

11. *Le Correspondant,* 11 juillet 1911, « La princesse Clotilde intime (1858-1867) », p. 289-306.

12. Comte de Reiset, *op. cit.*, tome 2, p. 375.

13. AN 400 AP 53, dépêche du prince Napoléon à Napoléon III, 17 janvier 1859.

14. *Ibid.*, lettre du prince Napoléon à Napoléon III, 18 janvier 1859.

15. Marie-Anne et Alfio Pappalardo, *Le Plonplonismo*, Paris, Éd. S.D.E., 2004, p. 297-299.

16. AN 400 AP 53, rapports du 20 et du 23 janvier 1859.

17. AN 400 AP 144, lettre de l'empereur au prince Napoléon, 26 janvier 1859.

18. Le comte Alexandre Walewski, alors ministre des Affaires étrangères, exposa à l'empereur le risque de faire coïncider les deux événements : « Ce que j'ai dit à Votre Majesté, ce matin, sur l'utilité d'ajourner le mariage me semble mériter une sérieuse considération. L'idée que, dans un intérêt exclusivement dynastique et pour procurer un établissement à un cousin, vous exposez le pays à toutes les calamités d'une guerre, cette idée produirait un effet d'autant plus déplorable que ce cousin n'est pas sympathique au pays. Ne vaudrait-il pas mieux convenir secrètement du mariage, en prenant le plus grand soin pour qu'il n'en transpire rien avant la guerre ? » Cité par Marie-Anne et Alfio Pappalardo, *op. cit.*, p. 296-297.

19. AN 400 AP 144, lettre de l'empereur au prince Napoléon, 23 janvier 1859.

20. *Ibid.*, lettre du prince Napoléon à l'empereur, 24 janvier 1859.

21. *Ibid.*, lettre de l'empereur au prince Napoléon, 26 janvier 1859.

22. Egdar Holt, *Plon-Plon. The Life of Prince Napoléon*, Londres, Joseph, 1973, p. 138.
23. Comte de Reiset, *op. cit.*, tome II, p. 378.
24. Révérend père Fanfani et Marie-Thérèse Porte, *Marie-Clotilde de Savoie, princesse Jérôme Napoléon (1843-1911)*, Paris, 1929, p. 18.
25. Général Fleury, *Souvenirs*, Paris, Plon, 1898, tome II, p. 3.
26. Ferdinand Bac, *Intimités du Second Empire*, Paris, Hachette, 1931, t. I, p. 167.
27. Edmond de Goncourt, *Journal des Goncourt*, Paris, G. Charpentier et E. Fasquelle, 1888-1896, t. II, p. 267.
28. Lettre de Clotilde à Mlle de Foras datée du 31 octobre 1859, in *Le Correspondant, op. cit.*, p. 293.

3. Plon-Plon, prince rebelle

1. Chateaubriand, alors ambassadeur à Rome, condamne ce gouvernement de vieillards. *Mémoires d'outre-tombe, op. cit.*, tome 3, p. 51.
2. William Smith, *Napoléon III*, Paris, Marabout, 1985, p. 32.
3. Enrico Mayer était un homme de lettres florentin, d'origine allemande, qui avait été pendant cinq ans le précepteur des filles aînées de Guillaume de Wurtemberg, frère de Catherine et roi de Wurtemberg à partir de 1832. Mayer était partisan d'une éducation stricte. Voir Andrea Corsini, *I Bonaparte a Firenze*, Florence, Olschki, 1961, p. 297.
4. AN 400 AP 91. Dans les papiers du roi Jérôme, on retrouve la pétition qu'ils envoyèrent en 1847 au gouvernement français.
5. Lettre de Louis Napoléon à Plon-Plon, 7 juin 1847, Ernest d'Hauterive, *op. cit.*, p. 27.
6. Marie-Anne et Alfio Pappalardo, *op. cit.*, p. 33.
7. Émile Ollivier, *L'Empire libéral*, tome V, p. 427.
8. *Ibid.*
9. Georges Lubin, « George Sand et les Bonaparte », *La Revue du Souvenir napoléonien*, n° 309, janvier 1980, p. 5-24. La phrase citée est extraite d'un article de George Sand, rédigé deux jours après la mort de Napoléon III, dans lequel elle fait le point sur les « Les prétendants ». Pourtant très liée avec le prince Napoléon, elle lui souhaite d'échouer.
10. *Journal d'Émile Ollivier*, Julliard, Paris, 1960, tome II, p. 181.
11. Émile Ollivier, *op. cit.*, tome XV, p. 122.
12. William Smith, *Eugénie, impératrice et femme (1826-1920)*. Paris, Orban, 1989, p. 86.
13. Émile Ollivier, *op. cit.*, tome V, p. 427-428.
14. Isa Dardano Basso, *La Princesse Julie Bonaparte et son temps : Mémoires inédits, 1853-1870*, Rome, Edizioni di Storia e Letteratura, 1975, p. 20.
15. Bernard Ménager, *Les Napoléon du peuple*, Paris, Aubier, 1988, p. 313.
16. Jules Richard, *Le Bonapartisme sous la République*, Paris, 1883, p. 217.

17. AN 400 AP 53, lettre du prince Napoléon à l'empereur, 8 février 1861.
18. AN 400 AP 160, lettre de la reine Sophie des Pays-Bas au prince Napoléon, 23 octobre 1863.
19. Jérôme Picon, *Mathilde, princesse Bonaparte*, Paris, Flammarion, 2005, p. 229.
20. Joseph Primoli, *Pages inédites*, présentées et annotées par Marcello Spaziani, Rome, 1959, p. 44-45.
21. Charlemagne Émile de Maupas, *Mémoires sur le Second Empire*, Paris, Dentu, 1885, tome II, *L'Empire*, p. 127.

4. « Sainte Clotilde »

1. Marie-Adélaïde de Habsbourg, fille de l'archiduc Rainier, vice-roi de Lombardie-Vénétie, et de Marie-Élisabeth de Savoie-Carignan, était donc la cousine germaine de Victor-Emmanuel.
2. Docteur Flammarion, « Clotilde de Savoie, princesse Napoléon, 1843-1911 », *La Revue du Souvenir napoléonien*, n° 16, p. 1-2.
3. « La dramatique réussite spirituelle de la princesse Marie-Clotilde de Savoie (1843-1911) » par le père Bertrand de Margerie, *La Revue du Souvenir napoléonien*, n° 342, août 1985, p. 39-44.
4. *Fama sanctitatis*, Rome, 1942, volume II, p. 18.
5. Père Bertrand de Margerie, *op. cit.*, p. 40.
6. *Le Correspondant*, *op. cit.*, p. 289-306.
7. Isa Dardano Basso, *op. cit.*, p. 107.
8. Jérôme Picon, *op. cit.*, p. 175.
9. François Berthet-Leleux, *op. cit.*, p. 98.
10. Baron de La Roncière-Le Noury, *Correspondance intime, 1855-1871*, tome II, *1863-1871*, Paris, H. Champion, 1928-1929, p. 248.
11. Maxime Du Camp, *Souvenirs d'un demi-siècle : la chute du Second Empire et la Troisième République (1870-1882)*, Paris, Hachette, 1949, p. 156.
12. Révérend père Fanfani et Marie-Thérèse Porte, *op. cit.*, p. 46.
13. Isa Dardano Basso, *op. cit.*, p. 123.
14. Edmond de Goncourt, *op. cit.*, tome III, *1866-1870*, 3 mars 1869, p. 501.
15. Lettre de Clotilde à Mlle de Foras, 31 octobre 1859, in *Le Correspondant*, *op. cit.*, p. 298.
16. François Berthet-Leleux, *op. cit.*, p. 97.
17. Isa Dardano Basso, *op. cit.*, p. 28.
18. Mme Jules Baroche, *Le Second Empire. Notes et Souvenirs*, Préf. par Frédéric Masson, Paris, G. Crès, 1921, p. 351.
19. Isa Dardano Basso, *op. cit.*, p. 165.
20. *Le Correspondant*, *op. cit.*, p. 300.
21. Lettre de George Sand au prince Napoléon, 17 avril 1862, *La Revue des Deux Mondes*, 6ᵉ période, tome 6, 15 août 1923.
22. Révérend père Fanfani et Marie-Thérèse Porte, *op. cit.*, p. 49.

NOTES

23. Père Bertrand de Margerie, *op. cit.*, p. 40.
24. AN 400 AP 160, lettre de la reine Sophie des Pays-Bas au prince Napoléon, 26 février 1875.
25. *Ibid.*, lettre du 8 avril 1875.
26. Père Bertrand de Margerie, *op. cit.*, p. 40.
27. *Ibid.*, p. 40.
28. *Ibid.*, p. 41.
29. Révérend père Fanfani et Marie-Thérèse Porte, *op. cit.*, p. 62.
30. Père Bertrand de Margerie, *op. cit.*, p. 41.
31. Révérend père Fanfani et Marie-Thérèse Porte, *op. cit.*, p. 72.
32. *Ibid.*, p. 74. La statue ne sera inaugurée que le 27 avril 1915.

5. Une enfance princière

1. Comtesse Stéphanie Tascher de La Pagerie, *Mon séjour aux Tuileries*, Paris, Ollendorff, 1894, t. II, p. 168.
2. Edmond de Goncourt, *Journal des Goncourt*, *op. cit.*, t. II, p. 262.
3. AN 400 AP 135. « Cérémonial pour la naissance des princes et princesses enfants de LL. AA. II. Monseigneur le prince Napoléon et madame la princesse Marie-Clotilde Napoléon, 12 novembre 1866 ».
4. AN 400 AP 160, lettre de la reine Sophie des Pays-Bas au prince Napoléon, 16 juillet 1862.
5. AN 400 AP 53, dépêche télégraphique de l'impératrice à l'empereur pour lui annoncer la naissance du prince Victor Napoléon à Saint-Cloud, le 18 juillet 1862, à 12 h 25.
6. Lettre de Mérimée à la princesse Mathilde, 19 juillet 1862, in *La Revue de Paris*, 15 juin 1927.
7. Télégramme de l'empereur au prince Napoléon de Vichy, le 18 juillet 1862, *in* Ernest d'Hauterive, *op. cit.*, p. 249.
8. Docteur Jules Flammarion, *Un neveu de Napoléon Iᵉʳ : le Prince Jérôme Napoléon (1822-1891)*, *op. cit.*, p. 124.
9. Le cardinal Morlot était grand aumônier.
10. AN 400 AP 53, lettre du prince Napoléon à l'empereur, 12 juillet 1862.
11. AN 400 AP 160, lettre de la reine Sophie des Pays-Bas au prince Napoléon, 14 juin 1862.
12. *Ibid.*, lettre du 16 juillet 1862.
13. *Ibid.*, lettre du 6 juillet 1862.
14. Isa Dardano Basso, *op. cit.*, p. 168.
15. Lettre de l'empereur au prince Napoléon, 10 juillet 1863, *in* Ernest d'Hauterive, *op. cit.*, p. 249.
16. Le prince Napoléon traita avec la même légèreté le baptême de Louis. Le parrain fut Louis Iᵉʳ, roi de Portugal, qui avait épousé la sœur de Clotilde et la marraine fut la princesse Mathilde. Dans un premier temps, Louis fut seulement ondoyé : « ce qui n'a aucun inconvénient au point de vue religieux

et ce qui évite une cérémonie fort ennuyeuse ». Lettre du prince Napoléon à l'empereur, citée par Ernest d'Hauterive, *op. cit.*, p. 255.

17. Lettre de Clotilde à Mlle de Foras, 4 novembre 1862, in *Le Correspondant*, *op. cit.*, p. 304.

18. Lettre de la princesse Clotilde Napoléon à Mme de Surigny, 30 juin 1863, *in* révérend père Fanfani et Marie-Thérèse Porte, *op. cit.*, p. 49.

19. Lettre de Clotilde à Mlle de Foras, 9 novembre 1865, in *Le Correspondant*, *op. cit.*, p. 304.

20. *Ibid.*, lettre du 3 avril 1866.

21. André Martinet, *op. cit.*, p. 9.

22. Docteur Flammarion, *op. cit.*, p. 193.

23. *La Pourpre et l'Exil : l'Aiglon et le prince impérial*, catalogue de l'exposition au musée national du Château de Compiègne, 25 novembre 2004-7 mars 2005, Paris, RMN, 2004, p. 156.

24. Prince Poniatowski, *D'un siècle à l'autre*, Paris, Presses de la Cité, 1948, p. 346.

25. Jérôme Picon, *op. cit.*, p. 244.

6. L'Empire s'écroule

1. Sur le départ de Napoléon III, voir Jean des Cars, *Eugénie, la dernière impératrice*, Paris, Perrin, 2000, p. 503.

2. Le témoignage du baron Eschassériaux sur les événements de 1870 est très précieux : *Mémoires d'un grand notable bonapartiste : le baron Eugène Eschassériaux (1823-1906)*, présentés par François Pairault, Éd. des Sires de Pons, 2000. Député de la Charente-Inférieure de 1849 à 1893, le baron Eschassériaux fut une figure importante du parti bonapartiste. Il rédigea ses Souvenirs une vingtaine d'années après les événements. Eschassériaux y insiste sur la maladie de l'empereur et la non-préparation de l'armée, p. 90-92.

3. François Roth, *La Guerre de 1870*. Paris, Fayard, 1990, p. 16. L'empereur, diminué par la maladie, avait pour l'assister le ministre de la Guerre Le Bœuf et les généraux Lebrun et Jarras.

4. Adrien Dansette, *Du 2 décembre au 4 septembre*, Paris, Hachette, 1972, p. 385. Le souvenir de l'épopée impériale et des victoires du Second Empire en Crimée et en Italie avait convaincu les Français qu'aucune autre armée ne pouvait être comparée à la leur.

5. William Smith, *Napoléon III*, *op. cit.*, p. 341.

6. Le baron Eschassériaux offre une excellente description des journées des 3 et 4 septembre ; il fait revivre l'atmosphère fiévreuse dans laquelle le Corps législatif était plongé. François Pairault, *op. cit.*, p. 98-104. Le témoignage de Nathaniel Johnston, député de la Gironde de 1869 à 1876 sous l'étiquette de « candidat dynastique libéral et indépendant », est complémentaire. Voir Édouard Secrétan, « Le 4 septembre 1870 vécu par un membre

du Corps législatif : témoignage inédit du député Nathaniel Johnston », *La Revue du Souvenir napoléonien*, n° 368, décembre 1989, p. 41-48.

7. Stéphane Audoin-Rouzeau, *1870, La France dans la guerre*. Paris, Armand Colin, 1989, p. 111. L'auteur constate avec justesse que, par une curieuse ironie du sort, le bonapartisme autoritaire, qui avait espéré recueillir les fruits de la victoire, fut éliminé par la défaite.

8. Adrien Dansette, *Du 2 décembre au 4 septembre, op. cit.*, p. 412-413.

9. Édouard Secrétan, *op. cit.*, p. 41.

10. Interloquée, la majorité du Corps législatif écoute la motion de Jules Favre, qui parle déjà de déchéance, sans réagir. Seul Pinard fait entendre une brève protestation sur la procédure : « Nous pouvons prendre des mesures provisoires, nous ne pouvons pas prononcer la déchéance », *Journal officiel*, 4 septembre 1870.

11. Édouard Secrétan, *op. cit.*, p. 43.

12. Johnston et Eschassériaux soupçonnent les complicités de certains officiers généraux qui auraient facilité l'accès au Palais. Johnston met le général Lebreton en cause, tandis qu'Eschassériaux parle d'une trahison de Trochu. La conduite du général Trochu au cours des mois d'août et septembre 1870 est éloquente. Il quitta l'armée et l'empereur au début d'août pour soi-disant prendre le commandement de Paris afin de permettre le retour de Napoléon III. Or, dès le 21 août, soucieux d'assurer ses arrières, Trochu rencontrait les chefs républicains. Le 4 septembre dans l'après-midi, c'est lui qui donna l'ordre de lever les barrières qui bloquaient la foule sur le pont et lui permit ainsi d'accéder à la Chambre. Le 17 juin 1871, Eugénie écrit à Émile Ollivier, écœurée par ce comportement : « Je ne sais si l'indignation sera assez forte pour me faire surmonter le dégoût que j'éprouve à la pensée de cet homme qui, après avoir trahi et abandonné la souveraine, essaie aujourd'hui, du haut d'une tribune, de déshonorer la femme. Dans un récit fantastique, il ose me présenter comme une ambitieuse prête à trahir le pays. [...] Quant à moi, j'accepte résolument toute la part de responsabilité qui me revient dans les événements politiques auxquels j'ai été mêlée comme régente, mais il est un honneur que je ne me laisserai pas enlever : celui de n'avoir eu qu'une pensée, le salut du pays, et d'avoir en toute circonstance subordonné à sa cause toutes les questions dynastiques ». AN 542 AP, lettre d'Eugénie à Émile Ollivier.

13. Jean-Pierre Azéma et Michel Winock, *La Troisième République*, Paris, Calmann-Lévy, 1969, p. 35.

14. Lettre de l'empereur au prince Napoléon, 25 juillet 1870, *in* Ernest d'Hauterive, *op. cit.*, p. 301.

15. François Berthet-Leleux, *op. cit.*, p. 128-129.

16. Docteur Flammarion, *op. cit.*, p. 183.

17. Gustave Rothan, *Souvenirs diplomatiques : l'Allemagne et l'Italie, 1870-1871*, Paris, Calmann-Lévy, 1884-1885, tome II, p. 25. L'auteur cite cette phrase du prince Napoléon à son cousin : « Signez, sire, signez le traité [...]. Avisez Vienne et Florence que vous avez signé. Engagez vos alliés. Mais, pour Dieu, signez avant que le sort des armes se soit prononcé. »

18. Télégramme du prince Napoléon à l'empereur, 21 août 1870 : « Vu

roi et ministres. Italie bien disposée mais impuissante militairement », Ernest d'Hauterive, *op. cit.*, p. 307.

19. Docteur Flammarion, *op. cit.*, p. 184.

20. Ernest d'Hauterive, *op. cit.*, p. 310.

21. « Je suis française, il m'est impossible de quitter Paris et la France. Quand je me suis mariée, bien que jeune, je savais ce que je faisais et, si je l'ai fait, c'est que je le voulais. Je dois cette détermination à mon mari, à mon fils, à ma patrie d'adoption comme à ma patrie native. D'ailleurs, crainte et Savoie ne vont pas ensemble ; l'honneur de mon nom, votre honneur, cher père, exigent que je reste ici. Rien ne me fera manquer à mon devoir. Je ne tiens ni au monde, ni aux richesses ; je n'y ai jamais tenu ; mais je tiens à accomplir mon devoir jusqu'au bout. » Lettre de la princesse à son père datée du 25 juillet 1870, citée par Émile Ollivier, *in* Anne Troisier de Diaz, *op. cit.*, p. 352.

22. Docteur Flammarion, *Clotilde de Savoie, princesse Napoléon (1843-1911)*, Paris, Librairie des Beaux Livres, 1937, p. 8.

23. Le petit château fut vendu en 1870 à un Américain, puis fut occupé après la Première Guerre mondiale par la famille Habsbourg.

24. Révérend Père Fanfani et Marie-Thérèse Porte, *op. cit.*, p. 80.

25. AN 400 AP 53, lettre du prince Napoléon à l'empereur, 1er novembre 1870.

26. Louis Girard, *Napoléon III, op. cit.*, p. 497.

27. Sur ce projet, voir : Jules Richard, pseudonyme de Thomas Maillot, *Le Bonapartisme sous la République*, Paris, Rouveyre et G. Blond, 3e éd., 1883, p. 64-65. Docteur Flammarion, *Un neveu de Napoléon Ier, le prince Jérôme Napoléon, op. cit.*, p. 194-195. Général du Barail, *Mes Souvenirs*, tome III (1864-1879), Paris, Plon-Norrit et Cie, 1896, p. 322. On trouve une autre allusion à ce projet dans une lettre d'Émile Ollivier à la princesse Carolyn Wittgenstein, 10 février 1873, *in* Anne Troisier de Diaz, *op. cit.*, p. 108.

28. Alexandre Najjar, *Le Procureur de l'Empire Ernest Pinard (1822-1909)*, Balland, Paris, 2001, voir p. 299, « Avocat de Plon-Plon ».

29. La retranscription complète du procès se trouve dans Ernest Pinard, *Œuvres judiciaires (réquisitoires, conclusions, discours juridiques et plaidoyers)*, Préf. de Charles Boullay, Éditions A. Durand et Pedone-Lauriel, 1885, 2 vol. Voir aussi Dugué de La Fauconnerie, *Souvenirs d'un vieil homme, 1866-1879*, Paris, Ollendorff, 1912, p. 242-248.

30. AN 400 AP 53, lettre de la princesse Clotilde à l'impératrice, 26 janvier 1874.

31. *Ibid.*, 1er novembre 1874.

32. AN 400 AP 160, lettre de la reine Sophie des Pays-Bas au prince Napoléon, 8 avril 1875.

NOTES

7. Le retour à Paris

1. AN 400 AP 160, lettre de la reine Sophie des Pays-Bas au prince Napoléon, 8 mars 1875.
2. André Martinet, *op. cit.*, p. 18.
3. AN 400 AP 53, lettre de la princesse Clotilde à l'impératrice, 21 décembre 1875.
4. A. Augustin-Thierry, *La Princesse Mathilde, Notre-Dame des arts, op. cit.*, p. 284.
5. AN 400 AP 53, lettre de la princesse Clotilde à l'impératrice, 14 août 1876.
6. AN 400 AP 160, lettre de la reine Sophie des Pays-Bas au prince Napoléon, 2 juin 1876.
7. Jean Rohr, *Victor Duruy, ministre de Napoléon III. Essai sur la politique de l'instruction publique au temps de l'Empire libéral*, Paris, Librairie générale de droit et de jurisprudence, 1967.
8. AN 400 AP 126, lettre de Victor Duruy au prince Napoléon, 3 août 1869.
9. *Ibid.*, 31 mai 1878.
10. *Ibid.*, 18 juin 1878.
11. *Ibid.*, 31 mai 1878.
12. *Ibid.*, 15 juin 1878.
13. AN 400 AP 135, lettre de la princesse Mathilde au prince Napoléon, 15 juin 1878.
14. AN 400 AP 126, lettre de Victor Duruy au prince Napoléon, 18 juin 1878.
15. André Martinet, *op. cit.*, p. 17.
16. AN 400 AP 126, lettre de Victor Duruy au prince Napoléon, 24 juillet 1881.
17. AN 400 AP 126, lettre du prince Napoléon à l'impératrice, 19 juillet 1881. Réponse de l'impératrice, 22 juillet 1881.

8. Les bonapartistes s'organisent

1. Jean-Marie Mayeur, *La Vie politique sous la Troisième République*, Paris, Éd. du Seuil, p. 20.
2. Jacques Gouault, *Comment la France est devenue républicaine ; les élections générales et partielles à l'Assemblée nationale, 1870-1875*, Paris, Armand Colin, 1954, p. 34.
3. Pour le parti bonapartiste après 1870, je me suis appuyée sur la thèse de Patrick André, *Les Parlementaires bonapartistes de la Troisième République (1871-1940)*, thèse de doctorat sous la direction de Jean-Marie Mayeur, université de Paris-IV, 1995, t. 1.

NOTES

4. Le 4 septembre, quelques députés bonapartistes avaient essayé de résister, ne voulant pas lâcher prise si rapidement. Ils se réunirent dès le lendemain chez Nathaniel Johnston. Une commission de sept membres était chargée de rédiger un procès-verbal visant à informer l'opinion publique sur ce qui s'était réellement passé le 4 septembre. Le texte du procès-verbal fut publié dans deux journaux : *La Liberté* et *Le Français*. Cette réunion, interrompue par l'arrivée de la police, fut la seule tentative de résistance organisée par les bonapartistes. Édouard Secrétan, « Le 4 septembre 1870 vécu par un membre du Corps législatif, témoignage inédit du député Nathaniel Johnston », *op. cit.*, p. 47.

5. Il faut tout de même citer quelques tentatives de résistance : Paul de Cassagnac, qui fonde de Bruxelles le journal *Le Drapeau*, journal assez virulent qui ose accuser le nouveau régime. L'autre tentative à noter est celle de Pinard, qui s'appuie sur les journaux de sa circonscription (*La Gazette de Cambrai* et *L'Émancipateur*) pour diffuser une mise au point sur les événements du 4 septembre. Alexandre Najjar, *Le Procureur de l'Empire Ernest Pinard (1822-1909)*, *op. cit.*, p. 301.

6. Robert Schnerb, *Rouher et le Second Empire*, Paris, Armand Colin, 1949 et Pierre Barral, « Rouher, chef politique après 1870 », in *Eugène Rouher*, Actes des journées d'étude de Riom et de Clermont-Ferrand des 16 et 17 mars 1984, Clermont-Ferrand, Institut d'études du Massif central, 1985.

7. Eschassériaux accuse Gambetta d'avoir retenu l'information. François Pairault, *op. cit.*, p. 120.

8. Éric Anceau, *Dictionnaire des députés du Second Empire*, Presses universitaires de Rennes, 1999, p. 502.

9. *Ibid.*, p. 297.

10. François Pairault, *Monsieur le Baron : Eugène Eschassériaux éminence grise du bonapartisme, 1823-1906*, Paris, Le Croît vif, 2004, 328 p.

11. Le comte Joachim Murat a été élu, sans aucun soutien de la presse, uniquement par de simples bulletins manuscrits. Il est de nouveau député de 1876 à 1889, puis président du groupe de l'Appel au peuple de 1877 à 1879. *Ibid.*, p. 447-448.

12. Pierre Milza, *op. cit.*, p. 603. En captivité, Napoléon III renoue avec sa passion de l'écriture, rédigeant plusieurs brochures destinées à éclairer l'opinion sur l'origine et la conduite de la guerre. Voir aussi Louis Girard, *Napoléon III*, *op. cit.*, p. 489.

13. Pierre Barral, « Rouher, chef politique après 1870 », *op. cit.*, p. 77-89.

14. Le comité central se compose de cinq anciens ministres : Casabianca, Chevreau, Duvernois, Padoue et Pinard (surnommés les Rouhéristes, car ayant fait parti des équipes constituées autrefois par Rouher) ; de quatre députés : Eschassériaux, Gavini, Levert et le comte Murat, puis de deux sénateurs : le prince Lucien Murat et le général Fleury.

15. *Dictionnaire du Second Empire*, *op. cit.*, p. 959-960, et *Dictionnaire des parlementaires*, *op. cit.*, t. I, p. 100.

16. Patrick André, *op. cit.*, p. 17.

17. *Ibid.*, p. 21-22.

NOTES

9. *L'empereur est mort, vive l'empereur ?*

1. APP, Ba 68, rapports du 10 et 11 janvier 1873.
2. William Smith, *Eugénie, impératrice et femme*, op. cit., p. 236.
3. André Castelot, *Napoléon III*, op. cit., p. 925.
4. Maxime Du Camp dénonce le dénigrement soudain de la politique d'un homme que la France avait laissé plus de vingt ans au pouvoir : « Napoléon III ne méritait pas les nombreuses injures dont il fut accablé. Le pays ne s'aperçut pas qu'en vomissant un torrent d'insultes contre le chef qu'il avait choisi, confirmé quatre fois, auquel il avait obéi sans effort, il s'insultait lui-même car il l'avait encouragé dans les sottises qui nous ont perdus. Les nations ne raisonnent pas, je le sais, elles sentent. Elles s'emportent dans des haines qui, trop souvent, n'ont pas plus de raison que leur engouement. » Maxime Du Camp, *Souvenirs d'un demi-siècle : la chute du Second Empire et la Troisième République (1870-1882)*, op. cit., p. 287.
5. APP, Ba 68, rapport du 20 janvier 1873.
6. François Pairault, op. cit., p. 158.
7. Dugué de La Fauconnerie, *Souvenirs d'un vieil homme*, op. cit., p. 265-268.
8. Lettre d'Émile Ollivier au prince Napoléon, 13 janvier 1873, citée par Anne Troisier de Diaz, *Regards sur Émile Ollivier*, op. cit., p. 270.
9. Ernest Pinard, *Mon Journal*, op. cit., tome II, p. 221.
10. François Pairault, op. cit., p. 159.
11. Il s'agit du prince Joachim Murat, petit-fils du roi de Naples et quatrième prince Murat.
12. AN 400 AP 53, lettre du prince Napoléon à l'impératrice, 15 février 1873.
13. AN 400 AP 53, lettre de l'impératrice au prince Napoléon, 1er juin 1873.
14. William Smith, *Eugénie, impératrice et femme*, op. cit., p. 238-239.
15. Note de Joseph Primoli, cité par Jérôme Picon, op. cit., p. 297.

10. *De l'espoir à la désillusion*

1. Patrick André, op. cit., p. 26.
2. Jean-Claude Lachnitt, *Le Prince impérial, « Napoléon IV »*. Paris, Perrin, 1997, p. 192-193.
3. *Ibid., p.* 193.
4. Rouher, dans une lettre à Eschassériaux du 9 octobre, oppose le principe de l'appel au peuple au projet de restauration monarchique. François Pairault, op. cit., p. 169.
5. Patrick André, op. cit., p. 35.
6. Jean-Claude Lachnitt, op. cit., p. 198-208.

7. Bernard Ménager, *op. cit.*, p. 293.

8. AN 400 AP 75, lettre du prince Napoléon au prince impérial, 1ᵉʳ mars 1874. Plon-Plon fait allusion à l'impératrice et à Rouher.

9. *Ibid.*

10. Lettre d'Émile Ollivier à la princesse Wittgenstein, 12 mars 1874. Citée par Anne Troisier de Diaz, *Regards sur Émile Ollivier*, *op. cit.*, p. 272.

11. AN 542 AP, lettre d'Émile Ollivier à la princesse Charlotte Bonaparte, comtesse Primoli, 3 avril 1874.

12. Jean-Claude Lachnitt, *op. cit.*, p. 209.

13. Patrick André, *op. cit.*, p. 37.

14. François Pairault, *op. cit.*, p. 180.

15. *Ibid.*, p. 180.

16. Daniel Halévy, *La République des ducs*, rééd. Paris, Le Livre de Poche, 1972, p. 154. Daniel Halévy insiste sur le fait que la crainte d'une restauration impériale constitua le plus puissant ciment de la Constitution Wallon.

17. René Rémond, *Les Droites en France*, Paris, Aubier Montaigne, 1982, p. 130.

18. Jean-Claude Lachnitt, *op. cit.*, p. 230.

19. AN 400 AP 160, 2 juin 1875.

20. Au dernier moment, Rouher prit contact avec Émile Ollivier pour trouver un accord avec le prince Napoléon. Il proposait que le prince et lui se retirassent simultanément pour laisser la place à un troisième candidat. Le prince Napoléon ne voulut rien entendre. Anne Troisier de Diaz, *op. cit.*, p. 272-273.

21. Jean-François Sirinelli, *Histoire des droites en France*, Paris, Gallimard, 1992, tome I, p. 170. Pierre Lévêque fournit d'autres chiffres : les bonapartistes étaient présents dans 225 circonscriptions sur 530, ils obtiennent un million de voix – dix fois plus que cinq ans auparavant – et représentent la moitié de l'effectif total de la droite à la Chambre. *Histoire des forces politiques en France*, Paris, Armand Colin, 1992, p. 286.

22. Jean-François Sirinelli, *op. cit.*, p. 176.

23. François Berthet-Leleux, *op. cit.*, p. 157.

24. Pierre Barral, « Rouher, chef politique après 1870 », *op. cit.*, p. 87.

25. Karen Offen, *Paul de Cassagnac and the Autoritarian Tradition in Nineteenth-Century France*, New York, Garland, 1991.

26. Cette commission se compose de Rouher, du duc de Padoue, de Jolibois et du baron de Mackau. François Pairault, *op. cit.*, p. 219.

27. Jean-Claude Lachnitt, *op. cit.*, p. 256.

28. Patrick André, *op. cit.*, p. 44-45.

29. Bernard Ménager, *op. cit.*, p. 307.

30. Napoléon III avait soutenu l'entreprise de Jules Amigues en direction de la classe ouvrière en lui accordant une subvention pour son journal, *L'Espérance nationale*. Rouher n'aurait pas renouvelé l'engagement par crainte qu'un programme social audacieux inquiétât la paysannerie, principal électorat des bonapartistes. Pierre Lévêque, *op. cit.*, p. 287.

31. John Rothney, *op. cit.*, p. 264-266.

NOTES

32. Dans son journal, E. Loudun, connu sous le nom de Fidus, insiste sur l'influence du cardinal de Bonnechose qui avait élaboré un projet de Constitution aristocratique, réactionnaire, catholique et corporatiste. Fidus, *Souvenirs d'un impérialiste, journal de dix ans*, Paris, F. Fetscherin et Chuit, 1886, tome II, p. 133-154.
33. Grévy est élu par 563 voix sur 705 votants. Pierre Miquel, *La Troisième République*. Paris, Fayard, 1989, p. 244.
34. François Pairault, *op. cit.*, p. 232.
35. Suzanne Desternes et Henriette Chaudet, *op. cit.*, p. 194.
36. François Berthet-Leleux, *op. cit.*, p. 164.
37. François Pairault, *op. cit.*, p. 234.
38. Fidus, *Journal de dix ans, op. cit.*, p. 242.
39. Jean-Claude Lachnitt, *op. cit.*, p. 292-296.
40. William Smith, *Eugénie, impératrice et femme, op. cit.*, p. 282-284.
41. AN, F7 12 429, rapport 30 juin 1879.
42. Maxime Du Camp, *Souvenirs d'un demi-siècle, op. cit.*, tome II, p. 336.
43. AN, F7 12 429, rapport du 29 juin 1879.
44. *Ibid.*, rapport du commissariat de Saint-Malo, 24 juin 1879.
45. *Ibid.*, rapport du commissariat de Boulogne-sur-Mer, 28 juin 1879.
46. Paul Cambon, *Correspondance (1870-1924)*. Paris, Grasset, 1940-1946, tome I, *1870-1898*, p. 100-101.
47. *Le Pays*, 23 juin 1879.
48. Bernard Ménager, *op. cit.*, p. 311.
49. *La Pourpre et l'Exil : l'Aiglon et le prince impérial, op. cit.* Ce catalogue évoque en parallèle les vies des deux princes et fait apparaître des similitudes évidentes dans leur destin tragique.
50. Lieutenant-colonel Cunéo d'Ornano, *Mes étapes. Notes d'histoire militaire, 1870-1880*, Paris, Société des publications littéraires illustrées, p. 125.
51. Comte d'Hérisson, *Le Prince impérial*, Paris, Ollendorff, 1913, p. 268.
52. AN, F7 12 429, rapport du 26 juin 1879 : « l'église ne suffit pas, une partie du boulevard Malesherbes est envahie ».
53. Bernard Ménager, *op. cit.*, p. 311.
54. Eugène Melchior de Vogüé, *Journal du vicomte Eugène Melchior de Vogüé, 1877-1883*, Paris, Grasset, 1932, p. 137-138.

11. Le prince Napoléon, enfin prétendant ?

1. Suzanne Desternes et Henriette Chandet, *Louis, prince impérial, op. cit.*, p. 226.
2. Fidus, *Journal de dix ans, op. cit.*, p. 342. Il donne le chiffre de dix mille personnes présentes.
3. L'impératrice souhaitera construire un mausolée pour son mari et son fils. Le site de Camden Place ne le permettant pas, elle déménagera à Farnborough Hill où elle fera réaliser ce monument.
4. *Lettres familières de l'impératrice Eugénie*, publiées par le duc d'Albe,

NOTES

préf. de Gabriel Hanotaux, Paris, Le Divan, 1935, tome II, p. 109, lettre du 24 juillet 1879.

5. Comte d'Hérisson, *Le Prince impérial*, *op. cit.*, p. 359.

6. Catholique fervent, Paul de Cassagnac se rallie au prince Victor dès l'annonce de la mort du prince impérial, mais son caractère critique l'oppose vite au prétendant. Karen Offen, *op. cit.*, p. 275.

7. François Pairault, *op. cit*, p. 235-236.

8. La déclaration est publiée dans la presse bonapartiste le 22 juin : « Les sénateurs et les députés de l'Appel au peuple se sont réunis aujourd'hui. Quelque profonde que soit leur douleur, ils ont le devoir d'affirmer, devant le pays, que si le prince impérial est mort, sa cause lui survit. La succession des Napoléon ne tombe pas en déshérence. Représentant d'un principe impérissable, le parti impérialiste reste debout, compact, fidèle et dévoué. L'Empire vivra », *L'Ordre*, 22 juin 1879.

9. AN 400 AP 76. Un dossier regroupe le testament du prince impérial ainsi que les pièces relatives aux funérailles et à la délivrance des legs.

10. Comtesse des Garets, *Souvenirs d'une demoiselle d'honneur : l'impératrice Eugénie en exil*, Paris, Calmann-Lévy, 1929, p. 252.

11. AN 400 AP 53, lettre de l'impératrice au prince Napoléon, 1er juin 1873.

12. Anne Troisier de Diaz, *Regards sur Émile Ollivier*, *op. cit.*, p. 271.

13. Fonds Primoli, lettre de la princesse Mathilde à Joseph Primoli, 6 mars 1874.

14. Augustin Filon, *Le Prince impérial, 1856-1879*, Paris, Hachette, 1935, p. 159.

15. *Ibid.*, p. 161-162.

16. Paul Lenglé, *op. cit.*, p. 283.

17. Docteur Flammarion, *Un neveu de Napoléon Ier, le prince Napoléon*, *op. cit.*, p. 203.

18. AN 400 AP 160, lettre de la reine Sophie des Pays-Bas au prince Napoléon, avril 1877. Dans sa lettre au prince impérial, la reine demande que le plus grand secret soit respecté au sujet de cette tentative.

19. AN 400 AP 160, lettre du prince impérial à la reine Sophie des Pays-Bas, 14 mai 1877.

20. AN, F7 12 429, rapport du commissariat de Nevers, 29 juin 1879.

21. Frédéric Chalaron, « Rouher et la succession du prince impérial », *Eugène Rouher*, *op. cit.*, p. 89-95. L'auteur affirme que l'initiative du codicille revient ni à l'impératrice ni à Rouher, mais bien au prince impérial. Il précise tout de même que certains jugèrent le testament apocryphe ; Piétri en serait l'auteur. Patrick André impute la responsabilité du codicille à Rouher, *op. cit.*, p. 51.

22. Augustin Filon, *Souvenirs sur l'impératrice Eugénie*, Préf. d'Ernest Lavisse, Paris, Calmann-Lévy, 1920, p. 146.

23. Bernard Ménager, *op. cit.*, p. 313.

24. Georges Lachaud, *Le Prince Napoléon et le Parti bonapartiste*, Paris, Dentu, 1880, p. 30.

NOTES

25. Docteur Flammarion, *Un neveu de Napoléon Ier, le prince Napoléon*, *op. cit.*, p. 207.

26. Certains pensent que les convictions républicaines du prince disparaîtront dès lors que son ambition sera satisfaite. Bernard Ménager, *op. cit.*, p. 316, et François Pairault, *op. cit.*, p. 235.

27. Jolibois fut le premier déçu, il l'écrit à Eschassériaux : « Quant au chef actuel, au futur Empereur, je crois qu'il aurait pu faire plus et mieux [...]. Je crains qu'il ne soit mal conseillé ou mal inspiré. [...] On vient de me dire qu'il entend continuer à se taire. » François Pairault, *op. cit.*, p. 237.

28. Docteur Flammarion, *Un neveu de Napoléon Ier, le prince Napoléon*, *op. cit.*, p. 205.

29. Lettre d'Émile Ollivier au prince Napoléon, 8 novembre 1879. Anne Troisier de Diaz, *op. cit.*, p. 274.

30. APP Ba 1258, rapport du 21 août 1879.

31. *Ibid.*, rapport du 26 octobre 1879. L'impératrice conseillerait à ses visiteurs le ralliement au prince Napoléon.

32. Au moment des élections de 1876 et 1877, le prince Napoléon avait prononcé des discours dans lesquels il affirmait défendre le régime de la République, mais de type consulaire.

33. *Le Petit Caporal*, 22 août 1879.

34. Dugué de La Fauconnerie, *Souvenirs d'un vieil homme, 1866-1879*, *op. cit.*, préface de Frédéric Masson, p. II.

35. Lettre d'Émile Ollivier au prince Napoléon, 8 novembre 1879. Anne Troisier de Diaz, *op. cit.*, p. 274.

36. La situation de la Charente était particulière : aux élections sénatoriales du 30 janvier 1876, les impérialistes s'étaient entendus avec les royalistes pour faire élire deux candidats, Gustave André et Auguste Hennessy. André était décédé en novembre 1878 et avait été remplacé par un autre royaliste. Auguste Hennessy était mort le 2 septembre 1879 et c'était au tour des impérialistes de présenter un candidat. Patrick André, *op. cit.*, p. 54.

37. AN 400 AP 126, lettre du baron Eschassériaux au prince Napoléon pour lui expliquer son refus, 6 janvier 1880 : « Je n'ai, Monseigneur, ni l'autorité nécessaire aujourd'hui pour aborder une pareille tâche ni le temps de l'accomplir convenablement au milieu de mes fréquentes absences de Paris. Et d'un autre point de vue, je crois qu'il y a lieu de ménager dans le groupe l'amour-propre de ceux qui attendent leur tour de présidence. D'autre part, il existe des traditions qu'on ne saurait enfreindre sans exciter une certaine émotion, celle par exemple qui appelle à la présidence le vice-président sortant. »

38. Fidus, *Journal de Fidus*, *op. cit.*, p. 85-86.

39. Patrick André, *op. cit.*, p. 54.

40. Jean-François Sirinelli, *Histoire des droites en France*, *op. cit.*, tome I, p. 173.

41. AN 400 AP 53, lettre de la princesse Mathilde à l'impératrice Eugénie, 21 octobre 1880.

42. *Ibid.*, réponse de l'impératrice à la princesse Mathilde, 25 octobre 1880.

43. François Pairault, *op. cit.*, p. 240.

44. Bernard Ménager, *op. cit.*, p. 318.

45. Ernest Pascal, Paul Lenglé, Maurice Richard, Frédéric Masson sont les principaux.

46. Le tirage du journal ne dépasse pas 6 500 exemplaires et disparaît dès mai 1882. Pierre Albert, *Histoire de la presse politique nationale au début de la Troisième République (1871-1879)*, *op. cit.*, p. 955.

47. Lettre d'Émile Ollivier au prince Napoléon, 8 novembre 1879. Anne Troisier de Diaz, *op. cit.*, p. 274.

48. Ce nombre correspond aux candidats jérômistes et aux « dynastiques ». Bernard Ménager, *op. cit.*, p. 320.

49. Paul Lenglé, *op. cit.*, p. 45.

12. *Victor dans le jeu des impérialistes*

1. APP, Ba 1258, rapports du 28 janvier et 19 avril 1882. La conduite de Rouher dans cette affaire est loin d'être claire ; plusieurs rapports montrent qu'il est à l'origine de tractations financières pour permettre à Victor de s'émanciper de son père. Un autre rapport, du 7 novembre 1882, indique que Rouher refuse la rupture avec le prince Napoléon.

2. André Martinet, *Le Prince Victor Napoléon, op. cit.*, p. 20.

3. AN 400 AP 163. Avant la publication, le prince Victor avait envoyé une copie de cette lettre à son père, 14 avril 1882.

4. AN 542 AP, lettre de la princesse Julie Bonaparte à Émile Ollivier, 16 avril 1882.

5. François Berthet-Leleux, *op. cit.*, p. 216.

6. APP, Ba 69, rapport du 8 novembre 1882.

7. *Ibid.*, rapport du 14 novembre 1882.

8. AN 400 AP 153, lettre de Victor à son père, 16 novembre 1882.

9. AN 400 AP 124, lettre de la princesse Clotilde au prince Napoléon, 26 novembre 1882.

10. André Martinet, *op. cit.*, p. 23.

13. *Le fils s'oppose au père*

1. Lettre d'Émile Ollivier à la princesse Julie Bonaparte, 9 septembre 1882, citée par Anne Troisier de Diaz, *Regards sur Émile Ollivier, op. cit.*, p. 276.

2. APP, Ba 1268, rapport du 25 octobre 1882. L'idée de comités victoriens naît à l'issue d'une grande réunion organisée salle Wagram, le 15 août 1882.

3. Le texte intégral du manifeste du prince Napoléon est repris par François Berthet-Leleux, *op. cit.*, p. 192-195.

4. Le prince Victor n'est pas à Paris à ce moment-là : il effectue son volontariat à Orléans. Il apprend la nouvelle par l'intermédiaire de la princesse Mathilde, qui envoie l'un de ses proches le prévenir le plus rapidement possible. On ne connaît pas sa réaction. La nouvelle est télégraphiée le jour même à la princesse Clotilde, qui ne se manifesta pas. François Berthet-Leleux, *op. cit.*, p. 200-201.

5. Bernard Lavergne, *Les Deux Présidences de Jules Grévy (1879-1887)* ; *Mémoires de Bernard Lavergne*, Paris, Fischbacher, 1966, p. 101-117.

6. François Pairault, *Mémoires d'un grand notable bonapartiste (1823-1906), op. cit.*, p. 255.

7. APP, Ba 1258. Amigues et Cassagnac se rendirent chez Rouher pour connaître sa position. Il conseilla le ralliement au prince Napoléon.

8. Le vendredi 19 janvier, lors d'une réunion du groupe de l'Appel au peuple, le baron Eschassériaux propose de rédiger une déclaration sur les événements et la situation faite au prince. La commission chargée de rédiger cette déclaration se compose de Dréolle, du comte Murat, de Janvier de la Motte et du baron Eschassériaux. Le 31 janvier, le baron rend visite au prince Napoléon à la Conciergerie. François Pairault, *op. cit.*, p. 257.

9. L'impératrice ne reste qu'une journée à Paris, venant uniquement pour apporter officiellement son soutien au prince Napoléon. Elle repart aussitôt pour ne pas attirer l'attention du gouvernement français. Plon-Plon est très touché par ce geste ; il est en revanche très affecté par le manque de soutien de la princesse Clotilde. François Berthet-Leleux, *op. cit.*, p. 213-214.

10. Bernard Ménager, *Les Napoléon du peuple, op. cit.*, p. 324-325.

11. AN F7 12 428, rapport du 13 février 1883.

12. APP, Ba 1258, la couverture de la brochure montre un forgeron, une lanterne à la main, éclairant la République, et la silhouette de Bonaparte.

13. Ernest Merson, *Confidences d'un journaliste, op. cit.*, p. 291.

14. Jules Amigues meurt le 29 avril 1883.

15. Ernest Merson confirme que la sympathie intime de Rouher allait au prince Victor, comme l'atteste cette lettre de Rouher à Merson : « Le prince Napoléon a une valeur considérable, mais il ne régnera pas. Écoutez-le, mais gardez-vous de le suivre, il vous égarerait. Quant à son fils, le prince Victor, il est marqué pour le trône : il sera empereur », *op. cit.*, p. 293.

16. APP, Ba 1258. Plusieurs rapports de janvier et d'avril 1883 indiquent que Rouher aurait effectué des transactions au nom de l'impératrice, qui voulait constituer un capital en faveur des deux fils du prince Napoléon.

17. Rouher meurt le 3 février 1884 ; ses obsèques ont lieu le 7 février. Il s'agit de l'ultime manifestation d'unité du parti : le prince Napoléon y côtoie une dernière fois Paul de Cassagnac. Frédéric Chalaron, « Rouher et la succession du prince impérial », *op. cit.*, p. 94.

18. La conférence Molé-Tocqueville rassemble les jeunes avocats à la cour de Paris ayant des idées de droite qui veulent le renversement de la République. Le groupe de l'Appel au peuple y est très bien représenté et fournit plusieurs présidents. Les hommes du parti bonapartiste du début du siècle sont, en grande partie, issus de ce cercle, tels Flandin, Fougère, Maybon,

Poitou-Duplessy, Moro-Giafferi. Sur le rôle de la conférence Molé-Tocqueville dans l'apprentissage à la fonction de député, voir Gilles Le Beguec, *L'Entrée au Palais-Bourbon, les filières privilégiées d'accès à la fonction parlementaire (1919-1939)*, thèse d'histoire, Paris-X-Nanterre, 1989, p. 1263-1280.
19. AN 400 AP 163, 26 novembre 1883.
20. *Ibid.*, 2 décembre 1883.
21. AN 400 AP 163, lettre de Victor au prince Napoléon, 16 décembre 1883.
22. AN F7 14 428, *Le Gaulois*, 31 janvier 1884.
23. AN 400 AP 163, lettre du prince Victor à Paul de Cassagnac, 15 janvier 1884.
24. Ernest Merson, *op. cit.*, p. 293.
25. AN 400 AP 163, lettre du prince Victor, de Moncalieri, 27 janvier 1884.
26. APP, Ba 69. Plusieurs rapports de février 1884 indiquent que Cassagnac ne fait que reprendre le projet de Rouher, décédé le 3 février.
27. AN 400 AP 151, lettre du prince Napoléon au sultan, 12 avril 1884, réponse du sultan, 19 mai 1884.
28. AN 400 AP 151, note du prince Napoléon, 20 mai 1884.
29. *Ibid.*, 28 mai 1884. Cette idée vient des impérialistes qui poussent Victor à aller à Farnborough le 2 juin 1884 pour le service commémoratif de la mort du prince impérial. Il serait ainsi vu aux côtés de l'impératrice, ce qui le placerait en prétendant légitime.
30. AN 400 AP 163, note du prince Napoléon, 2 mai 1884.
31. APP, Ba 69. Les bruits les plus fous circulent concernant la provenance de cette rente. D'après des rapports de police du début de l'année 1884, le baron Eschassériaux soutenait financièrement le prince Victor, auquel il aurait donné 100 000 francs, et Jolibois, qui pourtant n'avait aucune fortune personnelle, lui verserait une rente de 40 000 francs.
32. François Berthet-Leleux, *op. cit.*, p. 219.
33. AN 400 AP 151, lettre du prince Napoléon à Brunet, 22 mai 1884.
34. AN 400 AP 151, note du prince Napoléon, 20 mai 1884.

14. La rupture définitive

1. AN 400 AP 151, dossier relatif à la rupture, sans date.
2. *Ibid.*
3. AN 400 AP 163, lettre du prince Napoléon au prince Victor, 24 juin 1884.
4. AN 400 AP 163, lettre du prince Victor au prince Napoléon, 25 juin 1884.
5. AN 400 AP 53, lettre de la princesse Mathilde à l'impératrice Eugénie, 12 novembre 1883.
6. *Ibid.*, 2 décembre 1883.
7. AN 400 AP 163, lettre du prince Napoléon à l'impératrice, 22 mai 1884.

8. Fonds Primoli, lettre de l'impératrice Eugénie à la princesse Mathilde, 23 mai 1884.

9. AN 400 AP 151, note du prince Napoléon, 28 mai 1884 : « L'Impératrice blâme l'attitude de Victor, mais elle garde des appréhensions au sujet de la politique du prince Napoléon. Elle désire avant tout rester sur une grande réserve et refuse de voir Victor. »

10. Ibid., 29 mai 1884.

11. Ibid., 10 juin 1884. Plon-Plon refusant toujours de recevoir son fils, la princesse Mathilde sert d'intermédiaire.

12. AN 400 AP 163, lettre de l'impératrice Eugénie au prince Napoléon, 27 juin 1884.

13. Ibid.

14. Fonds Primoli, lettre de l'impératrice à la princesse Mathilde, 4 juillet 1884.

15. AN 400 AP 163, lettre de l'impératrice au prince Napoléon, 27 juin 1884.

16. Ibid., 26 septembre 1884.

17. AN 400 AP 206, lettre de Piétri au duc de Padoue, janvier 1887.

18. Elle dut encore attendre jusqu'en janvier 1889 pour que les cercueils de son mari et de son fils fussent installés dans la crypte.

19. Comte d'Hérisson, Journal d'un officier d'ordonnance, Paris, Ollendorff, 1885. L'auteur y retrace les événements de 1870-1871.

20. AN 400 AP 163, lettre de l'impératrice Eugénie au prince Napoléon, 15 décembre 1885.

21. AN 400 AP 124, lettre du prince Napoléon à la princesse Clotilde, 21 janvier 1884.

22. Ibid., lettre de la princesse Clotilde au prince Napoléon, 31 décembre 1883.

23. AN 400 AP 124, lettre de la princesse Clotilde au prince Napoléon, 4 janvier 1884.

24. Ibid., 25 juin 1884.

25. AN 400 AP 151, note du prince Napoléon, 31 octobre 1884 : « Le Roi m'a dit qu'il blâmait vraiment la conduite politique de Victor. »

26. AN 400 AP 53, lettre de la princesse Mathilde à l'impératrice, 15 novembre 1883 : « Il [Victor] n'est pas aussi vif que son frère. »

27. Marguerite Castillon du Perron, op. cit., p. 246-247.

28. AN 400 AP 135, lettre du prince Victor à la princesse Mathilde, 1er février 1884.

29. Ibid., lettre de la princesse Mathilde au prince Napoléon, 1er octobre 1884.

30. Fonds Primoli, lettre de la princesse Mathilde au prince Victor, 25 juin 1885.

31. Fonds Primoli, lettre du prince Victor à la princesse Mathilde, 3 décembre 1884.

32. Fonds Primoli, lettre de la princesse Mathilde à Joseph Primoli, 28 juin 1886.

33. Maxime Du Camp, Souvenirs d'un demi-siècle, tome II, op. cit., p. 338.

459

15. Des débuts politiques timides

1. *Le Matin*, 27 juin 1884.
2. APP, Ba 69, note du 26 octobre 1884.
3. *Ibid.* Cassagnac se plaint dès la fin de l'année 1884.
4. *Ibid.*, rapport du 16 décembre 1884.
5. *Lettre au prince Victor, le victorisme et le parti bonapartiste*, Paris, 1885. L'année suivante, Henry Dichard fait de nouveau part de sa déception dans *La Fin d'un prince*, Paris, 1886.
6. Depuis la mort du comte de Chambord en 1883, le parti royaliste regroupe les légitimistes et les orléanistes.
7. Édouard Boinvilliers, *Nouveau Catéchisme impérial. Guide de l'électeur pour 1885*, Paris, Dubuisson, 1885.
8. *Ibid.*, p. 4.
9. Patrick André, *op. cit.*, p. 65.
10. Odile Rudelle, *La République absolue*, Paris, Publications de la Sorbonne, 1982, p. 96.
11. Patrick André, *op. cit.*, p. 65.
12. APP, Ba 70, rapport du 30 novembre 1885.
13. *Ibid.*
14. Le 12 mars 1882, Cassagnac s'exprimait ainsi dans *Le Conservateur du Gers* : « Dieu avant tout, les princes après ».
15. Bertrand Joly, *Dictionnaire biographique et géographique du nationalisme français, 1880-1900, op. cit.*, p. 91.
16. *La Souveraineté nationale* existe jusqu'en 1907, mais ne dépasse pas 500 exemplaires depuis 1895. À partir de 1907, le nouvel organe du prince Victor sera *La Volonté nationale*. Ces journaux ont pu être créés grâce aux subsides versés par l'impératrice Eugénie.
17. Bernard Ménager, *op. cit.*, p. 334, et Frédéric Bluche, *Le Bonapartisme*, Paris, PUF, « Que sais-je ? », 1981, p. 43. AN 400 AP 206. Le duc de Padoue donne aussi sa définition : « À force de vouloir tenir la balance égale entre l'Empire et la Royauté, [Cassagnac] en arrive à absorber le parti de l'Empire dans une sorte de parti neutre, incolore, sans principe et sans doctrine. »

16. Il faut partir

1. Odile Rudelle, *op. cit.*, p. 96.
2. *Ibid.*, p. 116-157.
3. Adrien Dansette, « Les princes devant la loi d'exil », *Le Miroir de l'histoire*, n° 7, août 1950, p. 89-101.
4. Le prince Napoléon s'était adressé au Sénat dès le 22 février pour s'insurger contre une loi qu'il trouvait injuste : « Pouvez-vous mettre sur la même ligne les Bourbons et les Napoléons ? Le descendant de Philippe-Égalité qui

représente le droit monarchique et moi qui, descendant de Napoléon Ier, ne puis rien être que par la souveraineté nationale ? [...] Il faut réformer la République et non la renverser. Le peuple doit élire son chef. La Démocratie a besoin d'autorité autant que de liberté. » François Berthet-Leleux, *op. cit.*, p. 226-227.

5. APP, Ba 69, rapport du 25 juin 1886.
6. André Martinet, *op. cit.*, p. 36-38.
7. *Ibid.*, p. 38.
8. *Le Cri du peuple, Le Petit Caporal* et *La Nation* s'accordent sur ce point.
9. *L'Étoile belge* du 24 juin. *La Réforme* du même jour cite le chiffre de cent cinquante personnes.
10. APP, Ba 69, rapport du 25 juin 1886.

17. La reprise en main du prince Victor

1. AN 400 AP 206, lettre du prince Victor au duc de Padoue, 27 juillet 1886.
2. *Ibid.*, lettre du duc de Padoue au prince Victor, 26 novembre 1886.
3. *Ibid.*, note du 27 juillet 1886 et APP Ba 1496, note de mars 1888.
4. AN 400 AP 206. Déclaration du prince Victor, 26 juillet 1886 : « La République a été faite par une Assemblée sans mandat. Le peuple tout entier librement consulté a seul le droit de choisir son gouvernement. C'est à nous de rendre la Nation maîtresse de ses destinées. »
5. *Déclarations faites par S.A.I. le prince Victor-Napoléon le 25 août 1887*, Paris, imprimerie de J. Cusset, 1887.
6. Comme effet positif, on peut remarquer le ralliement définitif de la majorité de ceux qui soutenaient le prince Napoléon. Cunéo d'Ornano en fait partie qui, en juillet 1887, se met au service du prince Victor : « Votre Altesse pourra désormais disposer de moi très ouvertement pour une politique que je voudrais très constitutionnelle et très démocratique. » AN 400 AP 182, lettre de Cunéo d'Ornano au prince Victor, 3 juillet 1887.
7. AN, F7 12 428, rapport du 14 janvier 1888.

18. Le raz de marée boulangiste

1. Adrien Dansette, *Le Boulangisme*, Paris, Fayard, 1946, p. 55.
2. Odile Rudelle, *La République absolue, op. cit.*, p. 183.
3. Philippe Levillain, *Boulanger, fossoyeur de la monarchie*, p. 12-13. Le succès électoral de 1885 donne aux droites l'envie de suivre le général.
4. Frédéric Monier, *Le Complot dans la République : stratégie du secret, de Boulanger à Cagoule*, Paris, La Découverte, 1998, p. 29.
5. Clément de Royer, président du comité d'action impérialiste et délégué du prince Victor auprès des comités, est incapable d'endiguer le flot d'adhésions individuelles. Il se rend à Bruxelles pour s'entretenir avec le prince de

la stratégie à suivre. D'après Patrick André, le prince Victor, prudent, voudrait rester dans l'expectative. Patrick André, *op. cit.*, tome I, p. 70.

6. APP, Ba 70, note du 16 février 1888.

7. Pierre Lévêque, *Histoire des forces politiques en France, 1880-1940, op. cit.*, p. 231.

8. APP, Ba 70, note du 1ᵉʳ mars. La délégation se compose de Jolibois, de Levert et du marquis de La Valette.

9. Les jérômistes sont entrés en contact avec le général dès décembre 1887 par l'intermédiaire de Thiébaud qui organise une entrevue secrète entre et le prince Napoléon à Prangins, le 2 janvier 1888. AN 400 AP 161.

10. APP, Ba 70, note du 15 avril 1888.

11. Cette réunion était la conséquence d'un ordre du jour votée à la Chambre par l'Union des droites le 16 mai. Philippe Levillain, *op. cit.*, p. 96.

12. L'entente montra vite ses limites : le mot « directe » fit scandale auprès de la droite royaliste, qui s'inquiéta de voir les bonapartistes prendre l'avantage. Quant aux bonapartistes, ils avaient du mal à accepter que leur doctrine servît de dynamique à la cause royaliste. En fait, chacun faisait semblant de s'entendre pour ne pas laisser passer la chance d'une révision constitutionnelle. *Ibid.*, p. 97-98.

13. Le baron de Mackau avait été bonapartiste jusqu'à la mort du prince impérial. Quant au comte de Martimprey, son père avait été chef d'état-major de l'armée sous le Second Empire, sénateur et gouverneur des Invalides.

14. Philippe Levillain, *op. cit.*, p. 99.

15. APP, Ba 70. C'est le cas dans les départements de la Somme, du Nord, de la Seine, de la Charente-Inférieure et de l'Ardèche.

16. Bernard Ménager, *op. cit.*, p. 339.

17. APP, Ba 1496, note de mars 1890.

18. APP, Ba 70 note du 19 août 1888.

19. *Ibid.* la note du 5 octobre 1888 indique que ce portrait a été tiré à 50 000 exemplaires.

20. René Rémond, *Les Droites en France, op. cit.*, p. 354-355, et Jean Garrigues, *Le Général Boulanger, op. cit.*, p. 356-357.

21. Jean Garrigues, *op. cit.*, p. 356-357.

22. APP, Ba 70, 15 novembre 1888.

23. APP, Ba 887, 8, 19 et 24 janvier 1889.

24. APP, Ba 70, 10 avril 1889. Lors de l'installation du général Boulanger à Bruxelles, plusieurs journaux belges et français parlent d'une visite du général chez le prince Victor. Ces bruits sont immédiatement démentis de part et d'autre. La seule trace de contact entre le prince Victor et Boulanger est une lettre du prince adressée au général peu avant l'élection parisienne pour lui confirmer le soutien électoral des comités impérialistes de la Seine.

25. AN 400 AP 187, lettre d'Edmond-Blanc au général du Barail, 3 janvier 1889.

26. Odile Rudelle, *op. cit.*, p. 229. Au soir des élections, l'enthousiasme de la foule tranche avec la peur de Boulanger de devoir passer à l'action.

27. François Pairault, *op. cit.*, p. 304.

28. APP, Ba 887, rapport du 21 février 1889.
29. AN 400 AP 205, lettre d'Émile Ollivier au général Du Barail, 24 septembre 1889.

19. Le prince Napoléon : dernier acte

1. Lettre du prince Victor à Thouvenel, 4 mars 1891.
2. Marie-Anne et Alfio Pappalardo, Le Plonplonismo, op. cit., p. 598-599.
3. AN 400 AP 53, lettre de la princesse Clotilde à l'impératrice, 3 mars 1891 : « Victor est tenu au courant de la maladie de son père, ainsi que Louis. Je sais même que le roi a télégraphié à Victor. » Voir aussi la lettre d'Amédée Edmond-Blanc à Thouvenel, 8 mars 1891 : « Son Altesse Impériale est partie hier pour l'Italie. Les dépêches que le Roi lui adressait journellement constataient jusqu'à jeudi d'une amélioration. C'est vendredi que le mal s'est subitement aggravé. Le Prince a été informé par sa sœur et par le Roi et il est parti immédiatement avec Laborde et Fleury. »
4. François Berthet-Leleux, op. cit., p. 312-313.
5. Marguerite Castillon du Perron, op. cit., p. 266. Augustin-Thierry, La Princesse Mathilde, Notre-Dame des arts, op. cit., p. 285-286.
6. Marie-Anne et Alfio Pappalardo, op. cit., p. 600-601.
7. APP, Ba 69, La Réforme, 20 mars 1891.
8. Lettre citée par Marguerite Castillon du Perron, op. cit., p. 266.
9. Fonds Primoli, lettre de la princesse Mathilde à Joseph Primoli, du 15 mars 1891.
10. François Berthet, op. cit., p. 314, Paul Lenglé, op. cit., p. 302.
11. William Smith, Eugénie, impératrice et femme, op. cit., p. 320.
12. La Superga se situe à neuf kilomètres de Turin. Marie-Anne et Alfio Pappalardo, op. cit., p. 609-610.
13. François Berthet-Leleux, op. cit., p. 315 : « On avait précipité la cérémonie des obsèques conduites par le prince Victor, dans une hâte qui avait paru inexplicable. »
Paul Lenglé, op. cit., p. 305 : « cette famille princière qui, en dépit d'une interdiction expresse, a permis au fils "traître" et "rebelle" de marcher hypocritement derrière le char funéraire de ce père outragé ».
14. AN 400 AP 151, testament du prince Napoléon rédigé à Prangins, le 25 décembre 1889.
15. Ibid.
16. William Smith, Eugénie, impératrice et femme, op. cit., p. 321.
17. APP Ba 70, L'Éclair du 23 avril 1891.
18. AN 400 AP 176, lettre de Bégouen au prince Victor, 13 mars 1891. Bégouen, petit-fils d'un député du Premier Empire, était membre du parti bonapartiste.
19. APP, Ba 70, rapport du 25 avril.
20. Robert Mitchell s'engage à obtenir le soutien des amis du prince Napoléon. APP, Ba 70, rapport du 9 mai 1891.

20. *Victor, chef de la maison impériale*

1. AN 400 AP 198. Ce portrait est extrait d'un opuscule rédigé par Hyacinthe Liautaud, *Chez le Prince Napoléon*, Paris, juillet 1893, 18 p.
2. *Le Figaro*, 26 août 1887.
3. Lucien Daudet, *Dans l'ombre de l'impératrice Eugénie*, op. cit., p. 30.
4. Bertrand Joly, *Paul Déroulède (1846-1914)*, op. cit., tome 1, p. 60.
5. Paul Lenglé, *Le Neveu de Bonaparte* [...], op. cit., p. 110.
6. AN 400 AP 211, lettre d'Edmond-Blanc au général Thomassin, 1er décembre 1884.
7. AN 400 AP 198. Hyacinthe Liautaud, *Le Prince Victor-Napoléon*, op. cit., p. 11.
8. Ernest Merson, op. cit., p. 298.
9. Clément Vautel, *La Vie illustrée*.
10. APP, Ba 70, rapport du 12 juillet 1904.
11. Lettre du baron Legoux à Thouvenel du 29 octobre 1902, inédit, archives particulières.
12. Lucien Daudet, *Dans l'ombre de l'impératrice Eugénie*, op. cit., p. 32.
13. Lettre du baron Legoux à Thouvenel du 29 octobre 1902, op. cit.

21. *Le cercle familial*

1. La bibliographie sur le prince Louis est quasi inexistante. Un article lui a été consacré dans la *Revue du Souvenir napoléonien*, « Le prince Louis Napoléon Bonaparte », nos 140, 141 et 142, février 1960. Pour tenter de combler ce vide, je me suis appuyée sur les archives de l'Association des amis de Frédéric Masson et sur sa correspondance avec Thouvenel.
2. Lettre du prince Louis à Frédéric Masson, 2 août 1914, archives de l'Association des amis de Frédéric Masson.
3. François Berthet, ancien secrétaire du prince Napoléon, publia un opuscule très critique à l'égard du prince Louis : *Le Prince Napoléon-Louis, général russe*, Genève, 1914.
4. *L'Illustration*, n° 4677, 22 octobre 1932, p. 250.
5. Lettre de Louis à Frédéric Masson, 25 juillet 1895, archives de l'Association des amis de Frédéric Masson.
6. APP Ba 70, note du 17 mars 1894.
7. Lettre d'Edmond-Blanc à Thouvenel du 30 mars 1894, inédit, archives particulières.
8. La bibliographie sur la princesse Laetitia est inexistante. Le journal de Joseph Primoli et les correspondances de Frédéric Masson et de Thouvenel permettent en partie de combler ce vide.
9. Joseph Primoli, *Pages inédites*, présentées et annotées par Marcello Spaziani, Rome, 1959, 202 p. « Dès qu'elle paraissait à Monza, tout était en fête

et riait avec elle [...]. C'étaient ses vacances, bien courtes, et puis elle rentrait dans sa sombre tour de Moncalieri. »

10. Marcello Spaziani, *op. cit.*, p. 165.

11. Elle avait d'abord été courtisée par son cousin Emmanuel, fils aîné d'Amédée, mais elle lui préféra son père, avec lequel elle avait l'habitude de se promener à cheval. *Ibid.*

12. Le prince Amédée avait épousé en 1867 la princesse della Cisterna, de laquelle il avait eu trois fils.

13. Lamberto Vitali, *Un fotografo fin de siècle, il conte Primoli*, Turin, 1968, p. 48-49.

14. AN 400 AP 133. Plon-Plon avait voulu la marier au prince Roland Bonaparte. D'une part, elle ne le trouvait pas séduisant : « Vous me demandez mon impression sur lui, je dois dire que j'ai été déçue. Je le croyais mieux de sa personne. » D'autre part, elle repoussait l'idée d'un mariage d'argent, comme elle l'écrivait à son père le 19 août 1886 : « La fortune, qui pour beaucoup de jeunes filles de notre temps est malheureusement la seule chose qui leur fait accepter un mariage ».

15. AN 400 AP 133. Le 22 juillet 1888, la princesse Laetitia en informe son père : « Le pape a accordé les dispenses accompagnées des termes les plus aimables. Le cardinal Alinonda bénira notre mariage. Tout s'arrange pour le mieux, heureusement. »

16. Lettre de Laetitia à Thouvenel de juin 1915, archives particulières.

17. *Ibid.*, janvier 1917.

18. *Ibid.*, 19 décembre 1923.

19. L'impératrice avait acheté un terrain au cap Martin en 1888, au nom de la princesse Laetitia, où elle fit construire une villa qui ne fut achevée qu'en 1895. Elle la baptisa *Cyrnos*, nom grec de la Corse, en témoignage de ses attaches bonapartistes. Laetitia y était comme chez elle.

20. Lettre de Laetitia à Frédéric Masson, 2 juin 1913, archives de l'Association des amis de Frédéric Masson. Dans une autre lettre, elle insiste de nouveau : « Qu'on se prépare sérieusement, sans cela nous ne serons jamais en mesure de faire quoi que ce soit. »

21. *Ibid.*, lettre à Thouvenel de mars 1906.

22. *Ibid.*, lettre à Thouvenel, 5 décembre 1903, ou encore : « Moi, je suis affectionnée à mon frère et je voudrais toujours le savoir heureux et bien portant. »

23. R. Bracalini, *La regina Margherita*, Turin, 1983.

24. U. Alfassio Grimaldi, *Umberto I di Savoia, il re buono*, Milan, 1969.

25. AN 400 AP 207, lettre de Joseph Primoli au prince Victor, 26 octobre 1896.

26. « Joseph et Louis Primoli, deux agents littéraires amateurs entre France et Italie au début du XXᵉ siècle », par Antonietta Angelica Zuccani, colloque « Les Relations culturelles internationales au XXᵉ siècle. De la diplomatie à l'acculturation ».

27. Dans une lettre à Plon-Plon en 1847, lors de la mort de son frère aîné, Louis Napoléon soulignait la différence entre eux et les « Lucien » : « C'est

bien triste de penser que ni toi, ni moi nous n'avons d'enfants. Il n'y aura plus de Bonaparte que la mauvaise branche de Lucien. » Ernest d'Hauterive, *op. cit.*, p. 27.

22. *Quelques proches*

1. André Martinet, *op. cit.*, p. 56.
2. APP, Ba 69, rapport du 28 juillet 1886.
3. En même temps, il acheta deux petites maisons en fond de jardin qui seront habitées par les deux enfants du couple.
4. Dominique Paoli, *Clémentine, princesse Napoléon*, Paris, Duculot, 1992, p. 148.
5. AN 400 AP 198, Hyacinthe Liautaud.
6. AN F7 15 987, rapport du 27 mars 1900.
7. André Martinet, *op. cit.*, p. 56.
8. Dominique Paoli, *op. cit.*, p. 148.
9. AN 400 AP 211, lettre d'Edmond-Blanc au général Thomassin, 1er décembre 1884.
10. « M. Edmond-Blanc abandonnait sa Patrie et sa famille, il sacrifiait ses relations et ses intérêts », extrait du discours prononcé aux obsèques d'Edmond-Blanc par Chandon, alors président des comités plébiscitaires de la Seine, archives particulières.
11. *Ibid.*, « Son Altesse Impériale considérait M. Edmond-Blanc comme un de ses amis les plus sûrs, et la très profonde affliction que le Prince éprouve de la disparition de son fidèle est autant à l'honneur de celui qui ressent un pareil sentiment que de celui qui l'a inspiré. »
12. AN, F7 12 867, rapport du 7 novembre 1905.
13. Lettre d'Edmond-Blanc à Thouvenel, 7 février 1906, archives particulières.
14. Lettre de la princesse Laetitia à Thouvenel du 14 juin 1906, archives particulières.
15. Lettre du marquis de Girardin à Thouvenel du 14 octobre 1910 : « Vous faites partie, comme moi, depuis fort longtemps, du service d'honneur de Son Altesse Impériale », *ibid.*
16. AN 400 AP 212, Thouvenel se présente ainsi à Abel Gance en 1924.
17. AN 400 AP 195.
18. David Lecomte, *Le Prince Victor Napoléon, un étranger à Bruxelles*, mémoire de maîtrise, université de Louvain-la-Neuve, 1999, p. 43.
19. AN, F7 12 867, rapport du 24 octobre 1912.
20. AN, F7 15 987, rapport du 3 février 1899.
21. Lettre du prince Victor au marquis de Girardin, 26 décembre 1886, inédit, archives particulières.
22. AN, F7 12 867, rapport du 16 décembre 1901.
23. AN, F7 15 987, rapport du 14 novembre 1888.
24. AN, F7 12 867, 1903.

25. APP, Ba 70, rapport du 12 février 1899.
26. AN, F7 12 867, novembre 1903.
27. APP, Ba 70, rapport du 13 avril 1887.
28. Robert Wellens, *Inventaire des archives de la famille Dolez*, Archives générales du royaume, Bruxelles, 1969, p. 8.
29. APP, Ba 70, rapport du 19 février 1890.
30. APP, Ba 70, s.d.
31. *Dictionnaire des Belges*, Bruxelles, P. Legrain, 1981, p. 286.
32. APP, Ba 70, rapport du 13 avril 1887.
33. AN, F7 15 897, rapport du 20 juin 1887 et un autre d'août 1905.
34. Évrard Raskin, *Élisabeth de Belgique*, Bruxelles, éd. Luc Pire, 2006, p. 122-123.
35. APP, Ba 70, rapport du 3 janvier 1887.
36. APP, Ba 70, rapport du 3 février 1888.
37. David Lecomte, *op. cit.*, p. 68.
38. Évrard Raskin, *Élisabeth de Belgique*, *op. cit.*, p. 70. Marie-José de Belgique, *Albert et Élisabeth de Belgique, mes parents*. Paris, Plon, 1971, p. 71.
39. Marie-Rose Thielemans et Émile Vandewoude, *Le Roi Albert au travers de ses lettres inédites, 1882-1916*, Bruxelles, Office international de librairie, 1982, p. 9.
40. AN F7 15 987, rapport du 26 octobre 1888.
41. APP, Ba 70, rapport du 20 mai 1888. En dehors de ce rapport, il n'existe aucune autre trace de cette entrevue ; on peut donc se demander si elle a vraiment eu lieu.

23. Un changement de cap sans résultat

1. Patrick André, *Les Parlementaires bonapartistes de la Troisième République*, *op. cit.*, p. 77.
2. « Le baron Jules Legoux », C.E.R.B, n° 9, mai-juin 1999, p. 18-19.
3. Extrait de la déclaration faite par le prince Victor aux comités de la Seine pour fixer la ligne de conduite lors des élections législatives de 1889. André Martinet, *op. cit.*, p. 44.
4. AN 400 AP 176, lettre de Berger au prince Victor, 3 juillet 1891.
5. APP, Ba 70. Selon *L'Éclair* du 19 juillet 1892, le prince Victor se serait rendu à Farnborough pour réclamer à l'impératrice un million de francs, nécessaire à la relance de la propagande.
6. Sous la direction de Jean-François Sirinelli, *Les Droites françaises de la Révolution à nos jours*, Paris, Gallimard, 1995, p. 196-200.
7. *L'Année politique, 1893*, p. 172-173. Le programme du groupe plébiscitaire de Jules Delafosse contenait deux points : l'élection du chef de l'État au suffrage universel et le référendum.
8. Bernard Ménager, *Les Napoléon du peuple, op. cit*, p. 347.
9. AN 542 AP 17, lettre d'Émile Ollivier au prince Victor, 7 avril 1892.

10. Cette déclaration est publiée dans *Le Figaro* du 22 septembre, avant d'être reprise par la presse bonapartiste.
11. Adrien Dansette, *Les Affaires de Panamá*, Paris, Perrin, 1934. Chapitre XIII, « Les conséquences politiques du scandale de Panamá ».
12. APP, Ba 70, 24 décembre 1892.
13. *Ibid.*, *L'Intransigeant*, *La Presse* et *La Cocarde* sont les principaux relais.
14. Patrick André, *op. cit.*, p. 82.
15. Adrien Dansette, *op. cit.*, p. 240.
16. APP, Ba 70. À la fin de décembre 1892, l'avenue Louise fait l'objet d'une surveillance particulière, les rapports de police notent une activité anormale qui se traduit par la multiplication des visites et une correspondance accrue.
17. *Ibid.*, *L'Éclair* du 19 janvier 1893. Il semble que l'idée de Legoux était de placarder dans Paris un manifeste annonçant la candidature du prince Victor à la présidence de la République. Pour cela, il avait besoin de 40 000 francs ; n'arrivant pas à réunir cette somme, il se contenta d'un article dans *Le Figaro.*
18. *C.E.R.B*, n° 21, mai-juin 2003, « La logique sociale de l'idéologie bonapartiste », p. 37.
19. APP, Ba 70. De nombreux rapports de la fin de l'année 1892 et du début de 1893 attestent les démarches désespérées des comités parisiens pour pousser le prétendant à agir.
20. AN 542 AP 17, lettre du prince Victor à Émile Ollivier du 2 février 1893.
21. Sous la direction de Serge Berstein et Michel Winock, *L'Invention de la démocratie, 1789-1914*, Paris, Éd. du Seuil, 2002, p. 278 et suiv.
22. AN 400 AP 176. En 1891, Berger insiste déjà sur le problème de la disparition des « vieux et fidèles serviteurs de l'Empire, qui avaient comme seule utilité un côté commémoratif assurant le maintien de la tradition ».
23. Le ministre Behic ou le préfet Janvier de La Motte appartiennent à ce groupe. On peut aussi y inclure les jeunes avocats qui constituent un noyau important des Jeunesses plébiscitaires.
24. APP, Ba 887, 2 mars 1893, et François Pairault, *Mémoires d'un grand notable bonapartiste (1823-1906)*, *op. cit.*, p. 330.
25. APP, Ba 887, 1ᵉʳ août 1893, et François Pairault, *op. cit.*, p. 329-331. Eschassériaux annonce son retrait de la vie politique le 14 avril 1893 : « J'ai dû leur faire connaître que je n'étais pas seulement écœuré du milieu impur dans lequel on vivait à la Chambre mais encore de l'affaiblissement moral du pays et de l'absence de toute espérance dans l'avenir que je rencontrais partout. »
26. Eschassériaux tenait le département depuis vingt-trois ans.
27. François Pairault, *op. cit.*, p. 330.
28. AN 400 AP 174, lettre du duc d'Abrantès au prince Victor, 21 mai 1893.

29. AN 400 AP 175, lettre d'Henri Baboin au prince Victor, 15 juillet 1893. Riche manufacturier, Henri Baboin avait été élu député de l'Isère en 1869 en tant que candidat officiel du gouvernement impérial. Il ne fut plus réélu sous la Troisième République.

30. Bernard Ménager, *op. cit.*, p. 348.

31. AN 400 AP 176. Lettre de Berger au prince Victor, 10 décembre 1893 : « Le seul fait marquant qui mérite d'être noté dans l'élection de Saumur a été l'hostilité presque générale que j'ai rencontrée dans la jeunesse, non pas en raison de mes opinions, mais uniquement parce que j'ai le malheur d'être vieux [Berger a soixante-quatre ans] ; on ne m'attaquait pas, on ne me couvrait même pas de fleurs, mais on trouvait naturel de me mettre à la retraite pour limite d'âge. »

32. APP, Ba 70, rapport du 6 avril 1894.

33. *Ibid.*, note du 6 avril 1894.

34. AN 400 AP 197. Lettre du prince Victor au baron Legoux, 5 avril 1895 : « Vous m'apprenez que certains comités ont cru devoir faire une démarche auprès de monsieur de Cassagnac [...]. Je ne puis admettre la chose. »

35. APP, Ba 70. Dans un rapport du 16 février 1895, le baron Legoux se disait déjà « désœuvré et écœuré par l'incurie du prince Victor ». Deux rapports, des 14 et 15 mai, indiquent que Legoux remet sa démission au délégué général.

36. *Ibid.*, note du 5 juillet 1894.

37. AN 400 AP 197, lettre du prince Victor au baron Legoux, 1er septembre 1895.

38. APP, Ba 887. Il s'agit de Guillaumin, Fontréal et Quentin-Bauchart. Voir aussi AN 400 AP 188, lettre du prince Victor à Faure-Biguet, s.d. Legoux, fatigué de la polémique avec Cassagnac, doute de nouveau. Il reproche au prince de ne pas assez le soutenir. Le prince Victor s'en explique à Thouvenel : « Cet excellent Legoux trouve que j'aurais dû lui écrire pour le féliciter ; je ne puis cependant pas prendre ma plume chaque fois qu'il prononce un discours, et de plus, comme cela arrive souvent et que ces allocutions se ressemblent forcément, mes lettres finiraient par ressembler à des circulaires. J'apprécie comme il le mérite le dévouement de Legoux qui au moins, lui, fait tout ce qu'il peut », lettre du 27 septembre 1896, archives particulières.

39. APP, Ba 887, rapport du 18 mai 1896.

40. AN 400 AP 181, lettre du prince Victor à Cassagnac, 1er juin 1896.

41. AN 400 AP 181, lettre de Paul de Cassagnac à Edmond-Blanc, 28 mai 1896.

42. AN 400 AP 186, lettre du comte de Gramont à Edmond-Blanc, 21 juin 1896.

43. APP, Ba 887, 19 janvier 1899. Cassagnac est le délégué général de ces nouveaux comités, mais la présidence sera assurée successivement par Fontréal, Mariguet et Branicki. En 1901, le prince Victor prend contact directement avec Branicki pour le dissuader de continuer à mener des comités

dissidents, lui demandant l'union. Après la mort de Cassagnac, en 1904, Branicki accepte de revenir vers les comités plébiscitaires, qui sont alors rebaptisés « comités de l'Appel au peuple ». AN 400 AP 179, correspondance du prince Victor avec Branicki.

24. Dans l'affaire Dreyfus

1. Georges Clemenceau, *L'Iniquité*, Paris, Stock, 1899, p. I.
2. Charles Péguy, *Notre jeunesse*, Paris, 8, rue de la Sorbonne, 1910 ; *Cahiers de la quinzaine*, 12ᵉ cahier de la XIᵉ série, p. 115.
3. Bertrand Joly, « Les antidreyfusards avant Dreyfus », in *Revue d'histoire moderne et contemporaine*, n° 39, avril-juin 1992, p. 198-221.
4. Zeev Sternhell, *Maurice Barrès et le nationalisme français*. Bruxelles, Éditions Complexe, 1985, p. 247.
5. Patrick André, *op. cit.*, p. 89.
6. APP Ba 887 ; la note du 9 octobre 1898 insiste sur le refus de l'antisémitisme de la part de Victor.
7. Léon Blum, *Souvenirs sur l'Affaire*, Préface de Pascal Ory, Paris, Gallimard, réed. 1993, p. 106.
8. Joseph Lasies est élu en 1898 sous l'étiquette « plébiscitaire antisémite » et s'inscrit dans le groupe antisémite de la Chambre. *C.E.R.B.*, n° 9, p. 22-24. Pierre Birnbaum le qualifie de « député farouchement antisémite et proche d'Édouard Drumont ». Voir *Le Moment antisémite. Un tour de France en 1898*, Paris, Fayard, 1998, p. 212.
9. Napoléon Magne est le petit-fils de Pierre Magne, ministre des Finances de Napoléon III. En 1898, il se présente à Périgueux sous l'étiquette plébiscitaire. Pierre Birnbaum le juge « bonapartiste explicitement antisémite », *ibid.,* p. 137.
10. AN F7 12 867, rapport du 18 février 1899.
11. APP Ba 887, rapport du 4 janvier 1899.
12. APP, Ba 887, rapport du 2 avril 1899.
13. Pierre Birnbaum, *op. cit.*, p. 138. Cunéo d'Ornano, Chassaigne-Goyon et Thiébaud font partie des signataires.
14. AN 400 AP 176, dossier Berger. Il est intéressant de noter que les bonapartistes décident de se retirer en Charente pour laisser la place à Déroulède, dont ils estiment les chances de réussite supérieures aux leurs.
15. La position de Paul de Cassagnac est difficile à saisir. Tout en affirmant son soutien à Dreyfus, il voit dans la crise un moyen de renverser le régime. Voir Karin Offen, *Paul de Cassagnac, op. cit.*, p. 376-378.
16. AN 400 AP 178. Pierre de Bourgoing écrit au prince le 19 octobre 1898 pour lui reprocher de ne pas prendre position dans l'affaire Dreyfus.
17. APP, Ba 70. Un rapport de mars 1899 fait état du « calme plat dans le parti bonapartiste, le prince a demandé de rester inactif dans l'affaire Dreyfus ».
18. AN F7 12 449, 15 décembre 1898.

19. Bertrand Joly, *Déroulède, l'inventeur du nationalisme*, Paris, Perrin, 1998. Dans sa biographie de Déroulède, l'auteur revient à plusieurs reprises sur les rapports entre le « déroulisme » et le bonapartisme. Il souligne tout d'abord que Déroulède a toujours été profondément républicain, se déclarant volontiers héritier de la Révolution, jamais de l'Empire. D'autre part, la comparaison avec le bonapartisme est délicate compte tenu de la différence, au sein du bonapartisme, entre bonapartisme de gauche (populaire, plébiscitaire) et de droite (conservateur et catholique). Déroulède, même s'il entretient des liens avec les notables du parti (Cunéo d'Ornano, Delafosse, Legoux...) pour se ménager des alliances électorales, est évidemment plus proche au niveau idéologique des bonapartistes populaires, dont l'influence tend à diminuer avec le temps. Ainsi, l'alliance avec les bonapartistes a été plus fructueuse pendant l'épisode boulangiste, en raison d'une forte présence du courant jérômiste. En revanche, lors de l'affaire Dreyfus, l'influence jérômiste a reculé et la condamnation permanente par Déroulède de l'hérédité du pouvoir inquiète les notables bonapartistes.

20. Patrick André parle d'une importante pénétration bonapartiste au sein de la Ligue, entre autres par la présence de deux sénateurs (Cuverville et Le Provost de Launay) au comité directeur, *op. cit.*, p. 91. Pour Bertrand Joly, les quelques bonapartistes passés à la Ligue des patriotes, n'ont jamais eu d'influence, *op. cit.*, p. 241.

21. Gauthier de Clagny, antidreyfusard convaincu, est vice-président de la Ligue des patriotes dès le 13 mars 1897, avant de se rapprocher de la Ligue de la patrie française. Pourtant, il demeure bonapartiste et devient le « premier lieutenant du prince Victor ». Il joue un rôle très important au sein du parti jusqu'à la fin de sa vie, en particulier lors de la réorganisation de 1911. Bertrand Joly, *Dictionnaire biographique et géographique du nationalisme français*, *op. cit.*, et Patrick André, *op. cit.*, tome II, p. 83.

22. APP, Ba 70, 10 avril 1895 et plusieurs rapports d'octobre 1898. Legoux est obligé de faire paraître un démenti dans *L'Éclair* du 8 octobre. Un autre rapport du 30 juillet 1899 se fait l'écho d'une rumeur selon laquelle le tsar reconnaîtrait en Louis le futur empereur des Français.

23. « Paul Déroulède et le parti bonapartiste », in *C.E.R.B, n° 9, mai-juin 1999, p. 27-30*.

24. Frédéric Monier, *op. cit.*, p. 50.

25. Pierre-Victor Stock, *Mémorandum d'un éditeur : l'affaire Dreyfus*, Paris, 1938, rééd. 1994, p. 161. L'auteur date la rumeur d'août, mais elle est plus probablement de septembre 1898.

26. Bertrand Joly, *Déroulède : l'inventeur du nationalisme français, op. cit.*, p. 279.

27. AN F7 15 987, 12 octobre 1899, et APP Ba 70, 10 octobre 1898.

28. AN 400 AP 178, lettres de Pierre de Bourgoing au prince Victor des 16, 19 et 27 octobre 1898.

29. Frédéric Monier, *op. cit.*, p. 52.

30. Jean France, *Trente ans à la rue des Saussaies. Ligues et complots*, Paris, Gallimard, 1931.

31. Jean France chapeaute la surveillance du prince Victor mais aussi celle du duc d'Orléans, qui s'était installé momentanément à Bruxelles pour se rapprocher de la France, *op. cit.*, p. 73.

32. AN 400 AP 197, lettre du baron Legoux au prince Victor, 6 décembre 1898.

33. AN F7 12 867, note du 19 février 1899.

34. APP, Ba 70, rapport du 19 février 1899.

35. *Ibid.*, rapport du 18 février 1899.

36. Bertrand Joly, *Déroulède* [...], *op. cit.*, p. 283.

37. Jean France, *op. cit.*, p. 72.

38. Il n'existe aucune preuve d'une entente préalable entre Déroulède et le général Roget. A priori, Déroulède attendait le général de Pellieux, qui, au dernier moment manqua de cran. Jean France, *ibid.*, p. 75.

39. « Paul Déroulède et le bonapartisme », *C.E.R.B.*, n° 9, mai-juin 1999, p. 27-30.

40. Pierre Sorlin, *Waldeck-Rousseau*, Paris, Armand Colin, 1966, p. 397.

41. Joseph Lasies est élu député de Condom, en 1898. Antidreyfusard, il est un fervent partisan de l'action et participe à la journée du 23 février aux côtés de Déroulède, mais il n'est pas arrêté, ce qui lui permet de continuer à s'agiter. Le 6 juin 1899, il écrit dans *La Libre Parole* : « Vive la révolte ! Vive la révolution ! »

42. *C.E.R.B.*, n° 9, p. 29.

43. APP, Ba 887, rapport du 22 mai 1899.

44. APP, Ba 70, rapport du 20 juillet 1899.

45. *Ibid.*, rapport du 13 septembre 1899.

46. Lettre du prince Victor à Thouvenel, 2 septembre 1899, archives particulières. Souligné dans le texte.

47. Pierre Sorlin, *Waldeck-Rousseau, op. cit.*, p. 397.

48. Lettre d'Edmond-Blanc à Thouvenel, 17 septembre 1899, archives particulières.

49. Dans une lettre à Thouvenel, Edmond-Blanc se montre inquiet sur la situation : « Pour moi, la guerre va continuer plus violente que jamais contre l'armée. Nous sommes loin d'être au dernier acte », 17 septembre 1899, archives particulières.

50. « Lettre ouverte du prince Victor au maire d'Ajaccio à l'occasion du centenaire du Consulat », 20 décembre 1899.

51. AN 400 AP 187, lettre d'Edmond-Blanc au prince Victor, 16 novembre 1902.

52. *Histoire de l'extrême droite en France*, sous la direction de Michel Winock, Paris, Éd. du Seuil, 1993, p. 324.

53. La Ligue de la patrie française est fondée au départ par deux professeurs qui souhaitent montrer que l'antidreyfusisme existe aussi dans les milieux intellectuels. Cette nouvelle ligue espère unifier le camp antidreyfusard. Elle constitue une filiation spirituelle avec les combattants des droits de l'homme en 1789. Elle reprend le culte de la force contre le droit ainsi que

le culte de l'armée et de ses chefs au service de l'ordre. Le thème fort de la Ligue est la « tradition nationale ».
54. Jean-Pierre Rioux, *Nationalisme et Conservatisme. La Ligue de la patrie française*, Paris, Beauchesne, 1977, p. 43.
55. Lettre d'Edmond-Blanc à Thouvenel, 24 janvier 1901 : « Coppée est venu tout récemment avenue Louise. Inutile de faire allusion à ce voyage », archives particulières.
56. APP, Ba 887, note du 2 avril 1899. Le comité est domicilié au 123, rue de Lille, et il est présidé par Berger, Legrand et Cunéo d'Ornano.
57. Lettre d'Edmond-Blanc à Thouvenel, 25 septembre 1900, archives particulières.

25. Une cause en mal de financement

1. APP, Ba 69. Plusieurs rapports de juin 1886 font état des problèmes d'argent du prince Victor, qui en viendrait à faire appel à l'impératrice Eugénie et au prince Roland Bonaparte, qui refusent sous prétexte de ne pas vouloir intervenir en politique.
2. David Lecomte, *op. cit.*, p. 2.
3. Joëlle Chevé, *La Noblesse du Périgord*, Paris, Perrin, 1998, p. 59.
4. APP, Ba 69, décembre 1886. Les bonapartistes se montrent favorables à un projet de mariage entre le prince Roland Bonaparte et la princesse Laetitia, car « seule sa fortune serait capable de soutenir les comités ».
5. Déclarations faites par S.A.I. le prince Victor Napoléon, le 25 août 1887.
6. AN 400 AP 177. Blanchet finit par abandonner la direction du journal, qui ne cessera de passer de main en main pour survivre.
7. APP, Ba 69, rapport du 26 décembre 1888.
8. *Ibid.*, rapport du 26 décembre 1888.
9. APP, Ba 70, rapport du 19 janvier 1889.
10. *Ibid.*, rapport du 21 avril 1887.
11. Patrick André, *op. cit.*, p. 80.
12. APP, Ba 70, rapport du 19 février 1891.
13. APP, Ba 887, *Le Matin* du 14 août 1891, « Le 15 août ».
14. APP, Ba 70, rapports de juin et juillet 1891.
15. APP, Ba 887, rapport du 9 juin 1891.
16. APP, Ba 70, rapport du 8 juillet 1891.
17. *Ibid.*, 17 mars 1896, et Ba 887, 19 janvier 1899.
18. APP, Ba 70, rapport du 9 octobre 1898.
19. AN, 400 AP 182. Plusieurs lettres de Coucaud au prince Victor de la fin de l'année 1897.
20. AN, 400 AP 175, lettre du 15 novembre 1898.
21. AN, 400 AP 176, lettre de Berger au prince Victor, 6 avril 1898. Maurice Lannes de Montebello, arrière-petit-fils du maréchal du Premier Empire, né en 1867, exerçait la profession d'avocat à Jonzac. Il se présenta une pre-

473

mière fois sous l'étiquette plébiscitaire en Charente-Inférieure en 1893, mais il fut battu. Pour se représenter, il réclamait un soutien financier, qu'il n'obtint pas ; aussi se retira-t-il de la lutte politique.
22. AN, 400 AP 187, lettre d'Edmond-Blanc au prince Victor, 14 février 1903.
23. Pierre Milza, *Napoléon III, op. cit.*, p. 126-127.
24. AN F7 12867, rapport du 11 février 1902.

26. La solution bonapartiste selon Victor

1. Pierre Milza, *op. cit.*, p. 625.
2. Pour Jean Tulard, les fondements du bonapartisme se trouvent dans le *Mémorial de Sainte-Hélène*, sorte de testament politique de l'Empereur. Cet ouvrage exalte à la fois le stratège d'Austerlitz et Iéna, le souverain libéral de l'Acte additionnel et l'unificateur des peuples d'Europe. Jean Tulard, « Aux origines du bonapartisme : le culte de Napoléon », *Le Bonapartisme, phénomène historique et mythe politique*, Actes du 13ᵉ colloque historique francoallemand de Paris à Augsbourg du 26 au 30 septembre 1975, publiés par Karl Hammer et Claus Peter Hartman, Munich, Artemis, 1977, p. 5-10.
3. Une des pratiques visant à limiter la souveraineté du peuple est l'instauration des candidatures officielles. Choisi par les pouvoirs publics, le candidat officiel n'est pas l'homme d'un parti, mais du régime. Dans ce cas, les électeurs n'étaient pas invités à distinguer une personne, mais à soutenir une politique. Pierre Rosanvallon, *La Démocratie inachevée, op. cit.*, p. 210.
4. Frédéric Bluche, *Le Bonapartisme aux origines de la droite autoritaire (1815-1848), op. cit.*, p. 337.
5. Lettre à M. le rédacteur du *Journal du Loiret*, 21 octobre 1843 (il est alors prisonnier à Ham), *Œuvres de Louis Napoléon Bonaparte*, Paris, 1848, t. I, p. 134.
6. *Le Duc de Persigny et les Doctrines de l'Empire*, Paris, 1865, p. 164.
7. Étienne Borne dénonce cette tendance contradictoire, qu'il juge « intenable », à se réclamer à la fois de l'hérédité monarchique et de l'appel au peuple. « Contradictions du bonapartisme », *France-Forum*, février 1970, nº 100, p. 16.
8. René Rémond, « L'originalité du socialisme français », in *Tendances politiques dans la vie française depuis 1789*, Paris, Hachette, 1960, p. 41.
9. Pierre Milza parle de « bric-à-brac d'éléments contradictoires » ou encore de « miroir aux alouettes destiné à rassembler sur le nom du candidat bonapartiste une clientèle hétéroclite dont les intérêts et les inclinations étaient loin de converger ». Pierre Milza, *op. cit.*, p. 157.
10. Louis Girard, « Caractère du bonapartisme dans la seconde moitié du XIXᵉ siècle », in *Le Bonapartisme, phénomène historique et mythe politique, op. cit.*, p. 22-28, et Jean-François Chiappe, *Le Comte de Chambord et son mystère*, Paris, Perrin, 1990, p. 318. L'éventualité d'une adoption du prince impérial par le comte de Chambord aurait été proposée par la reine d'Espagne ;

elle resta à l'état de projet mais ne fut pas violemment repoussée par le comte de Chambord, fasciné par la gloire militaire des Bonaparte.

11. Cité par Theodore Zeldin, *Histoire des passions françaises, op. cit.*, t. 4, p. 171.

12. Paul Beurdeley, *Petite Histoire du parti bonapartiste*, Paris, Librairie du suffrage universel, 1875, p. 26.

13. *Déclarations faites par S.A.I. le prince Victor Napoléon, 25 août 1887, op. cit.*

14. APP, Ba 70, extrait du *Figaro*, 4 septembre 1889.

15. Sous la direction de Dominique Varry, *Histoire des bibliothèques françaises*, tome III, *Les Bibliothèques de la Révolution et du XIXᵉ siècle : 1789-1914*, Paris, Promodis-Éd. du Cercle de la librairie, 1991, p. 591.

16. Le fichier complet de la bibliothèque du prince Victor se trouve au musée Napoléon de la Pommerie, Cendrieux.

17. On s'est beaucoup interrogé sur ce chiffre. Signifie-t-il que Pauline Bonaparte en aurait fait cadeau à son frère, ou ne correspondrait-il pas, plus probablement, à Bonaparte-La Pagerie, du nom de jeune fille de Joséphine ? Voir « Les bibliothèques particulières de l'Empereur », *Dictionnaire Napoléon, op. cit.*, p. 214-215.

18. Dominique Varry, *op. cit.*, p. 606.

19. *Ibid.* La bibliothèque d'Ernest Renan est dispersée en 1895, Son catalogue, édité par Calmann-Lévy, comprend 5 516 titres.

20. *Ibid.*, p. 610.

21. André Martinet, *Le Prince Victor Napoléon, op. cit.*, p. 57.

22. Dans la bibliothèque du prince Victor, on trouve plusieurs ouvrages de Proudhon : *Systèmes des contradictions économiques* (1846), *Les Confessions d'un révolutionnaire* (1849), *L'Idée générale de la Révolution au XIXᵉ* (1851) et *Théorie de la propriété*. Les ouvrages de Karl Marx se résument au *18 Brumaire de Louis Bonaparte* et au *Capital*.

23. Zeev Sternhell, *op. cit.*, p. 18.

24. AN 400 AP 179. Le prince Victor charge Busson-Billault, sénateur de la Loire-Inférieure, de lui faire un rapport complet sur son département.

25. AN 400 AP 177. Lettre du prince Victor à Gabriel Blanchet, 23 septembre 1895.

26. AN 400 AP 177. Correspondance du capitaine puis commandant Bissuel avec le prince Victor, 1895-1920.

27. Colonel Villot, *L'Empereur de demain, op. cit.*, p. 73.

28. Michel Winock, *La France politique, XIXᵉ-XXᵉ siècle, op. cit.*, p. 94-96.

27. Sursaut politique

1. Jean-Pierre Rioux, *op. cit.*, p. 31.

2. Patrick André, *op. cit.*, p. 93.

3. AN F7 12 867, rapport du 19 janvier 1900.

4. AN F7 12 867, rapport du 30 octobre 1903.

5. AN 400 AP 176, lettre du prince Victor à Berger, 27 novembre 1897.

6. Par cet ouvrage, l'auteur propose une république plébiscitaire avec à sa tête un chef de l'État élu au suffrage universel. Idéalement, ce serait un troisième Napoléon, qui défendrait une « République sacrée ».

7. AN F7 12 867, juillet 1901.

8. *Le Petit Caporal*, 9 février 1902.

9. Patrick André, *op. cit.*, p. 94.

10. Jean Quellien, *Bleus, blancs, rouges : politique et élections dans le Calvados, 1879-1939*, Caen, Cahiers des Annales de Normandie, n° 18, 1986, p. 166.

11. Edmond-Blanc fait allusion à ce climat agité : « On dirait qu'ils veulent provoquer des violences. Expulser les congrégations, exciter les officiers les uns contre les autres, s'en prendre à la bourse du paysan en lui imposant la construction d'écoles [...]. Décidément, le monde danse sur la tête comme les cyclistes du Cirque », lettre à Thouvenel, 24 avril 1903, archives particulières.

12. *Le Jour*, 9 mars 1902, extrait de l'article « Les impérialistes ».

13. AN F7 12 867, rapport du 5 novembre 1903 et du 14 novembre.

14. Engerand, Maurice Quentin-Bauchard, le marquis de Montebello (conseiller général de la Seine-et-Oise), Querenet, Guillaumin, le lieutenant-colonel Cunéo d'Ornano, le comte Vacquier et deux avocats.

15. APP, Ba 1634, rapport du 25 octobre 1904, un autre rapport parle de 500 membres.

16. AN F7 12 867, rapport du 4 février 1904. Le 28 décembre 1903, un autre rapport indiquait qu'« on observe un revirement en faveur du prince Napoléon dans la haute société ».

17. Frédéric Chalaron, *Aspects du bonapartisme : l'exemple du Puy-de-Dôme de 1871 au début du XXᵉ siècle*, thèse de doctorat, Clermont-Ferrand, 1984, p. 566. Le cas du Puy-de-Dôme est d'autant plus intéressant que, en 1907, le comité départemental décide de ne plus nommer ses dirigeants mais de les élire, preuve d'une double démocratisation.

18. Bernard Ménager, *op. cit.*, p. 250-251.

19. AN F7 12 867, rapport du 28 juillet 1904.

20. *Ibid.*, 20 décembre 1904. Le prince chercherait à connaître leur opinion et leur situation matérielle.

21. *Ibid.*, 21 décembre 1904.

22. *Ibid.*, rapport du 5 novembre 1903.

23. *Ibid.*, rapport du 13 avril 1905.

24. *Ibid.*, 1ᵉʳ août 1905.

25. Patrick André, *op. cit.*, p. 96. Ce comité prend le nom de Chauveau-Lagarde, nom de salle où il se réunit ; il est présidé par Legrand.

26. AN F7 12 867, le 5 mars 1905, la police prend comme exemple le XVIIᵉ arrondissement, où le comité central de Dion veut opposer son propre candidat, Lasies, au député sortant.

27. APP, Ba 887, rapport du 20 décembre 1907.

28. Gabriel Merle, *Émile Combes*, Paris, Fayard, 1995, p. 266.

29. Edmond-Blanc écrit à Thouvenel pour lui faire part de son étonnement : « Ce qui est pénible pour Lepic comme pour vous, c'est d'être confondu avec ce lot [il fait référence à Beauregard, Faure-Biguet et Branicki]. Les indicateurs de Clemenceau n'ont pas la main heureuse », lettre du 28 avril 1906, archives particulières.
30. Patrick André, *op. cit.*, tome II, p. 36.
31. AN 400 AP 181, lettre de Chandon au prince Victor, 16 décembre 1907.
32. *L'Autorité*, 18 décembre 1907.
33. AN F7 12 867, rapport de février 1908.
34. AN F7 12 867, 5 mars 1909. Le prince Victor arrête le nouveau règlement des comités plébiscitaires de la Seine : le président général nommé par le prince décide de tout sans en référer aux présidents ; les vice-présidents généraux sont supprimés ; le président général décide seul en ce qui concerne la radiation d'un membre ou la dissolution d'un comité ; toute manifestation dans la rue est absolument interdite ; défense de porter des couronnes, soit à la colonne Vendôme, soit à l'Arc de triomphe.
35. APP, Ba 887, rapport du 29 juin 1909.
36. *La Volonté nationale* du 15 janvier 1910. La discorde au sujet d'Albert de Dion s'apaise, le personnage central devient Arthur Legrand. AN, F7 12 868, 21 janvier 1910.
37. Patrick André, *op. cit.*, p. 100. Il est aussi appelé « comité de la rue de Surène », où se situe son nouveau siège depuis son déménagement de la rue de Lille, en octobre 1909.

28. *Vivre comme un aristocrate avant tout*

1. Adeline Daumard (dir.), *Oisiveté et Loisirs dans les sociétés occidentales au XIXe siècle*. Colloque organisé par le Centre de recherche d'histoire sociale de l'université de Picardie, Abbeville, F. Paillart, 1983, p. 119.
2. APP, Ba 70, rapport du 8 juillet 1891.
3. AN, F7 12 867, rapport du 1er octobre 1903.
4. AN, F7 12 867, rapport du 19 juin 1901.
5. AN F7 15 987/2, rapport du 20 juin 1887.
6. *Ibid.*
7. Théo Aronson, *Les Bonaparte, histoire d'une famille*, Paris, Fayard, 1968, p. 253.
8. Jean-Pierre Chaline, « Loisirs et élites sociales : un exemple normand », *Oisiveté et Loisirs dans les sociétés occidentales au XIXe siècle, op. cit.*, p. 187.
9. *Ibid*, p. 190.
10. Alain Corbin, *L'Avènement des loisirs, 1850-1960*, Paris, Aubier, 1995, p. 56.
11. AN, 400 AP 189, Achille Fould, élu bonapartiste dans les Hautes-Pyrénées en 1889 et 1898.
12. AN, 400 AP 207, comtesse Edmond de Pourtalès.

13. Lettre de l'ambassadeur de France à Berlin, Jules Cambon, à Thouvenel, 6 octobre 1912, archives particulières.
14. *Ibid.*, lettre adressée par Gauthier de Clagny à Calmette et à Meyer, 8 octobre 1912.
15. La sœur de la princesse Clotilde, Maria Pia, avait épousé le roi de Portugal, Louis Iᵉʳ. Leur fils devint roi de Portugal en 1889 sous le nom de Charles Iᵉʳ.
16. André Martinet, *Le Prince Victor Napoléon, op. cit.*, p. 59.
17. La princesse Laetitia, dans une lettre à son père, rend compte du voyage de son frère : « Victor est revenu de La Haye très content et assez fier de sa première mission à l'étranger. » AN 400 AP 153, 22 octobre 1890.
18. André Martinet, *op. cit.*, p. 60.
19. Jacques Chastenet, *Histoire de la Troisième République, op. cit.*, t. 2, p. 282-300.
20. APP, Ba 70, rapport du 24 mars 1894.
21. André Martinet, *op. cit.*, p. 61.
22. Lettre du colonel Nitot à Thouvenel du 10 juin 1908, archives particulières, souligné dans le texte.
23. *Ibid*, lettre du 26 juin 1908.
24. Éric Mension-Rigau, *Aristocrates et grands bourgeois : éducation, traditions, valeurs*, Paris, Plon, 1997, p. 338.
25. Ghislain de Diesbach, *Un prince 1900. Ferdinand Bac*, Paris, Perrin, 2002. Ferdinand Bac (1859-1952) était un petit-fils naturel du roi Jérôme.
26. *Ibid*, p. 12-13.
27. Lucien Daudet, *Dans l'ombre de l'impératrice Eugénie, op. cit.*, p. 58-59.
28. Lettre du prince Victor à Thouvenel du 18 juillet 1894, archives particulières.
29. Alain Corbin, *op. cit.*, p. 22.
30. APP, Ba 70, rapport du 6 octobre 1893.
31. *Ibid.*, rapport du 28 janvier 1888.
32. *Ibid.*, rapport du 1ᵉʳ septembre 1886.
33. *Ibid.*, dossier du 28 octobre 1886.
34. Dans les rapports de police, on trouve deux orthographes : Beauclair ou Beauclerc.
35. AN, F7 12 867, rapport du 8 août 1902.
36. *Ibid.*, rapport du 4 février 1901.
37. *Ibid.*, rapport du 20 janvier 1902.
38. AN, F7 15 959/2.
39. APP, Ba 70, rapport du 30 avril 1893.

29. Se marier ?

1. AN 400 AP 204, lettre du prince Victor à la duchesse de Mouchy, 6 avril 1891.

2. On retrouve des traces des projets de mariage du prince Victor dans les archives de la Préfecture de police, mais en date de 1894 – à la suite de son voyage en Russie – avec la grande-duchesse russe et, en 1896, avec la princesse Anne de Monténégro. APP, Ba 70, rapports du 25 mai 1895 et du 5 novembre 1896.

3. AN 400 AP 179, lettre du prince Victor à Mme de Bourgoing, 22 novembre 1892.

4. Une biographie a été consacrée à la princesse Clémentine : Dominique Paoli, *Clémentine, princesse Napoléon*, Duculot, Paris, 1992. L'auteur retrace la vie de la princesse en s'appuyant sur la correspondance de Clémentine adressée à sa sœur Stéphanie, qui couvre cinquante-six années. Cet ouvrage dresse un portrait intime de la princesse, mais aborde peu la question de son rôle politique.

5. Marie-Henriette était la fille de l'archiduc Joseph d'Autriche et de sa troisième épouse, Marie-Dorothée de Wurtemberg.

6. Georges-Henri Dumont, *Léopold II*, Paris, Fayard, 1990, p. 426.

7. Les deux sœurs de Clémentine ont laissé des Mémoires, dans lesquels elles insistent sur le traumatisme causé par la mort de leur frère. Princesse Louise de Belgique, *Autour des trônes que j'ai vus tomber*, Paris, Albin Michel, 1921, voir p. 35 sq., Princesse Stéphanie de Belgique, *Je devais être impératrice*, Bruxelles, Librairie de la Grand-Place, 1937, p. 11-12.

8. Mariée à dix-sept ans, pour des motifs dynastiques, au futur empereur d'Autriche, Stéphanie se retrouva veuve à vingt-cinq ans. Son mariage, désastreux, se solda par le drame de Mayerling : le 30 janvier 1889, l'archiduc Rodolphe et sa maîtresse furent retrouvés morts, un revolver au pied de leur lit. Cet épisode marqua la fin de la dynastie Habsbourg et le début d'une vie « normale » pour la princesse Stéphanie, qui se retira en Hongrie où elle épousa le comte Lonyay. Voir Irmgard Schiel, *Stéphanie, princesse héritière dans l'ombre de Mayerling*, Bruxelles, Racine, 1998 (éd. originale 1978) et Jean des Cars, *Rodolphe et le secret de Mayerling*, Paris, Perrin, 2004.

9. Dominique Paoli, *op. cit.*, p. 43. Il ne faut pas oublier que par sa mère, née Louise d'Orléans, Léopold II était le petit-fils de Louis-Philippe.

10. *Ibid.*, p. 55.

11. Jo Gérard, *Cinq reines pour la Belgique*, J.M. Collet, s.d., p. 105. L'auteur prend comme exemple une sorte de répétition la veille d'une réception au Palais-Royal, où le roi fait passer Clémentine devant les chaises vides pour qu'elle mémorise les préséances et les compliments dus à chacun.

12. Comme nous l'avons vu, le mariage de sa sœur Stéphanie s'était terminé par Mayerling. Sa sœur Louise avait épousé le prince Philippe de Saxe-Cobourg-Gotha, proche de l'empereur François-Joseph. Malheureuse dans

son mariage, Louise défraya la chronique par ses liaisons ; l'empereur poussa le prince Philippe au divorce. Louise, abandonnée par sa famille, sans ressources, finit sa vie, dans la misère, à parcourir l'Europe.
13. Lettre citée par Dominique Paoli, *op. cit.*, p. 62.
14. M.A.E., Correspondance politique et commerciale, Belgique « Questions dynastiques et Cour, 1896-1904 », rapport du 5 avril 1901.
15. Dominique Paoli, *op. cit.*, p. 77.

30. Le veto royal

1. Dominique Paoli, *op. cit.*, p. 88.
2. AN 400 AP 53, lettre de la princesse Clotilde à l'impératrice Eugénie, 5 octobre 1900.
3. AN 400 AP 194, lettre de la baronne Lambert au prince Victor, 2 mai 1901.
4. AN F7 12 867, rapport du 17 février 1902.
5. AN 400 AP 186, lettre du baron Durrieu au prince Victor, 10 juin 1901.
6. Lettre de la princesse Laetitia à Thouvenel, 8 février 1902. Dominique Paoli, *op. cit.*, p. 89, souligné dans le texte.
7. Lettre de l'impératrice Eugénie à la comtesse Ghislaine de Caraman-Chimay, 2 février 1903, archives particulières.
8. AN F7 12 867, rapports du 7 et 18 mars 1903. Dans les albums de photographies du prince Victor, on retrouve quelques clichés officiels pris au champ de courses de Boisfort, le 14 mai 1903, sur lesquels on aperçoit la princesse Clémentine et le prince Victor.
9. Lettre du prince Victor à la comtesse Ghislaine de Caraman-Chimay, 1903, s.d, archives particulières.
10. *Ibid.*, 1903, s.d. Cette impression est confirmée par une autre lettre du prince Victor à Ghislaine de Caraman-Chimay : « J'ai voulu faire mon devoir en envisageant sérieusement ce à quoi vous avez tant contribué. Il arrive que ce devoir ne me coûte pas, au contraire. »
11. Lettre de la princesse Laetitia à Thouvenel, 16 février 1904, archives particulières, souligné dans le texte.
12. Lettre de Victor-Emmanuel III à Léopold II, 28 janvier 1904, archives du palais royal, Bruxelles, dossier « mariages ». On retrouve une autre trace de cette demande dans les papiers de Thouvenel, dans la minute d'une lettre du prince Victor à Victor-Emmanuel, peu avant le mariage, le 22 octobre 1910. Voici l'extrait concernant la demande en mariage : « Il y a sept ans, lorsque tu as eu la bonté de charger le duc d'Aoste de demander la main de la princesse Clémentine au feu roi Léopold II ». Archives particulières.
13. Arnaud Chaffanjon, *Histoire de familles royales, op. cit.*, p. 101.
14. Georges-Henri Dumont, *Léopold II, op. cit.*, chapitre VII, « Face à Napoléon III », p. 119-135.
15. Par la convention de Galstein, signée en août 1865, la Prusse avait su se rattacher les duchés danois, mais il était évident qu'elle entendait placer

sous sa coupe les États allemands d'Allemagne du Nord et écarter l'Autriche de l'ancienne Confédération germanique.

16. Evrard Raskin, *op. cit.*, p. 47.

17. Archives du palais royal, dossier mariages, 21 août 1898.

18. M.A.E., Correspondance politique et commerciale (1897-1904), « Questions dynastiques et Cour ». Un rapport de l'ambassadeur de France, du 14 novembre 1910, rappelle que le roi avait donné une raison diplomatique à son refus qui n'était qu'un prétexte. En aucun cas la France ne voyait dans cette union une menace.

19. AN 400 AP 134, lettre du futur Léopold II au prince Napoléon, 13 octobre 1853.

20. *Ibid.*, lettre sans date.

21. *Ibid.*, lettre du 4 février 1869.

22. David Lecomte pense qu'une des raisons pour lesquelles Léopold II s'opposa si longtemps au mariage fut sa crainte de voir le prince Victor s'intéresser à sa fille par intérêt financier. David Lecomte, *op. cit.*, p. 12.

23. Pierre Daye, *Léopold II*, Paris, Fayard, 1934, p. 462.

24. Dominique Paoli, *op. cit.*, p. 102.

25. *Ibid.*, p. 102.

26. Lettre du prince Victor à Thouvenel, 6 mars 1904, archives particulières, souligné dans le texte.

27. *Ibid.*, 4 avril 1904. Des noms de code sont utilisés dans la correspondance relative au mariage : Silvestre pour le roi, Norberte pour Clémentine et Gérard pour Victor. On retrouve ces noms dans la correspondance avec Ghislaine de Caraman-Chimay, et dans celle de la princesse Laetitia avec Thouvenel.

28. AN F7 12867, rapport du 26 mai 1904.

29. Lettre de la princesse Laetitia à Thouvenel, 28 février 1904, archives particulières, souligné dans le texte.

30. *Ibid.*

31. Lettre de l'impératrice à la comtesse Ghislaine de Caraman-Chimay, 2 mars 1904, archives particulières.

32. Dominique Paoli, *op. cit.*, p. 103.

33. Lettre du prince Victor à la comtesse Ghislaine de Caraman-Chimay, s.d. 1904, archives particulières.

34. AN, F7 12 867, rapport du 30 août 1904.

35. M.A.E., Correspondance politique et commerciale (1897-1918), Belgique, « Questions dynastiques et Cour (1905-1914) », dépêche du 1er février 1905.

36. Archives du musée royal de l'Armée, Bruxelles, fonds Wilmet, carton XV, lettre de la comtesse de Flandres, 2 mai 1904, souligné dans le texte.

37. *Ibid.*, lettre de la comtesse de Flandres, 11 mai 1904.

38. *Ibid.*, lettre de la comtesse de Flandres, 12 avril 1904.

39. *Ibid.*, carton XVI, lettre de la comtesse de Flandres, 10 août 1904.

40. Lettre de la princesse Laetitia à Thouvenel, 28 février 1904, archives particulières, souligné dans le texte.

41. Archives du musée royal de l'Armée, Bruxelles, fonds Wilmet, carton XVI, lettre de la comtesse de Flandres, novembre 1904.
42. AN 400 AP 201, lettre d'André Martinet au prince Victor, 4 octobre 1904.
43. Dominique Paoli, *op. cit.*, p. 103, extrait du journal *Le Matin.*
44. Extraits du journal *L'Action*, du 24 février et du 19 mars 1905.
45. AN F7 12 867, rapport du 5 février 1905.
46. Lettre de la princesse Laetitia à Thouvenel, Turin février 1905, archives particulières.
47. AN F7 15 987/2, rapport s.d.
48. Lettre de la princesse Laetitia à Thouvenel, février 1905, archives particulières.
49. AN F7 12867, rapport du 25 février 1905. La police remarque un regain de confiance dans les rangs bonapartistes.
50. Dominique Paoli, *op. cit.,* p. 108.
51. M.A.E., Correspondance politique et commerciale (1897-1918), Belgique, « Questions dynastiques et Cour ». L'ambassadeur de France à Bruxelles fait souvent part de la gratitude du roi pour l'accueil hospitalier qu'il reçoit en France. Plusieurs rapports de 1901, 1902, 1904.
52. Archives du musée royal de l'Armée, Bruxelles, fonds Wilmet, carton XVI, lettre de la duchesse de Vendôme à sa mère, la comtesse de Flandres, 16 février 1905.
53. *Ibid.*, lettre de la comtesse de Flandres à sa fille, février 1905.
54. M.A.E., Correspondance politique et commerciale (1897-1918), Belgique, « Questions dynastiques et Cour », dépêche de M. Gérard, ministre de France à Bruxelles, à M. Delcassé, ministre des Affaires étrangères, 8 avril 1905.
55. Lettre de la princesse Laetitia à Thouvenel, 19 décembre 1905, archives particulières.
56. Lettre d'Edmond-Blanc à Thouvenel, 31 janvier 1906, archives particulières.
57. AN F7 12867, rapport du 9 décembre 1905.
58. Lettre d'Edmond-Blanc à Thouvenel, février 1906, archives particulières.
59. AN F7 15 987/2, 7 novembre 1908.
60. Georges-Henri Dumont, *op. cit.*, p. 441.

31. Tout finit par arriver !

1. AN, F7 12 867, 15 janvier 1910.
2. Lettre de la princesse Laetitia à Thouvenel, 31 janvier 1910, archives particulières.
3. Lettre de la princesse Clémentine à sa sœur Stéphanie, 18 avril 1910. Dominique Paoli, *op. cit.*, p. 118.

4. *Ibid.*, dans la même lettre, Clémentine annonce ses fiançailles à Stéphanie : « Je désire qu'avant mon arrivée, tu reçoives l'heureuse nouvelle de nos fiançailles, non officielles naturellement. »
5. Lettre du colonel Nitot à Thouvenel du 25 juin 1910, archives particulières.
6. AN 400 AP 53, lettre de la princesse Clotilde à l'impératrice Eugénie, 22 décembre 1910.
7. Archives du musée royal de l'Armée, Bruxelles, fonds Wilmet, carton XX, lettre de la princesse Henriette à sa mère, la comtesse de Flandres, du 7 juin 1910.
8. M.A.E., Correspondance politique et commerciale (1897-1918), Belgique, « Questions dynastiques et Cour ». Le 8 octobre 1910, le ministre de France à Bruxelles donne une autre explication au choix de Moncalieri : « Le mariage sera célébré à Moncalieri officiellement en raison de la mauvaise santé de la princesse Clotilde qui serait trop souffrante pour se rendre à Farnborough, mais en réalité à cause du mauvais vouloir de l'impératrice Eugénie qui ne s'est pas souciée de s'imposer chez elle les ennuis de la cérémonie. »
9. Lettre de la princesse Laetitia à Thouvenel, 4 octobre 1910, archives particulières, souligné dans le texte.
10. Minute d'une lettre du prince Victor au roi d'Italie, 22 octobre 1910, inédit, archives particulières.

32. Dernière tentative politique

1. Lettre de Victor au roi Albert pour lui présenter ses vœux pour l'année 1911, Dominique Paoli, *op. cit.*, p. 153.
2. *L'Illustration*, 15 mai 1926, n° 4341.
3. Lettre citée par Dominique Paoli, *op. cit.*, p. 158.
4. AN F7 12 867, rapport du 12 août 1911.
5. *Ibid.*, rapport du 11 septembre 1911.
6. Lettre du prince Victor à Thouvenel, 2 octobre 1911, archives particulières.
7. Patrick André, *op. cit.*, p. 100.
8. Lettre du prince Victor à Thouvenel, mai 1911, archives particulières. Souligné dans le texte.
9. AN 400 AP 190, lettre de Gauthier de Glagny au prince Victor, 11 mai 1911.
10. Chassaigne-Goyon était avocat de formation et avait présidé la conférence Molé-Tocqueville en 1886. Il poursuit sa carrière en adhérant à la cause de l'Appel au peuple et devint vice-président du comité de 1904. Il sera de nouveau député de la Seine de 1919 à 1936. Patrick André, *op. cit.*, t. II, p. 40.
11. Lettre du prince Victor à Frédéric Masson, octobre 1911. Masson répond le 22 novembre pour informer le prince qu'il accepte de faire partie du nouveau comité. Archives de l'association des amis de Frédéric Masson.

12. Patrick André, *op. cit.*, p. 101.
13. AN 400 AP 175, 11 juillet 1913.
14. APP, Ba 1675, rapport de novembre 1913.
15. *C.E.R.B.*, n° 16, septembre-octobre 2001. « L'état du bonapartisme (1900-1914) », p. 20-33.
16. AN F7 12 868, rapports du 4 et du 14 août 1911.
17. Patrick André, *op. cit.*, t. II, p. 177-178.
18. AN F7 12 868, rapport de novembre 1911.
19. AN F7 12 867, *La Volonté nationale* du 19 juin 1911.
20. Deux lettres de mai 1911, du prince Victor à Thouvenel, archives particulières.
21. Lettre du prince Victor à Thouvenel, 2 octobre 1911, archives particulières, souligné dans le texte.
22. AN F7 12 867, rapport du 11 mars 1912.
23. AN F7 12 868, rapport du 11 juin 1911.
24. Les royalistes participent activement à cette agitation. Leurs attaques sont particulièrement virulentes envers les bonapartistes. La police relève plusieurs agressions entre royalistes et bonapartistes. AN F7 12 868, plusieurs notes du printemps 1912.
25. *L'Indépendance belge*, 15 novembre 1910.
26. Jean-François Sirinelli, *Histoire des droites en France, op. cit.*, tome 1, p. 234.
27. AN 400 AP 209.
28. Henry Vaïsse est le fils de Claude Marius Vaïsse (1799-1864), personnage important du Second Empire. Il fut d'abord, en 1851, ministre de l'Intérieur avant d'être nommé préfet de Lyon en 1853, où il se fit remarquer par sa politique volontaire d'urbanisation de la ville, sur le modèle de celle menée par le baron Haussmann à Paris.
29. AN 400 AP 213, Henry Vaïsse au prince Victor, 11 mars 1914.
30. *Ibid.*, lettre d'Henry Vaïsse au prince Victor, 7 mai 1912.
31. Depuis la crise de Tanger en 1905, un conflit avec l'Allemagne était envisageable. Les tensions qui s'étaient apaisées furent tout à coup relancées par la convention franco-allemande du 4 novembre 1911, par laquelle la France cédait une partie du Congo à l'Allemagne, en échange de la présence française au Maroc. Le traité fut finalement ratifié, mais souleva de nombreux débats. Jean-Marie Mayeur, *La Vie politique sous la Troisième République, op. cit.*, p. 213.
32. AN 400 AP 213, lettre d'Henry Vaïsse au prince Victor, 5 juillet 1912.
33. *Ibid.*, lettre d'Henry Vaïsse au prince Victor, 3 avril 1913.
34. Bernard Ménager, *Les Napoléon du peuple, op. cit.*, p. 351.
35. AN 400 AP 213. D'après Bouge, Marcel Sembat était prêt à se rallier au mouvement révisionniste (19 mars 1914).
36. APP, Ba 1634, 25 octobre 1911.
37. AN 400 AP 213. Henry Vaïsse au prince Victor : « Plus que jamais, il [Bouge] pense qu'il y a nécessité pour Votre Altesse de prendre une attitude plus dynamique, de donner à sa politique une orientation plus énergique, de

faire naître l'idée d'une intervention plus efficace et dans laquelle il serait moins question de légalité », (19 mars 1914).

38. APP, Ba 1675, rapport du 22 janvier 1913.

39. En 1905, le député bonapartiste Engerand avait déjà déposé un projet de loi à la Chambre concernant l'abrogation des lois d'exil ; il n'avait pas eu l'assentiment du prince Victor. Legoux explique la position du prince : « Un projet d'abrogation ou d'atténuation des lois d'exil n'aurait de chance d'être voté par la Chambre que s'il était présenté par un député républicain. Que ce même projet formulé par un député connu comme bonapartiste paraîtra toujours inspiré par le prince », lettre à Thouvenel du 25 décembre 1905, archives particulières. À partir de 1912, cette revendication est constante chez les bonapartistes ; le prince Victor finit par y apporter son soutien lors de l'élection présidentielle de 1913 (*La Volonté nationale*, 18 janvier 1913). Finalement, Engerand reçoit l'approbation du prince, en janvier 1914, ce qui lui permet de représenter son projet à la Chambre. AN 400 AP 188, lettre du prince Victor à Engerand, 26 janvier 1914.

40. APP, Ba 1675, rapport du 18 juin 1913.

41. AN 400 AP 170. Une chanson intitulée *Le Petit Proscrit* connaît un grand succès.

42. Jean-Jacques Becker, *1914 : Comment les Français sont entrés dans la guerre*, Paris, Presses de la Fondation nationale des sciences politiques, 1977, p. 65. La loi militaire constitue le point central de la campagne électorale du printemps de 1914. À droite comme à gauche, elle détermine les programmes et les alliances électorales.

43. *Ibid.*, p. 68.

44. *La Volonté nationale*, 18 avril 1914.

45. Dans une lettre à Thouvenel du 12 juillet 1914, le prince Victor lui donne ouvertement son avis sur la loi de trois ans : « J'en suis un partisan on ne *peut plus convaincu*. Le jour où on aurait provoqué un nombre appréciable de réengagements, on pourrait tirer au sort le même nombre d'hommes pour faire un an ou dix-huit mois. Mais ce jour-là *seulement* », archives particulières, souligné dans le texte.

46. Jean-Jacques Becker, *op. cit.*, p. 78. Treize départements supplémentaires n'élisent aucun candidat de droite.

47. Bernard Ménager, *op. cit.*, p. 352-353.

33. « Je n'ai jamais voulu troubler mon pays »

1. Lettre du prince Victor au maire d'Ajaccio à l'occasion du centenaire du Consulat, 25 décembre 1899.

2. Pierre Rosanvallon, *Le Sacre du citoyen : histoire du suffrage universel en France*, Paris, Gallimard, 2001, p. 265.

3. APP, Ba 69, rapport du 14 janvier 1885.

4. *L'Indépendance belge*, 15 novembre 1910.

5. Patrick André, *op. cit.*, p. 84 et Bernard Ménager, *op. cit.*, p. 350.

6. Bernard Ménager, *op. cit.*, p. 336 et p. 362.
7. AN 400 AP 186. *Le Figaro*, 17 mars 1891.
8. *Le Prince Napoléon et son programme*, brochure éditée par le comité central de l'Appel au peuple, 1905, p. 8-9.
9. *Ibid.*, lettre au général Thomassin, 2 février 1902.
10. AN 400 AP 175, lettre du prince Victor à la comtesse de Béarn, 11 novembre 1904.
11. Bertrand Joly, *Paul Déroulède*, *op. cit.*, p. 15.
12. Sous la direction de Serge Berstein et de Michel Winock, *L'Invention de la démocratie 1789-1914*, Paris, Éd. du Seuil, 2002, p. 278 *sq*. Voir aussi Claude Nicolet, *Histoire, Nation, République*. Paris, O. Jacob, 2000, p. 37 *sq*.
13. Gustave Le Bon, *La Psychologie politique et la Défense sociale*, Paris, Flammarion, 1910, p. 21.
14. Michel Winock, *La France politique, XIX*-*XX* siècle, *op. cit.*, p. 173-184.
15. Jean Tulard, *Napoléon ou le Mythe du sauveur*, Fayard, 1987, p. 449.

34. *Un paisible bonheur privé*

1. Lettre de la princesse Clémentine à Thouvenel, Moncalieri, le 21 juin 1911, archives particulières.
2. Lettre du prince Victor à Thouvenel, 22 septembre 1911, archives particulières.
3. Lettre de la princesse Laetitia à Thouvenel, janvier 1912, archives particulières, souligné dans le texte.
4. Lettre de la princesse Clémentine à Thouvenel, 27 mars 1912, inédit, archives particulières, souligné dans le texte.
5. AN F7 12 867, rapport du 1ᵉʳ avril 1912. La déception est d'autant plus forte que les bonapartistes craignent que, en raison de l'âge de la princesse, elle ne puisse pas avoir d'autre enfant.
6. AN F7 12 861, rapport du 18 septembre 1911 : « Une des grandes causes de la fureur du parti royaliste est l'état de grossesse dans lequel se trouve la princesse Clémentine. Le duc d'Orléans n'ayant pas d'enfant, les partisans de l'hérédité sont affolés. »
7. AN 400 AP 190, lettre de Gauthier de Clagny au prince Victor du 13 et du 21 avril 1912.
8. *Ibid.*, lettre du 4 mai 1912.
9. Lettre à Stéphanie, citée par Dominique Paoli, *op. cit.*, p. 160.
10. Lettre de Pauline de Bassano à Thouvenel du 28 janvier 1914, archives particulières.
11. AN 400 AP 170, *La Volonté nationale*, 14 février 1914. Dans le même carton, on trouve une série de gravures et de chansons éditées à l'occasion de la naissance du prince Louis.
12. *Ibid.*, lettre au général Thomassin publiée par *La Volonté nationale*, 18 avril 1914.

13. Lettre de Thouvenel à Frédéric Masson du 16 mai 1914, archives de l'Association des amis de Frédéric Masson.
14. Lettre de la princesse Clémentine à Thouvenel, archives particulières, 19 mai 1914.
15. Dans une lettre à Stéphanie du 5 juin, Clémentine s'excuse de ne pas pouvoir l'inviter : « Je n'ai invité que la famille de Napoléon, à cause du côté politique », Dominique Paoli, *op. cit.*, p. 161.

35. La guerre : fini la politique

1. Selon le vœu de l'impératrice, des moines veillent sur ceux qui reposent dans la crypte. En 1895, à la suite des lois françaises restrictives sur les congrégations, des bénédictins de Solesmes remplacent les prémontrés ; les bâtiments sont alors agrandis. Lors de la Première Guerre mondiale, certains d'entre eux sont mobilisés ; sept meurent au combat et sont enterrés sur le côté extérieur gauche de l'église. En 1922, avec le retour autorisé des Bénédictins à Solesmes, il devient difficile de trouver des moines français pour ce lieu. Aussi, depuis 1947, des moines britanniques sont admis dans la communauté, aujourd'hui dirigée par un père prieur britannique. Outre les offices de l'ordre, des messes anniversaires y sont célébrées le 9 janvier pour Napoléon III, le 1er juin pour le prince impérial et le 11 juillet pour l'impératrice.
2. Lucien Daudet, *Dans l'ombre de l'impératrice Eugénie, op. cit.*, p. 16.
3. Baron Kervyn de Lettenhove, « Le Prince Napoléon : quelques souvenirs », *op. cit.*, p. 666.
4. Dominique Paoli, *op. cit.*, p. 162-174.
5. AN 400 AP 209, lettre de Rudelle du 10 décembre 1915 : « J'ai fait dresser, avec les renseignements donnés par quelques-uns de nos présidents de comités de province, la liste avec les adresses d'un certain nombre de membres de ces comités et l'indication de plusieurs de nos amis blessés, en convalescence ou prisonniers. »
6. Lettre du prince Victor à Thouvenel, 11 janvier 1917, archives particulières.
7. Lettre du 27 août 1914.
8. Lettre de la princesse Clémentine à Frédéric Masson, 3 décembre 1914, archives de l'Association des amis de Frédéric Masson.
9. Baron Kervyn de Lettenhove, *op. cit.*, p. 666.
10. Jean-Jacques Becker, *op. cit.*, p. 369. Le terme d'« Union sacrée » est consacré par Poincaré lors de son message aux Chambres, le 4 août 1914.
11. AN 400 AP 209, août 1914.
12. Les frères Cassagnac s'engagent dès la mobilisation. Guy trouve la mort en octobre 1914 ; le gérant de *L'Autorité* décide d'arrêter la publication.
13. APP, Ba 887, novembre 1915. Les réguliers sont Rudelle, Gauthier de Clagny, Poignant, Thouvenel et le marquis de Girardin, auxquels s'ajoutent parfois le capitaine Vacquier et le marquis de Dion.

14. AN 400 AP 211, lettre de Pierre Taittinger au prince Victor, décembre 1916 : « sur les vingt et un membres sous les drapeaux, les deux tiers sont hors de combat, tués, blessés ou réformés ».
15. Patrick André cite une lettre de Rudelle au prince Joachim Murat (AN 31 AP 68) dans laquelle il s'inquiète de la situation : « la guerre se prolonge tellement que je me préoccupe beaucoup de savoir si nous pourrons aller jusqu'au bout, bien que nos dépenses soient réduites au plus strict ».
16. Les Carnets du cardinal Baudrillart, 1914-1918, présentés par Paul Christophe, Paris, Éd. du Cerf, 1994, p. 389.
17. AN 400 AP 190, lettre de Gauthier de Clagny au prince Victor, 4 mai 1917.
18. Lettre du prince Victor à Thouvenel, 6 janvier 1918 et 24 juillet 1918, archives particulières.
19. APP, Ba 887, rapport du 22 juillet 1918.
20. Lettre du prince Victor à Thouvenel, 13 novembre 1914, archives particulières.
21. Lettre du prince Victor à Thouvenel, 14 janvier 1919, archives particulières.
22. Lettre du prince Victor à Frédéric Masson, 12 janvier 1919, archives de l'Association des amis de Frédéric Masson.
23. Patrick André, op. cit., p. 109.

36. Victor passe le relais

1. Paul Christophe, op. cit., p. 983.
2. Jean-Marie Mayeur, op. cit., p. 254-255.
3. AN 400 AP 209, lettre de Rudelle au prince Victor, 29 octobre 1919.
4. APP, Ba 1675, rapport du 4 novembre 1918.
5. AN 400 AP 204, lettre du prince Murat au prince Victor, 12 janvier 1919.
6. AN 400 AP 189, lettre de Galpin au prince Victor, 27 décembre 1921.
7. Paul-Julien de Cassagnac, Faites une Constitution ou faites un chef, Paris, Éd. de France, 1933. P. 129-130, l'auteur pose la question : « renverser la République mais pour restaurer quoi ? » Il faut préciser que, en mai 1918, Paul-Julien de Cassagnac entre au cabinet de Clemenceau.
8. Lettre de la princesse Clémentine à Thouvenel, 17 juin 1914, archives particulières, souligné dans le texte.
9. Ibid., 28 août 1920. « On vous aura dit notre désir de voir une messe célébrée le 15 novembre à Paris, à la mémoire de l'impératrice. Je m'y rendrai. »
10. AN 400 AP 209. Rudelle est chargé des démarches auprès du gouvernement français. Le 19 avril 1921, il est déçu de devoir écrire à la princesse Clémentine : « Jusqu'à présent, dans ma négociation, je n'avais rencontré que bienveillance et accord [auprès du maréchal Foch et du président de la

République]. Les objections sont venues du président du Conseil des ministres qui a peur des radicaux depuis quelques jours. »
11. Pierre Milza, *Napoléon III, op. cit.*, p. 576 et 586-587.
12. Lettre citée par Jean des Cars, *op. cit.*, p. 576. Cette lettre n'est pas datée mais se situe probablement vers 1876, au moment de l'élection en Corse du prince Napoléon contre Rouher.
13. APP, Ba 1675, rapport du 19 octobre 1920.
14. AN 400 AP 174, lettre au duc d'Abrantès, 15 juillet 1920.
15. *Revue plébiscitaire* du 27 avril 1922, p. 13. Les étudiants plébiscitaires ont réussi à faire venir trois députés à leur réunion : Blanchet, Le Provost de Launay et Taittinger.
16. AN 400 AP 204, lettre du prince Joachim Murat au prince Victor, 30 décembre 1922.
17. AN 400 AP 209, lettre de Rudelle au prince Victor, 9 décembre 1923. Le jour même, Rudelle écrit au prince pour lui faire le compte rendu de la réunion mais aussi pour l'informer que « le comité a besoin de fonds ».
18. Sept autres membres en font partie : Blanchet, Petitfils, Joachim Murat, Bezançon, Henry Provost, Roger Guérillon (journaliste) et l'abbé Hénocque (aumônier de Saint-Cyr) ; Patrick André, *op. cit.*, p. 114.
19. Programme diffusé par *La Volonté nationale* du 5 avril 1924.
20. AN 400 AP 176. Jean-Paul Bezançon, membres des Jeunesses plébiscitaires, écrit au prince Victor à la veille des élections de 1924 pour faire un point sur la campagne électorale. Son désir d'installer un délégué dans chaque arrondissement de la capitale a échoué, seuls cinq sont en place. Sinon, le comité fait distribuer *La Volonté nationale* à Bordeaux, Lyon, Toulouse, Le Mans et dans les Landes. Il envoie aussi le journal à 300 fidèles de l'avant-guerre.
21. Patrick André, *op. cit.*, p. 115. Taittinger, à la fin de 1924, fonde les Jeunesses patriotes. Promises à un bel avenir, elles absorbent un bon nombre des jeunes plébiscitaires écœurés de servir une cause usée.
22. AN 400 AP 201, lettre du duc de Massa à la princesse Clémentine, 24 décembre 1924.
23. Théo Aronson confirme que la princesse Clémentine montre plus de ferveur napoléonienne que son époux. Clémentine s'amusait à dire à ses amis : « Je suis plus bonapartiste que le prince. » Théo Aronson *op. cit.* p. 359.
24. AN 400 AP 201, lettre du duc de Massa à la princesse Clémentine, 24 mars 1926.

37. De la doctrine à la légende

1. Jean Tulard, *Le Mythe de Napoléon*, Paris, Armand Colin, 1971. Jean Lucas-Lebreton, *Le Culte de Napoléon*, Paris, Albin Michel, 1960. André Tudesq, « La légende napoléonienne en France en 1848 », in *La Revue historique*, 1957.

2. Jules Deschamps, *Sur la légende de Napoléon*, Paris, Honoré Champion, 1931, p. 31.
3. Clément Vautel, *Le Prince impérial, histoire du fils de Napoléon III*, Paris, Albin Michel, 1946, p. 284.
4. Frédéric Bluche, *Le Bonapartisme aux origines de la droite autoritaire (1800-1850)*, op. cit., p. 10.
5. L'« explosion de l'amour napoléonien » avait commencé deux ans plus tôt avec la parution des *Mémoires* de Marbot, en 1891. Jules Dechamps, op. cit., p. 52.
6. Bernard Ménager, op. cit., p. 349.
7. Natalie Petiteau, *Napoléon, de la mythologie à l'histoire*, Paris, Éd. du Seuil, 2004, p. 131-133.
8. Arthur Lévy, *Napoléon intime*, Paris, Plon, 1893.
9. Maurice Barrès, *Le Roman de l'énergie nationale*, tome I : *Les Déracinés*, Émile Paul, s.d.
10. AN 400 AP 176, lettre de Berger au prince Victor, 13 mars 1894.
11. Natalie Petiteau, op. cit., p. 139.
12. Louise Bodin dans *L'Humanité*, 8 mai 1921. Vers 1900, Louise Bodin était élève à l'École normale supérieure de Sèvres.
13. AN 400 AP 177, lettre de Sarah Bernhardt au prince Victor, 1ᵉʳ février 1899.
14. Thierry Choffat, « Une association napoléonienne éphémère, le premier Souvenir napoléonien, 1910-1912 », in *La Revue du Souvenir napoléonien*, n° 432, p. 63-65. Le prince Victor confirme les statuts de l'association le 16 juillet 1910. AN 400 AP 183, dossier lieutenant-colonel Cunéo d'Ornano.
15. AN 400 AP 190, lettre d'Abel Gance au prince Victor, 15 septembre 1923. Abel Gance avait pris contact avec Bruxelles en espérant obtenir un soutien financier. La princesse Clémentine fit répondre au cinéaste que le prince et elle ne pouvaient participer à un tel projet (26 novembre 1923). Le prince Victor apporta néanmoins sa caution morale : « Monsieur Gance m'a paru très content et très touché du concours moral que le Prince veut bien lui apporter », AN 400 AP 212, lettre de Thouvenel au prince Victor, 15 février 1924. Voir aussi Chantal de Tourtier-Bonazzi, « Archives privées et cinéma, l'exemple d'Abel Gance », in *Revue d'histoire moderne et contemporaine*, avril-juin 1981, tome 28, p. 362.
16. Jean Tulard, *Le Mythe de Napoléon*, op. cit., p. 121-122.
17. Id., *Napoléon ou le Mythe du sauveur*, op. cit., p. 450.

38. Le devoir de mémoire

1. Baron H. Kervyn de Lettenhove, op. cit., p. 667.
2. André Martinet, op. cit., p. 56-57.
3. André Castelot et Alain Decaux, *Le Livre de la famille impériale*, Paris, Perrin, 1969, p. 201.
4. Archives du musée Napoléon de la Pommerie, Cendrieux.

5. *Ibid.*

6. AN 400 AP 174, lettre de M. Ambruster au prince Victor, 5 janvier 1921.

7. Archives de l'Association des amis de Frédéric Masson, en particulier la correspondance entre 1911 et 1914.

8. « Le musée de la Pommerie », *Napoléon Ier, le magazine du Consulat et de l'Empire*, n° 20, mai-juin 2003, p. 60-61. « Napoléon en Périgord », *Revue du Souvenir napoléonien*, n° 446, avril-mai 2003, p. 49-50.

9. Germain Bapst, *Catalogue de l'exposition historique et militaire de la Révolution et de l'Empire*, Paris, Galerie des Champs-Élysées, 1895, 130 p. Germain Bapst était à la fois historien et président de la Société des antiquaires de France.

10. « Centenaire de Napoléon », *La Sabretache*, 1921, 31 p. et 55 planches.

11. AN 400 AP 179, lettre de M. Bourguignon au prince Victor, 28 janvier 1921. La réponse du prince date du 10 mars 1921.

12. Lettre citée par André Martinet, *op. cit.*, p. 57-58. Voir aussi AN 400 AP 190, lettre de Théophile Gautier à Edmond-Blanc, 31 août 1891.

13. Éric Mension-Rigau, *op. cit.*, p. 107.

14. Krzysztof Pomian, « Entre l'invisible et le visible : la collection », *Libre*, n° 3, 1978, p. 3-56.

15. *Ibid.*, p. 26.

16. Jean Baudrillard, *Le Système des objets*, Paris, Gallimard, 1968, p. 135.

17. *Ibid.*, p. 146.

18. William Smith, *Eugénie, impératrice et femme*, *op. cit.*, p. 365-366.

19. Lucien Daudet, *Dans l'ombre de l'impératrice Eugénie*, *op. cit.*, p. 225.

20. Lettre de la princesse Clémentine à Thouvenel, 26 juillet 1920, archives particulières.

21. Extrait du testament de l'impératrice Eugénie, archives particulières.

22. Dominique Paoli, *op. cit.*, p. 178-179.

23. Lucien Daudet, *L'Inconnue, l'impératrice Eugénie*, nouvelle édition entièrement revue, 1922, p. 244-245.

24. Lettre du prince Victor à Frédéric Masson, 9 août 1920, archives de l'Association des amis de Frédéric Masson.

25. Archives du musée de Malmaison, lettre du prince Victor à M. Bourguignon, 9 avril 1924.

26. Laetitia de Witt, « Le requiem d'Ajaccio », *La Revue du Souvenir napoléonien*, n° 446, avril-mai 2003, p. 42-48.

27. AN 400 AP 185, René Doumic au prince Victor, avril 1925.

28. AN 400 AP 192, Jean Hanoteau au prince Victor, 6 décembre 1925.

29. *Mémoires de la reine Hortense* publiés par le prince Napoléon avec notes et préface de Jean Hanoteau, Paris, Plon, 1927, 3 vol.

30. AN 400 AP 175, dossier Bayès, délégué du ministère de l'Instruction publique et des Beaux-Arts, responsable de la section bibliothèque et musée de l'Opéra.

31. *Ibid.*, dossier Badel.

32. Lettre du prince Victor à Frédéric Masson, 11 octobre 1912, archives de l'Association des amis de Frédéric Masson.

33. Clément Vautel, *Le Prince impérial, histoire du fils de Napoléon III*, Paris, Albin Michel, 1946, p. 280.

34. AN 400 AP 175, dossier comtesse de Béarn, 2 novembre 1904.

35. Lettre à M. Albert Vandal, 24 octobre 1904. Voir aussi « Le centenaire du code civil », *C.E.R.B*, n° 25, octobre 2004, p. 29-31.

36. Annie Jourdan, *Mythes et Légendes de Napoléon : un destin d'exception entre rêve et réalité*, Toulouse, Privat, 2004, p. 140.

37. Natalie Petiteau, *op. cit.*, p. 9.

38. Jean Baudrillard, *op. cit.*, p. 146.

39. Luigi Mascilli Migliorini, *Le Mythe du héros. France et Italie après la chute de Napoléon*, Paris, Nouveau Monde éditions, 2002, p. 29.

39. Épilogue

1. « La mort du prince Napoléon », *L'Illustration*, 15 mai 1926, n° 4341.

2. Patrick André, *op. cit.*, p. 121.

3. Charles Napoléon, *Les Bonaparte. Des esprits rebelles*, Paris, Perrin, 2006, p. 266.

4. Colonel Villot, *L'Empereur de demain, op. cit.*, p. 133.

5. Théo Aronson, *Les Bonaparte, histoire d'une famille, op. cit.*, p. 353.

6. Baron Kervyn de Lettenhove, « Le Prince Napoléon : quelques souvenirs », *La Revue générale, op. cit.*, p. 662-667.

SOURCES ET BIBLIOGRAPHIE

I – ARCHIVES ET SOURCES PRIMAIRES

A – Archives publiques

Archives nationales

Archives privées

Fonds Napoléon, la série 400 AP :
Inventaire détaillé : *Archives Napoléon*. *État sommaire* (400AP/1 à 400AP/220), rédigé par Chantal de Tourtier-Bonazzi en 1979, revu et numérisé par Christine Nougaret. Paris, C.H.A.N., 2002.

– 400 AP 39 à 400 AP 79 : papiers de Napoléon III, de l'impératrice Eugénie et du prince impérial
J'ai surtout utilisé la correspondance de l'empereur avec sa famille (400 AP 44 et 400 AP 53) ainsi que les papiers du prince impérial (400 AP 75 et 400 AP 76).

– 400 AP 106 à 167 : Papiers du prince Napoléon Jérôme.
Cet ensemble est très riche. On y trouve des papiers, aussi bien sur le Second Empire que sur la période suivante, qui ont la particularité de donner un éclairage à la fois politique et privé. On peut citer parmi ces papiers la correspondance échangée avec des personnalités politiques comme Amigues (400 AP 107) ou Cunéo d'Ornano (400 AP 122), mais aussi un dossier se rapportant à la campagne d'Italie, dans lequel se trouvent les minutes et les lettres du prince Napoléon à Napoléon III, en 1859 (400 AP 118) ; sans oublier la correspondance avec son beau-père, le roi Victor-Emmanuel (400 AP 162). Les correspondances avec sa famille sont d'un grand intérêt, que ce soit avec la princesse Clotilde (400 AP 123 et 124), avec sa fille Laetitia (400 AP 133), avec sa sœur la princesse Mathilde (400 AP 135) ou encore avec l'empereur, le prince impérial (400 AP 144) et l'impératrice (400 AP 126). L'autre partie importante concerne la correspondance de Plon-Plon avec ses amis proches : Frédéric Masson (400 AP

135), Victor Duruy, auquel il s'adresse au sujet des études de Victor (400 AP 126) et surtout la reine Sophie, née princesse de Wurtemberg (400 AP 160). Une note du prince Napoléon présente ce lot de lettres, qui couvrent la période 1839-1877, dans laquelle il insiste sur l'aspect privé de certaines lettres et recommande la plus grande discrétion. Dans cet ensemble, deux cartons se rapportent directement au prince Victor, 400 AP 151 et 400 AP 163. On y trouve entre autres les lettres échangées entre le prince Victor et son père au moment de leur séparation.

– 400 AP 170 à 400 AP 214 : Papiers du prince Victor et de la princesse Clémentine
Les trois premiers cartons rassemblent divers papiers : coupures de journaux, brochures, photographies, menus... Le reste, c'est-à-dire quatre-vingt-un cartons, regroupe la correspondance du prince Victor. Un inventaire de chaque carton serait fastidieux ; dans l'ensemble cette correspondance est plus politique que privée. L'essentiel des interlocuteurs ont un lien avec le parti bonapartiste, que ce soit des membres du parti (Berger, Cunéo d'Ornano, le duc de Padoue, Legoux, Gauthier de Clagny, Rudelle...) ou des journalistes (Blanchet, Calmette). On trouve aussi de nombreuses lettres de félicitations envoyées par le prince à la suite de succès électoraux. Le prince Victor entretient une correspondance régulière avec plusieurs historiens (Hanoteau, Masson) et conservateurs (Bourguignon) au sujet de l'histoire des Bonaparte ou de sa propre collection. Même la correspondance avec ses proches, comme le marquis de Girardin, se rapporte souvent à l'achat d'objets ou à des demandes de renseignements. Sinon, on peut qualifier une grande partie du courrier de « mondain » : condoléances, félicitations, invitations, vœux... Une partie de la correspondance est adressée à Amédée Edmond-Blanc, secrétaire du prince, ou à la princesse Clémentine.
Il est précisé, à la fin de l'inventaire des papiers du prince Victor et de la princesse Clémentine, que certains documents sont encore conservés à Prangins. Cela explique peut-être l'absence totale d'archives se rapportant à l'enfance du prince Victor et surtout à son mariage avec la princesse Clémentine.

Fonds Émile Ollivier : la série 542 AP
Inventaire détaillé : *Fonds Émile Ollivier* : 542 AP, répertoire numérique détaillé par Bertrand Joly. Paris, C.H.A.N, 2001, 111 p.
Émile Ollivier fut élu au Corps législatif en 1857, mais il siégeait aux côtés des républicains. L'orientation libérale du régime impérial favorisa son ralliement. Début 1870, il fut chargé par Napoléon III de former un nouveau ministère. Sous son influence, l'Empire dériva vers une forme parlementaire mais qui ne réussit pas à le sauver, menacé aussi bien à l'intérieur (grèves) qu'à l'extérieur (Prusse). Après 1870, Émile Ollivier consacra une bonne partie de son temps à expliquer comment on en était arrivé à la guerre et se posa en défenseur du Second Empire. Resté fidèle à l'Empire, il entretint des relations avec différents membres de la famille impériale,

en particulier avec le prince Napoléon (542 AP 15), avec lequel il était lié depuis longtemps. On trouve également quelques lettres à l'impératrice Eugénie (542 AP 13), au prince Victor (542 AP 17), à la princesse Clémentine (400 AP 12) et au secrétaire du prince Victor, Edmond-Blanc (400 AP 11).

Archives publiques

Ministère de l'Intérieur, série F7, police générale :
F7 12 428 : Surveillance de la famille impériale et manifestations bonapartistes (1871-1890)
F7 12 429 : Agissements bonapartistes (1873-1886)
F7 12 430 : Le prince Napoléon (1883-1888)
F7 12 449 : Ligue des Patriotes
F7 12 852 : Lois sur les prétendants et les bonapartistes (1886)
F7 12 861 : Royalistes (contacts avec les impérialistes)
F7 12 867 : Impérialistes et activités du prince Victor (1899-1912)
F7 12 868 : Impérialistes et parti plébiscitaire (1899-1913)
F7 12869 : Jeunesse plébiscitaire de la Seine
F7 15959/2 : Napoléon Bonaparte Victor (1882-1923)

Archives de la préfecture de Police (APP)

Ba 62 : Comités bonapartistes (1874-1889)
Ba 68 : Mort et messe anniversaires de la mort de Napoléon III (1874-1889)
Ba 69 : Prince Victor Napoléon (1879-1887)
Ba 70 : Prince Victor Napoléon (1888-1889)
Ba 419 : Famille impériale, affaires diverses (1876-1891)
Ba 887 : Parti bonapartiste (1888-1910)
Ba 1258 : Rouher
Ba 1634 : Prince Victor Napoléon et mouvement bonapartiste (1911)

Archives du ministère des Affaires étrangères (MAE)

Correspondance politique (1871-1896), Belgique
Correspondance politique et commerciale (1897-1918), Belgique
« Questions dynastiques et Cour (1896-1904) »
« Questions dynastiques et Cour (1905-1914) »

À l'étranger

– *Archives du Palais-Royal*, Bruxelles
Archives du Cabinet de Léopold II, dossier 637
Archives Goffinet, dossier mariages
– *Archives du Musée Royal de l'Armée et d'Histoire Militaire*, Bruxelles

Fonds Louis Wilmet.
Cet ensemble contient les photocopies de la correspondance de la comtesse de Flandre, belle-sœur de Léopold II.
– *Archives du museo Napoleonico*, Rome.
Fonds Primoli : Correspondance de la princesse Mathilde avec son neveu Joseph Primoli. On trouve aussi quelques lettres du prince Victor à ses cousins Primoli.

B – Sources privées

Archives du château Chimay, Belgique
Correspondance de la comtesse Ghislaine de Caraman-Chimay avec le prince Victor, la princesse Clémentine et deux lettres de l'impératrice Eugénie au sujet du mariage de Victor et Clémentine. Dans ces papiers se trouve un document unique : le programme politique du prince Victor, annoté de sa main.
Archives de l'Association des amis de Frédéric Masson, Paris
Lettres particulières du prince Victor, de son frère et de sa sœur adressées à l'historien Frédéric Masson.
Archives du musée Napoléon, Cendrieux (Dordogne)
Papiers de Louis Thouvenel : fils du ministre des Affaires étrangères de Napoléon III, il avait épousé une Abbatucci. Doublement attaché à la famille impériale, il entretenait des relations régulières avec le prince Victor, son frère et sa sœur. Homme de plume, il avait longtemps collaboré au journal *Le Gaulois* et publié diverses études sur son père. Il vivait à Auteuil et était l'un des principaux correspondants du prince Victor en France. En 1924, Thouvenel se qualifiait de « doyen du service d'honneur du prince * ».
Ses papiers regroupent des lettres particulières du prince Victor, de sa sœur la princesse Laetitia et de son épouse la princesse Clémentine. On trouve aussi plusieurs lettres d'Edmond-Blanc, secrétaire du prince et de diverses personnalités bonapartistes.
Divers : contrat de mariage du prince Victor et de la princesse Clémentine, menus, photographies et un dossier sur la collection du prince Victor.
Papiers du marquis de Girardin
Lettres particulières du prince Victor et de la princesse Clémentine
Le marquis de Girardin était à la fois un ami et un des membres du service d'honneur du prince Victor. Ces lettres sont conservées dans deux albums aux chiffres de la famille impériale. Un premier album regroupe une centaine de lettres du prince Victor, l'autre une centaine de lettres de la princesse Clémentine.

---

* AN 400 AP 212 ; Thouvenel se présente ainsi à Abel Gance en 1924.

C – Sources imprimées

Journaux

Ont été exploités les principaux almanachs et journaux bonapartistes de la
IIIe République : *Almanach du Petit Caporal*, Paris, 1878-1879.
Almanach illustré de l'Appel au peuple. Paris, Le Petit Caporal, 1880-1883.
Almanach bonapartiste. Maurice Letellier, Marseille, compte d'auteur, 1901.
Le Pays (1871-1914)
L'Ordre (1871-1879)
Le Petit Caporal (1876-1914)
Le Napoléon (1870-1882)
L'Appel au Peuple (de Paris) (1883-1912)
Le Peuple (1884-1886)
Le Plébiscite (1883-1885 puis 1894-1896)
La Souveraineté nationale, organe officiel du prince Victor (1886-1907)
L'Autorité (1886-1914)
La Volonté nationale (1907-1914 puis 1924-1926), qui succède à *La Souverai-
neté Nationale*
On peut y ajouter quelques bulletins et revues :
Le Moniteur des Comités impérialistes (1887-1889)
Le Signal français (1888-1890), bulletin des comités impérialistes de la Seine
La Revue de la France moderne (1888-1905)
Ont été également consultés, sur l'ensemble de la période, les grands jour-
naux conservateurs :
Le Figaro, Le Gaulois – qui jusqu'en 1879 soutient le parti de l'Appel au
peuple –, *Le Matin* et *Le Temps*.

Discours du prince Victor et brochures du Comité central de l'Appel au peuple

*Allocution du prince Victor prononcée à la réception des comités impérialistes
le mercredi 23 juin 1886*. Poitiers, imp. De Blais, Roy et Cie, 1886
Déclarations faites par S.A.I. le prince Victor Napoléon le 25 août 1887. Paris,
imp. de Cusset, 1887, 2 p.
*Déclaration de S.A.I. le prince Victor Napoléon aux comités plébiscitaires de
France, le 20 septembre 1892*. Toulouse, imp. de Passeman et Alquier, 1896
*Lettre du prince Napoléon à Mr Arthur Legrand... Sur l'abrogation du concor-
dat, 8 décembre 1905*. Paris, Comité central de l'Appel au peuple, 123, rue
de Lille, 1905
Le Prince Napoléon et son programme. Comité central de l'Appel au peuple,
123, rue de Lille, Caen, imp. J. Leroyer, 1906
Le Prince Napoléon et l'impôt sur le Revenu. Comité de l'Appel au peuple,
134 rue de Rivoli, 1909.

Discours et pamphlets contemporains sur le prince Victor

Henri DICHARD, *Le Victorisme et le parti bonapartiste. Lettre au prince Victor Napoléon.* Paris, Félix, 1885, 14 p.

Henri DICHARD, *La Fin d'un prince, deuxième lettre au prince Victor Napoléon.* G Frison, 1886, 32 p.

Adresse à S.A.I. le prince Victor Napoléon. Belfort, imp. de A. Pélot, 1887.

Les Manifestes du Comte de Paris et du prince Victor Napoléon, commentés et jugés par un citoyen français. Texte imprimé, 1887, 46 p.

Essais, biographies et monographies d'auteurs contemporains sur le prince Victor

Léonce DUPONT, *Le Prince Napoléon.* Aux bureaux du « Courrier d'Angers », Angers, 1882, 82 p.

J. ISNARD, *Naissance de S.A.I. le prince Victor Napoléon.* Paris, imp. de H. Plon, 1863, 11 p.

A.L. LECHARTIER, *Au prince Napoléon-Victor-Frédéric, né le 17 juillet 1862.* Meaux, imp. de A. Carro, s.d., 2 p.

André MARTINET, *Le Prince Victor Napoléon.* Paris, Léon Chaillez, 1895, 71 p.

Le colonel VILLOT, *L'Empereur de demain.* Paris, A. Savine, 1891, 47 p.

Essais, biographies d'auteurs contemporains sur le prince Napoléon (Plon-Plon)

Ferdinand BAC, *Le Prince Napoléon.* Paris, Éditions des Portiques, 1932, 198 p.

François BERTHET-LELEUX, *Le Vrai Prince Napoléon Jérôme.* Paris, Grasset, 1932, 331 p.

Hippolyte CASTILLE, *Le Prince Napoléon Bonaparte.* Paris, F. Sartorius, 1859, 75 p.

Pierre DELBARRE, « Le prince Jérôme Bonaparte (1822-1890) ». Paris, *Les Contemporains*, n° 398, 1900, 16 p.

Georges LACHAUD, *Le Prince Napoléon et le parti bonapartiste.* Paris, Dentu, 1880, 67 p.

Paul LENGLÉ, *Le Neveu de Bonaparte : souvenirs de nos campagnes politiques avec le prince Napoléon (1822-1891).* Paris, Ollendorff, 1893, 336 p.

Discours et écrits de bonapartistes sous la IIIᵉ République

Jules AMIGUES, *Majorité du prince Victor. Comment l'Empire reviendra, avril 1883.* Paris, imp. de Schiller, s.d.

Jules AMIGUES, *Les Aveux d'un conspirateur bonapartiste, Histoire d'hier pour servir à l'histoire de demain.* Paris, Lachaud et Bardin, 1874, 343 p.

Jules AMIGUES, *Épître au peuple, l'Empire et les ouvriers.* Paris, F. Debers, 1877, 30 p.

BERGET-CREPLET, *Seul le bonapartisme peut sauver la France ou le bonapartisme et la IIIᵉᵐᵉ République.* Liège, Presse Molières, 1937, 15 p.

Paul BEURDELEY, *Petite Histoire du parti bonapartiste*. Paris, Librairie du suffrage universel, 1875, 31 p.

Édouard BOINVILLIERS, *Catéchisme impérial*. Paris, Lachaud, 1873, 31 p.

Édouard BOINVILLIERS, *Nouveau Catéchisme impérial. Guide de l'électeur pour 1885*. Paris, Dubuisson, 1885, 16 p.

Paul de CASSAGNAC, *Empire et royauté*. Paris, Lachaud et Burdin, 1873, 2 p.

Paul de CASSAGNAC, *Pour Dieu, pour la France*. Paris, L'Autorité, 1905, 8 tomes.

Paul CHALLEMEL-LACOUR, *Le Bonapartisme*. S.d., 96 p.

P. CORDIER, *Boulangisme et bonapartisme, ou la réaction marquée*. Paris, Imp. de Mayer, 1889, 64 p.

Gustave CUNÉO D'ORNANO, *Le Prince Napoléon et ses doctrines*. Paris, V. Daireaux, 1879, 44 p.

Gustave CUNÉO D'ORNANO, *Le Peuple et l'Empereur*. Angoulême, 1876.

Gustave CUNÉO D'ORNANO, *La République des Napoléon*. Paris, Ollendorff, 1894, 636 p.

Ernest DRÉOLLE, *Le Guide de l'électeur bonapartiste*. Paris, Lachaud, 1875, 75 p.

Henri DUGUÉ DE LA FAUCONNERIE, *Soyons donc logiques*. Paris, Dentu, 1878, 16 p.

Léonce DUPONT, *Les Deux Démocraties : République – Empire*. Paris, Dentu, 316 p.

Charles FAURE BIGUET, *Paroles plébiscitaires (1906-1913)*. Paris, Plon-Nourrit et Cie, 1913, 267 p.

Georges LACHAUD, *Les Bonapartistes et la République*. Paris, Fayard, 1877, 70 p.

Georges LACHAUD, *Que vont devenir les bonapartistes ?* Paris, Dentu, 1879, 71 p.

Georges LACHAUD, *Les Élections municipales et le parti bonapartiste*. Paris, Daireaux, 1881, 31 p.

Georges LACHAUD, *Histoire d'un manifeste*. Paris, Dentu, 1883, 56 p.

Georges LACHAUD, *Bonapartistes blancs et bonapartistes rouges*. Paris, Dentu, 1885, 49 p.

Baron Jules LEGOUX, *Comités plébiscitaires de la Seine, deux discours du baron Legoux*. Montluçon, Herbin, 1896, 21 p.

Taost du baron J. LEGOUX au banquet du 15 août 1891. Paris, imp. de Warmont, 1891.

Discours du 15 août 1892. Taost du baron J. LEGOUX. Paris, imp. de P. Dupont, 1892.

Banquet du 15 août 1901. Discours du baron LEGOUX. Montluçon, Herbin, 1901, 16 p.

Banquet du 15 août 1902. Discours du baron LEGOUX. Montluçon, Herbin, 1902, 20 p.

Émile OLLIVIER, *1789 et 1889*. Paris, Garnier frères, 1889, 432 p.

Ernest PASCAL. *Il est là*. Discours prononcé au banquet de Belleville. Paris, Dentu, 1885, 34 p.

SOURCES ET BIBLIOGRAPHIE

François PERRON, *La République et l'Empire*. Paris, Beyer, 1879, 11 p.
Édouard de POMPERY, *La Fin du bonapartisme*. Paris, 1872, 128 p.
Jules RICHARD, *Le Bonapartisme sous la République*. Paris, Rouveyre et Blond, 1883, 302 p.

Mémoires et correspondances

Lettres familières de l'impératrice Eugénie, publiées par les soins du duc d'Albe et préfacées par Gabriel Hanotaux. Paris, Le Divan, 1935, 2 vol., 624 p.
Ferdinand BAC, *Intimités du Second Empire*, tome I : *La Cour et la Ville*. Paris, Hachette, 1931, 393 p.
Mme Jules BAROCHE, *Le Second Empire. Notes et souvenirs*. Préface de Frédéric Masson. Paris, G. Crès, 1921, 663 p.
Maurice BARRÈS, *Leurs figures*. 1902. Réédition Paris, Livre de poche, 1967, 384 p.
Les Carnets du cardinal Baudrillart, 1914-1918, présentés par Paul CHRISTOPHE. Paris, Éd. du Cerf, 1994, 1047 p.
Monseigneur BESSON, *Vie du cardinal de Bonnechose, archevêque de Rouen*. Rouen, Éditions Retaux-Bray, 1887, 2 vol.
Léon BLUM, *Souvenirs sur l'affaire*. Réédition, préface de Pascal Ory. Paris, Gallimard, 1993, 152 p.
Paul CAMBON, *Correspondances (1870-1924)*. Paris, Grasset, 1940-1946, 3 vol.
Lieutenant-colonel CUNÉO D'ORNANO, *Mes étapes, Notes d'histoire militaire, 1870-1880*. Paris, Société des publications littéraires illustrées, 1910, 266 p.
Isa DARDANO BASSO, *La Princesse Julie Bonaparte, marquise de Roccagiovine et son temps : mémoires inédits, 1853-1870*. Rome, Edizioni di storia e letteratura, 1975, 591 p.
Lucien-Alphonse DAUDET, *L'Impératrice Eugénie*. Paris, Fayard, 1911, 293 p. Réédité en 1922 chez Flammarion sous le titre *L'Inconnue*.
Lucien-Alphonse DAUDET, *Dans l'ombre de l'impératrice Eugénie*. Paris, Gallimard, 1935, 254 p.
Comtesse DES GARETS, *Souvenirs d'une demoiselle d'honneur : l'Impératrice en exil*. Calmann-Levy, Paris, 1929, 282 p.
Ernest DRÉOLLE, *Napoléon IV, Souvenirs de Chislehurst*, Paris, Lachaud, 1873, 45 p.
Jean-Baptiste DRÉOLLE, *La Journée du 4 septembre au Corps législatif. Souvenirs politiques*. Paris, F. Aymot, 1871, 137 p.
Général DU BARAIL, *Mes souvenirs*, tome II, 1864-1879. Paris, Plon-Nourrit, 1896, 611 p.
Maxime DU CAMP, *Souvenirs d'un demi-siècle : la chute du Second Empire et la Troisième République (1870-1882)*. Paris, Hachette, 1949, 359 p.
Henri-Joseph DUGUÉ DE LA FAUCONNERIE, *Souvenirs d'un vieil homme*. Ollendorff, Paris, 1912, 330 p.
Eugène ESCHASSÉRIAUX, *Mémoires d'un grand notable bonapartiste (1823-1906)*, présentés par François Pairault. Québec, Éditions des Sires de Pons, 2000, 366 p.

500

Thomas W. Evans, *Mémoires du docteur Thomas W. Evans*, traduits par E. Philippe. Paris, Plon, 1910, 451 p.

Fidus (Eugène Balleyguier, dit), *Souvenirs d'un impérialiste, journal de 10 ans*. Paris, F. Fetscherin et Chuit, 1886, 2 vol.

Fidus (Eugène Balleyguier, dit), *Journal de Fidus sous la République opportuniste de la mort du Prince Impérial jusqu'à la mort de Gambetta*. Paris, Marpon et Flammarion, 1888, 367 p.

Augustin Filon, *Le Prince impérial, 1856-1879*. Paris, Hachette, 1935, 303 p.

Augustin Filon, *Souvenirs sur l'impératrice Eugénie*. Préf. Ernest Lavisse. Paris, Calmann-Levy, 1920, 336 p.

Général Fleury, *Souvenirs du Général Comte Fleury*. Paris, Plon-Nourrit, 1898, 2 tomes ; tome I, 1837-1859, tome II, 1859-1867.

Jean France, *Trente Ans à la rue des Saussaies. Ligues et complots*. Paris, Gallimard, 1931, 247 p.

Edmond de Goncourt, *Journal des Goncourt*. Paris, G. Charpentier et E. Fasquelle, 1888-1896, 9 vol., in 12. Tome II, 1862-1865, tome III, 1866-1870.

Gabriel Hanotaux, *Mon temps*. Vol. 1 : *De l'Empire à la République*. Paris, Plon, 1933, 355 p.

Ernest d'Hauterive. *Napoléon III et le prince Napoléon : correspondance inédite*. Paris, Calmann-Lévy, 1925, 413 p.

Comte d'Hérisson, *Le Prince impérial*. Paris, Ollendorff, 1913, 423 p.

Baron La Roncière le Noury, *Correspondance intime, 1855-1871*. Paris, H. Champion, 1928-1929, 2 vol. ; t. I, 1855-1861 ; t. II, 1863-1871.

Bernard Lavergne, *Les Deux Présidences de Jules Grévy (1879-1887)*. Mémoires de Bernard Lavergne. Paris, Fischbacher, 1966, 534 p.

Comte de Maugny, *Cinquante Ans de souvenirs, 1859-1909*. Paris, Plon-Nourrit, 1914, 319 p.

Charlemagne-Émile de Maupas, *Mémoires sur le Second Empire*. Paris, Dentu, 1885, tome 2 : *L'Empire*, 572 p.

Gabriel Terrail, dit Mermeix, *Les Coulisses du boulangisme*. Paris, Éd du Cerf, 1890, 379 p.

Ernest Merson, *Confidences d'un journaliste*. Paris, Savine, 1891, 352 ps.

Arthur Meyer, *Ce que mes yeux ont vu*. Paris, Plon-Nourrit, 1911, 433 ps.

Louise Michel, *Souvenirs et aventures de ma vie*. Réédition préparée par Daniel Armogathe. Paris, Maspero, 1983, 437 p.

Prince Poniatowski, *D'un siècle à l'autre*. Paris, Presse de la Cité, 1948, 669 p.

Joseph-Napoléon Primoli, *Pages inédites,* présentées et annotées par Marcello Spaniazi. Rome, Edizioni di storia e litteratura, 1959, 202 p.

Comte de Reiset, *Mes Souvenirs*. Préf. par Robinet de Cléry. Paris, Plon-Nourit, 1901-1913, 3 tomes. Tome II : *La Guerre de Crimée et la Cour de Napoléon III*.

Ernest Renan, *Correspondances (1872-1892)*. Paris, Calmann-Lévy, 1928, 380 p.

Gustave ROTHAN, *Souvenirs diplomatiques. L'Allemagne et l'Italie, 1870-1871*, 2 tomes. Paris, Calmann-Lévy, 1884-1885. Tome I : *L'Allemagne ;* tome 2 : *L'Italie.*

Ethel SMYTH, *Steaks of Life.* London, Longmans, 1921, 246 p.

Comtesse Stéphanie TASCHER de LA PAGERIE, *Mon séjour aux Tuileries,* t. II, 1858-1865. Paris, Ollendorff, 1894.

Émile Ollivier et Carolyne de Sayn-Wittgenstein. Correspondance, 1858-1887. Pub. par Anne TROISIER DE DIAZ. Paris, PUF, 1984, 378 p.

Mémoires du comte Horace de VIEIL-CASTEL sur le règne de Napoléon III. Présentés par Pierre Josserand. Paris, G. Le Prat, 1979-1980, 2 vol.

Eugène-Melchior de VOGÜÉ, *Journal du vicomte Eugène-Melchior de Vogüé, 1877-1883.* Paris, Grasset, 1932, 352 p.

II – INSTRUMENTS DE TRAVAIL

Christophe BOURACHOT, *Bibliographie critique des mémoires sur le Second Empire.* Paris, La Boutique de l'histoire, 1994.

Dictionnaires consultés

Éric ANCEAU, *Dictionnaire des députés du Second Empire.* Rennes, Presses universitaires de Rennes, 1999, 421 p.

Archives nationales, *Le Personnel de l'administration préfectorale, 1800-1880.* Paris, C.H.A.N., 1998, 1159 p.

Dictionnaire de biographie française. Dir. J. BALTEAU, M. BARROUX, M. PRÉVOST et d'AMAT. Paris, Letouzey et Ané, 18 tomes, 1933-1998.

René BARGETON, *Dictionnaire biographique des préfets, septembre 1870-mai 1982.* Publié par les Archives nationales, Paris, 1994, 555 p.

Dictionnaire général de biographie contemporaine française et étrangère. Dir. Adolphe BITARD. Lagny, Colin, 1892.

Henry COSTON, *Dictionnaire de la politique française.* Paris, La Librairie française, 1967-1982, 4 volumes.

Dictionnaire national des contemporains. Dir. E. Curinier. Paris, Off. gal d'éd. de librairie et d'impr., 1899-1919, 6 vol.

Bertrand JOLY, *Dictionnaire biographique et géographique du nationalisme français, 1880-1900.* Paris, Honoré Champion, 1998, 687 p.

Dictionnaire des parlementaires français de 1889 à 1940. Dir. Jean JOLLY. Paris, PUF, 1960, 8 tomes.

Dominique LABARRE de RAILLICOURT, *Nouveau Dictionnaire des biographies françaises.* 1961-1974. Paris, l'auteur, 2 tomes.

Pierre LAROUSSE, *Dictionnaire universel du XIXᵉ.* Paris, 1865-1890, 17 vol. dont deux suppléments.

Paul LEGRAIN, *Le Dictionnaire des Belges.* Bruxelles, Legrain, 1981, 570 p.

Biographie universelle et ancienne (1843-1865). Dir. L.G. MICHAUD, 43 vol., rééd. 1995.

Michel MOURRE, *Dictionnaire d'histoire universelle*. Paris, Éditions universitaires, 1968, 2 vol., 2368 p.

Dictionnaire des parlementaires français de 1789 à 1889. Dir. A. ROBERT et G. COUGNY. Paris, Bourloton, 1891, 5 tomes.

Dictionnaire Napoléon. Dir. Jean TULARD. Fayard, Paris, 1987, 1767 p.

Dictionnaire du Second Empire. Dir. Jean TULARD. Fayard, Paris, 1995, 1347 p.

Benoît YVERT, *Dictionnaires des ministres de 1789 à 1889*. Paris, Perrin, 1990, 1028 p.

Gustave VAPEREAU, *Dictionnaire universel des contemporains*. Paris, Hachette, 1893-1895, 103 p.

Ouvrages sur le gotha

Chantal de BADTS de CUGNAC, *Le Petit Gotha*. Paris, Le Petit Gotha, 1993, 813 p.

Christian CANNUYER, *Les Maisons royales et souveraines d'Europe*. Paris, Brépols, 1989, 274 p.

Arnaud CHAFFAJON, *Histoires de familles royales*. Tome II : *Les Bonaparte*. Paris, Ramsay, 1980, 368 p.

Georges CHAPIER, *Les Alliances matrimoniales entre les maisons de France et de Savoie*. Aurillac, Imprimerie moderne, 1973, 76 p.

Ghislain de DIESBACH, *Les Secrets du Gotha*. Paris, Julliard, 1964, 432 p.

Daniel MANACH, *La Descendance de Louis-Philippe, Roi des Français*. Paris, Éd. Christian, 1988, 223 p.

Joseph VALYNSEELE, *Les Prétendants aux trônes d'Europe*. Paris, L'Auteur, 1967, 459 p.

Joseph VALYNSEELE et Nicole DRENEAU, *Le Gotha français*. Paris, ICC, 1992, 288 p.

Joseph VALYNSEELE, *Le Sang des Bonaparte*. Paris, 1954, 169 p.

III – BIBLIOGRAPHIE GÉNÉRALE

Ouvrages sur la période

– Sur le Second Empire :

Adrien DANSETTE, *Du 2 décembre au 4 septembre*. Paris, Hachette, 1972, 509 p.

Jean GARRIGUES, *La France de 1848 à 1870*. 2ᵉ éd. Paris, A. Colin, 2000, 192 p.

Pierre de LA GORCE, *Histoire du Second Empire*, 7 vol. Paris, Plon, 1894-1905.

Pierre MIQUEL, *Le Second Empire*. Paris, Plon, 1992, 554 p.

Pourquoi réhabiliter le Second Empire ? Dir. par Jean TULARD. Paris, Éd. Bernard Giovanangeli, 1997, 202 p.

Jean-Claude YON, *Le Second Empire. Politique, société, culture.* Paris, A. Colin, 2004, 255 p.

– Sur la politique italienne de Napoléon III :

Raymond BOURGERIE, *Magenta, Solférino (1859) : Napoléon III et le rêve italien.* Paris, Economica, 1993, 144 p.

Andrea CORSINI, *I Bonaparte a Firenze.* Florence, Olschki, 1961, 357 p.

Paul MATTER, *Cavour et l'unité italienne.* Paris, Alcan, 1925, 3 vol., tome 1 : *Avant 1848*, tome 2 : *1848-1856*, tome 3 : *1856-1861*.

Pierre RENOUVIN, *Histoire des relations internationales*, 5 vol. Tome 2 : *1789-1871*. Paris, Hachette, 1994, 706 p.

Pietro SILVA, *La politica di Napoleone III in Italia.* Milan, Societa editrice Alighieri di Albrighi, Segati & Co, 1927.

– Sur la Troisième République :

Jean-Pierre AZÉMA, Michel WINOCK, *La Troisième République.* Paris, Calmann-Lévy, 1969, 382 p.

Jacques CHASTENET, *Histoire de la Troisième République.* Paris, Hachette, 1952-1963, 7 vol.

Louis GIRARD, *La Politique intérieure de la Troisième République (1871-1914).* Paris, Centre de documentation universitaire, 1968, 171 p.

François GOGUEL, *La Politique des partis sous la Troisième République.* Paris, Le Seuil, 1948, 567 p.

Daniel HALÉVY, *La Fin des notables.* Paris, réed. le Livre de poche, 1972, 278 p.

Daniel HALÉVY, *La République des ducs.* Paris, réed. le Livre de poche, 1972, 382 p.

Jean-Marie MAYEUR, *Les Débuts de la Troisième République, 1871-1898.* Paris, Le Seuil, 1973, 250 p.

Pierre MIQUEL, *La Troisième République.* Paris, Fayard, 1989, 739 p.

– Sur les principales crises de la Troisième République :

Pierre BIRNBAUM, *Le Moment antisémite, un tour de France en 1898.* Paris, Fayard, 1998, 399 p.

Jean-Denis BREDIN, *L'Affaire.* Paris, Presses Pocket, 1983, 767 p.

François CARON, *La France des patriotes 1879-1918.* Paris, Firmin-Didot, 1995, 370 p.

Adrien DANSETTE, *Les Affaires de Panama.* Paris, E. Grevin, 1934, 303 p.

Fresnette PISANI-FERRY, *Le coup d'État manqué du 16 mai 1877.* Paris, Robert Laffont, 1965, 335 p.

Ouvrages généraux

L'Invention de la démocratie 1789-1914. Dir. Serge BERSTEIN et Michel WINOCK, Paris, Éd. du Seuil, 2002, 513 p.

Claude NICOLET, *Histoire, Nation, République*. Paris, O. Jacob, 2000, 342 p.
Pierre ROSANVALLON, *La Démocratie inachevée : histoire de la souveraineté du peuple en France*. Paris, Gallimard, 2003, 591 p.
Michel WINOCK, *La Fièvre hexagonale. Les grandes crises politiques, 1871-1968*. Paris, « Points Seuil », 1995, 383 p.
Théodore ZELDIN. *Histoire des passions françaises*. Paris, Le Seuil, « Points Histoire », t. 4, *Colère et politique*. 1981, 495 p.

Ouvrages sur les cadres de la vie politique

Jean-Jacques CHEVALLIER, *Histoire des institutions et des régimes politiques de la France de 1789 à nos jours*. 8ᵉ éd. Paris, Dalloz, 1991, 1028 p.
Jacques GOUAULT, *Comment la France est devenue républicaine ; les élections générales et partielles à l'Assemblée nationale, 1870-1875*. Paris, Armand Colin, 1954, 239 p.
Jean-Marie MAYEUR, *La Vie politique sous la Troisième République* (1870-1940). Paris, Éd. Seuil, 1984, 445 p.
René RÉMOND, *La Vie politique en France depuis 1789*, t. II, *1848-1879*. Paris, Armand Colin, 1969, 381 p.
Odile RUDELLE, *La République absolue : 1870-1889*. Paris, Publications de la Sorbonne, 1982, 327 p.

– Sur la presse :
Pierre ALBERT, *Histoire de la presse politique nationale du début de la Troisième République (1871-1879)*. Université de Paris, thèse de doctorat, 1977. M. Champion Lille, atelier de reproduction des thèses, 1980, 2 tomes, 1599 p.
Pierre ALBERT, Claude BELLANGER, Jacques GODECHOT, Pierre GUIRAL et Fernand TERRON, *Histoire générale de la presse française*. Paris, PUF, 1972, 3 tomes, 688 p.
Henri d'AVENEL, *Histoire de la presse française depuis 1789 jusqu'à nos jours*. Paris, Flammarion, 1900, 884 p.

Ouvrages sur les forces politiques

Pierre LÉVÊQUE, *Histoire des forces politiques en France ;* tome 2 : *1880-1940.* Paris, Armand Colin, 1994, 311 p.

– Sur les droites :
René RÉMOND, *Les Droites en France de 1815 à nos jours*. Paris, Aubier, 1954, 323 p.
Histoire des droites en France. Sous la dir. de Jean-François SIRINELLI. Paris, Gallimard, 1992, 3 vol.

– Sur le bonapartisme :
« *Le bonapartisme, phénomène historique et mythe politique* ». Actes du 13ᵉ colloque historique franco-allemand de Paris, à Augsbourg, du 26 au

30 septembre 1975, publiés par Karl HAMMER et Claus Peter HARTMAN. Müchen, Artemis, 1977, 172 p.

Actes du colloque *La Révolution française et le XIXᵉ siècle*, octobre 1989. Paris, Créaphis, 1992, 429 p.

« *Eugène Rouher* », Actes des journées d'études de Riom et Clermont-Ferrand des 16 et 17 mars 1984. Clermont-Ferrand. Institut d'études du Massif central, 1985, 103 p.

Patrick ANDRÉ, *Les Parlementaires bonapartistes de la Troisième République (1871-1940)*. Thèse de doctorat sous la direction de Jean-Marie Mayeur. 1995. Université de Paris IV, 2 vol., 630 p.

Dictatorship in History and Theory, Bonapartism, Caesarism, and Totalitarism. Edited by Peter BAEHR and Melvin RICHTER. Cambridge Univesity Press, 2004, 308 p.

Jean-Michel BEDAT, *Le Prince Napoléon (1822-1891). Le jérômisme et les jérômistes.* Université de Paris X, mémoire de D.E.A., 1990, 170 p.

Frédéric BLUCHE, *Le Bonapartisme : aux origines de la droite autoritaire.* Nouvelles Éditions latines, Paris, 1980.

Frédéric BLUCHE, *Le Bonapartisme.* Paris, PUF, « Que sais-je ? », 1981, 128 p.

Francis CHOISEL, *Bonapartisme et gaullisme.* Paris, Albatros, 1987, 379 p.

H.A.L. FISHER, *Le Bonapartisme.* Six conférences faites à l'Université de Londres. Paris, Plon-Nourrit, 1908, 235 p.

Docteur FLAMMARION, *Le Bonapartisme, une page d'histoire contemporaine.* Les Éditions napoléoniennes, Paris, 1950, 198 p.

Bernard MÉNAGER, *Les Napoléon du peuple.* Paris, Aubier, 1988, 445 p.

Alfio et Marie-Anne PAPPALARDO, *Le Plonplonismo.* Paris, Éd. SDE, 2004, 867 p.

John ROTHNEY, *Bonapartism after Sedan.* Ithaca N.Y., Cornell University Press, 1969, 360 p.

– Sur le boulangisme et sur le nationalisme :
Adrien DANSETTE, *Le Boulangisme.* Paris, Fayard, 1946, 411 p.

Jean GARRIGUES, *Le Boulangisme.* Paris, PUF, « Que sais-je ? », 1992, 127 p.

Raoul GIRARDET, *Le Nationalisme français : anthologie, 1871-1914.* Paris, Éd. du Seuil, 1983, 275 p.

Jean-Pierre RIOUX, *Nationalisme et conservatisme : la Ligue de la Patrie française.* Paris, Beauchesne, 1977, 117 p.

Nationhood and Nationalism in France : from Boulangism to the Great War 1889-1918. Ed. By Robert Tombs. London, Harper Collins, 1991, 286 p.

– Sur les royalistes :
Marc DESAUBLIAUX, *La Fin du parti royaliste (1889-1890).* Paris, Royaliste, 1986, 248 p.

Louis TESTE, *Les Monarchistes sous la Troisième République.* Paris, A. Rousseau, 1891.

SOURCES ET BIBLIOGRAPHIE

– Sur la naissance de l'extrême droite :
Zeev STERNHELL, *La Droite révolutionnaire, 1885-1914. Les origines françaises du fascisme.* Paris, Le Seuil, 1978, 441 p.
Sous la direction de Michel WINOCK, *Histoire de l'extrême droite en France.* Paris, Éd. du Seuil, 1994, 324 p.

Études régionales

Frédéric CHALARON, *Aspects du bonapartisme : l'exemple du Puy-de-Dôme sous la Troisième République de 1871 au début du XXᵉ (1902).* Université de Clermont-Ferrand II. Thèse de doctorat, 1984, 566 p.
Bernard MÉNAGER, *La Vie politique dans le département du Nord de 1851 à 1877.* Dunkerque, Éditions des Beffrois, 1983, 1286 p.
Jean QUELLIEN, *Bleus, blancs, rouges : politique et élection dans le Calvados, 1879-1939.* Caen, Cahiers des Annales de Normandie, n° 18, 1986, 424 p.
André SIEGFRIED, *Tableau politique de la France de l'Ouest sous la Troisième République.* Paris, Armand Colin, 1913, 536 p.

Ouvrages sur les Bonaparte

Théo ARONSON, *Les Bonaparte, histoire d'une famille.* Paris, Fayard, 1968, 373 p.
André CASTELOT et Alain DECAUX, *L'Histoire de la famille Bonaparte à travers la collection du prince Napoléon.* Paris, Perrin, 1969, 315 p.
Arnaud CHAFFANJON, *Napoléon et l'univers impérial.* Paris, Serg, 1969, 407 p.
Docteur FLAMMARION, *Clotilde de Savoie, Princesse Napoléon (1843-1911).* Paris, Librairie des Beaux-Livres, 1937, 12 p.
Docteur FLAMMARION, *Les Aiglons de France : le Roi de Rome, duc de Reichstadt (1811-1832), le Prince impérial, 1856-1879.* Avignon, Aubanel père, 1942, 64 p.
Paul HAMMES, Cour d'appel de Chambéry. Audience solennelle de rentrée du 16 septembre 1959, « *Le mariage de la princesse Marie-Clotilde de Savoie et du prince Napoléon* ». Chambéry, Cour d'appel, s.d., 39 p.
David LECOMTE, *Le Prince Victor Napoléon, un étranger à Bruxelles.* Mémoire de maîtrise, Université de Louvain-la-Neuve, 1999, 200 p.
Frédéric MASSON, *La Princesse Mathilde après la guerre de 1870.* Conférence donnée à Paris le 22 mars 1912. Paris, Plon-Nourrit et Cie, 1912, 47 p.
Charles NAPOLÉON, *Les Bonaparte, des esprits rebelles.* Paris, Perrin, 2006, 292 p.
Jean-Pierre RIOUX, *Les Bonaparte.* Bruxelles, Complexe, diffusion par PUF, 1982, 2 vol., 478 p.

Ouvrages sur la famille d'Orléans

Marcel BARRIÈRE, *Les Princes d'Orléans.* Paris, Gallimard, 1933, 287 p.
Georges POISSON, *Les Orléans, une famille en quête d'un trône.* 3ᵉ éd. mise à jour. Paris, Perrin, 1999, 406 p.

507

Biographies

Jean A<small>UTIN</small>, *Eugénie de Montijo ou l'empire d'une femme*. Paris, Fayard, 1990, 357 p.

A. A<small>UGUSTIN</small>-T<small>HIERRY</small>, *Le Prince impérial*. Paris, Bernard Grasset, 1935, 267 p.

A. A<small>UGUSTIN</small>-T<small>HIERRY</small>, *La Princesse Mathilde, Notre-Dame des arts*. Paris, Albin Michel, 1950, 331 p.

Jules B<small>ERTAUT</small>, *L'Impératrice Eugénie et son temps*. Paris, Le Livre contemporain, 1956, 311 p.

Marguerite C<small>ASTILLON DU</small> P<small>ERRON</small>, *La Princesse Mathilde*. Paris, Perrin, 1963, 346 p.

André C<small>ASTELOT</small>, *Napoléon III*. Paris, Perrin, 1974, 925 p.

Jean-François C<small>HIAPPE</small>, *Le Comte de Chambord et son mystère*. Paris, Perrin, 1990, 350 p.

Pierre D<small>AYE</small>, *Léopold II*. Paris, Arthème Fayard et Cie, 1934, 584 p.

Jean D<small>ES</small> C<small>ARS</small>, *La Princesse Mathilde*. Paris, Perrin, 1996, 517 p.

Jean D<small>ES</small> C<small>ARS</small>, *Eugénie, la dernière impératrice ou les larmes de la gloire*. Paris, Perrin, 2000, 615 p.

Suzanne D<small>ESTERNES</small> et Henriette C<small>HANDET</small>, *Louis, prince impérial (1856-1879)*. Paris, Hachette, 1957, 248 p.

Suzanne D<small>ESTERNES</small> et Henriette C<small>HANDET</small>, *L'Impératrice Eugénie intime*. Paris, Hachette, 1964, 335 p.

Ghislain de D<small>IESBACH</small>, *Un prince 1900 : Ferdinand Bac*. Paris, Perrin, 2002, 381 p.

Georges-Henri D<small>UMONT</small>, *Léopold II*. Paris, Fayard, 1990, 506 p.

Révérend Père F<small>ANFANI</small> et Marie-Thérèse P<small>ORTE</small>, *Marie-Clotilde de Savoie, princesse Jérôme Napoléon (1843-1911)*. Préface du Révérend Père Gillet. Paris, P. Téqui, 1929, 180 p.

Docteur Jules F<small>LAMMARION</small>, *Un neveu de Napoléon Ier : le Prince Jérôme Napoléon (1822-1891)*. Paris, Tallandier, 1939, 254 p.

Jean G<small>ARRIGUES</small>, *Le Général Boulanger*. Paris, Perrin, 1999, 383 p.

Louis G<small>IRARD</small>, *Napoléon III*. Paris, Fayard, 1986, 548 p.

Jo G<small>ÉRARD</small>, *Le Pharaon des Belges, Léopold II*. Bruxelles, J.-M. Collet, 1984, 468 p.

Karin M. H<small>OFFEN</small>, *Paul de Cassagnac and the authoritarian tradition in nineteenth-century France*. New York, Garland 1991, 385 p.

Egdar H<small>OLT</small>, *Plon-Plon. The life of prince Napoléon*. Londres, Joseph, 1973, 326 p.

Bertrand J<small>OLY</small>, *Paul Déroulède (1846-1914)*. Thèse de doctorat, université de Paris IV, 1996, 1931 p.

Bertrand J<small>OLY</small>, *Déroulède : l'inventeur du nationalisme français*. Paris, Perrin, 1998, 440 p.

Jean-Claude L<small>ACHNITT</small>, *Le Prince impérial « Napoléon IV »*. Paris, Perrin, 1997, 342 p.

Philippe Levillain, *Boulanger, fossoyeur de la monarchie*. Paris, Flammarion, 1982, 224 p.

Bernardine Melchior-Bonnet, *Jérôme Bonaparte ou l'envers de l'épopée*. Paris, Perrin, 1978, 406 p.

Gabriel Merle, *Émile Combes*. Paris, Fayard, 1995, 664 p.

Pierre Milza, *Napoléon III*. Paris, Perrin, 2004, 706 p.

Alexandre Najjar, *Le Procureur de l'Empire Ernest Pinard (1822-1909)*. Paris, Balland, 2001, 363 p.

François Pairault, *Monsieur le Baron : Eugène Eschassériaux, éminence grise du bonapartisme, 1823-1906*. Paris, le Croît vif, 2004, 328 p.

Dominique Paoli, *Clémentine, princesse Napoléon (1872-1955)*. Paris, Éd. Duculot, 1992, 251 p.

Jérôme Picon, *Mathilde, princesse Bonaparte*. Paris, Flammarion, 2005, 416 p.

Antonello Pietromarchi, *Un Romain chez les Bonaparte : le comte Joseph Napoléon Primoli (1851-1927)*. Paris, Tallandier, 1994, 175 p.

Fresnette Pisani-Ferry, *Le Général Boulanger*. Paris, Flammarion, 1969, 295 p.

Evrard Raskin, *Élisabeth de Belgique. Une reine hors du commun*. Bruxelles, éditions Luc Pire, 2006, 317 p.

Jean Rohr, *Victor Duruy, ministre de Napoléon III, essai sur la politique de l'instruction publique au temps de l'Empire libéral*. Paris, Librairie générale de droit et de jurisprudence, 1967, 215 p.

Robert Schnerb, *Rouher et le Second Empire*. Paris, Armand Colin, 1949, 351 p.

Pierre Sorlin, *Waldeck-Rousseau*. Paris, Armand Colin, 1966, 590 p.

William Smith, *Napoléon III*. Paris, Hachette, 1982, 394 p.

William Smith, *Eugénie, impératrice et femme (1826-1920)*. Paris, Orban, 1989, 400 p.

Jean Tulard, *Napoléon ou le mythe du sauveur*. Paris, Fayard, 1977, 496 p.

Clément Vautel, *Le Prince impérial*. Paris, Albin Michel, 1946, 302 p.

Lamberto Vitali, *Un fotografo fin de siècle, il conte Primoli*. Turin, 1968, 312 p.

Ouvrages sur la légende napoléonienne

Jules Dechamps, *Sur la légende de Napoléon*. Paris, Honoré Champion, 1931, 276 p.

Annie Jourdan, *Mythes et légendes de Napoléon. Un destin d'exception entre rêve et réalité*. Toulouse, Éditions Privat, 2004, 229 p.

Luigi Mascilli Migliorini, *Le Mythe du héros. France et Italie après la chute de Napoléon*. Paris, Nouveau Monde éditions. 2002, 217 p.

Natalie Petiteau, *Napoléon de la mythologie à l'histoire*. Paris, Éd. du Seuil, 2004, 458 p.

Jean Tulard, *Le Mythe de Napoléon*. Paris, Armand Colin, 1971, 240 p.

Essais et ouvrages spécialisés

Stéphane AUDOIN-ROUZEAU, *1870, La France dans la guerre*. Paris, Armand Colin, 1989, 420 p.

Jean BAUDRILLARD, *Le Système des objets*. Paris, Gallimard, 1968, 288 p.

Jean-Jacques BECKER, *Comment les Français sont entrés dans la guerre. Contribution à l'étude de l'opinion publique, printemps/été 1914*. Paris, Presses de la Fondation nationale des sciences politiques, 1977, 637 p.

Jacques-Olivier BOUDON, *Paris, capitale religieuse sous le Second Empire*. Paris, Éd. du Cerf, 2001, 560 p.

Joëlle CHEVÉ, *La Noblesse du Périgord*. Paris, Perrin, 1998, 363 p.

Alain CORBIN, *L'Avènement des loisirs, 1850-1960*. Paris, Flammarion, 2001, 466 p.

Dir. Adeline DAUMARD, *Oisiveté et loisirs dans les sociétés occidentales au XIXᵉ siècle*. Colloque organisé par le Centre de recherche d'histoire socialeS de l'Université de Picardie. Abbeville, F. Paillart, 1983, 248 p.

C. DAUPHIN, P. LEBRUN-PÉZERAT, D. POUBLAN, *Ces bonnes lettres. Une correspondance familiale au XIXᵉ siècle*. Paris, Albin Michel, 1995, 396 p.

Jo GÉRARD, *Cinq reines pour la Belgique*. Bruxelles, J.-M. Collet, s.d.

Gustave LE BON, *La Psychologie politique et la défense sociale*. Paris, Flammarion, 1910, 379 p.

Éric MENSION-RIGAU, *Aristocrates et grands bourgeois : éducation, tradition, valeurs*. Paris, Firmin-Didot, 1997, 514 p.

Jean-Marie MOITROUX, *Une banque dans l'histoire : de la banque de Bruxelles à la banque Lambert, à la B.B.L. (1871-1996)*. Bruxelles, Banque Lambert, 1995, 267 p.

Frédéric MONIER, *Le Complot dans la République : stratégies du secret, de Boulanger à la Cagoule*. Paris, La Découverte, 1998, 329 p.

Natalie PETITEAU, *Élites et mobilités : la noblesse d'Empire au XIXᵉ siècle (1808-1914)*. Paris, La Boutique de l'histoire, 1997, 714 p.

François ROTH, *La Guerre de 1870*. Paris, Fayard, 1990, 778 p.

Pierre-André TAGUIEFF, *L'Illusion populiste : de l'archaïque au médiatique*. Paris, Éd. Berg international, 2002, 182 p.

Anne TROISIER DE DIAZ, *Regards sur Émile Ollivier*. Paris, Publications de la Sorbonne, 1985, 364 p.

Dir. Dominique VARRY, *Histoire des bibliothèques françaises*. Tome 3 : *Les bibliothèques de la Révolution et du XIXᵉ siècle (1789-1914)*. Paris, Promodis-Éd. du Cercle de la librairie, 1991, 671 p.

Articles

« La princesse Clotilde intime (1858-1867) ». *Le Correspondant*, 11 juillet 1911, p. 289-306.

Étienne BORNE, « Contradictions du bonapartisme ». *France Forum*, janvier-février 1970, p. 12-23.

Adrien DANSETTE, « Les princes devant la loi d'exil ». *Miroir de l'histoire*, n° 7, août 1950, p. 89-101.

SOURCES ET BIBLIOGRAPHIE

Jules DELAFOSSE, « Le bonapartisme ». *La Revue hebdomadaire*, 1910, p. 308-322.

Baron KERVYN de LETTENHOVE, « Le Prince Napoléon : quelques souvenirs ». *La Revue générale*, 15 juin 1926, p. 662-667.

René LACOUR, « Le bonapartisme sous la Troisième République ». *Cahiers d'histoire*, février 1971, p. 81-87.

Maurice LARKIN, " The pretenders, the army and Déroulède, 1898-1899". *English Historical Review*. 1985, p. 85-105.

Krzysztof POMIAN, « Entre l'invisible et le visible : la collection ». *Libre*, n° 3, 1978, p. 3-56.

Catalogues d'expositions

Napoléon, les Bonaparte et l'Italie. Catalogue de l'exposition au musée Fesch, Ajaccio, 11 avril-30 septembre 2001. Ajaccio, musée Fesch, 2001, 176 p.

La Pourpre et l'Exil : l'aiglon et le prince impérial. Catalogue de l'exposition au Musée national du château de Compiègne, 25 novembre 2004-7 mars 2005. Paris, R.M.N., 2004, 292 p.

Bulletins de sociétés savantes

Bulletin de l'Académie du Second Empire
Revue du Souvenir napoléonien
Revue de l'Institut Napoléon
Revue du Centre d'études et de recherches sur le bonapartisme (C.E.R.B)
Revue des Deux Mondes
Revue d'histoire moderne et contemporaine

Remerciements

Au cours de mes recherches, j'ai eu recours à l'obligeance de nombreuses personnes. Ne pouvant les citer chacune, qu'elles soient ici toutes remerciées. Mais je souhaite adresser une mention particulière à ceux qui m'ont ouvert leurs archives – la princesse de Chimay, Mme Dominique Paoli et M. Rémy Fénerol. Je remercie ma tante, la princesse Napoléon, de m'avoir confié quelques souvenirs sur son beau-père ; Dom Cuthbert Brogan, prieur de l'abbaye de Farnborough, de m'avoir guidée dans ces lieux empreints du souvenir de la famille impériale, et le professeur William Smith d'avoir été l'un de mes premiers lecteurs, et dont les remarques me furent précieuses. Je n'oublie pas l'aide amicale de Thomas Koszul, photographe, qui m'a fourni de nombreux conseils techniques et sans lequel je n'aurai pu illustrer mon travail. J'évoquerai en dernier lieu ceux dont le concours fut indispensable et tout d'abord le professeur Jacques-Olivier Boudon, qui m'a constamment guidée et encouragée. C'est à sa bienveillance que je dois d'avoir achevé ma thèse et ce livre. Mes parents, impliqués à mes côtés, ont toujours cru à ce projet ; et, enfin, celui qui accepte depuis qu'il me connaît de me partager avec un autre...

Index

Abbatucci, Paul Séverin (1821-1888), député de Corse sous le Second Empire, réélu en 1871 : 85

Abrantès, Laure Junot, née Permon, duchesse d' (1784-1838), mémorialiste : 13

Abrantès, Xavier Eugène Maurice Le Ray, duc d' (1846-1900), 4ᵉ duc d'Abrantès à la suite de son mariage en 1869 avec la petite-fille de Laure Junot : 241

Albe, duc d', neveu de l'impératrice Eugénie : 423

Albert Iᵉʳ (1875-1934), roi des Belges le 17 décembre 1909 : 328, 335, 338, 352, 353, 354, 357, 387, 393, 433, 434

Albufera duc d' : *voir* Suchet

Alexandre II (1818-1881), tsar de Russie : 319

Alexandre III (1845-1894), tsar de Russie : 318, 319, 320

Ali, Louis Étienne Saint-Denis, dit le Mameluck Ali (1788-1856), valet de chambre de Napoléon Iᵉʳ : 283

Alphonse XIII (1886-1941), roi d'Espagne : 423

Ambruster, bonapartiste : 417

Amigues, Georges, fils de Jules : 141

Amigues, Jules (1829-1883), publiciste et député bonapartiste du Nord de 1877 à 1878 : 107, 128, 130-132, 135, 136, 138, 139, 141, 143, 147, 174

Andréoli, bonapartiste : 250

Antommarchi, Francesco (1789-1838), médecin de Napoléon à Sainte-Hélène : 415

Aoste : *voir* Savoie

Arenberg duc d', ami du prince Victor : 230

Arrighi de Casanova, Louis Henri Hyancinthe, duc de Padoue (1814-1888), préfet, sénateur et ministre de l'Intérieur sous le Second Empire, il continua la lutte politique après 1870. Député de Corse de 1876 à 1881, il fut un fervent soutien du prince Victor : 85, 86, 93, 98, 99, 184, 185, 187, 191, 265, 323, 415, 416

Auban-Moët : 154, 155

Augouard, Mgr Prosper (1852-1921), vicaire apostolique du Congo français : 387

Aulan, comte d' (1864-1910), député bonapartiste de la Drôme de 1898 à 1902 : 249

517

INDEX

518

Montesquieu, Charles de Secondat, baron de La Brède et de (1689-1755), penseur et philosophe : 281

Montluc, Blaise de Lasseran Massencome, seigneur de (v. 1500-1577), chroniqueur : 280

Morny, Charles Auguste duc de (1811-1865), demi-frère de Napoléon III, ministre de l'Intérieur sous le Second Empire : 38, 277

Moro-Giafferi, Vincent de (1878-1956), avocat de renom, a débuté sa carrière politique dans les rangs bonapartistes : 302, 312

Mouchy : *voir* Noailles

Murat, famille :
– Joachim (1767-1815), maréchal, roi de Naples, ép. Caroline Bonaparte : 17, 18
– Joachim (1834-1901), 4ᵉ prince Murat. Général de brigade sous le Second Empire, il fait partie, après 1870, des fidèles de l'empereur et de l'impératrice : 93, 98, 109, 118
– Joachim (1856-1932), 5ᵉ prince Murat, ép. 1884 Cécile Ney d'Elchingen. Bonapartiste, vice-président du comité politique plébiscitaire du prince Victor en 1911, continue à défendre l'idée bonapartiste après la guerre : 361, 366, 400, 404-406
– Joachim Napoléon Michel, 6ᵉ prince Murat (1885-1938), sert comme lieutenant de cavalerie à la mobilisation de 1914. En 1919, il se retire à Labastide-Murat et se présente aux législatives sur une liste agricole de défense républicaine. Il sera député du Lot de 1919 à 1924 : 400
– comte Joachim Joseph André (1828-1904), petit-neveu du roi de Naples, député bonapartiste du Lot de 1854 à 1870 et de 1871 à 1889 : 84, 126, 240
– Lucien (1803-1878), 3ᵉ prince Murat, député du Lot en 1848, puis sénateur sous le Second Empire : 24
– princesse Malcy Louise Caroline Frédérique née Berthier de Wagram (1832-1884), première épouse de Joachim, 4ᵉ prince Murat : 154

Napoléon, famille
– Napoléon Iᵉʳ (1769-1821), empereur des Français de 1804 à 1815 : 8, 13, 16, 17, 19, 34, 36, 114, 121, 144, 157, 162, 181, 204, 222, 236, 273, 278, 280-283, 287, 289, 290, 292, 303, 377, 379, 381, 383, 386, 392, 402, 405, 408-415, 417, 419, 420, 428, 430, 439
– Napoléon III (1808-1873), empereur des Français de 1852-1870 : 8, 19-39, 42, 48, 52, 54, 55, 58-61, 63-70, 74, 75, 82-95, 105, 120, 121, 123, 128, 131, 144, 149, 157, 162, 176, 178, 181, 218, 222, 236-238, 270, 272-278, 281, 283, 284, 286, 287, 290, 291, 299, 304, 327, 336, 337-339, 361, 377, 379, 381-383, 392, 395, 402, 403, 410, 416, 420, 428, 430, 434, 436, 439
– Napoléon, Joseph, Charles, Paul (1822-1891), prince Napoléon, dit Plon-Plon, père du prince Victor : 8, 18-21, 24-45, 47-58, 64-67, 69-74, 76-78, 80, 90-94, 98, 99, 103, 104, 106, 107, 110, 114, 119-171, 173, 174, 176, 178, 180, 182, 183, 199-207, 209, 212, 214, 215, 222, 223, 232, 233, 240, 264, 268, 276-278, 281, 306, 339, 347, 380, 403, 413

INDEX

Padoue : *voir* Arrighi de Casanova
Palikao : *voir* Cousin-Montauban
Paris comte de : *voir* Orléans
Pascal, Jean Antoine Hippolyte Ernest (1828-1888), préfet de la République puis conseiller d'Etat en 1872, il évolue vers l'Empire. Se présente en 1877, 1879 et 1881 en Gironde sur des listes bonapartiste, mais échoue. Propriétaire et rédacteur en chef de *L'Ordre* à partir de 1879, il s'impose comme théoricien du bonapartisme : 134, 147
Patterson, Elizabeth (1785-1879), première épouse de Jérôme Bonaparte : 17
Péguy, Charles (1873-1914), écrivain : 246
Pellieux, Georges-Gabriel de (1842-1900), général impliqué dans les complots nationalistes : 251, 252, 254
Persigny, Victor Fialin, duc de (1808-1872), homme d'État du Second Empire : 274, 277
Peyrusse, Jules-Victor (1831-1917), député bonapartiste du Gers de 1876 à 1878 et de 1885 à 1898 : 249
Pie VII, Barnaba Chiaramonti (1742-1823), pape en 1800 : 18
Pie VIII, Francesco Saverio Castiglioni (1761-1830), pape de 1829 à 1830 : 35
Pie IX, Giovanni Maria Mastai Ferretti (1792-1878), pape de 1846 à 1878 : 48, 72
Pietri, Franceschini (1835-1915), secrétaire particulier de Napoléon III, il resta au service du prince impérial puis de l'impératrice : 91, 103, 110, 118, 389
Pils, Isidore Alexandre Augustin (1813-1875), peintre orientaliste français : 204
Pinard, Ernest (1822-1909), procureur impérial puis ministre de l'Intérieur de 1867 à 1868 : 62, 71, 123
Piou, Jacques (1838-1932), député conservateur, fondateur de l'Action libérale populaire : 371, 372
Poignant, Georges, publiciste, membre des comités plébiscitaires de la Seine : 396
Poincaré, Raymond (1860-1934), président de la République de 1913 à 1920 : 371, 396
Poitou-Duplessy, Roger, vice-président des Jeunesses plébiscitaires de France : 312
Poniatowski, prince Louis Léopold Charles Marie André (1864-1954) : 59, 317
Popelin, Claudius (1825-1892), émailleur, peintre, lié avec la princesse Mathilde : 169
Poriquet, Charles (1810-1916), bonapartiste, sénateur de l'Orne : 184
Pourtalès, comtesse Edmond de, née Mélanie de Bussière (1836-1914), amie du prince Victor : 316, 317, 366
Prax-Paris, Adrien-Joseph (1829-1909), bonapartiste, député du Tarn-et-Garonne de 1871 à 1902 : 84, 135
Primoli, Charlotte : *voir* Bonaparte

533

TABLE

« Pour l'éditeur, le principe est d'utiliser des papiers composés de fibres naturelles, renouvelables, recyclables et fabriquées à partir de bois issus de forêts qui adoptent un système d'aménagement durable.

En outre, l'éditeur attend de ses fournisseurs de papier qu'ils s'inscrivent dans une démarche de certification environnementale reconnue. »

Photocomposition Nord Compo
Villeneuve d'Ascq

Made at Dunstable, United Kingdom
2023-11-27
http://www.print-info.eu/

33003041R00307